大学博物館事典

――市民に開かれた知とアートのミュージアム――

伊能秀明 監修

日外アソシエーツ

University Museums in Japan

A Directory

Supervised by
Hideaki Iyoku

Compiled by
Nichigai Associates, Inc.

© 2007 Nichigai Associates, Inc.

Printed in Japan

●編集担当● 吉本 哲子
装　丁：赤田 麻衣子

序
新時代の大学博物館をめざして

1. 大学博物館は「知」の玄関—人間文化を知るために

　博物館（Museum）のルーツをたどると、古く紀元前300年ころエジプトの首都アレクサンドリアの宮殿において、詩歌・音楽・舞踊・歴史など芸術・学問をつかさどった女神ミューズ（Muse　ムーサイ）に捧げるため設けた教育研究施設ムーセイオンに行き着くと言われる。ちなみにミューズは、ギリシア神話の最高神ゼウスの娘である。

　現代の博物館について、社会教育法は「社会教育のための機関」（第9条）と定め、博物館法では「資料に関する調査研究をすることを目的とする機関」（第2条第1項）と定めている。

　博物館は、一次資料（モノ）を保管し、信頼できる情報源として活用することを社会的使命としている。そして所蔵資料体系や特長を活かした生涯教育事業を展開することによって、青少年、成人、高齢者に幅広く学習機会を提供するとともに、生涯教育体系の基盤整備や精神文化をふくむ生活の質的向上にも寄与することができる。

　そもそも教育は、世界諸国の国家的戦略である。そして博物館は、過去、現在、未来にわたり、社会と人類に奉仕する教育と研究のための機関といえるのである。

　我が国の大学が運営する博物館においても、こうした役割は同様である。キャンパスには大学博物館が開館し、永年にわたり集積したさまざまな知的資源を公開している。大学博物館は、学術研究の成果を継承し、普及させることを目的とした教育と研究のための機関である。言わば大学博物館こそ、だれでも気軽に出入りできる「知」の玄関である。そこでは、尽きない「知」の泉が、さまざまな興味関心を目覚めさせてくれる。

2. 期待される 21 世紀の大学博物館―社会に開かれた大学の窓口

　国際的な評価が定着している欧米の諸大学においては、学術標本を豊富に収蔵したユニバーシティ・ミュージアムを設置して教育・研究の向上に資するとともに、学術情報の発信・受信基地、あるいは社会に開かれた大学の窓口として、研究成果の展示などで活発に機能しているという。

　近年における大学博物館の歩みをふり返るとき、1995 年 6 月に文部省学術審議会学術情報資料分科会学術資料部会から報告された「ユニバーシティ・ミュージアムの設置について（中間報告）」をきっかけに、従来の学部や学科への係属ではなく、全学共通化・総合化された新しいタイプの大学博物館として、国立大学を中心にユニバーシティ・ミュージアムが整備されてきたことに注目したい。

　1996 年 1 月の本報告では、期待されるユニバーシティ・ミュージアムの機能について、次のように記述している。すなわち「大学において収集・生成された有形の学術標本を整理、保存し、公開・展示し、その情報を提供するとともに、これらの学術標本を対象に組織的に独自の研究・教育を行い、学術研究と高等教育に資することを目的とした施設である。加えて、『地域に開かれた大学』の窓口として展示や講演会等を通じ、人々の多様な学習ニーズにこたえることができる施設でもある。」

　「知」の大競争時代と言われる 21 世紀において、大学博物館は、教育・研究資源の継承と活用だけでなく、創立者や大学関係者の顕彰、建学理念の高揚、大学教育の個性化、生涯学習社会への貢献等さまざまな役割を期待されている。

　その一方で、従来の大学博物館の中には、施設の狭隘さ・老朽化やバリア・フリー化への立ち遅れなどから、利用者の利便性を改善して社会的なニーズへの対応を図るため、博物館施設の新築やリニューアルを計画中の大学もある。周年記念事業や校地再開発計画等にあわ

せて、大学博物館は、今後とも増設や拡充が見込まれるのである。

3. 生涯学習社会における大学博物館のミッション――「知」の社会貢献

　大学を取り巻く経営環境は、大学設置基準の大綱化に基づく競争原理の導入以来、少子高齢社会の本格化、入学適齢期人口の減少を受けて深刻化し、大学「冬」の時代といわれて久しい。

　大学は、優位な教育・研究体制の確立、教育の学際化・国際化、財政基盤の強化など諸局面で厳しい経営努力を迫られており、生き残りをかけて総力戦の時代に突入したと称しても過言ではない。

　このような時代的・社会的状況において、なぜ大学博物館が期待され、増加拡充の傾向が見られるのだろう。思うに、教育・研究資源や人材を有効活用し、「知」の社会貢献を推進する大学博物館の活動は、大学の存在意義を目に見える形でアピールするのに有効な方策だからであろう。このように考えると、大学博物館は、内と外から大学力を鍛え刷新するために有用な仕組みの一つといえる。

　ミュージアムは日々進化する、というのが現実である。21世紀の大学博物館は、社会から受容され共感されるミッション（使命）を掲げて教育・研究の向上に寄与し、そのプロセスを一層活性化してゆくことが望まれる。そこで、『博物館の望ましい姿　市民とともに創る新時代博物館』（財団法人日本博物館協会編）を参照して、大学博物館として相応しいミッションについて考えてみた。以下に例示してみたい。

　　　　　第一に、社会から託された知的資源を探究し、
　　　　　　次世代に継承する大学博物館
　　　　　第二に、知的刺激や愉しさを分かち合い、
　　　　　　新しい価値を創造する大学博物館
　　　　　第三に、社会的な使命を明らかに示し、
　　　　　　開かれた運営をおこなう大学博物館

冒頭でも述べたように博物館のルーツは、紀元前300年ころの教育研究施設ムーセイオンにあるという。もしも博物館の原型に一番近い存在は何か、と問われるなら、それこそ大学博物館だといえるかもしれない。そればかりでなく、大学博物館の充実度は、大学における教育・研究体制の優位性を測るバロメータだとさえ言えるのである。

4. 明治大学博物館による大学博物館リサーチ―本書誕生の経緯

　現在、我が国には四年制大学が740校あまり、短期大学が460校あまり、合計1200校あまりの高等教育機関が開校している（平成18年度文部科学省調べ）。

　大学博物館は、設立の背景がそれぞれ異なるため、所在情報をもれなく把握するのはなかなか困難である。ちなみに全国的な博物館統計によると、大学博物館の総数は103館となっている（財団法人日本博物館協会の平成17年度博物館園数統計参照）。

　明治大学博物館では、1994年12月に大学博物館の所在調査および相互交流の促進を目的として、展示案内や規定等の交換寄贈を諸大学に文書で呼びかけることからリサーチを開始した。

　第一次調査の成果は、1996年3月に発刊した『明治大学博物館研究報告』第一号に掲載した。そこには、我が国の大学博物館に関する博物館法別設置状況、館種別館園数、館種別統計、年次別設置状況、創立年次、都道府県別一覧、全国的な分布状況、施設の比較および所在地一覧などを報告した。引き続いて第二次調査（1996年9月）では北海道・東北・関東・甲信越地方、第三次調査（1997年9月）では東京都、第四次調査（1998年9月）では東海地方以西をそれぞれ調査対象地域に設定して成果を報告した。

　第五次調査（2003年1月）以降は、インターネットの普及に対応して、大学博物館のホームページを一覧表に集約する形式とした。

続く第六次調査（2004年1月）では第五次調査の成果を補充し、第七次調査（2006年1月）では第六次調査の成果を補充して報告した。それによると、博物館設置大学は約180校、大学博物館総数は、総合、歴史、美術、自然史、植物園、水族館、工業科学その他の博物館を含め約270館園にのぼった。それぞれの調査成果については、『明治大学博物館研究報告』の当該年度版を参照されたい。それから北米の大学博物館について調査した成果も第十号に掲載した。

　本書は、上記のようなプロセスを経て集積された基本データをベースとしている。調査には、明治大学博物館事務室（当時）の引田由美子、鈴木さおり、唱桂子、水口尚子、福田香織、熊澤優佳、中台尚秀、織田潤、伊藤麻里の各氏が熱心に協力してくれた。明記して改めて厚く感謝したい。なお、1994年12月から所在調査に着手し、1996年3月に第一次調査の成果を『明治大学博物館研究報告』第一号に掲載して以来、管見のかぎりで後掲の参考文献に記した成果が刊行された。本書編集にあたり、改めて参照したことを付記し、各位の学恩に感謝したい。

5. 市民に開かれた「知」とアートの大学博物館ガイド―本書の特色

　本書は、最近10年間につぎつぎと設立ないしはリニューアルされてきた大学博物館を対象にした、初めての事典である。

　本文は都道府県別・館名（五十音順）で配列した。収録範囲は、今回のアンケートに回答して下さったおよそ130大学の大学博物館等約160館あまりにのぼり、館種は、総合、歴史、美術、自然史、植物園、水族館、工業科学などさまざまなジャンルにわたる。巻末に大学名の五十音順で配列した設置者名索引と、博物館の特色や主要コレクション等のキーワードから検索できる事項名索引を付した。寡聞にして披見のかぎり、類書はない。

　本書は、博物館、美術館、図書館、学校、行政、文化財保護、出

版報道の関係者はもとより、さまざまな目的で大学博物館の利用を希望する一般市民にとっても、有用性の高い手引き書となるように企画編集された。たとえば、大学博物館の沿革・概要、収蔵品・展示概要、生涯教育的な活動内容、利用案内、所在情報などを項目化し、その多彩なプロフィールを分かりやすく伝達するよう工夫した。とりわけ絶滅した動物や絶滅危惧種の剥製、生薬標本、実験用具、アート作品など、これまで学外にはあまり知られていない貴重な大学コレクションの紹介は、国民共有の文化財として活用を促進する上で利用価値が高いと思われる。

　ところで、大学博物館の教育・研究機能を十全に活性化するには、どうしたらよいのだろうか？　万能の方策が見出せない以上、諸大学の博物館が営々とあるいは永々と積み重ねた「知」の営みや先進的事例の中から適切な方途を学び取り、最高学府における博物館職員として教育を担う自負と気概をもって実践する地道な努力が必要だろう。

　そのような時にぜひ本書をひもとき、大学博物館マネジメントの処方箋として、自己点検・評価に資していただければ幸いである。なぜなら、かつて所在調査が進むにつれて、大学博物館の望ましいあり方について視界がしだいに明瞭になってきた実感を持つからである。そうした体験から、将来、ユニバーシティ・ミュージアムを研究対象とする若い世代にも本書を活用していただき、「知」の深淵への思索を深められるよう念願する次第である。そしてもし記述に不備があれば、その修正を通じて、本書をより有意義なガイドに昇華させてくださることを希求したい。

　出版にあたり、日外アソシエーツ株式会社編集局の山下浩理事にご高配を賜り、編集部の吉本哲子氏には編集業務の万端について種々お手を煩わせた。両氏との邂逅に感謝するとともに、お骨折りに衷心より謝意を表したい。また大学博物館リサーチの共同推進者とし

て、平素からデータの更新に協力していただいた明治大学博物館の織田潤氏ならびにアンケートに協力して下さった各館園の皆さまにも心から厚く感謝の意を表したい。

2007年7月

伊能秀明

〈参考文献〉

熊野正也「大学博物館」（倉田公裕監修『博物館学事典』東京堂出版，1996年9月）

株式会社展示学研究所編『日本の大学博物館』（トータルメディア開発研究所，2001年3月）

丹青研究所「全国の大学・短期大学が設置している博物館園一覧表」（季刊『ミュージアム・データ』第56号，2002年3月）

緒方泉「生涯学習社会のユニバーシティ・ミュージアム」（『文明のクロスロード Museum Kyushu』第72号，2003年）

緒方泉編著『日本ユニバーシティ・ミュージアム総覧』（九州産業大学美術館内，2007年2月）

樫村賢二「ユニバーシティ・ミュージアムと学芸員養成課程（別表）」（神奈川大学21世紀COE プログラム研究推進会議『年報　人類文化研究のための非文字資料の体系化』第4号，2007年3月）

凡　　例

1. 本書の内容

　　本書は、全国 130 の大学・短期大学などが設置している総合、歴史、美術、自然史、服飾、楽器、工業科学、植物園、水族館などのさまざまな館種にわたる大学博物館 162 館の沿革・展示内容等を掲載した事典である。

2. 収録の対象

1) 全国の大学が設置している博物館を対象にアンケート調査を行い、各館から寄せられた回答および資料をもとに収録した。
2) アンケート未回答館、休館中の館は掲載しなかった。

3. 掲載事項

1) 以下の事項を、原則として 2007 年 6 月現在で掲載した。
名称／英語名称／館のキャッチフレーズ／沿革・概要／収蔵品・展示概要／収蔵分野・総点数／主な収蔵品・コレクション／展示テーマ／教育活動／調査研究活動／刊行物／所在地／TEL／FAX／URL／E-mail／交通／開館時間／観覧所要時間／入館料／休館日／施設／利用条件／メッセージ／高齢者, 身障者等への配慮／車イスの貸出／身障者用トイレ／無料ロッカー／駐車場／外国語のリーフレット, 解説書／ミュージアムショップ・レストラン／今後 3 年間のリニューアル計画／設立年月日／設置者／館種／責任者／組織
2) 掲載事項の詳細は下記の通り。
(1) 設立年月日は原則として開館年月とし、その詳細については沿革・概要内で述べた。
(2) 責任者については職名を人名の前に付記し、兼任の場合は（　）で

補記した。
　3）掲載内容については、原則としてアンケートの回答を尊重したが、一部用語等の統一を行ったものもある。
　4）写真（外観・収蔵品等）は各館から提供されたものを使用した。

4. 排　　列

　1）全国を「北海道」「東北」「関東」「北陸」「中部・東海」「近畿」「中国・四国」「九州・沖縄」の8ブロックに分け、さらに都道府県別に館名の五十音順で排列した。
　2）濁音・半濁音は清音とみなして排列した。

5. 設置者名索引

　162館を設置者（大学）名の五十音順で排列し、館名と掲載ページを示した。

6. 事項名索引

　各館の代表的な収蔵品名やコレクション名、人名等を五十音順で排列し、館名と掲載ページを示した。

目　次

北海道

札幌国際大学博物館……………3
札幌大学埋蔵文化財展示室………6
東京大学大学院人文社会系研究科
　附属北海文化研究常呂資料陳列
　館……………………………9
北海道医療大学薬学部付属薬用植
　物園・北方系生態観察園……11
北海道大学総合博物館…………15
北海道大学総合博物館　水産科学
　館……………………………21
北海道大学北方生物圏フィールド
　科学センター厚岸臨海実験所附
　属アイカップ自然史博物館…24
北海道大学北方生物圏フィールド
　科学センター植物園…………27
北海道薬科大学薬用植物園……31

東　北

岩手県

岩手大学農学部附属農業教育資料
　館……………………………33
岩手大学ミュージアム…………35
動物の病気標本室………………39

宮城県

東北学院資料室…………………42
東北大学植物園…………………45
東北大学史料館…………………48
東北大学総合学術博物館………51
東北大学大学院薬学研究科附属薬
　用植物園………………………55
東北大学理学部自然史標本館…57
東北福祉大学芹沢銈介美術工芸館
　…………………………………60
東北薬科大学附属薬用植物園…64

秋田県

秋田大学工学資源学部附属鉱業博
　物館……………………………66
雪国民俗館………………………70

山形県

山形大学附属博物館……………73

関　東

茨城県

茨城大学五浦美術文化研究所　天
　心遺跡…………………………77

目　次

流通経済大学三宅雪嶺記念資料館
　………………………………… 80

栃木県

上野記念館………………………… 83
風と光のミニミニ博物館……… 86

埼玉県

跡見学園女子大学花蹊記念資料館
　………………………………… 88
日本工業大学工業技術博物館… 91
武蔵野音楽大学入間キャンパス楽
　器博物館……………………… 95
立正大学博物館………………… 97

千葉県

城西国際大学水田美術館…… 101
城西国際大学　薬草園（大多喜町
　薬草園）……………………… 105
千葉大学海洋バイオシステム研究
　センター（こみなと水族館）…
　………………………………… 107
日本大学松戸歯学部歯学史資料室
　………………………………… 110
和洋女子大学文化資料館…… 112

東京都

上野学園大学日本音楽史研究所…
　………………………………… 116
学習院大学史料館…………… 120
国立音楽大学楽器学資料館… 124
慶應義塾大学アート・センター…
　………………………………… 128
國學院大學考古学資料館（正式名
　称：國學院大學研究開発推進機
　構学術資料館考古学資料館部門）
　………………………………… 132
国際基督教大学博物館湯浅八郎記
　念館…………………………… 135
駒澤大学禅文化歴史博物館… 139
実践女子学園香雪記念資料館……
　………………………………… 143
写大ギャラリー……………… 146
首都大学東京　牧野標本館… 149
昭和女子大学光葉博物館…… 153
杉野学園衣裳博物館………… 156
成蹊学園史料館……………… 158
玉川大学小原國芳記念教育博物館
　………………………………… 161
多摩美術大学美術館………… 165
地球史資料館………………… 169
朝鮮大学校付属朝鮮歴史・自然博
　物館…………………………… 171
津田梅子資料室……………… 173
電気通信大学歴史資料館…… 175
東京海洋大学海洋科学部附属水産
　資料館………………………… 180
東京家政学院生活文化博物館 184
東京藝術大学大学美術館…… 187
東京工業大学百年記念館…… 191
東京純心女子大学　純心ギャラ
　リー…………………………… 196
東京女子医科大学史料室　吉岡彌
　生記念室……………………… 199
東京造形大学美術館………… 202

大学博物館事典　（13）

目　次

　東京大学史料編纂所………… 205
　東京大学総合研究博物館…… 208
　東京大学大学院総合文化研究科・
　　教養学部　自然科学博物館……
　　……………………………… 213
　東京大学大学院総合文化研究科・
　　教養学部　美術博物館…… 216
　東京大学大学院理学系研究科附属
　　植物園……………………… 220
　東京農業大学「食と農」の博物館
　　……………………………… 222
　東京理科大学近代科学資料館……
　　……………………………… 225
　日本女子大学成瀬記念館…… 229
　日本大学芸術学部　芸術資料館…
　　……………………………… 233
　野上記念　法政大学能楽研究所…
　　……………………………… 238
　文化学園服飾博物館………… 241
　武蔵野音楽大学江古田キャンパス
　　楽器博物館………………… 245
　武蔵野音楽大学パルナソス多摩楽
　　器展示室…………………… 247
　武蔵野美術大学美術資料図書館…
　　……………………………… 249
　明治大学博物館……………… 253
　早稲田大学會津八一記念博物館…
　　……………………………… 258
　早稲田大学坪内博士記念演劇博物
　　館…………………………… 261

神奈川県

　女子美アートミュージアム… 266

　日本大学生物資源科学部　博物館
　　……………………………… 269

北　陸

新潟県

　新潟大学旭町学術資料展示館……
　　……………………………… 273
　新潟薬科大学薬学部附属薬用植物
　　園…………………………… 277
　日本歯科大学新潟生命歯学部　医
　　の博物館…………………… 279

富山県

　富山大学薬学部附属薬用植物園…
　　……………………………… 282

石川県

　金沢大学資料館……………… 285
　北陸大学薬学部付属薬用植物園…
　　……………………………… 289

中部・東海

山梨県

　山梨大学水晶展示室………… 292

長野県

　文化学園北竜湖資料館……… 295

（14）　大学博物館事典

目　次

岐阜県

岐阜薬科大学薬草園………… 297

静岡県

静岡県立大学薬用植物園…… 300
静岡大学キャンパスミュージアム
　　　　　　　　　　………… 302
東海大学海洋科学博物館…… 306
東海大学自然史博物館……… 309
常葉美術館…………………… 312

愛知県

愛知県立芸術大学芸術資料館……
　　　　　　　　　　………… 315
愛知県立芸術大学法隆寺金堂壁画
　模写展示館………………… 319
愛知大学記念館（愛知大学東亜同
　文書院大学記念センター）……
　　　　　　　　　　………… 322
中京大学アートギャラリー　C・
　スクエア…………………… 327
中部大学民俗資料室………… 330
名古屋大学博物館…………… 332
南山大学人類学博物館……… 336

三重県

皇學館大学　佐川記念神道博物館
　　　　　　　　　　………… 340

近　畿

滋賀県

滋賀大学経済学部附属史料館……
　　　　　　　　　　………… 343

京都府

大谷大学博物館……………… 347
京都外国語大学　国際文化資料室
　　　　　　　　　　………… 350
京都工芸繊維大学美術工芸資料館
　　　　　　　　　　………… 354
京都嵯峨芸術大学　附属博物館…
　　　　　　　　　　………… 357
京都市立芸術大学芸術資料館……
　　　　　　　　　　………… 359
京都精華大学ギャラリーフロール
　　　　　　　　　　………… 364
京都大学総合博物館………… 368
同志社大学歴史資料館……… 372
新島遺品庫…………………… 375
Neesima Room ……………… 377
花園大学歴史博物館（別称：ZEN
　MUSEUM）………………… 380
佛教大学アジア宗教文化情報研究
　所…………………………… 384
立命館大学国際平和ミュージアム
　　　　　　　　　　………… 387

大阪府

追手門学院大学附属図書館『宮本
　輝ミュージアム』………… 391

大学博物館事典　（15）

目　次

大阪大谷大学博物館……………　394
大阪経済大学70周年記念館ギャラリー…………………………　397
大阪芸術大学博物館……………　400
大阪商業大学商業史博物館……　403
大阪市立大学理学部附属植物園……………………………………　406
大阪大学総合学術博物館………　409
関西大学博物館…………………　413

兵庫県

大阪青山歴史文学博物館………　417
神戸大学　海事博物館…………　421
神戸薬科大学　薬用植物園……　424
中内㓛記念館（分館－流通資料館）……………………………………　427
山口誓子記念館，誓子・波津女俳句俳諧文庫……………………　430

奈良県

帝塚山大学附属博物館…………　434
天理大学附属天理参考館………　436
奈良教育大学　学術情報研究センター　教育資料館……………　440
奈良女子大学記念館……………　443

和歌山県

京都大学白浜水族館……………　447

中国・四国

鳥取県

鳥取短期大学　絣美術館………　450

島根県

島根大学ミュージアム…………　452

岡山県

岡山大学埋蔵文化財調査研究センター…………………………　456
川崎医科大学　現代医学教育博物館……………………………　460

広島県

広島女学院歴史資料館…………　463
広島市立大学芸術資料館………　465
広島大学医学部医学資料館……　468

山口県

梅光学院大学博物館……………　470
山口大学埋蔵文化財資料館……　472

九州・沖縄

福岡県

九州産業大学美術館……………　475
九州大学総合研究博物館………　478
九州大学大学院薬学府附属薬用植物園…………………………　483

目　次

　西南学院大学博物館（ドージャー
　　記念館）……………………　488

長崎県

　長崎純心大学博物館…………　491
　熱帯医学館……………………　495

熊本県

　熊本学園大学　産業資料館…　497
　熊本大学熊薬100周年記念ホール
　　史料室（熊薬ミュージアム）…
　　……………………………　500
　熊本大学工学部研究資料館…　504
　熊本大学五高記念館…………　508
　熊本大学大学院薬学教育部附属薬
　　用植物園……………………　513

大分県

　NBU旧宣教師館「キャラハン邸」
　　………………………………　517
　別府大学附属博物館…………　519

宮崎県

　宮崎大学農学部附属農業博物館…
　　………………………………　523

鹿児島県

　鹿児島国際大学国際文化学部博物
　　館実習施設（考古学ミュージア
　　ム）…………………………　527
　鹿児島大学総合研究博物館…　530
　こども文化研究センター　日本郷

　　土玩具館……………………　534

沖縄県

　琉球大学資料館（風樹館）…　537

索　引

　設置者名索引…………………　541
　事項名索引……………………　549

大学博物館事典

札幌国際大学博物館

本館は学生の学芸員教育のために学内に設置された教育目的の博物館である。平成8年以来、本学では学芸員課程の博物館実習については、学外の博物館に依頼し短期間の実習を引き受けていただいていた。しかし、2週間程度の実習では期間が短いこと、日常的な業務や展示品解説などの業務についても十分な実務的教育を行いたかったことなど、教育的観点から学内に実習施設の設置が望ましいということになった。

そこで平成12年、情報教育センター開設によって空き部屋となっていたLL教室とパソコン室、LL準備室の3室を改装し、大学博物館とすることになった。元北海道大学教授で本学教授だった、吉崎昌一氏の考古学コレクション（約20,000点）の寄託を受けて、考古学資料展示室をオープン。さらに翌年には札幌在住の平野利氏が永年にわたって収集したアイヌ文化資料（80点）の寄贈を受けてアイヌ文化資料展示室をオープンした。学芸員準備室には実体顕微鏡、映像製作用パソコンなども整備し、収蔵庫、書庫も学内に置いた。

現在では人文学部現代文化学科考古学・博物館コースの学生の日常的な教育の場として、また学芸員課程の履修学生の実習施設として活用されている。

実習学生および学生ボランティアによって運営しており、年間135日ほど開館している。専任職員の配置はない。

北海道

【収蔵品・展示概要】
〈考古資料展示室〉
人類の進化・白滝村の遺跡・道南の遺跡・石器の機能・石刃鏃文化・平取町イルエカシ遺跡ジオラマ・サッポロビール浴衣生地のアイヌ衣服・旧石器捏造検証発掘

〈アイヌ文化資料展示室〉
アイヌ衣服収蔵展示・アイヌ衣服と装身具・アイヌ玉・チセ大型写真・チセ内部ジオラマ・木製盆・行器・弓矢・矢筒・イクパスイ・編みかご・鞍

【収蔵分野・総点数】
考古学資料 20,000点、アイヌ民族文化資料 80点

【主な収蔵品/コレクション】
〈吉崎コレクション〉
元北海道大学教授であった吉崎昌一氏が収集した北海道内の考古学資料。旧石器研究では学史的にも有名な黒曜石原産地である白滝遺跡群の資料を収蔵している。白滝遺跡群4地点、13地点、27地点、30地点、32地点、33地点、ホロカ沢I遺跡、大関遺跡、トワルベツ遺跡などの旧石器資料。

〈平野コレクション〉
札幌市在住の平野利氏が収集したアイヌ文化資料。タマサイ、シトキ、イクパスイ、行器、木製盆、刀鞘、鞍、矢筒、弓矢、アイヌ衣服などを収蔵。

【展示テーマ】
企画展「擦文時代の住居」「アイヌのチセ」「樺戸集治監展」「昭和初期の定山渓温泉」

【教育活動】
学外者を対象とした博物館の教育活動は行っていない

【調査研究活動】
上士幌町糠平湖湖岸遺跡群の踏査／アイヌ玉の研究

- 所在地　〒004-8602　北海道札幌市清田区清田4条1丁目4-1　札幌国際大学
- TEL　011-881-8844
- FAX　011-885-3370

- **E-mail** nagasaki@ed.siu.ac.jp
- **交通** 1）札幌市営地下鉄　東西線　南郷18丁目駅から中央バスで10分　札幌国際大学前下車　2）札幌市営地下鉄　東豊線　福住駅から中央バスで10分　札幌国際大学前下車
- **開館時間**　10:00～18:00
- **観覧所要時間**　30分
- **入館料**　無料
- **休館日**　大学授業休講日，4月・9月は閉館
- **施設**　考古学資料展示室（75 ㎡）　アイヌ文化資料展示室（80 ㎡）　学芸員準備室（30 ㎡）　収蔵庫（40 ㎡）　書庫（30 ㎡）　ミニギャラリー（38 ㎡）
- **利用条件**
  (1) 利用を限定する場合の利用条件や資格　特に制限は無いが，40名以上の利用の場合，一度に入館できないのでグループに分けての参観となる
  (2) 調査研究目的で利用する場合の条件や資格　要問い合わせ
- **メッセージ**　本館は教育用博物館ですので，授業開講日しか開館しません。事前に電話で見学希望日をお伝えいただければ，開館いたします
- **高齢者，身障者等への配慮**　バリアフリー
- **車イスの貸出**　なし
- **身障者用トイレ**　なし
- **無料ロッカー**　なし
- **駐車場**　有り
- **外国語のリーフレット，解説書**　なし
- **ミュージアムショップ／レストラン**　なし
- **今後3年間のリニューアル計画**　なし
- **設立年月日**　平成12（2000）年10月28日
- **設置者**　札幌国際大学
- **館種**　私立大学，考古学・民族学
- **責任者**　館長・長崎潤一（人文学部教授）
- **組織**　館長1名（教授）、館員1名（講師）

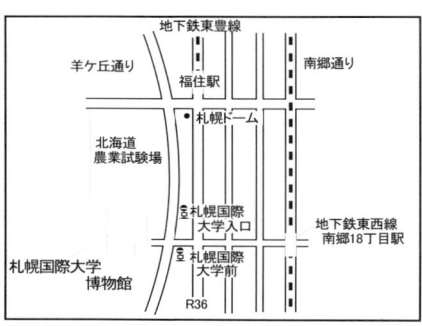

札幌大学埋蔵文化財展示室

Archaeological Museum of Sapporo Univ.

"建学の精神、教育目標「生気あふれる人間」「知性豊かな人間」「信頼される人間」の高揚に資する個性的展示"

　札幌大学は1967年に「生気あふれる開拓者精神」を見学の精神として豊平区羊ケ丘に近い西岡の地に開学された。翌年、札幌大学文化交流特別研究所が付設されて以降、日本列島を含む北アジアの考古学研究を柱とする特色ある活動を積極的に展開してきた。収集されつつある膨大な資料を通した研究への寄与はもとより、大学教育への利用、さらには機会あるごとに一般への公開と活用に努めてきた。
　1989年4月、5号館の施設利用を機に、学内的な研究所の発展的改組が行われ、研究資料の公開を主とした「札幌大学埋蔵文化財展示室」が正式に開設された。その後1997年、文化学部新設にあわせて博物館学芸員資格取得特別課程が設置され、学芸員養成教育の主体を担うこととなった。

【収蔵品・展示概要】
　札幌大学が1967年に開学、翌年札幌大学文化交流特別研究所が付設されて以降、日本列島を含む北アジアの考古学研究を進めてきた。特に、毎年のように北海道を中心に発掘調査を行ってきた結果、多くの考古学資料が収集されたことから、それら発掘品を中心に展示が行われている。

【収蔵分野・総点数】
　北海道の旧石器時代、縄文時代、続縄文時代、擦文時代にかかわる資料を中心に60万点ほどになる。

【主な収蔵品/コレクション】

　白滝の黒曜石原石、旧石器時代の石器、人類化石や動物化石の標本（レプリカを含む）、恵庭市柏木B遺跡（縄文時代後期）の環状土籬出土の石器・土器、石狩町紅葉山33遺跡（続縄文時代）の出土石器・土器など。主に旧石器時代の発掘資料が主体をなしているが、中でも紋別郡遠軽町白滝遠間地点の発掘品が50万点を数える。

【展示テーマ】

　「巨大石器と黒曜石」「生きた、描いた、語らった。坂本直行生誕100年」ほか

【教育活動】

　ものの動きから探る先史時代の世界―自然科学と考古学のまじわり

【調査研究活動】

　紋別郡遠軽町白滝遠間地点の発掘調査

【刊行物】

　『Aru:k』『小清水町アオシマナイ遺跡発掘調査報告』（2003年度）／『紋別郡遠軽町白滝遠間地点の発掘調査概報告』（2004年度）／『紋別郡遠軽町白滝遠間地点の発掘調査概報告』（2005年度）／『紋別郡遠軽町白滝遠間地点の発掘調査概報告』（2006年度）

- **所在地**　〒062-8520　北海道札幌市豊平区西岡3条7丁目3-1　札幌大学5号館
- **TEL**　011-852-9182
- **FAX**　011-836-0215
- **URL**　http://www.sapporo-u.ac.jp/~amus/index.html
- **E-mail**　museum@edu.sapporo-u.ac.jp　hkimura@sapporo-u.ac.jp
- **交通**　1）地下鉄南北線「澄川」駅下車、中央バス西岡月寒線（南81）または下西岡線（南71）乗車し、「札大南門」下車（乗車時間約6分）　2）新千歳空港から北都交通（アパホテル＆リゾート札幌行き）に乗車し「札幌大学前」下車（乗車時間約60分）
- **開館時間**　10:00～16:30
- **観覧所要時間**　45分
- **入館料**　無料
- **休館日**　日・月曜日，及び祝日，その他大学が定める休業日
- **施設**　コンクリート造地上4階建て　建物面積1,730㎡　うち主に1階部分が

北海道

博物館。常設展示面積 63 ㎡　収蔵庫・研究室・事務室など 260 ㎡
・利用条件
　（1）利用を限定する場合の利用条件や資格利用を限定する場合の利用条件や資格　出版物などでの利用、公表については、要事前承諾
　（2）調査研究目的で利用する場合の条件や資格　資料の調査研究成果を公表する場合、要事前連絡
・メッセージ　大学構内、及び展示室前に、駐車スペース有り。ただし、展示室前に限り、大型バスの駐車不可。事前に連絡いただければ、休館日、時間外の見学も可。解説可
・高齢者，身障者等への配慮　段差有り
・車イスの貸出　なし
・身障者用トイレ　有り（別棟）
・無料ロッカー　なし
・駐車場　有り
・外国語のリーフレット，解説書　なし
・ミュージアムショップ/レストラン　なし
・今後 3 年間のリニューアル計画　有り
・設立年月日　平成元（1989）年 4 月 14 日
・設置者　札幌大学
・館種　私立大学，歴史
・責任者　室長・木村英明（文化学部教授）
・組織　2 名(室長 1、嘱託学芸員 1)

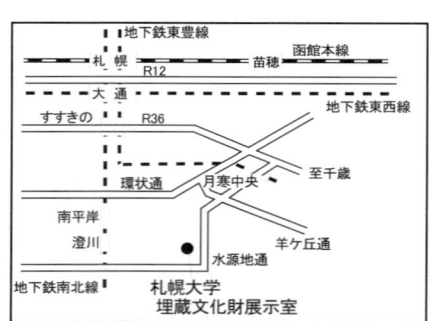

東京大学大学院人文社会系研究科附属
北海文化研究常呂資料陳列館
Tokoro Archaeological Museum, University of Tokyo

　昭和32年以来、東京大学考古学研究室は常呂町（現北見市）において継続的な発掘調査を行ってきた。これらの発掘調査の成果品を広く町民に公開することを目的として、昭和40年に常呂町によって郷土資料館が建設された。昭和42年にはこの建物に東京大学文学部常呂研究室が設置され、また同年7月には常呂町が北海道から補助を得て資料館を建設した。これが現在の東京大学大学院人文社会系研究科常呂資料陳列館である。

【収蔵品・展示概要】
　東京大学が当地で行ってきた一連の発掘調査による出土品を収蔵・展示している。主な遺跡としては、栄浦第一・第二遺跡、トコロ貝塚、岐阜第一・第二・第三遺跡、トコロチャシ跡遺跡、ワッカ遺跡、ライトコロ川口遺跡、ライトコロ右岸遺跡などが挙げられる。土器、石器を中心に、骨角器、木器、金属器などがあり、年代も旧石器時代からアイヌ文化期までと幅広い。学術的に重要な資料を多く収蔵しているが、パネルによる説明など一般市民に分かりやすい展示を心がけている。

【収蔵分野・総点数】
　全て考古資料。約20万点。

北海道

【主な収蔵品 / コレクション】
　岐阜第一〜第三遺跡（旧石器、続縄文、擦文），トコロ貝塚（縄文、続縄文、擦文），トコロチャシ南尾根遺跡（縄文），栄浦第一・第二遺跡（縄文、続縄文、オホーツク、擦文），ワッカ遺跡（擦文），ライトコロ右岸遺跡（擦文），ライトコロ川口遺跡（擦文、アイヌ），トコロチャシ跡遺（縄跡文、続縄文、オホーツク、アイヌ）

- 所在地　〒193-0216　北海道北見市常呂町栄浦384
- TEL　0152-54-2387
- FAX　0152-54-2387
- 交通　1）自動車：北見市から60km・1時間、網走市から50km・50分、女満別空港から60km・1時間　2）路線バス（網走バス・常呂町営バス）
- 開館時間　9:00〜17:00
- 観覧所要時間　60分
- 入館料　無料
- 休館日　火曜日，年末年始
- 施設　鉄筋コンクリート造3階建　建物面積343.44㎡　2階に展示室・作業室があり1階・3階は収蔵室である
- 高齢者，身障者等への配慮　段差有り
- 車イスの貸出　なし
- 身障者用トイレ　なし
- 無料ロッカー　なし
- 駐車場　有り
- 外国語のリーフレット，解説書　有り（英文併記）
- ミュージアムショップ / レストラン　なし
- 今後3年間のリニューアル計画　なし
- 設立年月日　昭和42（1967）年3月31日
- 設置者　国立大学法人　東京大学大学院人文社会系研究科
- 館種　国立大学，考古
- 責任者　館長・立花政夫（人文社会系研究科長・文学部長）
- 組織　館長1名

北海道医療大学薬学部付属薬用植物園・北方系生態観察園

Medicinal Botanic Garden Northern Ecological Garden

　北海道医療大学は全国の国公私立薬系大学の中で最も北に位置している。大学のある当別町の歴史は北海道の中では古く、明治4年、仙台藩岩出山の領主・伊達邦直公が家臣共々移住し開拓を始めてから100年以上の歴史をもつ町である。ここ数年の年間最高気温は30℃、最低気温はマイナス21℃、年間平均気温は7℃で、地表は12月中旬から4月上旬までは雪で覆われるため、比較的地下凍結の少ないところである。

　薬学部附属薬用植物園は昭和60年（1985年）に薬学教育と研究の目的で設立された。

　薬用植物園に隣接する北方系生態観察園は平成9年（1997年）の植生調査開始から4年の年月をかけ平成13年（2001年）に完成した。園内の広さは153,000㎡に及び、全長2kmのウッドチップを敷きつめた散策路がある。

【収蔵品・展示概要】

〈薬学部付属薬用植物園〉

　標本園、栽培園には主に北方系の薬用植物を中心に、59科190種の植物を保有し、貴重な遺伝子資源の系統保存を行っている。中でもムラサキ、ゲンチアナ、ウラルカンゾウ、マオウ、モッコウ、オタネニンジンを特に重要な北方系の薬用植物と位置づけている。温室の面積は342㎡で、その内植栽面積は140㎡。温室内にはケイヒ（シナモン）、ラウオルフィア、キダチアロエ、ナンテン、キンカンなどの薬用植物、トウガラシ、バニラ、コショウなどの香辛料、バナナ、マンゴー、パパイヤ、パイナップル、ライチ、コーヒーノキ、蘭など、

北海道

普段北海道では目にすることのできない熱帯、亜熱帯性の植物が、81科199種、栽培されている。

〈北方系生態観察園〉

雪解け後の4月上旬からはエゾノリュウキンカ、ミズバショウ、カタクリ…そして雪が積もる11月まで四季折々の植物たちの旬（芽出し、花、実）を感じることができる。園内全体が、周囲の田畑に使う農薬の影響をほとんど受けない自然環境になっているため、都市近郊ではなかなか見ることのできなくなったエゾサンショウウオや、アオヤンマ、エゾハルゼミ、ミヤマクワガタ、キアゲハなどの昆虫が多数生息している他、ヤマゲラ、カケスなど色々な野鳥、タヌキ、エゾリス、シマリスなどの小動物も園内に生息している。当園は次世代に残せるステキな里山創生を目指し、林床植物の回復をはかり、豊かなフローラを楽しんでいただけるようにしている。

【収蔵分野・総点数】

〈薬学部付属薬用植物園〉

標本園、栽培園には主に北方系の薬用植物を中心に、59科190種の植物を保有。温室内には普段北海道では目にすることのできない熱帯、亜熱帯性の植物が81科199種栽培されている。

〈北方系生態観察園〉

園内には現在までに114科524種類の植物が自生していることが確認されている。

【主な収蔵品/コレクション】

〈薬学部付属薬用植物園〉

重要な北方系の薬用植物：ムラサキ、ゲンチアナ、ウラルカンゾウ、マオウ、モッコウ、オタネニンジン。

熱帯、亜熱帯性の植物：ケイヒ（シナモン）、ラウオルフィア、キダチアロエ、ナンテン、キンカンなどの薬用植物、トウガラシ、バニラ、コショウなどの香辛料、バナナ、マンゴー、パパイヤ、パイナップル、ライチ、コーヒーノキ、蘭、ヒスイカズラ。

〈北方系生態観察園〉

薬用植物：オニノヤガラ、トチバニンジン、キハダ、ニガキ、ホオノキ。

絶滅危惧種：サルメンエビネなど。

その他：カタクリ、エゾエンゴサク、エゾノリュウキンカなど多数

【教育活動】
　薬草園を見る会（毎年6月）／当別学講座（年1回）／漢方・薬用植物研究会（年3回）

【調査研究活動】
　オニノヤガラ、トチバニンジンの自生調査／笹刈りなどによる自生植物（カタクリ・エゾエンゴサク・ニリンソウなど）の回復・再生の研究

- 所在地　〒061-0293　北海道石狩郡当別町金沢1757　北海道医療大学内
- TEL　0133-23-1211（代表）内線　2045
- FAX　0133-23-1669
- URL　http://www.hoku-iryo-u.ac.jp~yakusou/
- E-mail　yakusou@hoku-iryo-u.ac.jp
- 交通　1）JR北海道を利用の場合　学園都市線、北海道医療大学駅で降車　2）自家用車の場合　国道275号線に沿って走行
- 開館時間　9:00～17:00
- 観覧所要時間　薬用植物園　30分，北方系生態観察園　60分
- 入館料　無料
- 休館日　土・日曜日，祝日，その他学校が定める休業日
- 施設　薬用植物園　標本園・栽培園:3,900㎡　温室:342㎡　北方系生態観察園:153,000㎡
- 利用条件
  （1）利用を限定する場合の利用条件や資格　5名以上のグループで来園の場合は要事前連絡
  （2）調査研究目的で利用する場合の条件や資格　要事前連絡
- メッセージ　一年を通して色々な植物を観察することのできる北方系生態観察園に一度お越し下さい
- 高齢者，身障者等への配慮　段差有り（薬用植物園までは車椅子で入ることができる）
- 車イスの貸出　なし
- 身障者用トイレ　なし
- 無料ロッカー　なし
- 駐車場　有り
- 外国語のリーフレット，解説書　なし
- ミュージアムショップ/レストラン　なし
- 今後3年間のリニューアル計画　なし
- 設立年月日　薬学部付属薬用植

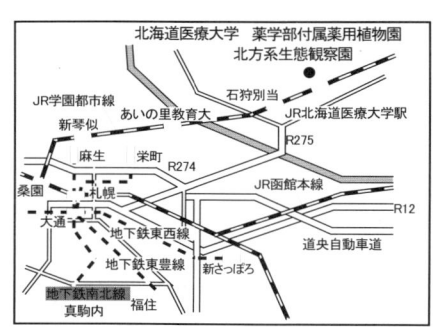

北海道

　　　　　物園：昭和 60（1985）年，北方系生態観察園：平成 9（1997）年
- **設置者**　学校法人　東日本学園
- **館種**　私立大学，植物園
- **責任者**　園長・関崎春雄（薬学部教授）
- **組織**　5 人（園長 1 人、担当准教授 1 人、管理者 3 名）運営企画には、教職員からなる薬用植物園運営委員会が関与している

北海道大学総合博物館

The Hokkaido University Museum

"北海道大学の前身札幌農学校初代教頭 W.S. クラーク博士の言葉「少年よ大志を抱け」を今に伝える学風と、開学以来 130 年余の教育研究の歴史が培った世界的にも貴重な学術資料の展示が最大の魅力"

　北海道大学は、札幌農学校の開校 1876 年（明治 9）以来、現在まで 130 年余にわたる研究の成果として、400 万点を超す貴重な学術標本を所蔵しているが、その中には 1 万数千点に及ぶタイプ（模式）標本が含まれている。全学的な学術資料の集約とその情報を学内外に発信提供するために、1966 年（昭和 41）から総合博物館設置が検討されたが、キャンパス全体の再整備計画等の事情から実現は先送りされてきた。その間、学内からは学術標本の有効活用の要請が増加する一方であり、学外や異なる分野の研究者からは、学術標本の照会や利用希望が増加しており、それに応ずる上からも、総合博物館設置の必要性が高まり、1999 年（平成 11）4 月北海道大学総合博物館が設置された。

　現在の総合博物館は、旧理学部本館を改修して設置されており、旧理学部本館は 1930 年（昭和 5）4 月の北海道帝国大学理学部創設に先だって、1929 年（昭和 4）11 月に完成。札幌における最初の本格的な鉄筋コンクリート造りの建築として当時から注目を集めた。外壁がスクラッチタイルおよびテラコッタ張りで、要所に植物のレリーフを施してある三階の建物は、玄関左右にクロフネツツジをしたがえ、北海道大学のメイン・ストリートに面している。

　総合博物館は、その使命を（1）学術標本の保管・整理、次世代への継承と情報の提供、（2）学術資料を用いた学際的研究分野の開拓、（3）展示・セミナー等を通じた教育普及活動、（4）博物館文化の創造と発信と位置づけ、400 万点

にも及ぶ北海道大学開学以来の貴重な学術標本、資料、芸術作品などの一部を一般公開している。

【収蔵品・展示概要】

北海道大学総合博物館には、世界的に貴重な学術標本や資料が多数所蔵されている。

約9千万年前（白亜紀後期）の大型恐竜「ニッポノサウルス・サハリネンシス（日本竜）」の化石、英国の動物学者ブラキストンが津軽海峡に動物地理上の分布境界線（ブラキストン線）を提唱するに至った本州や北海道で彼自身が採集した255種・約1,300点の鳥類標本や、また、明治時代から現在まで北極から南極に至る世界中の海域や淡水域から採集された膨大な魚類標本のコレクションなどが代表的なものである。

常設展示は、2001年9月に「拓く・究める・そして未来」のテーマで1階部分の展示が完成。その後、2005年11月に「ユニバーシティ・ラボ」のテーマで2階部分の展示が完成し、この段階で、展示コンセプトとして、1階「歴史」「研究結果」、2階「研究方法」、3階「研究材料」というフレームができ上がった。北大の「歴史」を知り、過去から現在まで、130年間にわたり北大の研究室で行われてきた「研究の材料、方法、結果」を、展示室の中を歩くことで自然に理解され、雰囲気がつかめるような展示を行っている。2階部分は、「実物」「模型」「写真」「図」などの「もの自体が訴える力」を強調する展示を、3階部分「学術資料展示」は、地球惑星科学分野の他、獣医学分野、生物分類学分野の学術標本が展示されている。特筆すべき標本としては、地球惑星分野のデスモスティルス（気屯標本）や恐竜ニッポノサウルスの骨格がある。また、企画展示は年間10回程度開催されており、シベリア・マンモス展、モンゴル恐竜展、北大樺太研究の系譜─サハリンの過去・現在・未来─、誕生石展等、博物館教員の研究課題や北海道大学ゆかりの企画展示が開催されている。

【収蔵分野・総点数】

〈生物分野〉

陸上植物標本コレクション（35万点）、菌類標本コレクション（17万点）、海藻標本コレクション（14万点）、昆虫標本コレクション（250万点）、魚類標本コレクション（19万点）

〈地球惑星分野〉

古生物標本コレクション（700点）、岩石・鉱物・鉱石標本コレクション（7万点）、中谷宇吉郎関係コレクション

〈考古分野〉（3 万点）等、これらの中にはタイプ標本 1 万 3 千点を含む。

【主な収蔵品 / コレクション】
〈地質標本　Geological Collection〉
研究展示室に所蔵・保管されている地質標本「化石・岩石・鉱物・鉱石標本」は、総数約 36,000 点（化石：約 19,000 点、岩石：約 5,500 点、鉱物：約 5,500 点、鉱石：約 6,000 点）にのぼる。「金銀鉱石　Gold-Silver Ore」、「知床硫黄山から噴出した自然硫黄　Native Sulfur Flow from Siretoko-Iouzan」、「ダナイト　Dunite」深成岩（かんらん岩の一種）は代表的な展示品である。

〈昆虫標本　SEHU（Collection of Systematic Entomology, Hokkaido University)〉
明治 29 年（1896）、札幌農学校に日本最初の昆虫学教室が松村松年（1872～1960）によって開設された。以来、歴代の教官・学生により日本の昆虫学・昆虫分類学の基となった標本類が蓄積されてきた。現在、総数約 200 万点に及ぶ。特に新種・新亜種・新型記載に用いられた標本が 1 万点以上も含まれている。

〈魚類標本　Fish Collection〉
明治 40 年（1907）から採集され始めた 17 万点を越える膨大な魚類標本が保管されている。

〈菌類標本　Fungi Collection〉
およそ 12 万点からなる。伊藤誠哉、宮部金吾などによる採取標本で「大日本菌類誌」のもとになった標本。多数のタイプ標本を含む。

〈陸上植物標本　Land Plant Collection〉
明治 36 年（1903）以来、札幌農学校―北海道大学で収集された 20 万点あまりの標本からなり、300 点余りのタイプ標本がある。特徴的なコレクションとしては、1）千島・サハリン産標本：2 万点あまりからなる。宮部金吾、工藤祐舜、館脇操、三宅勉らによる採取標本。2）秋山茂雄スゲ属標本：「極東亜産スゲ属植物」の著書で有名な秋山博士の収集標本の一部。5,000 点あまりあり、タイプ標本を含む。

〈海藻標本　Marine Algal Collection〉
昆布漁業の盛んな北海道に立地するため、本学では札幌農学校時代の宮部金吾博士以来、多数の研究者が海藻の研究をおこなってきた。国内の主要な海藻標本のほとんどが本学に所蔵されているといっても過言ではない。農学研究院や水産科学研究院にも貴重な海藻標本が収蔵されているが、とりわけ理学研究院の植物標本室は、前述のスゲ属標本を除くおよそ 12 万点を海藻標本が占め、質・量ともにアジア随一の海藻標本コレクションとして SAP の略号で世界的

〈考古学資料　Archaeological Collection〉

紀元後 5-12 世紀にサハリン南部から北海道北部－東部、千島列島南部の沿岸地帯に展開した海洋民のオホーツク文化資料（標本箱で 800 個分余り）を主に収蔵している。

〈モデルバーン　Model Barn〉

「札幌農学校第二農場」（北大構内北 19 条西 8 丁目）には、明治 10 年（1877）から 44 年にかけて建築された畜舎 10 棟ほどが配置されている。これらのうち Dr. William S. Clark が北海道農業の模範となる畜舎として建設した「産室追込所及耕馬舎（別称：模範家畜房・モデルバーン）」は、北大最古の記念建造物（明治 10 年）であり、それらのなかでも象徴的な建物である。この他、牧牛舎（明治 42 年築）、サイロなどがあり、何れも昭和 44 年（1969）に重要文化財に指定された。現在ではこれらの畜舎群を一般に「モデルバーン」と呼んでいる。

【展示テーマ】

「シベリア・マンモス展―マンモス絶滅の謎に迫る―」「新着標本展：チョウとガに魅せられた研究者たち」（以上 2005 年）、「北大樺太研究の系譜―サハリンの過去・現在・未来―」「モンゴルの恐竜展」「二十一世紀の武士道―北大に通底する精神の系譜」（以上 2006 年）など

【教育活動】

北大総合博物館では、年間 40 回余りのセミナー開催の他、年 4 回程度のシンポジウムを開催しており、市民セミナーは以下の四つに区分される。

1）土曜市民セミナー：北大総合博物館が主催する市民向けセミナー。
2）21 世紀 COE「新・自然史科学創成」総合博物館・市民セミナー：21 世紀 COE「新・自然史科学創成」と共催で行う市民向けセミナー。
3）企画展示関連セミナー：北大総合博物館で行う企画展示と関連した市民向けセミナー。
4）総合博物館セミナー：企画展示や総合博物館・大学と関係のある外部イベントと関連した市民向けセミナー。

また、シンポジウムは、全て市民らが自由に参加できるかたちで、海外や学外の団体との活発な情報交換・研究活動を示すものとなっている。

【調査研究活動】

千島列島・サハリン地域の生物多様性・生物地理学，東アジアの生物多様性

と生物地理学／日本とその周辺地域における熱水活動と金属鉱化作用／オホーツク文化の生活復元・起源の解明，北太平洋地域の海産生物（魚類・海藻）の生物分類学・系統学／脊椎動物の古生物学

【刊行物】
　研究報告
　（第 2 号 Bulletin of the Hokkaido University Museum,No.2. March, 2004. "Biodiversity and Biogeography of the Kuril Islands and Sakhalin, Volume, 1.", 第 3 号 Bulletin of the Hokkaido University Museum, No. 3. October, 2006. "Biodiversity and Biogeography of the Kuril Islands and Sakhalin, Volume, 2."）
　学術標本資料集（データベース）／学術シンポジウム記録集（『「蝦夷からアイヌへ」予稿集』，『「骨から探るオホーツク人の生活とルーツ」予稿集』）／パンフレット・ブックレット類（『北海道大学総合博物館ニュース』，『北海道大学総合博物館年報　平成16（2004）年度』，図録（『魚類の多様性』，『きのこの自然史』，『北大理学部教授室 N123　中谷宇吉郎研究室』，『内田正練とその時代』，『北大樺太研究の系譜　サハリンの過去・現在・未来』）

- **所在地**　〒060-0810　北海道札幌市北区北 10 条西 8 丁目
- **TEL**　011-706-2658
- **FAX**　011-706-4029
- **URL**　http://www.museum.hokudai.ac.jp/
- **E-mail**　museum-jimu@museum.hokudai.ac.jp
- **交通**　JR 札幌駅北口より徒歩 10 分
- **開館時間**　10:00 〜 16:00（6 月〜 10 月　9:30 〜 16:30）
- **観覧所要時間**　60 分
- **入館料**　無料
- **休館日**　月曜日（祝日の場合は翌日），年末年始，臨時開館・休館あり
- **施設**　北海道大学総合博物館の建物は、1930（昭和 5）年に理学部本館として建築された建物を、2000（平成 12）年に約 3,000 ㎡を改修工事した建物である。今後約 6,000 ㎡の改修工事を待っている状態にある。展示室部分：1,738 ㎡（1 階 1,032 ㎡　2 階 591 ㎡　3 階 115 ㎡）
- **利用条件**
  （1）利用を限定する場合の利用条件や資格　特になし。
  （2）調査研究目的で利用する場合の条件や資格　事前申込みの必要あり。
- **メッセージ**　博物館は、1999 年の開館以来、早くも 30 万人を超える来館者を迎えており、北海道大学キャンパスの中心部に位置する好環境の中、周辺には、北海道の観光スポットとなっている「北大ポプラ並木」や「クラーク博士の像」もある

- ・高齢者，身障者等への配慮　バリアフリー
- ・車イスの貸出　有り
- ・身障者用トイレ　有り
- ・無料ロッカー　有り
- ・駐車場　有り
- ・外国語のリーフレット，解説書　有り
- ・ミュージアムショップ / レストラン　2階にミュージアムショップがあり、博物館及び大学のオリジナルグッズを販売
- ・今後3年間のリニューアル計画　なし
- ・設立年月日　平成11（1999）年4月
- ・設置者　国立大学法人　北海道大学
- ・館種　国立大学，総合
- ・責任者　館長・馬渡駿介（理学研究院教授）
- ・組織　20名（館長1、教員9、研究支援推進員2、事務職員2、事務補助員1、派遣職員5）

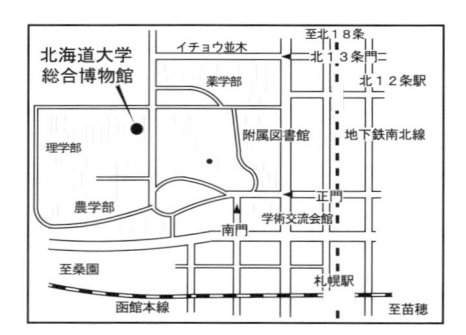

北海道大学総合博物館　水産科学館

　水産科学館は北海道大学函館キャンパスに位置し、1958年に開館した本館、1982年に増設された別館、および1988年に旧北洋研究施設を改装・整備した水産生物標本館から構成されている。水産科学館の目的は、(1) 水産関係資料、特に北方関係の実物・標本・模型・文献類を収集し、(2) これらを、整理・分類の上保管し、(3) 教育研究用の資料目録・解説書を刊行し、(4) 国内外の研究者に当該データを提供するとともに、水産関係の知識を一般に普及することにあり、広く学生、市民に公開されている。

　水産科学館は、従来は北大水産学部の展示施設で、「水産資料館」の名称で親しまれてきたが、2007年4月から総合博物館の分館となり、それにともない名称を現在のものにあらためた。

【収蔵品・展示概要】
　本館第一標本室には、世界の代表的な魚類約550種を系統進化の順に配列・展示している。この中には普段見ることのできない深海性サメ類のラブカや、全長1mを越えるアカマンボウなど、ユニークな魚類も多く含まれる。これらの標本のうち、無顎類、軟骨魚類、およびアンコウ類についてはアクリル水槽による展示を行っている。その他、軟体動物や海藻類の標本も陳列され、その中には世界的にも貴重な頭足類（タコ・イカの仲間）の標本が含まれる。

　本館第二標本室には、江戸時代から明治初期まで本州と北海道を往復した弁財船（和商船）、明治期に全国各地で使用された和船などの日本の漁船の発達

を研究する上で貴重な資料である漁船模型をはじめ、網具模型、釣具模型など約2,500種6,000点を展示している。

本館第三標本室では、真珠、貝細工、鼈甲などの水産加工製品、および水産増殖や海洋関係の写真、パネル、模型など約700種1,800点を展示している。

別館には、北大水産学部の歩みを示す関係資料、おしょろ丸や北星丸などの水産学部練習船、潜水艇くろしお号などの模型や船舶関係資料、主として北方系の海鳥や海獣類の剥製・骨格を展示している。なかでも、全長約15mのニタリクジラの完全骨格標本は学術的価値が高い。

【収蔵分野・総点数】

魚類標本：約19万点；ほ乳類剥製標本：約10点；鳥類剥製標本：約30点；漁業関係資料：約6,000点；水産加工製品・増養殖資料：約1,800点　など

【主な収蔵品/コレクション】

〈魚類コレクション〉

収蔵数は現在では約19万点にのぼり、世界的にも有数のコレクションとして知られている。これらの標本は国内はもちろんのこと、世界中の海洋や淡水域から本学の教官、学生などによって採集されており、深海性アンコウ類などの希少種や、サメ・エイ類、チョウザメ類などの多くの大型標本も含まれる。大型標本は約20個のFRP製水槽に保管しているが、大型標本を多数所有している研究機関は少なく、当コレクションの大きな特徴のひとつと言える。

その他、東北・北海道近海、オホーツク海、ベーリング海などから採集されたカジカ類、クサウオ類、ゲンゲ類などの北方系魚類標本が多数収蔵されていることも、当コレクションの特色である。これらの標本を用いて、これまで約120種が新種として記載されており、指定されたタイプ標本は約800点にのぼる。タイプ標本は遮光・施錠された別室で厳重に管理されている。

【教育活動】

海洋生物と水産科学への興味・関心を深めていただくことを目的として、2003年度から月に1回（6～10月）の割合で、ミニレクチャーを開催している。対象は主に小学5～6年生で、水産科学研究院の教員が講師を行っている。これまでヤドカリ、サメ、サケ、イカなどをテーマとしてあつかった。

- **所在地**　〒041-8611　北海道函館市港町3-1-1　北海道大学函館キャンパス内
- **TEL**　0138-40-5553

- FAX　0138-40-5553
- URL　http://www.museum.hokudai.ac.jp/organization/fisheries/
- E-mail　fish-mus@fish.hokudai.ac.jp（ただし、今後変更の可能性あり）
- **交通**　函館バス（北大方面各系統、北大前あるいは北大裏　下車）
- **開館時間**　10:00〜16:30（5月〜10月の第1・第3土曜日は9:30〜12:30）
- **観覧所要時間**　60分
- **入館料**　無料
- **休館日**　土曜日（ただし5月〜10月の第1・第3土曜日は開館），日曜日，祝・祭日，年末年始（12月28日〜1月4日）
- **施設**　本館：一部鉄筋コンクリート　ブロック造2階建　延396.7㎡　別館：鉄筋コンクリート平屋建　延332㎡
- **高齢者，身障者等への配慮**　段差有り
- **車イスの貸出**　なし
- **身障者用トイレ**　なし
- **無料ロッカー**　なし
- **駐車場**　有り
- **外国語のリーフレット，解説書**　なし
- **今後3年間のリニューアル計画**　現在リニューアル中
- **設立年月日**　昭和33（1958）年7月
- **設置者**　国立大学法人　北海道大学
- **館種**　国立大学
- **責任者**　館長・矢部衞（水産科学研究院教授）

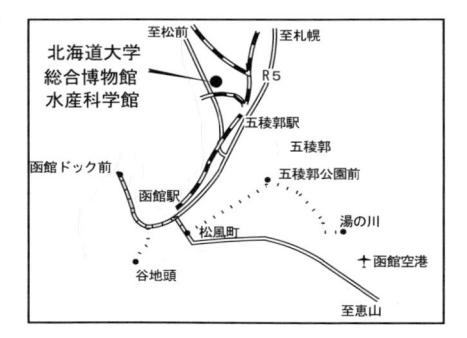

北海道大学北方生物圏フィールド科学センター
厚岸臨海実験所附属アイカップ自然史博物館

Aikappu Museum of Natural History, Akkeshi Marine Station, Field Science Center for Northern Biosphere, Hokkaido University

　1931年に北海道厚岸郡厚岸町愛冠の地に北海道帝国大学理学部の附属臨海実験所が設置された。太平洋戦争終戦後の1949年に、愛冠にあった軍の木造の兵舎が北海道大学に移管され附属標本博物館となり、博物館法による指定施設として一般に公開された。1965年に縦覧規程を設け、5月より10月まで有料で一般公開している。博物館の建物は1989年に現在のものに改築され、名称も愛冠（アイカップ）自然史博物館と改称された。2001年に当臨海実験所は理学部を離れ、他の多くの北海道大学の野外研究教育施設と共に北方生物圏フィールド科学センターの構成施設となったが、それに伴いアイカップ自然史博物館も同センターに移り現在に至っている。

【収蔵品・展示概要】
　北海道東部地方に生息する動物を中心に、岩石・鉱物・化石も含め約2000点の標本を展示している。
　展示物は、
　1）哺乳類
　2）鳥類
　3）魚類・海産無脊椎動物
　4）昆虫類
　5）岩石・鉱物

6）化石

の6つのコーナーに分けて展示している。

【主な収蔵品/コレクション】
　哺乳類の主な剥製展示物としては、ヒグマ、エゾシカ、ゼニガタアザラシなどが、鳥類としては、シマフクロウ（天然記念物）、タンチョウ（特別天然記念物）、オジロワシ（天然記念物）、エトピリカ、オオワシなどがある。

【展示テーマ】
　標本展示の他に、年変わりの写真展示あり。厚岸の自然風景写真展／きのこの写真展　など

【教育活動】
　自然観察会（2004,2005,2006年度実施）

【刊行物】
　2003〜2004年　北海道大学北方生物圏フィールド科学センター厚岸臨海実験所報告／2005〜2006年　北海道大学北方生物圏フィールド科学センター厚岸臨海実験所報告

- 所在地　〒088-1113　北海道厚岸郡厚岸町愛冠
- TEL　0153-52-2056（臨海実験所代表電話）
- FAX　0153-52-2042（臨海実験所事務室）
- URL　http://bio2.sci.hokudai.ac.jp/bio/akkeshi/
- E-mail　akk-jim@fsc.hokudai.ac.jp
- 交通　1）JR厚岸駅前から愛冠行きのバス（くしろバス）が1日2便出ている。愛冠バス停からは徒歩3分。国泰寺までであれば開館時間帯に4便ある。国泰寺バス停から博物館までは徒歩約30〜40分　2）JR厚岸駅からタクシー（TEL:0153-52-2137）で約15分（約2000円）。JR厚岸駅へはJR釧路駅から列車で約40〜50分。くしろバスのダイヤはhttp://www.kushirobus.jp/index.html 参照。
- 開館時間　9:00〜16:30
- 観覧所要時間　30〜60分
- 入館料　大人　230円,小人（小学生）120円　団体（30人以上）は大人190円,小人90円
- 休館日　毎週月・火曜日（祝日を除く）,開館期間は5月1日〜10月31日
- 施設　面積653㎡　主展示室、小展示室、研修室、資料保管室、事務室（受付）、テラス

北海道

- 利用条件
  (1) 利用を限定する場合の利用条件や資格　なし
  (2) 調査研究目的で利用する場合の条件や資格　厚岸臨海実験所に利用を申し込み，許可を得る。
- メッセージ　アイカップ自然史博物館は厚岸道立自然公園の中にあります。博物館は厚岸町の観光スポットである愛冠岬に向かう途上にあり，周辺は自然林に囲まれていて，エゾシカ，キタキツネ，シマリスに出会うこともある自然豊かな場所にあります。博物館から愛冠岬に向かう途中にある遊歩道の分岐を右に向かうと厚岸臨海実験所のある海辺に下ることができます。駐車場は愛冠岬駐車場をご利用願います。当駐車場からアイカップ自然史博物館まで林の中を徒歩3分，愛冠岬に向かう道の途中にあります
- 高齢者，身障者等への配慮　段差有り
- 車イスの貸出　なし
- 身障者用トイレ　なし
- 無料ロッカー　なし
- 駐車場　有り
- 外国語のリーフレット，解説書　なし
- ミュージアムショップ／レストラン　なし
- 今後3年間のリニューアル計画　なし
- 設立年月日　昭和24（1949）年
- 設置者　国立大学法人　北海道大学
- 館種　国立大学，自然史（動物・鉱物・化石）
- 責任者　館長・佐野清（厚岸臨海実験所所長）
- 組織　5名（うち4名は臨海実験所と併任）

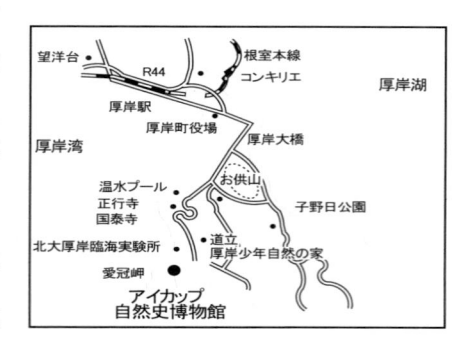

北海道大学北方生物圏
フィールド科学センター植物園

Botanic Garden, Field Science Center for
Northern Biosphere, Hokkaido University

　北海道大学の前身にあたる札幌農学校では、教頭 W.S. クラークの建言に基づき、植物園の設立を計画していた。当初はキャンパス内に植物園を設置する計画であったが、移管された開拓使の牧羊場をその用地として設置することに決定した。札幌農学校卒業生である助教宮部金吾をその設計責任者として計画が進められ、1886（明治 19）年に札幌農学校植物園が開園した。

　石狩川支流の豊平川の扇状地に位置するこの植物園は、明治初期の自然地形をそのまま生かした設計がなされ、大学における教育・研究に資するために分科園が置かれ、北海道や北方域の植物を中心に、外国からの導入植物を含め約 4000 種類の植物が育成・植栽されている。

　大学の教育研究の場としての役割とともに、古くから社会教育の場としても位置づけられ、一般公開されており、市民の憩いの場として、また札幌観光のスポットとしても位置づけられている。

　札幌農学校の名称変更や改組に伴い、1919（大正 8）年より農学部附属植物園として、教育研究活動を実施することとなった。

　植物園内にある博物館は、1877（明治 10）年に開拓使が設置した札幌仮博物場を起源とする博物館である。開拓使は札幌、函館、東京に博物館を設置し、開拓行政の促進を図った。その活動拡充の一環として 1882（明治 15）年に新設された札幌博物場が現在の植物園博物館である。

　この博物館は、1884（明治 17）年に札幌農学校に移管され、農学校演武場内にあった標本室の資料と合わせ、札幌農学校所属博物館としての活動を開始

した。

　開拓使時代に収集された歴史資料に加え、所属する教官の研究分野である、動物学、考古学、民族学など様々な分野の標本・資料を保存・管理し、教育研究支援を行ってきている。同時に、学内の関連分野の教官・学生の研究資料などについても、継続的に受け入れ活用してきた。

　植物園と博物館は、2001（平成13）年に、北方生物圏フィールド科学センター改組に伴い統合し、現在は「植物園」として活動を行っている。

【収蔵品・展示概要】
〈植物園の展示〉

　高山植物園、カナディアンロックガーデン、灌木園、樹木園、北方民族植物標本園、草本分科園、バラ園、針葉樹林、樹木園などの分科園および温室と、基本的に手を加えないで管理する自然林からなる園内では、北海道の植物を中心に植物の多様性、分類について理解できるように植栽、管理している。

　展示コンセプトとしては、フラワーガーデンのようなきらびやかな空間を作り出すのではなく、できる限り植物のありのままの様子を観察できるようにすることとしており、高山植物園では大雪山トムラウシ8合目を模した庭園整備を行っている。

　収集は、北海道に自生する植物を中心に進めているが、特に絶滅危惧植物保存拠点園として、北方域、高山帯の絶滅危惧植物の保存・増殖に力を入れている。

〈博物館の展示〉

　博物館本館では、北海道の自然、歴史、文化について展示を行っている。北方民族資料室では、アイヌ民族を中心とした北方域の民族文化資料を展示している。いずれも、大学における研究成果としての標本・資料が展示の中心となっている。

　収集方針は、大学における調査研究の成果を保存し、それを利活用することが基本であり、特定の方針に限定することなく、柔軟に対応している。DNAサンプル採取用の液浸標本をあわせて作製するなど、利用者の研究動向に応じた対応をすることを方針としている。

　また、鳥類標本・小型哺乳類標本のコレクションが、重要資料として位置づけられていることから、関係機関の協力を得て継続的に収集している。

【収蔵分野・総点数】
〈植物（生標本）〉
　約4,000種類　うち樹木約3,000本　さく葉標本　約50,000点

〈博物館部門〉
約58,000点　動物　約30,000点　考古　約19,000点　民族　約3,500点　歴史　約280点

【主な収蔵品／コレクション】
〈標本・資料〉
開拓使博物館時代の動物標本（絶滅したエゾオオカミ剥製など）・アイヌ民族資料（丸木舟：重要文化財）・ブラキストン線の提唱の根拠となった鳥類標本、初期の南極観測に協力した際に入手した関連資料。ただし、特定のコレクションよりも、継続して収集・活用されてきたことによるすべての標本・資料に附属する情報の蓄積から得られる研究のための情報が重要であると位置づけている。博物館建築自体が重要文化財として指定されている

【展示テーマ】
絶滅危惧植物展（BGCI・日本植物園協会共催　巡回展）

【教育活動】
北大植物園　冬の観察会（小学生家族向けの公開講座）

【刊行物】
『北大植物園研究紀要』『北大植物園資料目録』『北大植物園技術報告・年次報告』

- 所在地　〒060-0003　北海道札幌市中央区北3条西8丁目
- TEL　011-221-0066
- FAX　011-221-0664
- URL　http://www.hokudai.ac.jp/fsc/bg/index.html
- E-mail　admin-bg@fsc.hokudai.ac.jp
- 交通　JR札幌駅、市営地下鉄さっぽろ駅・大通駅から徒歩10分
- 開館時間　4月29日〜9月30日　9:00〜16:30、10月1日〜11月3日　9:00〜16:00、11月4日〜4月28日（温室のみ）　10:00〜15:00（土曜日は10:00〜12:00）
- 観覧所要時間　120分程度
- 入館料　4月29日〜11月3日　大人400円、小人280円（団体割引あり）、11月4日〜4月28日　110円
- 休館日　4月29日〜11月3日の月曜日（祝日の場合は翌日）、11月4日〜4月28日の日曜日、12月28日〜1月4日

北海道

- **施設** 植物園面積 13.3ha 〈展示施設〉博物館本館（自然史・考古・歴史資料展示）、北方民族資料室（アイヌ民族を中心とした北方諸民族文化資料展示）、宮部金吾記念館（初代園長宮部金吾の遺品資料を中心とした、植物園、札幌農学校資料展示） 博物館附属の重要文化財・登録文化財建築群
- **利用条件**
  (1) 利用を限定する場合の利用条件や資格　なし
  (2) 調査研究目的で利用する場合の条件や資格　研究成果の提出
- **高齢者，身障者等への配慮**　一部段差有り
- **車イスの貸出**　有り
- **身障者用トイレ**　有り
- **無料ロッカー**　有り
- **駐車場**　なし
- **外国語のリーフレット，解説書**　有り
- **ミュージアムショップ/レストラン**　なし
- **設置者**　国立大学法人　北海道大学
- **館種**　国立大学，総合・植物

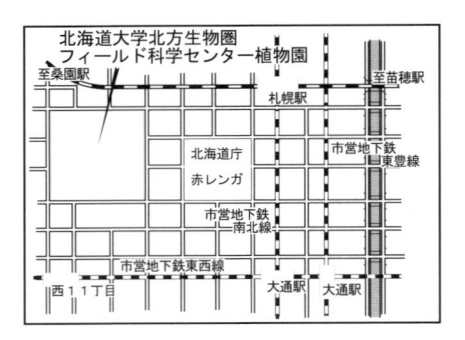

北海道薬科大学薬用植物園

Medicinal Botanical Garden

　昭和49年北海道薬科大学の設立と同時にキャンパス内に付属施設として設置された。以後、教育と研究目的のために整備され、主に北方系の薬用植物とともに自然の生態を出来るだけ生かした状態で維持・管理されている。

　校舎内には、標本館が設置されて生薬標本を所蔵し、授業等に役立てている。

　平成19年度より薬用植物園を一般開放して、市民に対して薬用植物に関する認識を深める機会を設け、啓蒙活動にも力を入れている。

【収蔵品・展示概要】
　薬用植物園は、主に北方系薬用植物を中心に標本園として、種の維持・管理をしている。温室は、主に北方の路地では越冬できない種を維持・管理している。標本室は、授業に関連した乾燥した生薬標本を管理している。平成19年度より、いずれの施設も一般開放し自由に見学できるようにした。

【収蔵分野・総点数】
　植物園には自生しているものも含めて約300種、温室には約20種、標本館には約200点が展示されている。

【主な収蔵品/コレクション】
　薬用植物および生薬標本として特徴的なものは、トリカブトの種類が豊富にあること。

【教育活動】

薬剤師教育センター主催の認定薬剤師のための見学実習（2005・2006・2007年度）／「薬用植物の見学会」を一般の人を対象に実施（2007年7月15日）

- 所在地　〒047-0264　北海道小樽市桂岡町7-1
- TEL　0134-62-5111
- FAX　0134-62-5161
- URL　http://www.hokuyakudai.ac.jp
- 交通　函館本線銭函駅より中央バスにて薬大前下車徒歩5分
- 開館時間　9:00～16:00（月～金）
- 入館料　無料
- 休館日　5月10日～10月31日の土・日曜日および夏期休暇期間，11月1日～翌5月9日の全日
- 施設　植物園は3,290㎡　温室は87.34㎡　標本館は118.24㎡
- 利用条件
  （1）利用を限定する場合の利用条件や資格　5名以上で施設のガイドを希望する場合は，1週間前に事前要予約
  （2）調査研究目的で利用する場合の条件や資格　施設内の資料を用いた調査研究には許可が必要
- メッセージ　5月10日～10月31日の夏期休暇期間を除く，月～金曜日の9:00～16:00まで自由に開放している
- 高齢者，身障者等への配慮　段差有り
- 車イスの貸出　なし
- 身障者用トイレ　なし
- 無料ロッカー　なし
- 駐車場　有り
- 外国語のリーフレット，解説書　なし
- ミュージアムショップ/レストラン　なし
- 今後3年間のリニューアル計画　なし
- 設立年月日　昭和49（1974）年
- 設置者　北海道薬科大学（法人名　北海道尚志学園）
- 館種　私立大学，薬用植物および生薬標本
- 責任者　園長・坂東英雄（教授）
- 組織　園長1，主任1，運営委員2および作業員2が担当し，薬用植物園運営委員会が掌理している

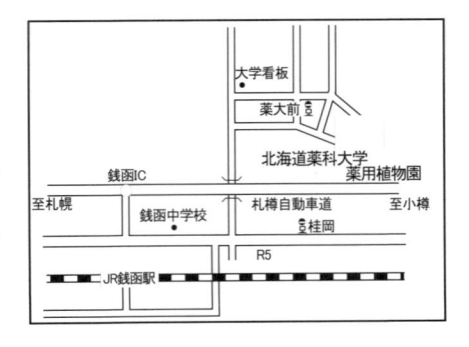

岩手県

岩手大学農学部附属農業教育資料館

　1902年（明治35年）にわが国最初の高等農林学校として設置された盛岡高等農林学校の本館として、1912年（明治45年）5月に起工し、同年（大正元年）11月に竣工した。青森ヒバを用いた明治後期を代表する木造二階建ての欧風建築で、一階は校長室、事務室、会議室などに、二階は大講堂として、諸行事に使われていた。学制改革により岩手大学が設置されてからは、大学本部として1974年（昭和49年）まで使用された。

　老朽化が激しくなったこともあり、一時は取り壊しも検討されたが、歴史的建造物の修復保存の声があがり、1978年（昭和53年）農学部附属農業教育資料館として再活用されることとなった。改造が少なく保存状態も良好であることから、1994年（平成6年）7月12日には国の重要文化財の指定を受けた。

　館内には盛岡高等農林学校創立以来、今日までの農学部における農学教育・研究の資料と、主として宮澤賢治の在学中の資料の一部を展示公開している。

【収蔵品・展示概要】

　資料展示室には、盛岡高等農林学校時代の教材用標本、図譜類、実験器具、当時の教官の研究業績の一部（鈴木梅太郎博士研究報告、大獄了博士遺品、内田繁太郎博士の笹標本）その他の歴史的資料、卒業生の著書、寄贈図書、専門図書などが展示されている。

　宮澤賢治関係資料としては、在学当時の「校友会会報」、「注文の多い料理店」、遺言による「国訳妙法蓮華教」などの原本、賢治及び同級生らの得業論文（卒

岩手県

業論文)、「岩手県稗貫郡地質および土性調査報告書」、「アザリア」(一部)、「雨ニモ負ケズ」、恩師関豊太郎宛「手紙」などの複写、賢治全集、写真などがある。その他関連資料として、玉利喜造校長、関教授の冷害関係研究資料や後年の手帳、賢治に師事した松田甚次郎関係の資料、野鳥標本などがある。

近年の資料としては、吉林農業大学関係、岩手大学大学院連合農学研究科の関係資料が展示されている。

- **所在地** 〒020-8550　岩手県盛岡市上田三丁目18-8
- **TEL** 019-621-6103
- **URL** http://www.museum.iwate-u.ac.jp/shiryoukan/shiryoukan.html#anchor2
- **交通** 1)盛岡駅前バスターミナル11番のりばから岩手県交通バス上田線「松園バスターミナル行き」または駅桜台団地線「桜台団地行き」乗車、「岩手大学前」下車　2)盛岡駅から徒歩25分　3)盛岡駅からタクシー利用約10分
- **開館時間** 10:00～15:00
- **入館料** 一般140円(90円)、高校・大学生100円(70円)、小・中学生70円(40円)　( )内は20名以上の団体料金
- **休館日** 土・日曜日、祝日(ただしゴールデンウィークの始まり～10月末は土・日・祝日も開館)、お盆休みあり(5日間程度)、その他大学が定めた日
- **施設** 木造2階建て
- **設立年月日** 昭和53(1978)年より資料館として使用
- **設置者** 国立大学法人　岩手大学
- **館種** 国立大学

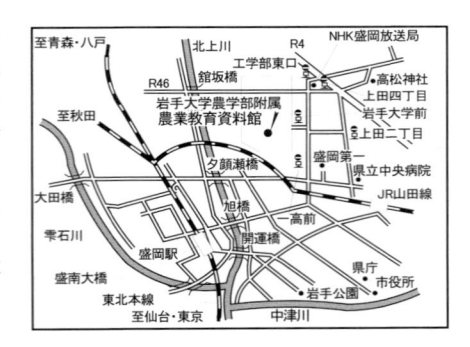

岩手県

岩手大学ミュージアム

Iwate University Museum

"岩手大学まるごとミュージアム"

ミュージアム本館は、盛岡高等農林学校時代に図書室として使われていたものであり、宮澤賢治も在学中に生物学、鉱物学、文学、芸術などの学問を吸収した現場でもあった。

一時期、放送大学岩手学習センターとして使われていたが、2003年10月、四つの学部のこれまでの研究業績を整理し、展示・公開するためにミュージアム本館として新たに生まれ変わった。

ここでは、本学でこれまで約100年間に大学が取り組んできた、家畜疾病防遏（ぼうあつ）、東北寒冷地農業に関する研究（農学部）、北上川の治水、利水、環境対策（工学部）など、地域へ貢献した研究業績の紹介や縄文時代、胆沢城、徳丹城、志波城などに関する考古資料（人文社会科学部、教育学部）などを展示・公開している。（常設展示室）

また、企画展示室では、期間を限定し、大学が保有する貴重な資料を展示することとしている。

【収蔵品・展示概要】

岩手大学の各学部がそれぞれの前身を含めて、この100年間にどのような地域貢献をしたかをコンセプトに展示を試みた。北上川と松尾鉱山、岩手県の歴史探求、農林畜産業に対し岩手大学が地域に貢献した研究を展示している。また企画展示として獣医・畜産の学生の教材として使用した模型を展示している。

まだ非公開であるが、植物標本室には、農学部と教育学部にあった16万点のさく葉標本（押し葉）が収められている。これは東北大学に次ぐコレクショ

岩手県

ンで、現在須田裕名誉教授によってその整理が進められている。このように大学の研究者が生涯をかけて研究した成果を整理し維持管理して後世に残すことが大学ミュージアム本来の任務である。

【収蔵分野・総点数】
　総計　289,987 点：植物標本　151,193、動物標本　124,622、調査資料類　6,332、考古学　3,563、鉱物標本　1,503、実験研究資料　1,129、器具・模型　888、著書・雑誌類　302、芸術作品　248、その他　207

【主な収蔵品／コレクション】
　HS8 型電子顕微鏡、前沢町川岸場遺跡出土縄文土器、新渡戸文書、雑書、海表面温度測定ブイ、アジア地域合成衛星画像、衛星から見た岩手県の床タイル、両頭水晶、破砕転圧工法模型、牛のワラビ中毒・梁川病・牛白血病・鶏のマレック病・牛海綿状脳症病理標本、牛・馬・犬の解剖模型、馬の腸石、牛の毛球、インドゾウの上腕骨、馬の耳骨、馬の骨格標本、食肉の模型、家畜の図譜、馬・牛・豚のタイプ標本、須川長之助採取植物標本、アジアの蝶、ニホンカモシカ・オットセイの剥製、アンモナイト、オームガイ

【展示テーマ】
　「地域史研究の進展と岩手大学」「豊かな生活環境の構築と岩手大学」「農林畜産業と岩手大学」「宮沢賢治と植物園・自然観察園」「須川長之助翁と岩手大学」

【教育活動】
　岩手県の考古学／岩手県における中世・近世史料調査と史料集の刊行／北上川とその流域の豊かな環境を目指して／リモートセンシングと岩手大学／盛岡高等農林学校と宮沢賢治・鈴木梅太郎

【調査研究活動】
　岩手大学における考古資料の整備／岩手大学ミュージアム植物標本の整備／岩手県における伝統的生活文化を伝える有形民俗資料／岩手大学における昆虫標本の整備／岩手大学における動物病理学標本の整備

【刊行物】
　ミュージアムガイドブック／ミュージアムガイドブックダイジェスト版／ミュージアム目録／標本室へようこそ／上田の杜

岩手県

- 所在地　〒020-8550　岩手県盛岡市上田3丁目18-8
- TEL　019-621-6685
- FAX　019-621-6685
- URL　http://www.museum.iwate-u.ac.jp
- E-mail　museum@iwate-u.ac.jp
- 交通　JR盛岡駅バスターミナル11番のりば上田線「松園バスターミナル行き」に乗車し、「岩手大学前」で下車
- 開館時間　10:00～15:00
- 観覧所要時間　60分
- 入館料　無料
- 休館日　年末年始、大学が定める一斉休業日
- 施設　木造2階建て　第1展示室116㎡　第2展示室46㎡　第3展示室69㎡　植物標本室98㎡　研究員室25㎡　ボランティアスタッフルーム28㎡　準備室45㎡　計　1階354㎡　2階73㎡
- 利用条件
  (1) 利用を限定する場合の利用条件や資格　なし
  (2) 調査研究目的で利用する場合の条件や資格　検討中
- メッセージ　岩手大学は学生数約6,300名、教職員数約900名(内教員数約470名)の大学です。面積は上田地区だけで42万㎡あります。岩手大学ミュージアムは2001年7月19日に設置されました。岩手大学には50万点の資料と標本があります。これらは先生方が実学を通して社会や地域に貢献するために頑張ってきた汗の結晶です。これらの財産を教育研究に活用するだけでなく、一般の皆さんにも活用していただきたいと思います。また岩手大学は豊かな環境に恵まれています。植物園、自然観察園、農業教育資料館も広く公開しますので、総合的な博物館として岩手大学をまるごと楽しんでください
- 高齢者、身障者等への配慮　バリアフリー
- 車イスの貸出　有り
- 身障者用トイレ　有り
- 無料ロッカー　なし
- 駐車場　有り
- 外国語のリーフレット、解説書　なし
- ミュージアムショップ/レストラン　なし
- 今後3年間のリニューアル計画　なし
- 設立年月日　平成13(2001)年7月設置　平成15(2003)年10月開館
- 設置者　国立大学法人　岩手大

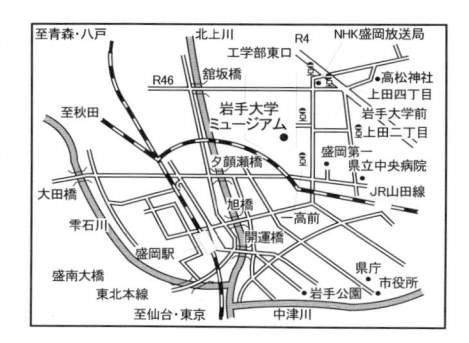

東北

大学博物館事典　37

岩手県

　　　学
- **館種**　国立大学，総合
- **責任者**　館長・岡田幸助（教授）
- **組織**　専任 0 名、兼務教員 3 名、受付派遣職員 3 名、事務担当（兼務）3 名、（部門委員 16 名、解説ボランティア 49 名 / 平成 19 年度）

岩手県

動物の病気標本室

Museum of Veterinary Medicine

"標本室へようこそ"

　明治35年3月盛岡高等農林学校が設置され、獣医学教育が開始された。家畜病理学教室の初代教授である可児岩吉はその当時から標本収集に努められたと思われる。開学9年前の馬の皮様嚢腫と黒肉腫の標本が最古のものである。その後今日まで100年の長年にわたって獣医学の教育用・研究用の標本が収集整理され、保管されたことはまことに驚異に値する。その数、約2,000点、牛、馬、豚、鶏など産業動物全般にわたり、犬、猫などの伴侶動物も当初から含まれている。標本はそれぞれの動物の重要疾病をほとんど網羅すると共に、各時代を反映し、現在の我が国ではほとんど見られなくなった馬の伝染性貧血、鼻疽など重要な歴史的標本も存在する。

　明治44年に着任された菊池賢次郎教授は特に病理学、寄生虫学に興味を持たれ、数多くの貴重な標本を収集整備された。その種類は現在でもなお日本一である。

　昭和28年度より、特に本学のために文部省から標本維持費が配当され、以来標本瓶の整備、固定保存液の更新、新標本の作製補充などその維持整備に努めてきた。標本採取には菊池賢次郎、三浦定夫、大島寛一の歴代教授が当たられたことは勿論であるが、展示標本を作製した田中、沼宮内両氏および専攻学生の陰の力は忘れることができない。

　当初、このように貴重な標本が旧木造校舎の一室に保管されていたが、火災の不安を抱えるため、昭和29年当時唯一の鉄筋コンクリート建造物であった教養部理科棟に保管された。昭和38年、現在の標本室が建設され、その後暖

岩手県

房器の設置、床の張り替えなど数回の補修を経て現在に至っている。

【収蔵品・展示概要】
　獣医学科標本室は、盛岡高等農林学校創設時から現在に至る100年の間に集められた家畜の重要な病気の標本が展示されている。農学部創設当時から教授陣は実物の標本を学生に見せることの重要さを認識し、家畜の病理解剖で得られた標本を大切に保管し、学生の教育に活用してきた。これらの標本は順次補充され、現在では約2,000点の標本が収蔵・展示されている。
　標本は、馬、牛、豚、犬、猫、鶏など獣医学で扱う動物の全てを網羅しており、本学の獣医学が家畜の疾病と闘ってきた歴史を知ることができる。それらの中には、馬伝染性貧血や鼻疽（びそ）など現在では見られなくなった病理標本もあり、特に貴重な標本として保存されている。

【収蔵分野・総点数】
　循環器系　167、造血器系　58、呼吸器系　147、消化器系　406、神経系　75、泌尿器系　142、生殖器系　109、運動器系　107、内分泌系　5、皮膚　63、奇形　89、寄生虫　331、その他　289、総計　1988点

【主な収蔵品／コレクション】
　牛と馬のワラビ中毒、牛の白血病、馬の伝染性貧血、馬の鼻疽、鶏のマレック病、牛のアカバネ病、ニホンカモシカの伝染性膿疱性皮炎、ウマバエ幼虫による胃炎、馬の寄生虫性動脈瘤、インド象の頭骸骨、馬の耳骨、馬の蹄葉炎、馬の腸石、馬の年齢鑑別用歯牙標本、シャンモア号の心臓

【展示テーマ】
　動物の病気

【教育活動】
　動物病理学総論、各論

【調査研究活動】
　牛白血病に関する研究／鶏の疾病に関する研究／犬、猫の病気に関する研究／野生動物の病気に関する研究

【刊行物】
岩手大学標本室収蔵目録／標本室へようこそ

- 所在地　〒020-8550　岩手県盛岡市上田3丁目18-8　岩手大学農学部内
- TEL　019-621-6216
- FAX　019-621-6274
- URL　http://muvetmed.agr.iwate-u.ac.jp/
- E-mail　kosuke@iwate-u.ac.jp
- 交通　JR 盛岡駅バスターミナル 11 番のりば上田線「松園バスターミナル行き」に乗車し、「岩手大学前」で下車
- 開館時間　通常は閉館、申し込みにより開館する。
- 観覧所要時間　120分
- 入館料　無料
- 休館日　通常は閉館
- 施設　コンクリート　RC-1　165㎡
- 利用条件
  （1）利用を限定する場合の利用条件や資格　見学に際してはあらかじめ申し込みが必要
  （2）調査研究目的で利用する場合の条件や資格　相談に応じる
- メッセージ　通常は閉館している。一部は岩手大学ミュージアムで常時展示しているのでそちらをご覧いただきたい
- 高齢者，身障者等への配慮　段差有り
- 車イスの貸出　なし
- 身障者用トイレ　なし
- 無料ロッカー　なし
- 駐車場　有り
- 外国語のリーフレット，解説書　有り
- ミュージアムショップ/レストラン　なし
- 今後3年間のリニューアル計画　なし
- 設立年月日　明治35（1902）年10月1日
- 設置者　国立大学法人　岩手大学
- 館種　国立大学，獣医病理標本
- 責任者　室長・岡田幸助（教授）
- 組織　教授1，准教授1，助教1

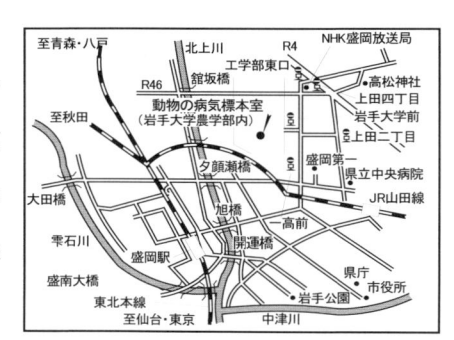

宮城県

東北学院資料室

Tohoku Gakuin Archives

　東北学院資料室は、仙台神学校時代から今日に至るまでの東北学院に関する歴史を将来に伝承するとともに、「建学の精神」に関連する資料を収集・保存・展示し、東北学院の発展に資することを目的として、平成13年5月15日（本院創立記念日）に土樋キャンパスラーハウザー記念礼拝堂地階に開設された。

　現在、本院創設の三校祖（押川方義、W.E. ホーイ、D.B. シュネーダー）に関わる写真や資料を中心に常設展示（約250点）のほか、特別展示企画展も併設して実施している。

　特別展示企画展では、平成15年6月に「大正デモクラシーと東北学院」調査委員会が発足し、本学の理事長でもあり学内外で活躍した杉山元治郎と鈴木義男に焦点をあて、平成16年からその研究成果を継続し特別展として展示している。

【収蔵品・展示概要】

　常設展示では、本院創設の三校祖（押川方義、W.E. ホーイ、D.B. シュネーダー）に関わる写真や資料を中心に展示し、創設者の思いやその精神を伝え、本院の「建学の精神」とミッションスクールとしての本院の歴史と魅力を来館者に理解いただくことをモットーに展示。

　特別展示では、本院に関わる人物をより多義にわたり調査を実施し、関係資料を収集するとともに研究成果を特別展として継続し展示する。

〈常設展〉
　三校祖関係資料　押川方義：書私印・書画・パネル等 55 点、W.E. ホーイ：ホーイ編さん「The Japan Evangelist」他資料・パネル等 8 点、D.B. シュネーダー愛用の机・椅子・「我は福音を恥とせず」レコード・パネル・書画等 45 点、東北学院資料　仙台神学校レプリカ・労働会日誌・中会資料等 44 点、公印 13 点、東二番町他定礎碑・パネル・資料等 29 点
〈特別展〉
　杉山元治郎関係資料等：サイプルから杉山元治郎宛のはがき他資料・パネル・書画等 30 点、鈴木義男関係資料等：鈴木義男が多数執筆している「東北文学」雑誌等資料・パネル等 30 点

【展示テーマ】
　平成 16 年〜「大正デモクラシーと東北学院—杉山元治郎と鈴木義男」特別企画展

【刊行物】
　資料室運営委員会において、平成 15 年 6 月に「大正デモクラシーと東北学院」調査委員会が発足し、本院で日本における大正デモクラシー発展にそれぞれ特有の仕方で深くかかわった二人（本院の理事長でもある）杉山元治郎と鈴木義男に焦点をあて、4 年の歳月をかけ調査・研究を実施し、その集大成として 2006 年 10 月に「大正デモクラシーと東北学院—杉山元治郎と鈴木義男—」（図録）を刊行した。

- 所在地　〒980-8511　宮城県仙台市青葉区土樋一丁目 3-1
- TEL　022-264-6423
- FAX　022-264-6478
- URL　http://www.tohoku-gakuin.ac.jp
- E-mail　koho@tohoku-gakuin.ac.jp
- 交通　JR 仙台駅から地下鉄五橋駅下車徒歩 5 分
- 開館時間　授業期間中：月〜金 10:30 〜 16:00　土 10:30 〜 12:00、長期休暇中（夏季・冬季・春季休業期間）：月〜金 10:00 〜 15:30
- 観覧所要時間　60 分
- 入館料　無料
- 休館日　授業期間中：祝祭日、長期休暇中（夏季・冬季・春季休業期間）：土曜日・祝祭日、その他大学の定める休業日
- 施設　土樋キャンパスラーハウザー記念礼拝堂地階にあり、展示場と資料保管スペースを含め 285 ㎡。また事務室内（広報課）には、本学の創設から現在

宮城県

　　に至るまでの写真や画像・音声等のデータが収蔵庫に収められ、事務室と資
　　料閲覧室も合わせ延床面積は391㎡
・利用条件
　（1）利用を限定する場合の利用条件や資格　所蔵資料の利用は閲覧のみ団体見
　　学で展示解説希望者は、見学日の7日前に要連絡
　（2）調査研究目的で利用する場合の条件や資格　資料の調査研究成果を公表・
　　書物刊行する場合は、要連絡
・高齢者，身障者等への配慮　段差有り
・車イスの貸出　なし
・身障者用トイレ　なし
・無料ロッカー　なし
・駐車場　なし
・外国語のリーフレット，解説書　なし
・ミュージアムショップ/レストラン　なし
・今後3年間のリニューアル計画　なし
・設立年月日　平成13（2001）年5月15日
・設置者　学校法人　東北学院
・館種　私立大学，歴史
・責任者　運営委員長・星宮望（学院長・大学長）
・組織　資料室運営委員会が資料室事業を検討し、広報課員6名（広報課長1、課長補佐1、課員3、臨時職員1）が、資料室を管理運営

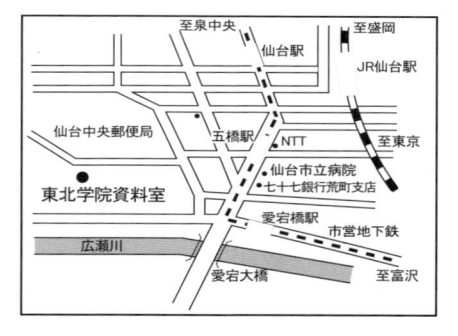

宮城県

東北大学植物園

Botanical gardens, Tohoku University

"大都市の中に残された多様性の森、天然記念物「青葉山」"

　東北大学植物園は、1600年伊達政宗によって築城が開始された仙台城の後背地に位置しており、防備上の理由から御裏林として、一般人の立ち入りが厳しく制限されていた。明治維新後、その管理は、旧陸軍、米軍、東北大学へと引き継がれたが、この青葉山の森林に人の手が加わることは少なかったため、大都市では稀に見る貴重な自然林が残されている。東北大学では、1958年に東北大学理学部附属植物園を設置し、この貴重な自然である青葉山を含む地域（49ha）の3分の1を一般公開地域として広く学内外に開放し、大学の研究・教育および一般の生涯教育に役立てている。植物園は、約8割が宮城県地方の丘陵地の気候的極相林とされるモミーイヌブナ林に覆われており、自然生態系が良好に保全されていることから敷地内の39haが1972年に国指定の天然記念物「青葉山」に指定された。また、2003年には、仙台城址として国指定史跡にも指定された。

【収蔵品・展示概要】
　〈本園〉
　観察路を設置し、天然記念物「青葉山」内を散策できる。その他、ロックガーデン、ヤナギ園が公開されている。
　〈本園の展示室〉
　天然記念物「青葉山」の自然林の成り立ち、森を構成する樹木、そこに生息する動物、季節の移り変わりを指標する花暦、生物種の多様性と絶滅危惧植物の問題、国際的に行われている種子交換事業の紹介と種子の行動など、本植物

宮城県

園の特徴と植物を中心とした生物界の様子を、大学での研究成果を踏まえて、分かり易く展示している。

【収蔵分野・総点数】
　収蔵品：東北大学植物標本室（TUS）があり、押し葉標本約300,000点、木材標本約2,800点

【主な収蔵品/コレクション】
　・ヤナギ科、マメ科植物のタイプ標本293点
　・日本産木本植物、台湾産植物、中国南部産植物、ネパール産植物、オーストラリア産植物など貴重な植物標本を多数収蔵

【展示テーマ】
　〈企画展〉
　植物学のための植物画展／絶滅危惧植物展／植物学のための植物写真展

【教育活動】
　〈公開講座〉
　青葉山の歴史と生き物たち公開講座／奇妙で不思議な植物の世界を探検する公開講座／多様な植物の世界と絶滅のおそれのある植物たち

【調査研究活動】
　モニタリングサイト1000（環境省の自然環境変動調査）／標本採集会（高知・京都・鹿児島・宮崎・韓国）

【刊行物】
　東北大学植物園年次報告書

　　・所在地　〒980-0862　宮城県仙台市青葉区川内12-2
　　・TEL　022-795-6760
　　・FAX　022-795-6766
　　・URL　http://www.biology.tohoku.ac.jp/garden/
　　・E-mail　garden-tu@biology.tohoku.ac.jp
　　・交通　1）植物園本館入り口（東北大川内キャンパス側）　JR仙台駅前、西口バスプール乗り口9番から理・工学部経由動物公園循環などに乗車し、「東北大川内キャンパス」で下車、徒歩10分　2）青葉山植物園ゲート（東北大青葉山キャ

ンパス側・本館まで徒歩 20 分）JR 仙台駅前，西口バスプール乗り口 9 番から理・工学部経由動物公園循環などに乗車し，「青葉山植物園ゲート前」下車，徒歩 1 分。JR 仙台駅前バスプール 15-3 番乗り場で「るーぷる仙台」に乗車し「青葉山植物園ゲート前」下車，徒歩 1 分。
・開館時間　9:00 ～ 17:00（入園は 16:00）
・観覧所要時間　60 ～ 120 分
・入館料　大人 220 円，子供 110 円，年間パスポート 1000 円
・休館日　月曜日（月曜日が休日の時は翌日），12 月 1 日～春分の日の前日
・施設　本園：敷地面積 496,347.98 ㎡（うち国指定天然記念物「青葉山」及び国指定史跡「仙台城」範囲　385,153 ㎡）、植物園本館　1996 年（平成 8 年）竣工　1,883 ㎡（1 階 1,212 ㎡ ,2 階 671 ㎡）、植物園記念館（津田記念館）　1986 年（昭和 61 年）竣工　鉄筋コンクリート 2 階建　建物面積 488 ㎡・延面積 1,117 ㎡、植物園標本室（ヤナギ館）　1963 年（昭和 38 年）竣工　鉄筋コンクリート 1 階建　床面積 131 ㎡　分園：所在地　青森県青森市大字荒川字南荒川山 1-1　敷地面積 749,88.94 ㎡、管理棟 S2　1984 年（昭和 59 年）竣工　（1985 年から供用開始）　木造 2 階建 128.31 ㎡、実験棟 S1　1929 年（昭和 4 年）建築、1994 年（平成 6 年）改修　木造平屋建　168.93 ㎡、新館　（特別実験室）S1　1966 年（昭和 41 年）竣工　木造平屋建　38.8 ㎡
・利用条件
　（1）利用を限定する場合の利用条件や資格　特になし
　（2）調査研究目的で利用する場合の条件や資格　利用研究申請書を提出し、許可が必要
・メッセージ　大都市近郊で、自然林が残されているところは世界的にも極めて稀です。自然林とは本来どういう姿であるのかを気軽に見学することができます
・高齢者，身障者等への配慮　段差有り
・車イスの貸出　有り
・身障者用トイレ　有り
・無料ロッカー　有り
・駐車場　有り
・外国語のリーフレット，解説書　有り
・ミュージアムショップ / レストラン　なし
・今後 3 年間のリニューアル計画　なし
・設立年月日　昭和 33（1958）年 4 月 1 日
・設置者　国立大学法人　東北大学
・館種　国立大学
・責任者　園長・鈴木三男（教授）
・組織　教員 3、技術職員 4、事務補佐員 2、技術補佐員 1、清掃補佐員 1

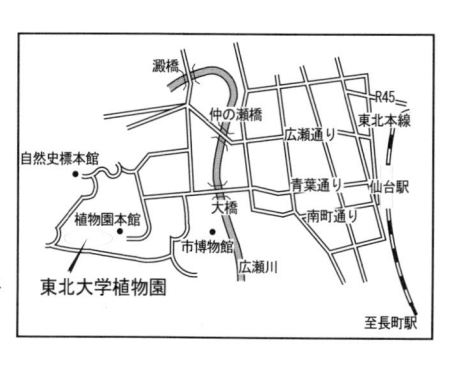

宮城県

東北大学史料館

Tohoku University Archives

　1963年7月、国内初の大学アーカイブズ「東北大学記念資料室」として発足した。2000年12月、改組に伴い東北大学史料館と改称して現在に至る。
　東北大学の歴史的公文書や大学関係者の個人文書等の収集・保存・公開を行う大学文書館として東北大学の歴史に関する公文書・私文書や写真その他の資料を学内外の閲覧利用に供するとともに、館内展示室において大学の歴史に関する公開展示を実施している。

【収蔵品・展示概要】
　〈収蔵品〉
　1）東北大学の歴史的公文書（保存期間を満了し歴史的価値評価を経た法人文書）、2）東北大学関係者の個人資料（教員の研究教育・行政資料／卒業生等の寄贈資料）、3）東北大学の学内刊行物、4）東北大学に関連する組織・団体の資料（学会関係等）、5）東北大学に関する写真、動画、音声資料、6）東北大学の歴史に関する図書資料、7）東北大学の歴史に関する物品資料（看板、備品等）、8）旧制第二高等学校等、関連諸学校の関連資料
　〈展示概要〉
　常設展示として、1)「歴史のなかの東北大学」(東北大学の通史展示)、2)「東北大学の包摂校」(旧制第二高等学校、仙台医学専門学校等関連旧制諸学校の展示)等を公開。パネルや写真と関連資料によって東北大学や関連学校の歴史を紹介。その他、東北大学の歴史に関わるテーマでの企画展示を実施。

宮城県

【収蔵分野・総点数】
〈公文書〉東北大学の歴史的公文書（保存期間を満了し歴史的価値評価を経た法人文書）約 8000 冊（うち 1000 冊を公開中）
〈個人文書〉東北大学関係者の個人資料（教員の研究教育・行政資料 / 卒業生等の寄贈資料）約 600 件　旧制第二高等学校等、関連諸学校の関連資料約 2000 点、
〈写真〉東北大学関係写真資料　約 30000 点、
〈美術資料〉旧制二高、東北大学教官の肖像画等

【主な収蔵品 / コレクション】
〈文書資料〉東北大学の歴史的公文書仙台医学専門学校文書（魯迅留学関連資料含む）ほか多数
〈美術資料〉安井曽太郎「T先生の像」、児島喜久雄「中村部長記念像」

【展示テーマ】
魯迅　歴史のなかの留学生（魯迅および戦前期の中国人留学生）（2004 年）／「学徒」たちの「戦争」—東北帝国大学の学徒動員・学徒出陣（2005 年）／学都仙台・明治の学生群像（旧制第二高等学校関係）（2006 年）

【調査研究活動】
東北帝国大学の留学生に関する調査研究／東北帝国大学の学徒動員・学徒出陣に関する研究／大学アーカイヴズにおける公文書の評価選別に関する研究／東北大学の古写真に関する調査研究

【刊行物】
『東北大学史料館紀要』（既刊 2 号）／『東北大学史料館だより』（既刊 6 号）／『東北大学関係写真目録』

- 所在地　〒980-8577　宮城県仙台市青葉区片平 2-1-1
- TEL　022-217-5040
- FAX　022-217-4998
- URL　http://www.archives.tohoku.ac.jp
- 交通　仙台駅西口より市営バス、緑ケ丘三丁目ゆき・八木山南団地ゆき（御霊屋橋・動物公園前経由）　東北大正門前下車徒歩 3 分
- 開館時間　10:00 〜 16:00
- 観覧所要時間　60 分

宮城県

- ・入館料　無料
- ・休館日　土・日曜日，祝日，年末年始
- ・施設　閲覧室（約 30 ㎡）　展示室（約 360 ㎡）　収蔵庫（約 400 ㎡）
- ・利用条件
  - （1）利用を限定する場合の利用条件や資格　特になし
  - （2）調査研究目的で利用する場合の条件や資格　特になし
- ・メッセージ　当館は、学内外を問わず東北大学の歴史に興味を持つ方々全てが利用できます。大正 14 年に建てられた歴史的建造物（旧東北帝国大学附属図書館）を使用しています。展示室では東北大学や旧制二高等の歴史を知ることが出来ます。同時に、東北大学の歴史に関する様々な資料を、閲覧室で手にとって見ることが出来ます。但し歴史的公文書等の閲覧は、個人情報の保護等のため、一部公開を制限する場合があります
- ・高齢者，身障者等への配慮　段差有り
- ・車イスの貸出　なし
- ・身障者用トイレ　なし
- ・無料ロッカー　有り
- ・駐車場　有り（2 台程度）
- ・外国語のリーフレット，解説書　なし
- ・ミュージアムショップ / レストラン　なし
- ・今後 3 年間のリニューアル計画　なし
- ・設立年月日　昭和 38（1963）年 7 月
- ・設置者　国立大学法人　東北大学
- ・館種　国立大学，大学文書館
- ・責任者　館長・今泉隆雄（大学院文学研究科教授）
- ・組織　館長 1、助教 3、事務職員 2

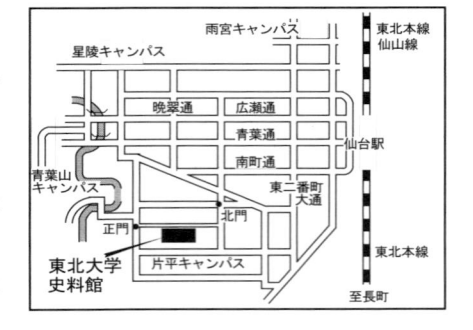

宮城県

東北大学総合学術博物館

The Tohoku University Museum

"時をかける博物館"

東北大学は、1907年理科大学として発足以来、蓄積されてきた資料標本は、各部局で保管、管理されてきた。1965年4月16日、東北大学が収蔵する学術資料標本を総合的に管理することを目的として、学長を委員長とする総合研究資料館設置準備委員会が開設された。同年6月1日、総合研究資料館の設置に関する特定の事項を調査研究のため、学長の委嘱により専門委員会が設置され、総合研究資料館の設置予定場所を理学部キャンパス内（現自然史標本館敷地）とすることを決定した。さらに、1974年7月1日、医学部、理学部、文学部等の標本類を収蔵していた東北大学標本室（片平キャンパス旧化学棟）の運営に関し、学長の委嘱のもとに標本室運営委員会が設置された。しかし、この標本室は研究の現場から遠く、研究教育に大きな支障をきたしていた。

上記総合研究資料館構想は実現の見通しが困難であったため、各部局個別の構想が具体化し、1994年度の概算要求において理学部自然史標本館の設置が認可され、1995年3月に竣工し、同年10月3日に開館した。この標本館は、理学部地学系の資料標本を収蔵し、一般公開展示も行ってきた。この間文学部では、チベット資料室、考古学陳列館の資料標本が外部研究者への利用に供されてきたが、多くの考古学資料は片平キャンパスの標本室に収蔵されてきた。

1995年6月16日、文部省学術審議会学術情報資料分科会学術資料部会から、「ユニバーシティ・ミュージアムの設置について」の中間報告が提出され、東北大学においてもその具体化が検討された。1996年6月11日、評議会の下に「東北大学総合研究博物館（仮称）設置構想検討委員会」が発足し、理学部が世話

宮城県

部局となって新設計画を立案し、既存の施設を含む博物館構想を検討し、概算要求を行ってきた。

1998年4月9日、総合学術博物館の組織が認可され、教員8名（教授2名、助教授3名、助手2名、外国人客員教授1名）、事務員1名（理学部・理学研究科）、事務補佐員1名の組織構成で発足した。総合学術博物館の建物については新築計画・既存建物改修計画等について検討中であり、展示事業等については理学部自然史標本館を共用して運営し、現在に至っている。2006年4月1日、東北大学総合学術博物館は、東北大学植物園および東北大学史料館とともに、東北大学学術資源研究公開センターとして統合された。総合学術博物館、植物園および史料館は、学術資源研究公開センターの業務組織として位置づけられることとなった。これらの組織は、東北大学が保有する史資料・標本等の学術資源を継承・保全し、学術財産として活用すること、また、これらをデータベースや展示として広く学内外に公開することを業務とするもので、これらの業務をより効率的に行えるよう組織のあり方等について検討中である。

【収蔵品・展示概要】
〈収蔵方針〉
東北大学のあらゆる分野の学術資料標本を収集、保管し、大学内外の研究教育利用に供する。
〈展示概要〉
展示については建物建築とともに計画中、ただし東北大学理学部自然史標本館と共同して、以下の常設展示を行っている。
古生物及び動物関係標本, 古人類及び考古学関係資料―「地球生命の進化」地球生命38億年の歴史の証拠である化石標本等を年代順に展示。岩石・鉱物・鉱床関係標本―「地球を構成する物質」 地球を構成している各種の岩石や鉱物を展示。地図類―「外邦図」 第二次世界大戦中に日本旧陸軍が作成した外国の地図「外邦図」を展示。

【収蔵分野・総点数】
動物関係標本― 162,563点　植物関係標本― 501,350点　古生物関係標本― 1,130,657点　岩石・鉱物・鉱床関係標本― 273,891点　歴史・民族・考古学関係資料― 356,519点　科学技術史関係資料― 9,537点　合計― 2,434,517点

【主な収蔵品／コレクション】
日本周辺産海綿動物標本, 西太平洋産現生六射サンゴ標本, ジョシア・キー

プ収集現生貝類標本，ヒト及び動物脳の連続切片標本，木村有香収集ヤナギ科植物標本，矢萩信夫収集日本冬虫夏草標本，ウタツギョリュウ完模式標本，葛生産脊椎動物化石，日本産新生代貝類化石，深海底掘削有孔虫化石，大東島掘削岩石コア標本，黒鉱鉱床鉱石標本，クランツ岩石・鉱物・化石標本，沼津貝塚出土骨角器・土器・土偶他（重要文化財含む），経の塚古墳出土埴輪・石棺他（重要文化財含む），藤株遺跡出土遮光器土偶，亀ケ岡遺跡出土土器，陸奥国分寺跡出土瓦，縄文時代人骨及び獣骨標本，東北地方現代人頭蓋標本，河口慧海収集チベット関係資料，外邦図，中国布銭，KS磁石鋼，八木・宇田アンテナ，金研刀，金属チタン樹枝状結晶，光通信受光素子及び光伝送線路

【展示テーマ】
　企画展第4回「地震のかたち」（2005年度）／博物館ミニ展示「不思議な石」（2005年度～）／企画展第5回「発祥の地　東北の情報エレクトロニクス・リサーチ　歴史と最先端そして夢」／企画展第6回「脳のかたち心のちず」／共催展「アインシュタイン・ラブ」（以上2006年度）

【教育活動】
　連続講座「アインシュタイン探訪」（2005年度）／連続講座「脳と心の探訪」／講演会第9回1-3「液晶テレビの現状と今後」「携帯電話のつながる仕組み」「電気自動車が拓く未来の夢」／体験活動「僕らは地層の探検隊！─松島の成り立ちをさぐる─」／博物館学・学芸員のための特別講演会「スミソニアン自然史博物館における展示制作・教育プログラム開発の実情」（以上2006年度）

【調査研究活動】
　スミソニアン自然史博物館の視察（2004年度）／三本木町産クジラ化石発掘調査／東北大学東北アジア研究センター・総合学術博物館共同国際研究プロジェクト「白頭山の10世紀巨大噴火」（以上2005年度）／博物館教育におけるインターネットの活用の現状調査報告（2006年度）

【刊行物】
　「Bulletin of the Tohoku University Museum」「東北大学総合学術博物館ニュースレター　Omnividens」「東北大学総合学術博物館のすべてⅠ─はるかなる憧憬チベット」

　　・**所在地**　〒980-8578　宮城県仙台市青葉区荒巻字青葉6-3

宮城県

- ・TEL　022-795-6767
- ・FAX　022-795-6767
- ・URL　http://www.museum.tohoku.ac.jp
- ・E-mail　joho@museum.tohoku.ac.jp
- ・交通　1）仙台市営バス「理学部自然史標本館前」下車徒歩1分　2）仙台市内観光バスるーぷる仙台「理学部自然史標本館前」下車徒歩1分
- ・開館時間　10:00～16:00（東北大学理学部自然史標本館について）
- ・観覧所要時間　60分（東北大学理学部自然史標本館について）
- ・入館料　150円，小・中学生80円，団体割引あり（20名以上:120円，小・中学生60円）（以上東北大学理学部自然史標本館について）
- ・休館日　毎週月曜日，年末年始，その他電気設備の点検等のため臨時休館あり（東北大学理学部自然史標本館について）
- ・施設　建築計画中
- ・メッセージ　（東北大学理学部自然史標本館について）現在共同して展示公開を行っている東北大学理学部自然史標本館は仙台市青葉山の東北大学キャンパス内に在る。周辺には東北大学植物園，仙台市博物館，宮城県美術館，青葉城跡（仙台城跡），仙台市青葉の森といった施設があり，自然と文化の豊かな環境となっている
- ・高齢者，身障者等への配慮　段差有り（階段があるがエレベータを介して別ルートで行ける）
- ・車イスの貸出　なし
- ・身障者用トイレ　有り
- ・無料ロッカー　有り（利用後返金）
- ・駐車場　有り
- ・外国語のリーフレット，解説書　有り
- ・ミュージアムショップ/レストラン　大学キャンパス内の施設が利用可（東北大学理学部自然史標本館について）
- ・今後3年間のリニューアル計画　有り
- ・設立年月日　平成10（1998）年4月9日
- ・設置者　国立大学法人　東北大学
- ・館種　国立大学，総合学術
- ・責任者　館長・永広昌之（教授）
- ・組織　14名（教員7，事務職員1，事務補佐員1，研究支援推進員1，非常勤職員4），その他客員教員1名，兼務教員等18名

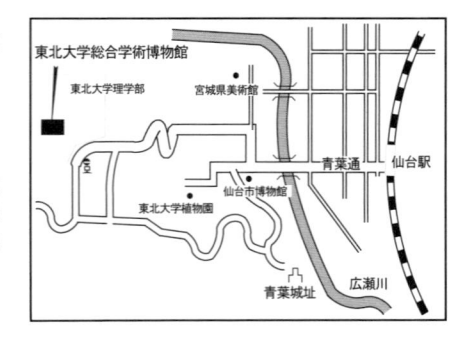

宮城県

東北大学大学院薬学研究科附属
薬用植物園

Botanical Garden for Medicinal Plants, Graduate School of Pharmaceutical Sciences, Tohoku University

"全山の草木はことごとく薬草薬木"

　本園は、昭和44年3月、医学部薬学科が東北大学星陵地区から青葉山地区に移転すると同時に造成され、昭和46年には温室が設置された。昭和49年4月には、薬学教育、研究施設として薬学部附属薬用植物園となり、平成10年4月には温室が改築された。平成11年4月、薬学部・薬学研究科は、学部主体の体制から大学院主体の体制へと移行した。この移行に伴い、本園は平成12年4月から大学院薬学研究科の附属施設となった。

　本園は、故竹本常松教授（初代薬学部長、薬用植物園長）が唱えた「全山の草木は、ことごとく薬草薬木」という理念に基づいて、狭義の薬用植物だけにとどまらず、あらゆる植物の収集に努めている。青葉山は市街地に近いにもかかわらず自然がよく保存され、動植物の生態系が多様なことで知られている。したがって、本園はまさに自然の景観を生かした"自然薬用植物園"といえる。本園は、大学の薬用植物園としては全国一の広さを誇り、温室で栽培している熱帯・亜熱帯産薬用植物を含めると約1,200種の植物を観察することが出来る。

【収蔵品・展示概要】
　約1,200種の植物の自生、栽培

【教育活動】
　「日本薬用植物友の会」への支援

宮城県

【調査研究活動】
　国内外の薬用植物を収集して栽培する研究を行っている。特に、カンゾウ、トリカブト、カノコソウ、ショウマ、ムラサキをはじめとする重要生薬については、品種保存と品質保持のために系統栽培を行っている。

- 所在地　〒980-8578　宮城県仙台市青葉区荒巻字青葉6-3
- TEL　022-795-6799
- FAX　022-795-6798
- URL　http://www.pharm.tohoku.ac.jp/~yakusoen/index.html
- E-mail　hhayasa@mail.pharm.tohoku.ac.jp
- 交通　仙台市営バス「動物公園循環」または「ループル仙台」乗車、理学部自然史標本館前下車、徒歩3分
- 開館時間　9:00～17:00
- 観覧所要時間　150分
- 入館料　無料
- 休館日　土・日曜日，祝日，12月27日～1月6日，その他大学が定める休日
- 施設　敷地面積 52,956 ㎡　温室、管理棟
- メッセージ　薬用植物は私たちにとって最も身近な薬であるとともに、日常の健康維持の実践にも結びつく。本園では、入園許可書による簡単な申請手続きで入園できる。園内ではハイキング感覚で薬用植物の自生状態を観察することができ、植物園スタッフからは民間生薬・漢方方剤、植物の栽培方法などの知識を得ることもできる
- 高齢者，身障者等への配慮　段差有り
- 車イスの貸出　なし
- 身障者用トイレ　なし
- 無料ロッカー　なし
- 駐車場　有り
- 外国語のリーフレット，解説書　なし
- ミュージアムショップ/レストラン　なし
- 今後3年間のリニューアル計画　なし
- 設立年月日　昭和49（1974）年4月
- 設置者　国立大学法人　東北大学
- 館種　国立大学，植物園
- 責任者　園長・大島吉輝（教授）
- 組織　3名（園長1、技術専門職員2）

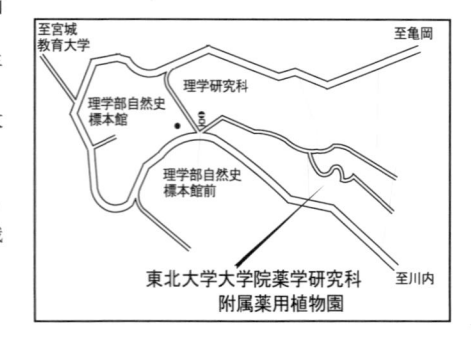

東北大学理学部自然史標本館

The Museum of Natural History, Tohoku University

"時をかける標本館　化石と鉱石の宝庫"

　東北大学は、1907年理科大学として発足以来、蓄積されてきた資料標本は、各部局で保管、管理されてきた。1965年4月16日、東北大学が収蔵する学術資料標本を総合的に管理することを目的として、学長を委員長とする総合研究資料館設置準備委員会が開設された。同年6月1日、総合研究資料館の設置に関する特定の事項を調査研究のため、学長の委嘱により専門委員会が設置され、総合研究資料館の設置予定場所を理学部キャンパス内（現自然史標本館敷地）とすることを決定した。さらに、1974年7月1日、医学部、理学部、文学部等の標本類を収蔵していた東北大学標本室（片平キャンパス旧化学棟）の運営に関し、学長の委嘱のもとに標本室運営委員会が設置された。しかし、この標本室は研究の現場から遠く、研究教育に大きな支障をきたしていた。
　上記総合研究資料館構想は実現の見通しが困難であったため、各部局個別の構想が具体化し、1994年度の概算要求において東北大学理学部自然史標本館の設置が認可され、1995年3月に竣工し、同年10月3日に開館した。
　理学部自然史標本館は、東北大学開学以来研究・教育のために収集されてきた化石標本・現生動物標本や岩石・鉱物・鉱石標本、地図資料等のおもに理学部地学系関係の資料標本を収蔵し、一般公開展示も行っている。
　1998年4月9日に東北大学総合学術博物館の組織が発足した以降、総合学術博物館と共同して運営を行っており、現在に至っている。

宮城県

【収蔵品・展示概要】

〈収蔵方針〉

東北大学理学部のおもに地球科学分野の学術資料標本を収集、保管し、大学内外の研究教育利用に供する

〈展示概要〉

古生物及び動物関係標本，古人類及び考古学関係資料―「地球生命の進化」地球生命38億年の歴史の証拠である化石標本等を年代順に展示　岩石・鉱物・鉱床関係標本―「地球を構成する物質」地球を構成している各種の岩石や鉱物を展示　地図類―「外邦図」第二次世界大戦中に日本旧陸軍が作成した外国の地図「外邦図」を展示

【収蔵分野・総点数】

古生物および動物関係標本　1,134,383点　岩石・鉱物・鉱床関係標本　273,891点　古人類及び考古学関係資料　6,008点　地図類　130,014点　合計　1,544,296点

【主な収蔵品/コレクション】

西太平洋産現生六射サンゴ標本，ジョシア・キープ収集現生貝類標本，イワシクジラ全身骨格標本，ウタツギョリュウ完模式標本，センダイゾウ完模式標本，葛生産脊椎動物化石，日本産新生代貝類化石，日本及びサハリン産アンモナイト化石，日本及び中国・朝鮮産中古生代植物化石，日本産中古生代サンゴ化石，大型有孔虫化石，深海底掘削有孔虫化石，有孔虫模型標本，大東島掘削岩石コア標本，黒鉱鉱床鉱石標本，神津閃石，クランツ岩石・鉱物・化石標本，鉱物結晶模型，縄文時代人骨及び獣骨標本，里浜貝塚産土器他，外邦図

【展示テーマ】

博物館ミニ展示「不思議な石」（2005年度～）／「北上山地のアンモナイト類化石」（2003年度～2005年度）（その他東北大学総合学術博物館と共同して実施）

【教育活動】

体験学習「葉っぱのかたちの今昔―進化はかたちにあらわれる―」（2004年度）／「鉱物にはなぜかたちがあるのだろう」（2005年度）／「僕らは地層の探検隊！―松島の成り立ちをさぐる―」（2006年度）（その他東北大学総合学術博物館と共同して実施）

宮城県

【調査研究活動】
　三本木町産クジラ化石第 1 次発掘調査（2004 年度）／三本木町産クジラ化石第 2 次発掘調査（2005 年度）（その他東北大学総合学術博物館と共同して実施）

- 所在地　〒980-8578　宮城県仙台市青葉区荒巻字青葉 6-3
- TEL　022-795-6767
- FAX　022-795-6767
- URL　http://www.museum.tohoku.ac.jp/nh/
- E-mail　joho@museum.tohoku.ac.jp
- 交通　1）仙台市営バス「理学部自然史標本館前」下車徒歩 1 分　2）仙台市内観光バスるーぷる仙台「理学部自然史標本館前」下車徒歩 1 分
- 開館時間　10:00 〜 16:00
- 観覧所要時間　60 分
- 入館料　150 円，小・中学生 80 円，団体割引あり（20 名以上 :120 円，小・中学生 60 円）
- 休館日　毎週月曜日，年末年始，その他電気設備の点検等のため臨時休館あり
- 施設　収蔵管理エリア 4 階建て　展示エリア 2 階建て延べ面積 1747 ㎡　展示エリア面積 559 ㎡
- メッセージ　東北大学理学部自然史標本館は仙台市青葉山の東北大学キャンパス内に在る。周辺には東北大学植物園、仙台市博物館、宮城県美術館、青葉城跡（仙台城跡）、仙台市青葉の森といった施設があり、自然と文化の豊かな環境となっている
- 高齢者，身障者等への配慮　段差有り（階段があるがエレベータを介して別ルートで行ける）
- 車イスの貸出　なし
- 身障者用トイレ　有り
- 無料ロッカー　有り（利用後返金）
- 駐車場　有り
- 外国語のリーフレット，解説書　有り
- ミュージアムショップ / レストラン　大学キャンパス内の施設が利用可
- 今後 3 年間のリニューアル計画　なし
- 設立年月日　平成 7（1995）年 10 月 3 日
- 設置者　国立大学法人　東北大学
- 館種　国立大学，自然史（とくに地球科学分野）
- 責任者　館長・永広昌之（教授）
- 組織　3 名（事務職員 1、事務補佐員 1、技術職員 1）

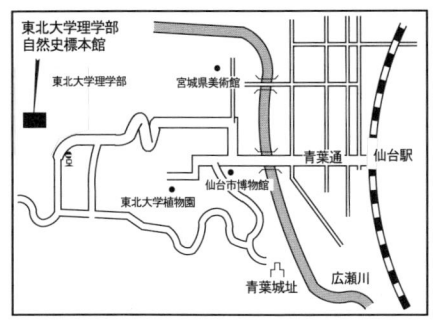

宮城県

東北福祉大学芹沢銈介美術工芸館

Serizawa Keisuke Art and Craft Museum

"地域に開かれた感性教育の拠点　うるおいとやすらぎの空間"

　東北福祉大学は「行学一如」を理念に、理論と実践の融合を目指し、さらに教育の柱に「感性、知性、健康」を掲げ、それらのバランスがとれた学生を育てて地域貢献することを求めている。その教育と実践の一翼を担い、しかも地域に開かれた大学構想の一環として1989年に大学構内に芹沢銈介美術工芸館を建設した。建設の直接的きっかけとなったのは、本学教授であった芹沢長介氏が、1984年に逝去した父、芹沢銈介（型絵染で人間国宝に認定）の作品2400点と世界の工芸品コレクション1000点を大学に寄贈したことにある。

　当館は開館以来、芹沢銈介の作品と芹沢銈介が生前に収集した世界の工芸品（芹沢銈介コレクション）、そして宮城県の陶磁器を収蔵し、展示公開してきた。年間4回の特別展と企画展、ギャラリートーク、講演会、ワークショップなどを開催して学生・教職員はもちろん地域の方々にも親しまれる活動を展開している。

【収蔵品・展示概要】
　〈収集方針〉
　芹沢銈介の作品と関連資料を収集して収蔵品の充実を計っている。
　〈展示のコンセプトなど〉
　芹沢銈介の作品と彼が生前に収集した世界の諸民族の工芸品コレクション、そして東北福祉大学が収集した宮城県の陶磁器（堤焼・切込焼ほか）を3本柱に年4回テーマを設定して展示公開している。

宮城県

【収蔵分野・総点数】
〈芹沢銈介作品と型紙〉
13,000点。型絵染作品・試作染（未完成作品）、下絵、陶器、板絵、ガラス絵、書、型紙（10,000点）
〈芹沢銈介が収集した世界各地の工芸品〉
1,000点。アフリカ、中南米、北米、東南アジア、東アジアの染織品、木工品、土器、土偶、装飾品
〈東北福祉大学コレクション〉
365点。アイヌ文化資料と東北の染織品ほか150点、陶磁器215点（堤焼69点、切込焼142点、会津本郷ほか4点）

【主な収蔵品/コレクション】
〈芹沢銈介作品・関連資料〉
着物、帯地、のれん、壁掛、カーテン地、風呂敷、屏風、軸、額絵、端裂、鉄行灯下絵、綴帳下絵など　芹沢染紙研究所で制作された風呂敷の見本や、団扇絵、絵ハガキ、カード、燐票などの紙製品（1000点）　仕事場で実際に使用されていた型彫りの刀、刷毛などの染道具一式。
〈芹沢銈介コレクション〉
約1,000点。アフリカのマスク、衣類、木工品、土偶、壺など約180点、中南米、特にインカの染織品を中心とする資料150点、東南アジア、インドの染織品、装飾品等約380点。他にも中国、台湾、朝鮮の衣類、箱等56点、日本の衣類、絵馬、容器等620点。

【展示テーマ】
特別展「芹沢銈介を継承する人々」／企画展「芹沢銈介コレクション　世界の民族衣裳」（以上2004年度）／特別展「芹沢銈介コレクション　朝鮮の美術工芸」／特別展「アイヌ文化の新資料」（以上2005年度）／特別展「東北の染織と漆」／特別展「芹沢銈介コレクション　中南米の工芸」（以上2006年度）
この他に、随時併設展として芹沢の作品を展示

【教育活動】
講演会「芹沢銈介の弟子達」（2004年度）／講演会「柳宗悦・浅川兄弟と朝鮮の工芸」「アイヌの甲冑と小袖」（以上2005年度）／日本民芸夏期学校開催（2006年度）／型絵染講習会（毎年2回）／ギャラリートーク（毎月）／ワークショップ（随時）

宮城県

【刊行物】
「東北の染織と漆」展目録／「中南米の工芸」展目録／「芹沢銈介コレクション」図録（以上2006年度）

- 所在地　〒981-8522　宮城県仙台市青葉区国見1-8-1
- TEL　022-717-3318
- FAX　022-717-3324
- URL　http://www.tfu.ac.jp/kogeikan/
- 交通　1）JR仙台駅西口（仙台市営）バス停「仙台ホテル前」24番「北山―子平町循環」，25番「子平町―北山循環」で「東北福祉大前」下車　徒歩2分　2）JR仙山線「東北福祉大前駅」下車　徒歩10分
- 開館時間　10:00～16:30（入館は16:00まで）
- 観覧所要時間　80分
- 入館料　一般300円　大学生・専門学校生200円　高校生以下無料（20名以上団体割引あり）
- 休館日　展示替え期間，大学入学試験日など
- 施設　地上6階建ての1階・5階・6階。美術館の専有延べ面積2,713㎡。展示室（1,789㎡）、収蔵庫、研究室、事務室など
- 利用条件
  (1) 利用を限定する場合の利用条件や資格　出版、テレビ放映等では館長あて申請書提出。芹沢銈介作品については作品使用許可申請を著作権者に提出し、許可を得ること。団体見学で展示解説の希望者は事前に要連絡のこと
  (2) 調査研究目的で利用する場合の条件や資格　館長あての申請書により、資料の保存状態を検討して許可を行う
- メッセージ　館内にはミュージアムショップとコーヒーラウンジがある。また学内の自然食レストラン（日・祝日は休み）と当館との割引制度がある。ギャラリートーク（定例）以外でも展示解説の要望があれば学芸員が対応する
- 高齢者，身障者等への配慮　バリアフリー
- 車イスの貸出　有り
- 身障者用トイレ　有り
- 無料ロッカー　有り
- 駐車場　有り
- 外国語のリーフレット，解説書　有り
- ミュージアムショップ／レストラン　館内には、図録等刊行物、各展覧会のハガキセット、作品のバラハガキ、芹沢デザインのハンカチ・クロスなどを販売するミュージアム

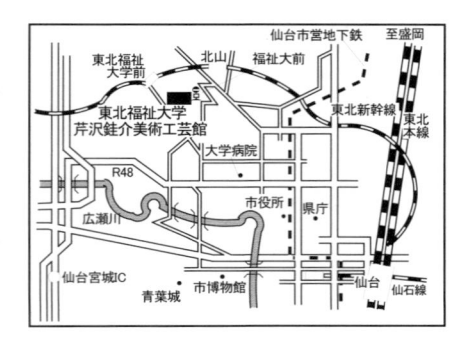

ショップ。5Fには眺めの良いコーヒーラウンジ「可否館」がある。他に大学構内にある自然食レストラン「風土」(不定休)
- **今後3年間のリニューアル計画** なし
- **設立年月日** 平成元(1989)年4月1日
- **設置者** 学校法人　栴檀学園
- **館種** 私立大学，美術
- **責任者** 館長・萩野浩基(学長)
- **組織** 7名(館長1、副館長1、学芸員3、嘱託(事務)職員2)、他に受付に学生アルバイト、教職員で構成する美術館審議会を年2回開催

宮城県

東北薬科大学附属薬用植物園

Tohoku Pharmaceutical University Medicinal Plant Garden

　昭和14年、前身の東北薬学専門学校発足と同時に設置される。大学内の現在の敷地になったのは昭和43年で、その後平成7年に大規模な改修工事が行われ、日本薬局方収載生薬の基原植物を中心とした見本区や栽培桝などが整備されると共に、主に学生実習の材料を提供するための圃場も設定されて現在の形となった。

　温室がないため、暖地性の植物はほとんど見られないが、東北地方の気候・環境下で生育可能な薬用植物を中心にコンパクトにまとめられている。

　栽植されている植物数は約350種類で、本学学生にとっては、漢方薬や民間薬に利用される生薬あるいはサプリメントなどの原植物や、医薬品の製造原料となる植物の、生きている姿に接することができる貴重な場となっている。

　本植物園は、教育および学術研究に資することを主な目的としているが、学外の方でもあらかじめ大学当局に連絡していただければ見学可能である。

【収蔵品・展示概要】
　漢方薬、民間薬の原植物、医薬品の原料になる植物、ハーブなどを中心に約350種類。

- 所在地　〒981-8558　宮城県仙台市青葉区小松島4丁目4-1
- TEL　022-727-0221
- FAX　022-727-0220
- URL　http://www.tohoku-pharm.ac.jp
- 交通　1）地下鉄台原駅より徒歩20分　2）JR仙山線東照宮駅より徒歩15分

- **開館時間**　特に設定なし
- **入館料**　無料
- **休館日**　土・日曜日
- **施設**　総面積は 2,437.5 ㎡で、16.5 ㎡の管理棟と 8.5 ㎡の倉庫が併設されている
- **設立年月日**　昭和 14（1939）年
- **設置者**　東北薬科大学
- **館種**　私立大学，植物園
- **責任者**　園長・吉崎文彦（薬学部教授）
- **組織**　生薬学教室が管理

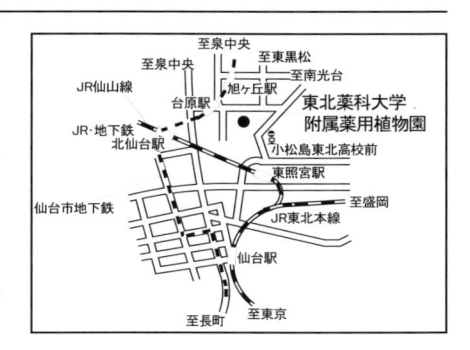

秋田県

秋田大学工学資源学部附属鉱業博物館

Mineral Industry Museum, Faculty of Engineering and Resource Science, Akita University

"資源・エネルギー・素材の総合化を目指して"

1910（明治43）年　秋田大学鉱山学部の前身である秋田鉱山専門学校が設立され、同時に鉱山の地質関係標本を主とした列品室を設置した。

1951（昭和26）年　新制大学発足とともに秋田県から設備充実費が寄附され、その一部を列品室復興費に充て「鉱山博物館」として再開した。

1952（昭和27）年　文部省から国立大学附属施設「博物館相当施設」の指定を受けた。

1961（昭和36）年　鉱山学部創立50周年記念会の事業として、卒業生を中心に在学生・現旧教職員・鉱工業界・地元自治体・篤志家などの協力により「鉱業博物館」を建設し、10月8日開館した。

1965（昭和40）年4月1日　鉱業博物館の全施設が国に寄附され、鉱山学部附属の研究施設となった。

1994（平成6）年　秋田大学鉱山学部附属鉱業博物館創立30周年記念会の事業としてリフレッシュ事業を企画し、館内の展示品を整備・拡充した。

1998（平成10）年　鉱山学部の名称が工学資源学部に変更されたことに伴い、工学資源学部附属鉱業博物館に改称した。

2004（平成16）年　国立大学法人秋田大学工学資源学部附属鉱業博物館となる。

【収蔵品・展示概要】
〈1階〉
　当博物館が所有する多数の岩石、鉱物、鉱石、宝・貴石、化石標本の展示。また、南極の岩石や鉱物の標本を集めたコーナーや工学資源学部と姉妹校のモンタナ理工科大学から寄贈された標本の展示コーナーがある。
〈2階〉
　「地球を知ろう」コーナー：地球の内部構造や岩石・化石から地球の過去を学ぶ。
　「石からどんなことがわかるの？」コーナー：日本全国の地質や第三系模式地である秋田の地質について学ぶ。
　「災害の謎を解く」コーナー：自然災害の発生メカニズムや被害状況について学ぶとともに地下の様子を調べるための各種機器が展示されている。
　「地下資源を採る」コーナー：様々な地下資源の生成メカニズム・探査・採掘・利用について学ぶ。
〈3階〉
　「様々なエネルギー」コーナー：エネルギー資源が私たちの生活にどのように役立っているかを学ぶ。
　「私たちの生活と様々な素材」コーナー：地下資源のうちで鉄・非鉄金属、粘土などの資源の生成メカニズムを学ぶとともに私たちの日常生活にどのように役立っているかを学ぶ。
　「地球とともに生きる」コーナー：人類の誕生以降の環境変化や環境汚染を防ぐ方法などについて学ぶ。
　「地球と結ぼう」コーナー：パソコンで館内の標本を、インターネットで国内外の博物館を検索できる。

【収蔵分野・総点数】
　岩石、鉱物、化石、模型など展示標本数　3,000点、総標本数（展示＋保管）14,500点

【主な収蔵品/コレクション】
　岩石、鉱物、鉱石、宝・貴石、化石、鉱業関連の産業機械・器具、真吹炉、鉱山模型、鉱山絵図など

【展示テーマ】
　「秋田の油田開発の歴史に学ぼう」「豊かなくらしとエレクトロニクス」「深

秋田県

海に穴をあける」「環境と調和したクリーンテクノロジー」「秋田の活断層と地震災害」

【教育活動】

　ジュニアサイエンススクール「貝化石採集と整理」／子供科学教室「ミクロの化石を見てみよう」（以上 2004 年度）／ジュニアサイエンススクール「鉱物採集と整理」／地球物理探査に関する秋田大学体験学習(以上 2005 年度)／ジュニアサイエンススクール「植物化石採集と整理」／活断層・地震に関する市民向け講演会（2006 年度）

【調査研究活動】

　調査研究「秋田の活断層と地震災害」

【刊行物】

　鉱業博物館　第 37 号（2004 年度），第 38 号（2005 年度），第 39 号（2006 年度）

- **所在地**　〒010-8502　秋田県秋田市手形字大沢 28-2
- **TEL**　018-889-2461
- **FAX**　018-889-2465
- **URL**　http://kuroko.mus.akita-u.ac.jp
- **E-mail**　W3admin@kuroko.mus.akita-u.ac.jp
- **交通**　秋田駅前中央交通バス乗場 4 番線　鉱業博物館入口下車　徒歩 5 分
- **開館時間**　9:00 〜 16:00
- **観覧所要時間**　60 分
- **入館料**　高校生以下無料，大人個人 250 円，大人団体（30 名以上）190 円
- **休館日**　毎週月曜日（但し月曜日が祝祭日の場合は翌日），年末年始（12 月 26 日〜 1 月 5 日）
- **施設**　敷地面積　11,479 ㎡　建築面積　建面積　1,193.7 ㎡　延面積　3,883.5 ㎡　構造　鉄筋コンクリート造　本館（展示棟）3 階建、研究棟 4 階建、文献資料庫（別棟）2 階建、真吹炉収納庫（別棟）1 階建、シールド自走支保収納庫（別棟）1 階建
- **利用条件**
  (1) 利用を限定する場合の利用条件や資格　特になし
  (2) 調査研究目的で利用する場合の条件や資格　特になし
- **メッセージ**　鉱業博物館は秋田大学手形キャンパスを見下ろす高台に立つ、地球科学と資源学をテーマにしたユニークな博物館です。秋田鉱山専門学校創立以来、およそ 100 年にわたって収集されてきた膨大な数のコレクションがあり、世界に誇る伝統ある大学附属博物館です。学部の附属施設として、ま

た一般に公開された社会教育施設として重要な役割を果たしています。所蔵資料のうち約 3,000 点が展示されており、その多くは学術的価値が高い貴重な資料です。中央ホールには、重さ 1.4 トンもある石炭塊や鉱石の巨大な標本が置かれています。円形の吹き抜けを見上げれば、らせん状に配置された階段がアンモナイトを思わせます。1 階は、世界中から集められた岩石・鉱物・鉱石・化石などの展示室になっており、宝石を集めたコーナーもあります。2 階は、地球の歴史、災害、鉱山などのテーマに沿った構成になっており、解説パネルと標本を見ながら学ぶことができます。3 階は、資源の利用をテーマにしており、エネルギー資源と鉱産物が製品化される過程を学びます。皆様には、教育・学習の場として大いに利用し、自然界がおりなす造形美を堪能するとともに地下資源に関する理解を深めていただきたいと思います

- 高齢者，身障者等への配慮　バリアフリー
- 車イスの貸出　有り
- 身障者用トイレ　有り
- 無料ロッカー　なし
- 駐車場　有り
- 外国語のリーフレット，解説書　なし
- ミュージアムショップ / レストラン　ミュージアムショップ有り
- 今後 3 年間のリニューアル計画　有り
- 設立年月日　明治 43（1910）年
- 設置者　国立大学法人　秋田大学工学資源学部
- 館種　国立大学，科学（自然史，理工）
- 責任者　館長・佐藤時幸（工学資源学部教授）
- 組織　6 人（教員 2、事務系職員 3、技術系職員 1）

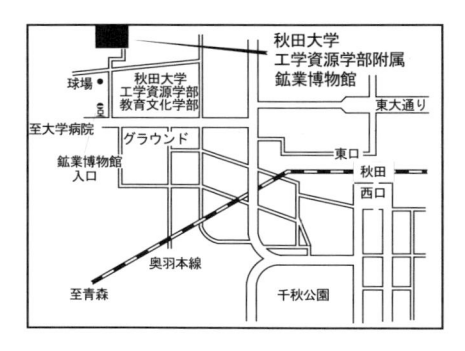

秋田県

雪国民俗館

Snow Country Folklore Museum

"雪国の暮らしと文化の情報発信の基地"

　本学創立の文化的意義に基づき昭和35年、雪国民俗研究所を開設した。そして祖先が残した貴い民俗文化財を収集し、これにより祖先の知恵を学び更に研究を加えて、ここから衣食住並びに経済社会の新しい在り方を発展させ、地方における生活文化の向上に資するものとした。翌36年雪国民俗資料館を併設して失われてゆく生活遺産を保存し、学習の成果とともに雪国の生活の風俗を県内外に公開し、地域社会の文化の向上に寄与するものとした。

　平成元年、学園総合移転と共に雪国民俗資料館を移築した。収蔵庫と展示場を兼ねた小さな木造の建物である。

　平成17年総合研究センターを設置。資料館はこの組織の中に位置付けられた。名称は雪国民俗館と変更した。そして研究誌「雪国民俗(30号)」を復活した。

【収蔵品・展示概要】
〈常設展示〉
　民具類・農作業用(農具、農作業衣、藁製品)・漁業関係(船、漁具)・炭焼き用具・食に関する用具(食器類、膳類、菓子型)・化粧道具・焼物(白岩焼を中心に)・人形(八橋人形、押絵)

【収蔵分野・総点数】
　刀剣2振、槍2本(長・短　各1)・笙(1)、石棒(小形1)・婚礼式次第・その他(講中名簿、屋敷方角図など)

【主な収蔵品/コレクション】
- 衣（農作業衣、履物、かぶりもの、雨具）
- 食（炊事用具、飲食器、菓子型）
- 住（家具調度、照明、寝具）
- 生業（農耕、漁業、山、糸まき）
- その他（遊戯玩具、焼物、人形、押絵）

【展示テーマ】
常設展示のみ

【教育活動】
授業（ゼミなど）／大学祭で公開／秋田県民俗学会事務局／公開講演会

【調査研究活動】
民具収集の調査

【刊行物】
「雪国民俗」（30号）／「雪国民俗」（31号）／「図説　雪国の民具」

- 所在地　〒010-8515　秋田県秋田市下北手桜字守沢46-1
- TEL　018-836-6592
- FAX　018-836-6530
- URL　http://www.akeihou-u.ac.jp/~center
- E-mail　scenter@nau.ac.jp
- 交通　秋田駅より大学専用シャトルバス（無料）運行
- 開館時間　10:00～16:00
- 観覧所要時間　40分
- 入館料　無料
- 休館日　土・日曜日、祝日
- 施設　構造　木造亜鉛メッキ鋼板　葺2階　建面積　211.81㎡
- 利用条件
    (1) 利用を限定する場合の利用条件や資格　事前連絡
    (2) 調査研究目的で利用する場合の条件や資格　事前連絡
- メッセージ　大学が開講されている時期は図書館利用可。大学専用バス運行（秋田駅～大学）無料
- 車イスの貸出　なし
- 身障者用トイレ　なし
- 無料ロッカー　なし

秋田県

- ・駐車場　有り
- ・外国語のリーフレット，解説書　なし
- ・ミュージアムショップ/レストラン　なし
- ・今後3年間のリニューアル計画　なし
- ・設立年月日　昭和35（1960）年研究所、昭和36（1961）年資料館、平成17（2005）年雪国民俗館と改称
- ・設置者　秋田経済法科大学　平成19（2007）年ノースアジア大学と改称
- ・館種　私立大学，民俗
- ・責任者　名誉館長，顧問・鎌田幸男（総合研究センター教授）
- ・組織　6名（名誉館長1、館長代理1（学芸員）、教授1、准教授1、講師2）

山形県

山形大学附属博物館

The Museum of Yamagata University

"地域文化の伝承者"

　山形大学附属博物館は、昭和初期、山形大学教育学部（平成17年4月より地域教育文化学部）の前進である山形県師範学校に設置されていた「郷土室」を引き継ぎ発足したもので、昭和27年4月「博物館相当施設」に指定され、「山形大学附属郷土博物館」として発足した。
　更に大学の発展に伴い、当館における学術資料の収集・蓄積は、学部・学科等の増設と相俟って逐年広域化するとともに、諸研究部門との連携も深まり、昭和53年5月から名称を「山形大学附属博物館」と改め今日に至っている。
　資料を幅広い分野にわたって収集し、保管・展示する他に、関連学部における学芸員資格取得のための博物館実習を実施している。
　豊富な古文書資料を中心に、学外からも研究目的の利用者が多く訪れる。また、年に一度開催される公開講座も人気。地域に根ざしながら、開かれた大学博物館を目指している。

【収蔵品・展示概要】
　本館の収蔵品は歴史・考古、民俗、美術、地学・地理、動物・植物、医学、工学、農学の8部門に分類されており、ほぼ全分野の資料が常設展示されている。
　鈎型の展示室には手前から地学・地理資料として、岩石標本や化石が展示されている。その後に動植物部門として剥製標本などが並び、歴史・考古、民俗、歴史と続く。つまり展示室奥へ進むにしたがって、地球の誕生から人類の歩みを辿るように、より人間の生活に密着した資料が多くなるのが特徴である。特

山形県

に近世から近代の山形県の資料が多く展示されている。
　また、歴史部門の中でも3万点近く所蔵する古文書資料は分類・整理して保管しており、利用者の求めに応じて館員が別室となる古文書室より出す形式をとっている。
　上記の古文書資料や旧石器時代の出土品の調査研究という目的で訪れる学外の研究者は多い。

【収蔵分野・総点数】
　人文科学資料　1,707点　自然科学資料　687点　古文書資料（目録化済）25,196点

【主な収蔵品／コレクション】
〈歴史・考古分野〉
　踏み絵、十字架等の隠れキリシタン関係資料、船箪笥、小鵜飼船模型等の最上川舟運関係資料、山形城下絵図、宿札等の城下町・街道関係資料、注口土器（県文化財）、結髪土偶等の考古資料
〈民俗分野〉
　相良人形、笹野一刀彫、土人形等の郷土玩具、江戸時代から近代までの生活用具
〈美術分野〉
　漆工芸品、油絵、彫刻等の郷土出身作家の作品、高橋由一作「三島県令道路改修記念画帖」（県文化財）
〈地学・地理分野〉
　算盤珠石等の岩石、鉱物、化石等の地学標本、県内の地形模型図等の地学標本
〈動物・植物分野〉
　日本海産動物の液浸標本、サンリンガエルの完・副模式標本、県内に生息する動物を中心にした剥製標本
〈古文書資料〉
　県内の近世地方文書を中心に収集

【展示テーマ】
　特別展「明治の記憶―三島県令道路改修記念画帖をひもとく―」（2002年度）／「江戸時代の旅いろいろ」（2003年度）／「江戸時代の商い」（2004年度）／「土よりいでしものたち」（2005年度）／「美の再発見物語：山形大学編」（2006年度）

山形県

【教育活動】
〈公開講座（毎年催行）〉　やまがた・明治の風景を読み解く（2002年）／旅の博物学―観光、巡礼、渡り鳥―（2003年）／商いの博物学―古銭からマネーゲームまで―（2004年）／科学の創造・芸術の発明（2005年）／山形美術館の傑作たち―6美術史家の競演（2006年）

【調査研究活動】
　当館では所蔵する約3万点の古文書資料を整理・分類し、『古文書史料目録』を発行している。『27号　後藤利雄収集文書』（2005年）／『28号　米沢市塩野　会田助左衛門家文書、長井政太郎収集文書（二）』（2006年）／『29号　工藤喜兵衛家文書』（2007年）

【刊行物】
『古文書史料目録』（2007年度現在、29号まで既刊）／『山形大学附属博物館概要』（年度毎に刊行）／『博物館50周年記念〈明治の記憶―三島県令道路改修記念画帖―〉』（2002年）

- 所在地　〒990-8560　山形県山形市小白川町1丁目4-12
- TEL　023-628-4930
- FAX　023-628-4930
- URL　http://www.lib.yamagata-u.ac.jp/museum/index.html
- E-mail　hakukan@jm.kj.yamagata-u.ac.jp
- 交通　1）公共交通機関の利用　JR山形駅より山形交通「千歳公園」行バスにて約10分「山大前」停留所より徒歩5分　2）車での来館　正門脇の守衛室で博物館利用の旨を述べ「入構許可証」を受け取り駐車する
- 開館時間　9:00〜17:15
- 観覧所要時間　20〜30分
- 入館料　常設展・特別展ともに無料
- 休館日　土・日曜日，祝日，年末年始（12月27日〜1月4日）
- 施設　当館は山形大学小白川キャンパスの中にある、山形大学附属図書館3階にあり、展示室（延床面積288㎡）と古文書室、館員が常駐する準備室で構成されている（全延床面積389㎡）。また、同キャンパス内にある山形大学インフォメーションセンターで出張展示も行っている
- 利用条件
  （1）利用を限定する場合の利用条件や資格　団体見学での来館希望者は、要事前連絡。展示解説希望の場合は事前連絡が望ましい
  （2）調査研究目的で利用する場合の条件や資格　古文書等の収蔵資料の閲覧は、当館発行の『古文書史料目録』（研究目的の希望者に配布）を参照の上、

山形県

事前申請が必要。また、資料や展示室の撮影希望の場合も要事前連絡
- **メッセージ**　山形大学小白川キャンパスがある山形市は蔵王山系から流れ込む馬見ケ崎川の扇状地に位置し、古くから城下町として栄えた県都です。その中心街から徒歩圏内にある山形大学附属博物館は、学内外問わず、気軽に立ち寄れる資料の宝庫として人気があります。小さな小さな博物館ですが、多分野にわたって収集された郷土関連の資料はなかなかの見応えです。ぜひお立ち寄りください
- **高齢者，身障者等への配慮**　段差有り
- **車イスの貸出**　なし
- **身障者用トイレ**　有り
- **無料ロッカー**　なし
- **駐車場**　有り
- **外国語のリーフレット，解説書**　有り
- **ミュージアムショップ/レストラン**　なし
- **今後3年間のリニューアル計画**　なし
- **設立年月日**　昭和27（1952）年4月
- **設置者**　国立大学法人　山形大学
- **館種**　国立大学，総合
- **責任者**　館長・丸山俊明（理学部教授）
- **組織**　9名（館長1、学部教員との兼任である学芸研究員6、事務2）その他、事業計画のために14名からなる運営委員会が機能している

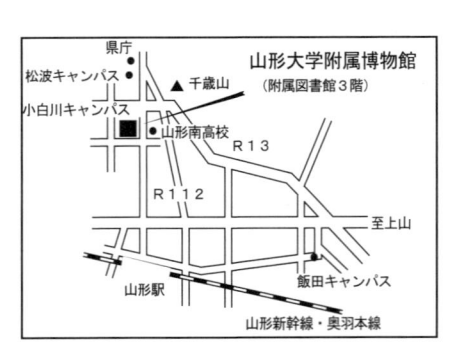

茨城県

茨城大学五浦美術文化研究所　天心遺跡

　近代日本を代表する文明思想家岡倉天心（覚三、1862-1913）は、東京美術学校（現東京芸術大学）校長の職を辞して明治31（1898）年に弟子達とともに日本美術院を創設した。やがて、天心は五浦に居を構え、明治38年には日本美術院を再編成して、四人の愛弟子、横山大観、下村観山、菱田春草、木村武山を呼び寄せ、日本画の近代化を目指した美術活動が展開された。

　昭和17（1942）年、天心偉蹟顕彰会が天心の遺族からこの地の管理を引き継ぎ、戦後、会長の横山大観は、茨城大学に寄贈を申し出た。それを受けて昭和30（1955）年に、五浦美術研究所（後に五浦美術文化研究所と改称）が設立された。五浦美術文化研究所は、天心の業績をしのんでこれらの遺跡を管理すると共に、未来に向けて日本の近代美術や内外の文化・歴史の研究を行い、『五浦論叢』、『五浦美術叢書』、『五浦歴史叢書』、『五浦文学叢書』を発行している。

【収蔵品・展示概要】

　「天心記念館」には、平櫛田中作の《五浦釣人》と《岡倉天心像》のほか、天心の釣舟「龍王丸」など、関連資料が展示されている。同じく平櫛作《ウォーナー像》を展示した堂宇、横山大観揮毫の「アジアは一なり」の文字と新海竹蔵の天心レリーフを刻んだ石碑が敷地内にある。

　茨城県天心記念五浦美術館に常設展示用として天心遺品30数点を開館以来、長期貸し出している。

茨城県

【主な収蔵品/コレクション】
〈日本美術院関係者による寄贈〉
木村武山《小春》：寄贈者南恒子氏（武山の子女）武山の代表作。第一回再興院展出品
今村紫紅《道成寺》：寄贈者　平櫛田中氏
平櫛田中《五浦釣人》：寄贈者　作者
平櫛田中《活人箭》：寄贈者　作者
平山郁夫《日本美術院血脈図》：寄贈者　作者
菱田春草使用画材棚：寄贈者　菱田春夫氏（春草の長男）
東京美術学校制服：寄贈者　木村武夫（武山の長男）
東京美術学校制帽：寄贈者　下村英時氏（観山の子息）
〈天心関係者による寄贈〉
天心使用茶道具類：富田幸次郎（元ボストン美術館東洋部長）
天心着用羽織等：アーサー・マックレーン氏未亡人（富田幸次郎の斡旋）
〈その他〉
荒川豊蔵《黄瀬戸花入》：寄贈者　作者（五浦六角堂に感動して寄贈）

【刊行物】
『五浦論叢』『五浦美術叢書』『五浦歴史叢書』『五浦文学叢書』

- 所在地　〒319-1703　茨城県北茨城市大津町五浦727-2
- TEL　0293-46-0766
- FAX　0293-46-0766
- URL　http://www.ibaraki.ac.jp/izura/
- 交通　常磐線大津港駅下車約5km, 常磐自動車道　北茨城インターチェンジより約12km
- 開館時間　9:30～17:00　ただし、11月から3月までの期間は9:30～16:30　入館可能時刻は、開館終了時間の30分前
- 観覧所要時間　30分
- 入館料　200円（中学生以下無料）
- 休館日　毎週月曜日，国民の祝日の翌日，年末年始
- 施設　研究所の敷地内には長屋門（60㎡）、天心旧邸（152㎡）が残り、前庭先の太平洋に突き出した岩の上には、天心が読書と思索にふけった六角堂（10㎡）が往時の面影を留めている。昭和38（1963）年に「天心記念館」（100㎡）が建設された
- メッセージ　付近には、日本美術院研究所跡、天心の墓所、大観の旧別荘があり、風景を楽しみながら日本文化史上の偉業をしのぶ人々も多数訪れる。平成九年の天心記念茨城県五浦美術館の開館によって、さらに活気にあふれる名勝

地となった。また、日本美術院研究所跡と天心墓地は、日本のナショナルトラスト第一号となったが、当研究所の天心ゆかりの六角堂（観瀾亭）、長屋門、旧居宅は、歴史的景観として登録文化財に認定されている
- **高齢者，身障者等への配慮**　段差有り
- **車イスの貸出**　有り
- **身障者用トイレ**　なし
- **無料ロッカー**　なし
- **駐車場**　なし
- **外国語のリーフレット，解説書**　有り
- **設立年月日**　昭和30（1955）年
- **設置者**　国立大学法人　茨城大学
- **館種**　国立大学，歴史・美術・史跡
- **責任者**　所長・小泉晋弥

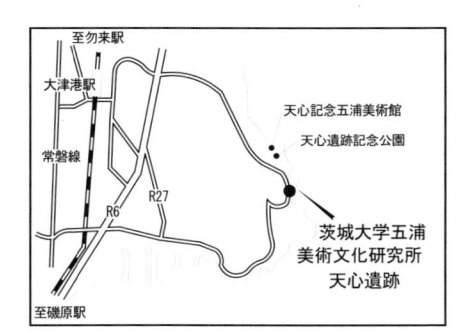

茨城県

流通経済大学三宅雪嶺記念資料館

　本資料館は、近代日本における代表的な思想家・ジャーナリストである三宅雪嶺の旧蔵資料を保存・活用することを目的として、2002(平成14)年5月に設立された。設立の発端は、流通経済大学に対して、同大名誉教授で雪嶺の令孫である三宅立雄氏から雪嶺旧蔵資料の寄贈の申し出がなされたことにある。これに対して、現在の日本のような不安定な社会にあって、哲人と称され、日本の方向を深く考えた雪嶺を改めて見つめ直すことが有意義であると認められ、資料館の開設が決定された。資料館では雪嶺に関する調査・資料収集・研究を行うことととともに、その人生と業績に関する展示を行っている。

　展示の見学は自由であるが、大学の行事にあわせて開館予定が変更される場合があるので、電話等による事前の確認をお勧めする。

【収蔵品・展示概要】
　常設展示は、三宅雪嶺85年の生涯を、「その時代と人生」「師・友・ライバル」の2つのゾーンによって紹介する。「その時代と人生」ゾーンは著作や時代背景を中心に、「師・友・ライバル」ゾーンは交流のあった人物を中心に展示している。
　また、「雪嶺のいる風景」のコーナーを設け、晩年の雪嶺が執筆活動を行った書斎が再現され、雪嶺の私設図書館「三宅文庫」の蔵書や雪嶺の愛用品・愛蔵品を展示するコーナーも設けられている。

【収蔵分野・総点数】

三宅雪嶺が所蔵した写真、文書、愛用品、図書・雑誌など約 1,100 点の「歴史資料」を収蔵している。

【主な収蔵品／コレクション】

雑誌『日本人』(明治 21 年刊～)、三宅雪嶺著『真善美日本人』『偽悪醜日本人』(いずれも明治 24 年刊)、三宅雪嶺書(掛軸)「俊足思長坂」(昭和 17 年筆)、中村研一画「三宅雪嶺・花圃夫妻肖像」(昭和 18 年画)、「三宅雪嶺文化勲章勲記」(昭和 18 年)、「雪嶺愛用のトランク」など。

【展示テーマ】

特別展「三宅雪嶺収蔵写真展」(2004 年度)／特別展「没後 60 周年記念三宅雪嶺回顧展」(2005 年度)／特別展「田辺朔郎と琵琶湖疎水展」(2006 年度)

【教育活動】

没後 60 周年記念講演会「近代日本と『公共性』―三宅雪嶺を中心に―」(2005 年度)／映画上映会「明日をつくった男～田辺朔郎と琵琶湖疎水～」〈虫プロダクション　2002 年制作〉(2006 年度)

【刊行物】

『三宅雪嶺記念資料館ニュース』

- **所在地**　〒301-8555　茨城県龍ケ崎市 120
- **TEL**　0297-60-1840
- **FAX**　0297-60-1840
- **URL**　http://www.rku.ac.jp/seturei/index.html
- **交通**　JR 常磐線佐貫駅より直行バス約 10 分　流通経済大学 7 号館 1 階
- **開館時間**　10:00 ～ 16:00
- **観覧所要時間**　約 30 分
- **入館料**　無料
- **休館日**　土・日曜日，祝日，大学が定める休日，休業期間
- **施設**　流通経済大学龍ケ崎キャンパス 7 号館 1 階に展示室 (199 ㎡)、2 階に収蔵庫 (44 ㎡) と準備室 (44 ㎡) を設置している
- **利用条件**
  (1) 利用を限定する場合の利用条件や資格　出版・テレビ放映等の目的での資料利用や展示解説の希望の場合は要事前連絡
  (2) 調査研究目的で利用する場合の条件や資格　資料の閲覧の場合、要事前連絡

茨城県

- **メッセージ** 明治20年代ナショナリズムの中心的人物として活躍し、哲学者・ジャーナリスト・史論家でもあった三宅雪嶺に関する資料を所蔵する当館は、近代日本を知り、研究する上において欠くことのできない博物館であろう。また、雪嶺の妻・三宅花圃は近代日本における草創期の女流文学者としても著名な人物である。その資料も当館は所蔵している
- **高齢者，身障者等への配慮** バリアフリー
- **車イスの貸出** なし
- **身障者用トイレ** なし
- **無料ロッカー** なし
- **駐車場** 有り
- **外国語のリーフレット，解説書** 有り
- **設立年月日** 平成14（2002）年5月
- **設置者** 学校法人　日通学園
- **館種** 私立大学，歴史
- **責任者** 館長・佐伯弘治（学校法人日通学園学園長）
- **組織** 3名（館長1名、研究員1名、学芸員1名）。運営にあたり大学秘書室、総務課がサポートし、受付員約5名が交代で展示室を担当する

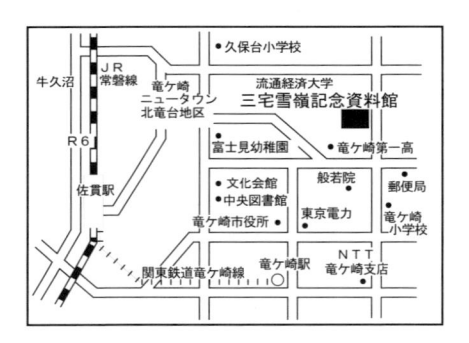

上野記念館

Ueno Memorial Museum

　当館は、文星芸術大学の母体である学校法人宇都宮学園の創立者上野安紹の遺徳を偲んで建立された。

　1976（昭和51）年に落成、その後、1999（平成11）年には、栃木県より博物館相当館として指定を受ける。

　年に2～3回行われる企画展では、当館所蔵の美術作品・歴史資料を広く一般に展示公開している。そのほか、文星芸術大学の学生をはじめとし、学校法人宇都宮学園全体の学生・生徒、教職員の教育・研究・研修に利用されている。

【収蔵品・展示概要】

　設置者である学校法人を創設した上野家の旧蔵品を核に、郷土ゆかりの作家、作品や歴史資料を主に収集している。特に、下野国が文人文化の一端を担っていたとされる江戸時代後期の美術作品に注目する。

　当館所蔵品のなかから、企画展ごとに新たな角度によって分かりやすく展示構成している。それによって当館の収集の幅広さを体感していただく。書や書状など歴史的資料が主である旧蔵品にヴィジュアル面を積極的に付加する形で美術作品を展示するなど、鑑賞教育・教育活動に対する工夫を心がけている。

【収蔵分野・総点数】

　近世（～江戸時代）約950点, 近代（明治時代～）約800点, 総点数　約1750点, うち美術作品　約600点, 歴史資料　約850点, 文学資料　約300点　※調査中の作品・資料を含むため概算

栃木県

【主な収蔵品／コレクション】

　主な所蔵品は近世から近代にかけての南画、日本画、思想家たち、特に栃木県に由来する書画や書簡を所蔵する。

　例えば、谷文晁「夏山霽靄図」、椿椿山「椿椿山自画像」「琢華堂縮図」、川端玉章「山村暮雪」、小杉放菴「柳陰漁夫図」、田崎草雲「山水図屏風双清」。そのほか林羅山、田中正造の書なども。

【展示テーマ】

　山やまの「肖像（すがた）」展　理想としての山、実在の山―山水画から富岳図まで／新選組の幕末展　憂国の士（さむらい）たちを書蹟で辿る／芸術家たちの田端　美術と文学の饗宴　小杉放菴から芥川龍之介まで（以上2004年度）／田崎草雲展　幕末明初を生きる―その画業と人生／モダン百華　近代の日本画、その展開（以上2005年度）／靄厓と隆古展　凛然たる南画―復古大和絵の典雅（2006年度）

【教育活動】

　特になし。ただし、博物館実習の受け入れや、事前に受け付けた団体見学観覧者にギャラリートークを行っている。

【調査研究活動】

　田崎草雲顕彰会報告「上野記念館所蔵作品からみた田崎草雲」（2005年度）／栃木県立美術館シンポジウム報告「学芸員大集合!!ミュージアムを考えるミニシンポジウムとギャラリートーク」（2006年度）

- 所在地　〒320-0032　栃木県宇都宮市昭和2-5-8
- TEL　028-625-5905
- FAX　028-621-2929
- URL　http://www.bunsei.ac.jp/dg/kinenkan/index.htm
- E-mail　eiki@art.bunsei.ac.jp
- 交通　1）JR東北本線「宇都宮駅」西口より関東バス「県庁前」下車・徒歩10分　2）東武宇都宮線「宇都宮駅」下車・徒歩15分　3）車の場合　東北自動車道宇都宮ICより20分、同鹿沼ICより30分
- 開館時間　9:30〜17:00（入館は16:30まで）
- 観覧所要時間　30〜40分
- 入館料　大人200円、中高大学生150円、小学生以下無料
- 休館日　日曜日、祝日、特別休館6月8日、展示替期間
- 施設　3階建構造　総面積1,068㎡　1階：エントランスホール、受付、事務室、

研究室、収蔵庫など、385 ㎡　2 階：第 1 ～ 3 展示室、ロビーなど、399 ㎡（うち展示室 260 ㎡）　3 階：研修室など、284 ㎡
- 利用条件
（1）利用を限定する場合の利用条件や資格　特になし。ただし、事前に連絡のうえ相談による
（2）調査研究目的で利用する場合の条件や資格　特になし　同上
- メッセージ　栃木県庁にほど近い、宇都宮市中心部に位置するにもかかわらず、閑静な住宅街にあります。また開館日数が年間 110 日程度と少ないため、一般のお客様にはなかなか周知いただけないのが現状です。ですが、一度ご来館いただくと、その所蔵品の豊富さにリピーターとなってくださる方が多数です。〈交通について〉周辺は一方通行路です。事前にご連絡いただけましたら、FAX 等で詳細地図をお送りいたします
- 高齢者，身障者等への配慮　段差有り
- 車イスの貸出　なし
- 身障者用トイレ　なし
- 無料ロッカー　有り（手荷物預かり形式）
- 駐車場　有り
- 外国語のリーフレット，解説書　なし
- ミュージアムショップ/レストラン　なし
- 今後 3 年間のリニューアル計画　なし
- 設立年月日　昭和 51（1976）年
- 設置者　学校法人　宇都宮学園（文星芸術大学系列博物館相当館）
- 館種　私立大学，美術および歴史
- 責任者　館長・上野憲示（文星芸術大学学長）
- 組織　館長、副館長 2 名（系列学校教員兼任）、学芸員 3 名（系列大学助手兼任）

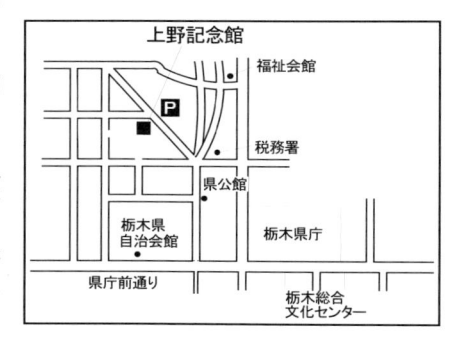

栃木県

風と光のミニミニ博物館

"自然エネルギーについての啓発と利用普及のため様々な取り組みを行っており、自力発電ブース及びソーラークッカーの各ブースにパネルや機器等展示"

風と光の広場は1995年3月、風力発電と太陽光発電の公開型野外実験施設として開設されたが、2001年5月に「太陽」と「風」に加えて「水」と「木」をテーマとした施設を加えてリニューアルされた。この広場には、自然エネルギーを利用した各種機器が設置されている。

併設した博物館には、風力発電や電気自動車、ソーラークッカーに関する様々な資料が展示されている。

一般見学者及び小中学校の環境教育にも役立つテーマパークとして、また開発途上国からの研修生の見学コースとしても公開されている。

【収蔵品・展示概要】
〈風車の部屋〉
中国製・ロシア製小型風車、教材用風車、学生製作の風車模型各種、唯一現存する山田式風車、南極の昭和基地で使用されている風車、世界の風車の写真パネル等。マイクロ風車の発電機

〈ソーラークッカーの部屋〉
ソーラークッカー各種、熱箱型、テルケス型、マルチミラー型、太陽自動追尾熱箱型、関連のパネル等

国際クリーンエネルギー学術調査隊報告パネル展示

博物館入口及び壁面に日時計の設置

【教育活動】

「第4回自然エネルギー利用総合セミナー」（2005年度）／「第6回風力エネルギー利用総合利用総合セミナー」／文部科学省主催「サイエンスキャンプ」／経済産業省主催「エネルギー教育調査普及事業」（以上2006年度）

【刊行物】

風力エネルギー利用総合セミナーテキスト／自然エネルギー利用総合セミナーテキスト

- **所在地**　〒326-8558　栃木県足利市大前町268-1
- **TEL**　0284-62-0782
- **FAX**　0284-62-9985
- **URL**　http://www2.ashitech.ac.jp/crc/index.html
- **E-mail**　soken@ashitech.ac.jp
- **交通**　1）東武伊勢崎線　足利市駅下車　スクールバスで15分　2）JR両毛線山前駅下車　徒歩20分
- **開館時間**　10:00〜15:00
- **入館料**　無料
- **休館日**　月曜日，大学の定める休業日。風と光の広場は年中無休入場可
- **メッセージ**　万人が利用可（月は閉館）。説明を希望される場合は，要事前連絡。博物館の敷地（風の広場）に，20数基の小型風車と太陽電池パネルが設置されている。また，この広場には，ビオトープや緑陰教室があり，市民の憩いの場ともなっている
- **高齢者，身障者等への配慮**　段差有り
- **車イスの貸出**　なし
- **身障者用トイレ**　なし
- **無料ロッカー**　なし
- **駐車場**　有り
- **外国語のリーフレット，解説書**　なし
- **今後3年間のリニューアル計画**　有り
- **設置者**　足利工業大学
- **館種**　私立大学，工学技術

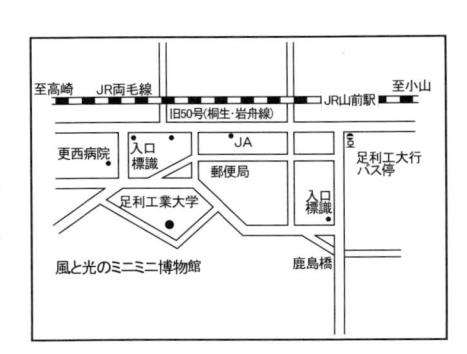

埼玉県

跡見学園女子大学花蹊記念資料館

Atomi Kakei Memorial Museum

"創立者の思いを次代に伝える"

　跡見学園女子大学花蹊記念資料館は、平成7（1995）年11月、跡見学園の開学120周年、女子大学の創立30周年を記念し、創立者跡見花蹊（1840～1926）の名前を冠し、大学2号館に開館した。翌平成8年12月には、埼玉県教育委員会より博物館相当施設として指定された。年に約4～6回の企画展を行う他、学園の歴史を主に紹介するコーナー展示、収蔵品による展示を行っている。この他ワークショップ、研究成果の発表、大学に開講されている学芸員課程の実習にも利用されている。

【収蔵品・展示概要】
　当館の収蔵品は、学園に伝世していたもの、資料館オープン以降、購入・寄贈によるものから成る。
　展示は収蔵品を主に活用している。収蔵されていたものの、最近になって初公開された作品も多く、展示作品を選定し、常に新しい視点が出せるよう工夫している。
　年間の展示は新収蔵品を年度はじめに紹介し、春期、秋期に跡見花蹊や学園ゆかりの作品資料で構成する企画展、特別展がある。更に学内で開設されている授業（主に実技科目が多い）の成果を発表する展覧会を開催している。

【収蔵分野・総点数】
　〈美術資料〉跡見花蹊書画作品、遺愛品、跡見李子、跡見玉枝、跡見泰ら学園ゆかりの人々の書画作品、書簡、明治期以降写真、江戸時代の古文書、学園

の歴史に関する資料
　〈教育関係資料〉明治期の教科書
　〈考古資料〉池上遺跡の縄文時代の考古資料
　〈その他〉女子大学に咲くサクラさく葉標本
　合計で約 900 件

【主な収蔵品/コレクション】
　〈跡見純弘コレクション〉
　3 ヶ年にわたり蓄積された学園ゆかりの作品資料から成る。書画、写真、工芸など。
　〈跡見花蹊作品〉
　教育者、書家、画家である跡見花蹊の主要な作品を収蔵している。「秋草図屏風」「四季花卉図」「秋虫瓜蔬図」「八十自寿詩」「朱文公勧学文」は必見である。
　黒田清輝「跡見花蹊像」

【展示テーマ】
　「テンペラルネサンス」」「メキシコの息吹—竹田鎮三郎展—」「中国宋代絵画展」「跡見ゆかりの人々」「跡見 Directory」（以上 2006 年度）　ほか

【教育活動】
　本学学芸員課程との連携、実習生受入指導、共催講演会の開催、学生による展示活動補助／ワークショップ開催「みんなでつくる・綴じる—四コマ連画漫画ワークショップ—」

【調査研究活動】
　跡見純弘氏寄贈作品資料の整理／目録刊行のための調査／跡見泰作品調査・報告

【刊行物】
　紀要・年報「にいくら」／図録「メキシコの息吹—竹田鎮三郎展—」／目録「跡見純弘コレクション」／図録「Gyokushi—桜の画家　跡見玉枝展—」

　　・**所在地**　〒352-8501　埼玉県新座市中野 1-9-6
　　・**TEL**　048-478-0130
　　・**FAX**　048-478-3554

埼玉県

- URL　http://www.atomi.ac.jp/daigaku/kakei_museum/index.html
- E-mail　d-shiryo@atomi.ac.jp
- 交通　1）東武東上線志木駅よりバス約15分　南口ロータリー西武バス乗場より跡見女子大行（志32）または所沢駅東口行（所52）　2）JR武蔵野線新座駅より大学バス7分　3）西武線所沢駅よりバス約25分　東口ロータリー西武バス乗場より志木駅南口行（所52）
- 開館時間　9:30〜16:30
- 観覧所要時間　約30分
- 入館料　無料
- 休館日　日曜日，祝日，展示替え，大学休業日
- 施設　跡見学園女子大学2号館1階　第1展示室（95.2㎡）、第2展示室（91.0㎡）、整理・実習室（74.5㎡）、特別収蔵室（16.5㎡）、サービスコーナー（12.5㎡）から成る
- 利用条件
  - （1）利用を限定する場合の利用条件や資格　館長が認めた場合に利用できる
  - （2）調査研究目的で利用する場合の条件や資格　館長が認めた場合に利用できる
- メッセージ　当館にはサービスコーナーがあり、全国の主要な博物館、美術館の紀要、図録などが閲覧できる。また、現在開催中の展覧会広報物、割引券なども自由にお持ちいただいている
- 高齢者，身障者等への配慮　バリアフリー
- 車イスの貸出　有り
- 身障者用トイレ　有り
- 駐車場　有り
- 外国語のリーフレット，解説書　有り
- ミュージアムショップ/レストラン　刊行物やオリジナル・グッズ販売、イベントや次回展の告知、交流他機関の情報提供のスペースとして、サービスコーナーがある。また学内にはカフェやレストランがある
- 今後3年間のリニューアル計画　なし
- 設立年月日　平成7（1995）年11月
- 設置者　跡見学園女子大学
- 館種　私立大学，美術
- 責任者　館長・泉雅博（文学部教授）
- 組織　3名（館長1、兼務）（主任1、兼務）（学芸員1、専任）このほか非常勤職員2名

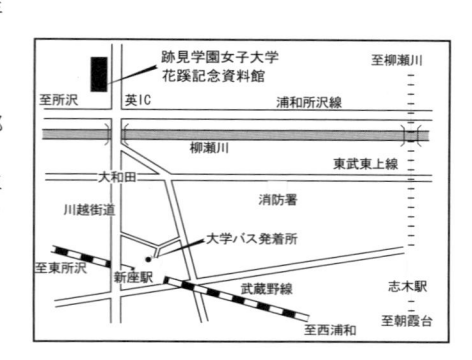

埼玉県

日本工業大学工業技術博物館

N.I.T. Museum of Industrial Technology

"ものづくりの歴史に学び、未来につなぐ。"

　本博物館は、明治40（1907）年の創立以来一貫して実践的で創造性に富む技術者の育成に努めてきた学校法人東工学園（現・学校法人日本工業大学）が、創立80周年記念事業の一つとして昭和62（1987）年に大学敷地内に開設し、一般にも公開しているものである。
　本館、蒸気機関車展示館、別館で構成され、展示品は機械・機器類、大小合わせて400点以上に及んでいる。特に、わが国産業の発展に貢献した工作機械等、250台以上の機械を機種別、製造年代順に展示しており、工作機械の約7割が動態保存で、かつての町工場も復元してあるのが当館の特長である。また、国家プロジェクトで開発されたガスタービン等も展示し、国鉄等で長年活躍した19世紀末英国製の蒸気機関車も動態保存して、定期的に運行している。
　わが国の発展を支える高度なものづくりに携わる人材の育成を目指して、歴史的価値ある機械類や資料を一層充実させるとともに、展示や説明にも工夫を重ねている。
　毎年身近な工業製品をテーマにして開催する特別展や講演会、SL運行等のイベント時には毎回多く方々の参加があり、好評を得ている。

埼玉県

【収蔵品・展示概要】
　わが国の近年における工業技術の発展はめざましく、その水準は世界最高レベルに到達しているが、これらの工業技術は一朝一夕にして出来上がったものではない。今日の輝かしい先端的工業技術も、世界的に見れば産業革命以来の技術革新の積み重ねであり、わが国においても明治初期以来多くの先人達が新しい技術に挑戦し続けてきた努力の上に成り立ったものである。そこで、当館ではそれらの成果を収集し、保存・展示することにより、生きた技術史研究の場を提供するとともに、工業技術の啓蒙を図って、社会に貢献することを目的としている。
　〈活動方針〉
1) 詳細な調査に基づき、歴史的価値のある工作機械など、わが国産業の発展に貢献した機械・機器を発掘・収集し、それらを技術史的に整理して保存・展示を行う。
2) 常設展示とは別に、特別なテーマで企画した特別展を開催する。
3) わが国の技術史を解明する上で必要な書籍・文献・関係資料（図面等）の収集・整理を行い、近い将来の閲覧・公開等に備える。
4) 技術史に関する記事、収蔵品の紹介、諸活動等を紹介する「博物館ニュース」を発行するなど、情報の提供を行う。

【収蔵分野・総点数】
　展示品総点数は、機械・機器類、大小合わせて400点以上。
　〈工作機械〉普通旋盤、タレット旋盤、自動旋盤、車輪旋盤、フライス盤、研削盤、ボール盤、ジグ中ぐり盤、放電加工機、歯車加工機械、数値制御（NC）工作機械、マシニングセンタ
　〈原動機〉手回し動力装置、蒸気機関、高効率レヒートガスタービン、ターボファンエンジン
　〈計測器〉ブロックゲージ、測長器、万能試験機
　〈町工場（工場形式展示）〉植原鉄工所、山本工場、ヒノデ紡機、千代田精機、鍛造工場
　〈車両〉蒸気機関車、自動車

【主な収蔵品／コレクション】
　明治9年・伊藤嘉平治の鍛鉄製足踏旋盤（昭和58年複製）、明治38年・英国クレバンブラザース社製車輪旋盤、明治24年・英国ダブス社製蒸気機関車2100形−2109号、大正初期・米国グリーソン社製すぐばかさ歯車歯切盤、大

正10年・英国カーンズ社製横中ぐり盤、昭和初期・池見鉄工製普通旋盤、昭和29年・形彫り放電加工機（国産1号機）、昭和36年・ガラス製水銀整流器、昭和62年・高効率レヒートガスタービン10万キロワット　など

【展示テーマ】
　特別展「くらしの中の自動認識」（2004年度）／「時計用小型工作機械の歴史」（2005年度）／「東京が地場産業の金属製日用品」（2006年度）

【教育活動】
　特別講演会「実例による新しい加工技術の開発手法」（2004年春季）／「自動認識技術のしくみと用途」（2004年秋季）／「C11　190号復活までの軌跡」（2005年春季）／「時計工業における技術開発の歴史」（2005年秋季）／「クオーツの歴史と今後の展望」（2006年春季）／「日本の工業製品を支える新しい鋳造技術」（2006年秋季）

【調査研究活動】
　「歴史的価値のある工作機械を顕彰する会」を平成10（1998）年に設立し、わが国の発展に貢献した工作機械の名機を調査研究して、これまでに9回、延べ35機種の顕彰を行った。

【刊行物】
　工業技術博物館ニュース（年4回発行），工業技術博物館パンフレット（簡略版）

- **所在地**　〒345-8501　埼玉県南埼玉郡宮代町学園台4-1
- **TEL**　0480-34-4111（大学代表）　0480-33-7545（博物館直通）
- **FAX**　0480-33-7570
- **URL**　http://www.nit.ac.jp/center/museum/
- **E-mail**　museum@nit.ac.jp
- **交通**　1）電車の場合　東武伊勢崎線「東武動物公園駅」下車、西口から徒歩約15分。東京方面からは北千住で「急行」または「快速」に乗り換え。2）車の場合　東北自動車道「久喜インター」より約15分
- **開館時間**　9:30〜16:30（ただし入館は16:00まで）
- **観覧所要時間**　めやすとして30分・60分・90分のコースを設定
- **入館料**　無料
- **休館日**　日曜・祝日，8月中旬〜下旬，年末年始
- **施設**　本館（3,000㎡）、蒸気機関車展示館（175㎡）、別館（900㎡×2階）（一

埼玉県

部倉庫）で構成。また、本館にはレクチャールーム（定員50名）と中二階に特別展の展示スペースがある
- 利用条件
  (1) 利用を限定する場合の利用条件や資格　団体見学で展示品の解説を希望する場合は、要事前予約
  (2) 調査研究目的で利用する場合の条件や資格　書籍・資料の閲覧は、要事前予約。展示品の撮影は、要許可
- メッセージ　毎年秋（11月）に身近な工業製品をテーマにして特別展を開催します。毎月第3土曜日（8月と12月を除く）には明治24年英国製蒸気機関車を有火運転。また学園祭等のイベント時には、博物館前庭に敷設してある一周140メートルの軌道でミニトレインも運転します。博物館の後援会員になると、博物館ニュースが送付され、特別講演会や交流会に招待されます
- 高齢者，身障者等への配慮　バリアフリー
- 車イスの貸出　なし
- 身障者用トイレ　有り（大学敷地内）
- 無料ロッカー　有り
- 駐車場　有り
- 外国語のリーフレット，解説書　なし
- ミュージアムショップ/レストラン　大学敷地内に食堂が3カ所・売店が1カ所在り
- 今後3年間のリニューアル計画　なし
- 設置者　学校法人　日本工業大学
- 館種　私立，工業技術
- 設立年月日　昭和62（1987）年9月
- 責任者　館長・松野建一（教授）
- 組織　7名（館長1、講師1、助手1、技術職員1、嘱託1、非常勤職員2）

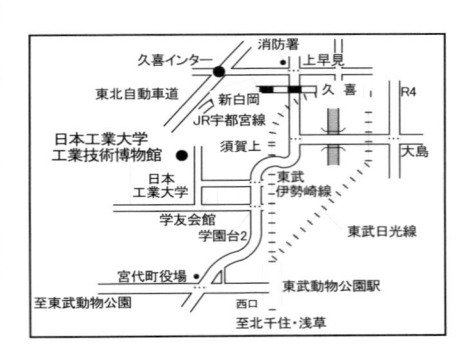

埼玉県

武蔵野音楽大学入間キャンパス楽器博物館

Museum of Musical Instruments
Musashino Academia Musicae

　本学では、教職員・学生の教育・研究のために、昭和28年から楽器資料を収集し、楽器陳列室で展示・保管してきたが、昭和42年、邦楽器研究家である故・水野佐平氏から貴重な邦楽器コレクションが寄贈されたことを機会に、この陳列室を改組し、武蔵野音楽大学楽器博物館として開館した。さらに、昭和53年には入間キャンパスにも楽器博物館が、平成5年にはパルナソス多摩に楽器展示室が開設されて現在に至っている。

【収蔵品・展示概要】
　所蔵資料は、楽器、楽器附属品、装置・器具類、その他の音楽関係資料の4部門に分類されている。楽器部門には数々の名器や希少な歴史資料と世界各地の民族楽器が、楽器附属品部門にはヴァイオリンやチェロの各弓コレクションが、装置・器具類にはエジソンの蝋管機や歴史的オルゴールが、音楽関係資料には楽器演奏人形や図像資料がそれぞれ含まれ、その総数は優に5,000点を超え、わが国最大の楽器博物館として内外に高い評価を得ている。
　入間キャンパス楽器博物館には、「水野コレクション」を含む邦楽器、蝋管機・蓄音機類、弦楽器工作具類など合計約1,000点が展示されている。

【収蔵分野・総点数】
　歴史資料　約1400点（入間キャンパス楽器博物館）

埼玉県

【主な収蔵品／コレクション】
　フォルテピアノ（6本ペダル付き），クリスタルグラスハープ，水野コレクション，蓄音機類

【刊行物】
　武蔵野音楽大学楽器博物館写真集「KALEIDOSCOPEⅡ」／絵葉書集Ⅳ／絵葉書6種

- 所在地　〒358-8521　埼玉県入間市中神728
- TEL　04-2932-2111（代表）
- FAX　04-2932-1114
- URL　http://www.musashino-music.ac.jp/
- 交通　西武池袋線「仏子駅」南口下車　キャンパス入口まで徒歩5分
- 開館時間　毎週火曜日　12:00～15:00
- 入館料　無料
- 休館日　水～月曜日，祝日，学園休暇中
- 高齢者，身障者等への配慮　段差有り
- 車イスの貸出　なし
- 身障者用トイレ　なし
- 無料ロッカー　なし
- 駐車場　なし
- 外国語のリーフレット，解説書　なし
- 今後3年間のリニューアル計画　なし
- 設立年月日　昭和53（1978）年
- 設置者　学校法人　武蔵野音楽学園
- 館種　私立大学，歴史
- 責任者　館長・福井直昭（教授）

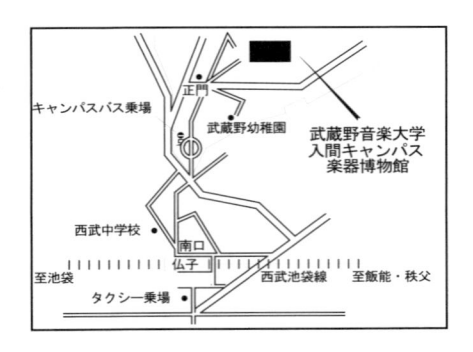

埼玉県

立正大学博物館

Rissho University Museum

　立正大学博物館は、大学創立130周年記念として平成14（2002）年4月1日に熊谷キャンパス（埼玉県熊谷市）に開設された。その前身は、昭和7（1932）年に大崎キャンパス（東京都品川区）に開設された考古学資料室と、昭和53（1978）年に熊谷キャンパスに設けられた考古学陳列室である。ともに考古学研究室を中心とした考古学的活動の軌跡を物語る遺物と識者によって寄贈された資料を収蔵し、それぞれ教育と研究の便に供されてきたが、博物館施設の設置により、一部を除いて移管された。

　所蔵資料中とくに周知されてきたのは、日本各地の古代窯跡出土の一括資料、釈迦の生誕地・ネパールにおいて立正大学が発掘調査したティラウラコット遺跡の出土資料である。寄贈資料としては、「吉田格縄文文化資料コレクション」、「眞鍋孝志仏教関係撫石庵コレクション」、「久保常晴樺太考古資料コレクション」などが含まれている。

【収蔵品・展示概要】

　第1展示室は、考古学研究室資料および撫石庵コレクションを展示している。

　考古学研究室資料は、立正大学文学部考古学研究室が発掘調査を行ってきた資料であり、旧石器時代から近世にかけての資料がある。立正大学考古学研究室が昭和33〜55（1958〜1980）年にかけて、文部省・科学研究費の交付などを受けて実施した「古代窯業の考古学的研究」によって発掘された資料が展示されている。埼玉県を中心に古代窯跡の調査が行われ、本州最北とされる窯

埼玉県

跡、青森県前田野目遺跡（五所川原須恵器窯跡群）から、南は福岡県平田窯跡にいたるまで全国の窯跡出土の資料が展示されている。

撫石庵コレクションは、眞鍋孝志氏（古鐘研究会会長）より寄贈された梵音具を中心とするコレクションである。なかでも、伝橿原市出土の平安時代の梵鐘は、わが国初現期の梵鐘として十指に入るもので、極めて貴重な資料である。この他に金銅釈迦如来立像など、アジア各地の梵音具を中心とした資料として稀有なコレクションが展示されている。

第2展示室は、吉田格コレクション・ティラウラコット遺跡出土資料・久保常晴コレクションを展示している。吉田格コレクションは、立正大学専門部地歴科を昭和16（1941）年に卒業された吉田格氏の寄贈資料である。縄文時代早期の花輪台式、後期の称名寺式などの型式標準資料や本草学者伊藤圭介（日本最初の理学博士）蒐集の石器など縄文時代の豊富なコレクションが展示されている。

ティラウラコット遺跡出土資料は、昭和42〜52（1967〜77）年にかけて、立正大学がネパール王国に派遣した仏教遺跡発掘調査団によって発掘された資料である。ティラウラコット遺跡は、カピラ城跡（釈迦出家の故城）の有力な比定地として学界に知られ、立正大学の調査によって最有力遺跡として注目されるにいたっている遺跡である。遺物の他に当時の調査道具や関係資料も併せて展示している。

久保常晴コレクションは、元立正大学名誉教授であった故・久保常晴博士が1930年代にサハリン（樺太）の地を調査した際に収集された資料である。その他に久保常晴博士の直筆の原稿やノートなども展示している。

その他に、エントランス部分に熊谷校地内遺跡から出土した資料を展示している。

【収蔵分野・総点数】

〈考古学資料〉展示資料　2066点・遺物収納箱　約2000個　〈その他考古学史関連資料〉約800点　〈図書資料〉約3000冊

【主な収蔵品／コレクション】

〈撫石庵コレクション〉伝橿原市出土鐘、銅鼓、甬鐘、鉦鼓、釈迦如来立像、金剛鈴、梵鐘、中国鐘、朝鮮鐘、鐘（ミャンマー・タイ・ベトナムなど）

〈吉田格コレクション〉1亀ケ岡遺跡（青森県）・2貝取貝塚（岩手県）・3白浜貝塚（岩手県）・4立木貝塚（茨城県）・5花輪台貝塚（茨城県）・6福田貝塚（茨城県）・7東光台遺跡（栃木県）・8石神貝塚（埼玉県）・9大原遺跡（埼玉県）・

10 貝柄山貝塚（千葉県）・11 城ノ台北貝塚（千葉県）・12 新田山遺跡（千葉県）・13 堀之内貝塚（千葉県）・14 犢橋貝塚（千葉県）・15 赤塚城址遺跡（東京都）・16 井草遺跡（東京都）・17 熊之郷遺跡（東京都）・18 下沼部貝塚（東京都）・19 鈴木町遺跡（東京都）・20 西之台遺跡AB地点（東京都）・21 多喜窪遺跡（東京都）・22 殿ケ谷戸遺跡（東京都）・23 武蔵関駅北方遺跡（東京都）・24 桂台貝塚（神奈川県）・25 子母口貝塚（神奈川県）・26 称名寺A・B貝塚（神奈川県）・27 表谷東貝塚（神奈川県）・28 峠遺跡（静岡県）・29 佐太講武貝塚（島根県）・30 伊藤圭介蒐集資料

〈立正大学考古学研究室資料〉1 朝日遺跡（神奈川県）・2 報徳遺跡（北海道）・3 白滝遺跡（北海道）・4 石神貝塚（埼玉県）・5 野原古墳群（埼玉県）・6 前田野目窯跡（青森県）・7 荒沢窯跡（山形県）・8 町沢田窯跡（山形県）・9 上小友窯跡（群馬県）・10 金山瓦窯跡（群馬県）・11 新沼窯跡（埼玉県）・12 虫草山窯跡（埼玉県）・13 亀の原窯跡（埼玉県）・14 新久窯跡（埼玉県）・15 八坂前窯跡（埼玉県）・16 八瀬里工房跡（埼玉県）・17 宮ノ前窯跡（埼玉県）・18 鶴巻窯跡（埼玉県）・19 宮洞窯跡（長野県）・20 若宮窯跡（長野県）・21 御牧の上窯跡（長野県）・22 青水窯跡（広島県）・23 平田窯跡（福岡県）・24 九十九坊廃寺（千葉県）・25 長熊廃寺（千葉県）・26 大椎経塚（千葉県）・（その他）南関東出土の骨蔵器・板碑、九代将軍徳川家重墓出土の経石

〈久保常晴コレクション〉

〈ネパールティラウラコット遺跡出土資料〉

【展示テーマ】
　第2回企画展「南極、自然と人―南極観測の記録から―」／第2回特別展「釈迦の故郷」（以上2004年度）／第3回特別企画展「江戸狩野とその世界～作品と墓所～」（2006年度）

【教育活動】
　〈記念講演会〉「南極に魅せられて半世紀」「釈迦の遺跡を掘る〈カピラヴァストゥとルンビニー〉」（以上2004年度）／「江戸狩野とその世界」「池上本門寺の沿革と狩野家」「奥絵師江戸狩野家墓所の調査」（以上2006年度）

【調査研究活動】
　所蔵資料の梵鐘に関連する海外調査（中華人民共和国・大韓民国・タイ王国）および国内関連の梵鐘調査

埼玉県

【刊行物】
『立正大学博物館年報』『万吉だより』『館蔵資料「基礎文献」叢刊』『江戸狩野とその世界』『釈迦の故郷』

- ・所在地　〒360-0194　埼玉県熊谷市万吉1700
- ・TEL　048-536-6150
- ・FAX　048-536-6170
- ・URL　http://www.ris.ac.jp/museum/
- ・E-mail　museum@ris.ac.jp
- ・交通　1）JR高崎線　上越・長野新幹線　熊谷駅下車。南口よりバス〔立正大学行き〕で10分　2）東武東上線　森林公園駅下車。北口よりバス〔立正大学行き〕で12分
- ・開館時間　10:00～16:00
- ・入館料　無料
- ・休館日　火・日曜日，祝日，大学休業日
- ・施設　地上2階建　1階第1展示室（93.88㎡），2階第2展示室（71.22㎡）、他に館長室・事務室・資料室・第1・2収蔵庫など。遺物収蔵庫として他に2棟あり
- ・利用条件
  - （1）利用を限定する場合の利用条件や資格　利用により生じた著作物は，1部以上を無償で博物館に納入しなければならない
  - （2）調査研究目的で利用する場合の条件や資格　利用許可申請書を提出し，館長の許可を得る。利用による成果を刊行物，映画フィルム，ビデオテープ等に発表する時は，本博物館の名称及びその所蔵，または保管であることを明記すること
- ・高齢者，身障者等への配慮　段差有り
- ・車イスの貸出　なし
- ・身障者用トイレ　なし
- ・無料ロッカー　なし
- ・駐車場　有り（大学敷地内）
- ・外国語のリーフレット，解説書　なし
- ・ミュージアムショップ/レストラン　なし
- ・設立年月日　平成14（2002）年4月1日
- ・設置者　立正大学学園
- ・館種　私立大学，総合
- ・責任者　館長・池上悟（文学部教授）
- ・組織　3名（館長1、学芸員1（非常勤職員）、事務職員（非常勤職員））

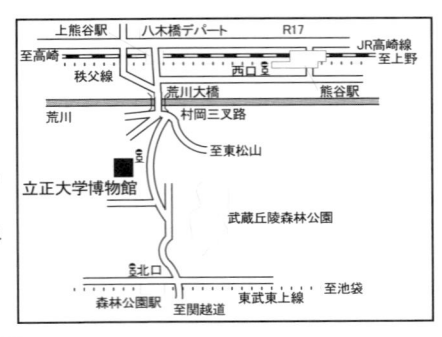

千葉県

城西国際大学水田美術館

Mizuta Museum of Art, Josai International University

　城西国際大学水田美術館は、収蔵品を公開し、また地域の芸術文化を調査し紹介することを目的として、2001年、城西国際大学開学10周年を記念して開館した。
　収蔵品の核となる水田コレクションは、学校法人城西大学の創立者・水田三喜男が蒐集した浮世絵を中心とした絵画で、1976年に法人に寄贈され、姉妹校である城西大学（埼玉県坂戸市）の水田美術館において1979年より公開されている。
　2003年度に大学や地域にゆかりある資料・絵画調査の成果による展覧会「房総の素封家と近代日本画壇―大観・紫紅とその周辺―」を開催し、以降、浮世絵に加え地域にゆかりあるテーマでの企画展の開催が活動の中心となった。
　また、2004年度にメディア学部（前・人文学部メディア文化学科）1期生が卒業を迎え、それより毎年度末にメディア学部卒業制作展の会場としても活用されている。

【収蔵品・展示概要】
　〈収蔵品〉
　・水田コレクション（浮世絵肉筆画、浮世絵版画、近代美人画）
　・房総を描いた浮世絵版画
　・明治以降の木版画
　・その他（近世・近代・現代絵画、写真）
　〈収集活動〉
　・収蔵品の中心をなす水田コレクションに関連するものとして、房総を描い

千葉県

た風景画版画、明治以降の木版画を収集
　・地域にゆかりのある絵画の寄贈、寄託申込を受けている
〈展示〉常設展示なし。
　・浮世絵の基礎知識を学べる収蔵品特集展示や浮世絵に関連するジャンルの企画展を開催
　・千葉県とくに東金市、九十九里、山武郡、長生郡を中心に、当地出身、または当地に移住した画家をとりあげ、地域の人々との交流の中でその画業をとらえる企画展を開催
　・東金市を中心とした地域の商人文化、網元文化をテーマにした企画展を開催予定

【収蔵分野・総点数】

　総数　673点、日本近世絵画　12点（寄託1点含む）、浮世絵（肉筆）31点、浮世絵版画　237点、版本（絵本）2点、近代版画　354点、近現代絵画　12点、写真　25点

【主な収蔵品／コレクション】

　〈水田コレクション（浮世絵）〉
　役者絵と美人画を中心とし、菱川師宣から鳥居派、勝川派、喜多川歌麿、葛飾北斎などを経て月岡芳年まで、肉筆画と版画をあわせて、初期浮世絵から幕末明治に至るまでの浮世絵の発展史が体系的にたどれる作品で構成されている。
　版画・役者絵＝《嵐龍蔵の金貸石部金吉》ほか9点の東洲斎写楽作品や二代鳥居清信《二代目市川団十郎の渡辺綱》、勝川春章《三代目瀬川菊之丞》ほか。
　版画・美人画＝鳥居清倍《太夫と二人の禿図》、石川豊信《二代目中村七三郎と佐野川市松》、西村重長《掛物三幅対　現の遊》、喜多川歌麿《橋下の釣》《針仕事》、鳥居清長《風俗東之錦　凧の糸》、鳥文斎栄之《略六歌撰　喜撰法師》ほか。
　版本（絵本）＝一筆斎文調・勝川春章《絵本舞台扇》
　肉筆画＝菱川師宣《見立石山寺紫式部図》、宮川長春《見立業平東下り図》、葛飾北斎《化粧美人》、伊東深水《姿見》ほか。
　〈水田コレクション以外〉
　歌川広重《富士三十六景》シリーズなどの浮世絵風景版画。
　月岡耕漁《能楽百番》《能楽図絵》、吉田博《房州海岸》などの近代版画。
　県内の現代日本画家、齊藤惇《九十九里展望》《九十九里》

【展示テーマ】
　東金ゆかりの美術展（2004年度）／水田コレクション展　浮世絵は楽し6. 結髪／近代の能画家　月岡耕漁展（以上2005年度）／江戸土産としての浮世絵展―広重《名所江戸百景》を中心に―／房総ゆかりの画家　石井林響展　後援団体「総風会」を中心に（以上2006年度）

【教育活動】
　〈講演会〉「水田コレクションをみる―《賀茂競馬図屏風》と《武者京洛行進図》」「黒髪の美しさと江戸の女たち」「近世後期の東金周辺と文人たち」（以上2005年度）／「広重の描く江戸名所」「大正期の新しい日本画」（以上2006年度）

【調査研究活動】
　東金市を中心に近隣の旧家・寺社の絵画作品調査、企画展開催／シカゴ美術館、ボストン美術館で《絵本舞台扇》特別閲覧／茂原市・石渡家文書ほかの読解

【刊行物】
　展覧会図録『房総ゆかりの画家　齊藤惇展―心に響く情景―』『鴨川市所蔵　藤澤衛彦コレクション　摺物　江戸の風雅な年賀状』（以上2004年）／『近代の能画家　月岡耕漁展』（2005年）／『橋本博英展　色彩の交響曲』『房総ゆかりの画家　石井林響展　後援団体「総風会」を中心に』（以上2006年）

- 所在地　〒283-8555　千葉県東金市求名1
- TEL　0475-53-2562
- FAX　0475-55-3265
- URL　http://www.jiu.ac.jp/museum/
- 交通　1）JR外房線大網駅またはJR総武本線成東駅乗り換えでJR東金線求名（ぐみょう）駅下車、徒歩5分　2）車では、京葉道路・館山自動車道の千葉東ジャンクションより千葉東金道路に入り、東金インター下車、国道126号線を成東方面へ約20分、信号「城西国際大前」右折　3）JR東京駅、JR西船橋駅、JR木更津駅、JR蘇我駅、JR大網駅、JR成東駅、京成成田駅よりシャトルバス運行
- 開館時間　10:00 〜 16:00
- 観覧所要時間　40分
- 入館料　無料
- 休館日　日・月曜日，祝日，開学記念日（4月28日），大学休業期間（8月），入学試験期間，展示替期間

千葉県

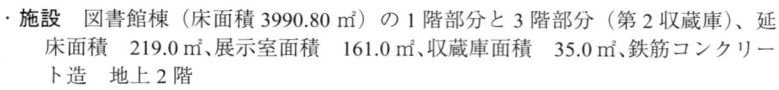

- ・施設　図書館棟（床面積 3990.80 ㎡）の 1 階部分と 3 階部分（第 2 収蔵庫）、延床面積　219.0 ㎡、展示室面積　161.0 ㎡、収蔵庫面積　35.0 ㎡、鉄筋コンクリート造　地上 2 階
- ・利用条件
    (1) 利用を限定する場合の利用条件や資格　収蔵品利用、写真利用は「水田コレクション」については有料。団体見学で展示解説を希望する場合、要事前連絡
    (2) 調査研究目的で利用する場合の条件や資格　収蔵品の特別観覧は、申請書を提出する
- ・メッセージ　展覧会ごとに、展示内容を補足する内容の充実した映像を放映。展覧会ごとに 2 回程度、展示解説を行う。東京駅、蘇我駅、大網駅などと大学を結ぶ低料金のシャトルバスが利用できる
- ・高齢者，身障者等への配慮　バリアフリー
- ・車イスの貸出　有り
- ・身障者用トイレ　有り（学内に有り）
- ・無料ロッカー　なし
- ・駐車場　有り
- ・外国語のリーフレット，解説書　有り
- ・ミュージアムショップ / レストラン　ミュージアムショップ：受付脇に有り。レストラン：学生食堂、教職員食堂利用可
- ・今後 3 年間のリニューアル計画　なし
- ・設立年月日　平成 13（2001）年 4 月 7 日
- ・設置者　学校法人　城西大学　城西国際大学
- ・館種　私立大学，美術
- ・責任者　館長・水田宗子（学校法人城西大学理事長・城西国際大学学長）
- ・組織　館長 1 名、学芸員 2 名

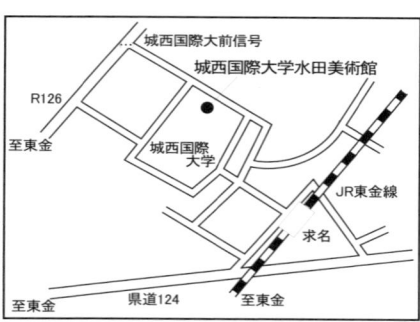

千葉県

城西国際大学 薬草園（大多喜町薬草園）

Josai International University Medicinal Plant Garden

　この薬草園は、薬用植物に関する正しい知識の普及を目的として、千葉県が昭和62年に設立した植物園が発端になっている。平成17年に千葉県から大多喜町に移譲され、指定管理者制度により大多喜町より学校法人城西大学が薬草園の指定管理者を受けて、城西国際大学薬学部が管理運営を行っている。

【収蔵品・展示概要】
　〈生薬標本〉
　約500種類を使用部位に分けて展示している。根・根茎、果実・種子、根皮・樹皮、動物、茎・材類、花類、ハーブ＆スパイス、鉱物、藻・菌類、樹脂・エキス、全草・葉、産地別同種生薬
　〈薬用植物〉
　約350種類を使用目的などにより区分して展示植栽している。温室、漢方薬、局方医薬品、民間薬、水生湿生、有毒、香料染料植物区

【教育活動】
　日本生薬学会関東支部　植物観察会／秋の薬草園セミナー（以上2006年）／観光学部と鴨川市交流事業（2007年）

　　・**所在地**　〒298-0216　千葉県夷隅郡大多喜町大多喜486
　　・TEL　0470-82-2165

千葉県

- ・FAX　0470-82-4988
- ・URL　http://www.jiu.ac.jp/yakusouen/index.html
- ・交通　1）電車利用の場合:JR 外房線にて大原駅下車、いすみ鉄道に乗り換え大多喜駅下車、薬草園までは徒歩約 20 分　2）車利用の場合：館山自動車道市原 IC より国道 297 号牛久を経由し、横山交差点を右折し大多喜町市街へ、大多喜城への案内により進む
- ・開館時間　9:00 〜 16:30
- ・観覧所要時間　約 30 〜 60 分
- ・入館料　無料
- ・休館日　月曜日（祝日の場合は翌日）
- ・施設　敷地面積　15,739.53 ㎡　管理棟（資料館）:鉄筋平屋 286 ㎡（展示室、事務室、他）　研修館：鉄筋 2 階建て 272 ㎡（研修室、事務室、他）　温室：ガラス温室 162 ㎡（A 棟、B 棟）　標本園：薬草、薬木展示植栽区 4,660 ㎡
- ・利用条件
  - （1）利用を限定する場合の利用条件や資格　随時検討
  - （2）調査研究目的で利用する場合の条件や資格　随時検討
- ・メッセージ　薬草園は、城西国際大学が主催する公開講座をはじめ様々な形で本学の教育拠点として、また地域の皆様への情報発信の基地として活用して頂きたい。また、周辺は大多喜県民の森、大多喜城（博物館）、ハーブアイランド、養老渓谷など自然豊かな環境である
- ・ミュージアムショップ/レストラン　ショップ、レストランなし。東屋があるのでお弁当持参で。事務室にてカレンダー、缶バッチ販売
- ・設立年月日　昭和 62（1987）年 10 月開園
- ・設置者　大多喜町（指定管理者：学校法人城西大学）
- ・館種　薬草園
- ・責任者　園長・中島新一郎（薬学部長）
- ・組織　常勤:1 名（管理事務担当）兼務：園長 1 名、担当教授 1 名、担当准教授 1 名、学部事務 2 名、計 6 名　委託：栽培管理作業、常時 1 名

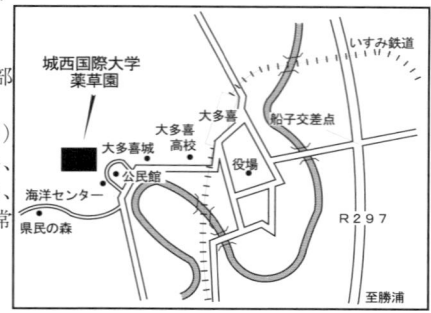

千葉大学海洋バイオシステム研究センター（こみなと水族館）

"生物をじっくり観察できる水族館"

　こみなと水族館は、1932年6月、日本における解放式水族館の草分けとして設置された。第二次世界大戦のために6年間休館したが、1950年に小湊町が海洋生物学の普及をめざし、近代水族館として新たな構想のもとに千葉大学の許可を得て再び開館した。1999年に理学部附属施設から千葉大学学内教育研究施設に移管され、海洋バイオシステム研究センターの附属水族館となった。同センターは、海洋生物およびそれを取り巻く地球環境の基礎研究・教育を行うことを目的としている。

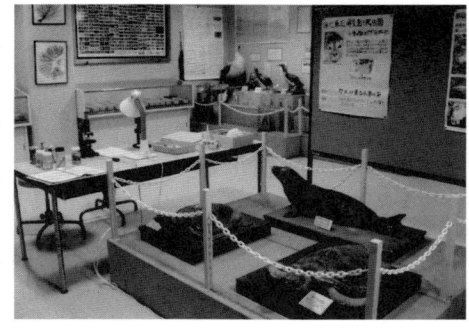

　水族館は、房総の海に棲む生物にこだわって展示している。私たちの身近な海にもさまざまな生物がいる事を、当水族館を通して気づいてもらえたら、と職員一同考えている。また、標本室では創設当初から今日まで房総で集めた様々な標本を展示している。派手なアトラクションやショーなどはないが、自然のままに泳いでいる魚との時間を大切にしてもらいたい。

【収蔵品・展示概要】
　目の前の海（房総）に棲む生き物とその標本。研究成果について、理解しやすいように解説してある。しかし、水槽が狭く回遊性の魚や大型魚は展示できないため、展示したとしても幼魚で、成長すると放流する。

【収蔵分野・総点数】
　安藤広重の画が保管されている。（一般公開はカラーコピー）

千葉県

【教育活動】
　高校生のための森と海のゼミナール／おもしろ磯生き物教室（小学生対象）／磯の生き物の観察学習（小学生対象）

【調査研究活動】
　水族館として研究調査は行っていないが、教員や学生達の研究生物を一般展示し、また研究成果などの解説も行っている。

【刊行物】
　「千葉大学海洋バイオシステム研究センター年報」（毎年発行）※水族館で発行しているのではなく、センターとして発行

- 所在地　〒299-5502　千葉県鴨川市内浦1番地
- TEL　04-7095-2201
- FAX　04-7095-2271
- URL　http://www-es.s.chiba-u.ac.jp/kominato/
- E-mail　Kml2201@office.chiba-u.jp
- 交通　1）JR安房小湊駅下車　鴨川方面徒歩10分　2）JR安房小湊駅下車　仁衛門島行きバス　2つ目の寄浦下車（水族館入り口）徒歩3分　3）国道297号大多喜経由　国道128号鴨川方面・ホテル豊明殿の手前　※詳しくはHP参照
- 開館時間　10:00～16:00
- 観覧所要時間　平均30分程度
- 入館料　無料
- 休館日　毎週月・金曜日，12月28日～1月3日
- 施設　水族室　107㎡　標本室　78㎡
- 利用条件
  (1) 利用を限定する場合の利用条件や資格　水族館として条件は特に設けていない（但し泥酔者にはご遠慮願っている）。センターとしては、研究・教育としてなら利用可能（基本的に大学）、但し事前にセンター長の許可が必要
  (2) 調査研究目的で利用する場合の条件や資格　小学生でも一般の方でも、それが研究目的であれば案内を行う
- メッセージ　希望があればナマコやヒトデ、ウニなどに直接触れたり、魚に餌をやったりすることが出来ます
- 高齢者，身障者等への配慮　バリアフリー
- 車イスの貸出　なし
- 身障者用トイレ　有り
- 無料ロッカー　なし

- **駐車場** 有り
- **外国語のリーフレット，解説書** なし
- **ミュージアムショップ/レストラン** なし
- **今後3年間のリニューアル計画** なし
- **設立年月日** 昭和7（1932）年
- **設置者** 国立大学法人　千葉大学海洋バイオシステム研究センター
- **館種** 国立大学，博物館相当施設　水族館
- **責任者** センター長・沖津進
- **組織** センター長・教授・助手。水族館業務に携わっている職員は技術職員1名のみ

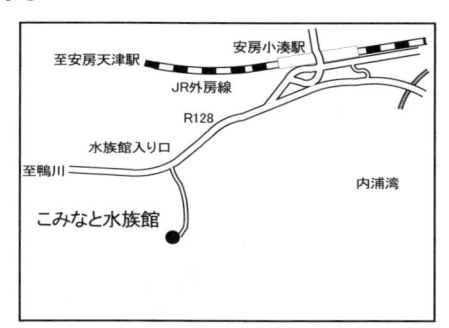

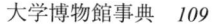

千葉県

日本大学松戸歯学部歯学史資料室

　日本大学松戸歯学部歯学史資料室は、故・鈴木勝名誉総長が昭和46年5月に本学が開学されるにあたって、これまで収集された史料を展示するために本学付属病院棟3階に設けられた資料室が始まりである。当時の史料には、古医書、古文書、引札、木床義歯、ゴム床義歯、お歯黒道具と陶歯および器材などの無数の資料があった。その後、谷津三雄名誉教授によって国内のみならず国外からも収集したもの、故・今田見信医歯薬出版会長はじめ、同窓生や関係者から寄贈されたものが加わり、かなりの種類と点数になった。

　昭和49年9月、今田見信先生寄贈による日本最初の歯科医師"小幡英之助"の胸像の他に、錦絵などのほか小器材、日本全国の歯科大学史のパネルのほか医歯薬に関する看板や浮世絵、歯磨きのラベルなど展示し日本歯科医学の発展史をみることを可能にした。

　平成5年、資料室を病院棟1階に移転し整理をして一般公開するに至った。歯科医学だけでなく医歯薬関係の資料も展示してある。

【収蔵品・展示概要】
　古医書、古文書、引札、木床義歯、ゴム床義歯、お歯黒道具と陶歯および器材などの無数の資料に加え、国内のみならず国外からも収集したもの、日本最初の歯科医師"小幡英之助"の胸像、錦絵、小器材、日本全国の歯科大学史のパネルのほか医歯薬に関する看板や浮世絵、歯磨きのラベルなどを展示している。

千葉県

【収蔵分野・総点数】
　医歯薬に関する引札（50）、看板（50）、掛軸（45）、錦絵（30）、薬研（10）、薬・筒・机（7）、往診鞄（5）、国内および国外歯科大学のパネル（50）、木床義歯、房楊枝、古文書・古医書

- 所在地　〒271-8587　千葉県松戸市栄町西2-870-1　日本大学松戸歯学部内
- TEL　047-360-9264（図書館事務課），047-360-9592（歯学史資料室）
- FAX
- URL　http://www.mascat.nihon-u.ac.jp/university/ippan/shiryou/index.html
- 交通　1) JR常磐線・東京メトロ千代田線・新京成電鉄「松戸」駅西口よりバスで15分「日大歯科病院」下車　2) つくばエクスプレス　南流山駅よりバス「日大病院入口」下車　徒歩5分
- 開館時間　毎週水曜日　9:30～16:30
- 観覧所要時間　60分
- 入館料　無料
- 休館日　年末年始，その他大学の定める休業日
- 施設　日本大学松戸歯学部旧病院棟1F　資料室:185㎡　隣接保管庫:65㎡
- 利用条件
　（1）利用を限定する場合の利用条件や資格　特になし
　（2）調査研究目的で利用する場合の条件や資格　特になし
- 高齢者，身障者等への配慮　バリアフリー
- 車イスの貸出　有り
- 身障者用トイレ　有り
- 無料ロッカー　なし
- 駐車場　有り
- 外国語のリーフレット，解説書　有り
- ミュージアムショップ/レストラン　なし
- 今後3年間のリニューアル計画　なし
- 設立年月日　平成5（1993）年4月1日
- 設置者　日本大学松戸歯学部
- 館種　私立大学，歴史
- 責任者　室長・渋谷鉱（教授）

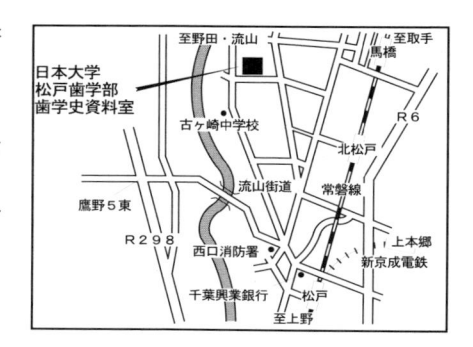

関東

大学博物館事典　111

千葉県

和洋女子大学文化資料館

The Museum of Wayo Women's University

"学生による市民に向けたミュージアム"

　和洋女子大学文化資料館は、学園キャンパス内の発掘調査で出土した遺物の展示・公開のため、昭和53年4月、小さな資料室が大学内に設けられたことにはじまる。翌年には博物館学芸員課程が開設され、その充実をはかるとともに、さらに埋蔵文化財や学園所蔵の各種の貴重な資料を公開するための総合的名称をもつ文化資料館が、小規模ながら平成4年4月に開館した。その後、平成13年6月に新築された大学東館の17階に移り、新たな施設・設備のもと、学園史展示・常設展示・企画展示の部門を設けてリニューアルオープンすることとなった。
　文化資料館では、考古・歴史・民俗資料をはじめとして、百年をこえる伝統の和洋学園が所蔵する服飾・手芸関係や書蹟、古美術などの優れた資料を、各方面の協力を得て、見るだけではなくさまざまな方法を駆使し、展示・公開の活動をおこなっている。それにより、学生・生徒の教育に役立て、社会への学術・文化の還元を試みるとともに、博物館のあり方についても課題を提示していきたいと考えている。また、運営や活動の各場面で学生が参加し、学生による市民に向けたミュージアムであることが大きな目標のひとつである。
　また、触って観察できる土器や瓦、民具、美術品なども用意している。

【収蔵品・展示概要】
　和洋女子大学のスタートは明治30年に創設された和洋裁縫女学院であり、長い教育の過程において各種の服飾資料が収集され、同時に優れた作品の数々が学生諸姉によって制作されてきた。これらの服飾資料・作品が収蔵品のひと

つの核となっている。ほかに、考古遺物と工芸・民具資料も収蔵品の柱となっている。考古遺物は学園のキャンパス内から出土したもので、工芸・民具資料の中心は、学芸員課程履修の学生が昭和55年ごろから実習の一環として全国各地で収集してきた郷土玩具である。

展示コーナーには、〈常設展示〉〈企画展示〉〈学園史展示〉〈"風"と出合う〉がある。このうち〈企画展示〉は、小規模なものを含めて年間5～6回の企画展や特別展を実施しており、学生や地域の人々にとって常に気掛かりな存在となることをねらっている。〈"風"と出合う〉は、基準に適った博物館としては日本で最高層に位置していることを生かして、地上約70mからの景観を取り込んだ展示コーナーである。ここでは歴史・文学・自然・癒しの4つをキーワードとして、それぞれの"風"を感じ取ってもらえるような展示を、企画を変えておこなっている。

【収蔵分野・総点数】

服飾作品約300点、歴史資料約50点、考古資料約5000点、自然史資料約100点、工芸・民具資料約2100点。

【主な収蔵品／コレクション】

服飾資料の主なものには、幕末から明治・大正にかけての打掛や白無垢、振袖、裃、仕事着のほか、1800年代から1900年代前半にかけての国内外のドレスなどがある。なかでも旧公爵家の池田美智子氏が着用された1930年代の日本及び英国製の洋装類は、当時の日本人が着用したドレスのコレクションとしては現在唯一のものといわれている。また、明治から昭和の戦前にかけて生徒が制作した裁縫雛型や袋物類の作品は、わが国の服装文化の流れや女子教育のあゆみを辿ることのできる資料である。考古遺物は下総国府と下総国分僧・尼寺に関わる資料で、古代の地方官衙や官寺の様相を知るうえで重要な位置付けをもっている。民具資料は全国各地のものが収集されている。

【展示テーマ】

「"かたち"に込められた想い」「Wayoを掘る―下総国の国府跡と国分尼寺跡―」「綾なす糸―ヨーロッパとアジアの刺繍―」「鴻台の書―和洋書道を支えた書人展―」「民芸品大集合‼―木から生まれた逸品たち―」

【調査研究活動】

博学連携に向けた歴史学習教材の開発研究

千葉県

【刊行物】
『国府台―文化資料館紀要―』第 12 号／『2003 年度年報』『2004 年度年報』『2005 年度年報』

- 所在地　〒272-8533　千葉県市川市国府台 2-3-1
- TEL　047-371-2494
- FAX　047-371-2494
- URL　http://www.wayo.ac.jp
- E-mail　muse@wayo.ac.jp
- 交通　1）京成国府台駅から徒歩 10 分　2）JR 市川駅からバス 8 分：和洋女子大学前下車　3）JR 松戸駅からバス 20 分：和洋女子大学前下車
- 開館時間　平日　10:00 〜 16:30，土曜日　10:00 〜 12:00
- 観覧所要時間　20 分
- 入館料　無料
- 休館日　日曜日，祝日，大学の休暇中，展示替の期間
- 施設　大学東館内 17 階　展示室 292.3 ㎡、収蔵庫 219.46 ㎡、研究室 171.36 ㎡、事務・管理室 57.12 ㎡
- 利用条件
  (1) 利用を限定する場合の利用条件や資格　なし
  (2) 調査研究目的で利用する場合の条件や資格　なし
- メッセージ　当館では運営や活動の各場面で学生が参加することにより、「学生による市民に向けたミュージアム」であることを目指している。例えば、学芸員課程の履修学生が博物館館務実習として、自ら企画を立て資料の収集から設営までをおこなう企画展や、服飾造形学科の学生による卒業制作の作品を展示する特別展、さらに学生の各種サークル活動を核としたワークショップの開催なども定期的に実施しており、文化資料館が学生と社会のパイプの役割を果たすことができたらと望んでいる
- 高齢者，身障者等への配慮　段差有り
- 身障者用トイレ　有り
- 無料ロッカー　なし
- 駐車場　有り
- 外国語のリーフレット，解説書　有り
- ミュージアムショップ／レストラン　受付にて図書やグッズを販売／学生食堂利用可
- 今後 3 年間のリニューアル計画　なし
- 設立年月日　平成 4（1992）年 4 月
- 設置者　学校法人　和洋学園

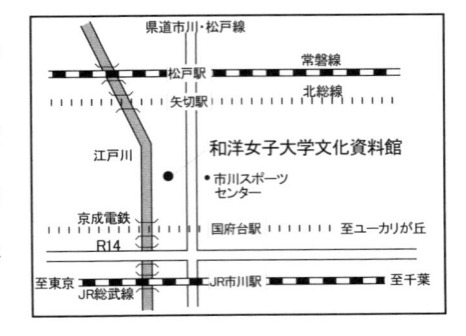

・**館種**　私立大学，歴史
・**責任者**　館長・伊能武次（人文学部長）
・**組織**　館長1名、学芸員3名（うち1名は事務兼任）。いずれも大学教員および事務職との兼務

東京都

上野学園大学日本音楽史研究所

Reseach Institute for Japanese Music Histriography, Ueno Gakuen University

"日本文学史、日本美術史とともに、日本文化史を形成する不可欠の重要分野でありながら、その存在すら意識されていない日本音楽史に光を当てよう。"

　上野学園大学は、日本音楽史研究の重要性に鑑み、1963年に日本音楽関係史料の組織的収集に着手し、1973年には大学附属研究施設として「上野学園日本音楽資料室」を開設した。1975年上野校地1号館落成と同時に、7階（約330㎡）に移転。この時学外研究者のための閲覧を開始した。

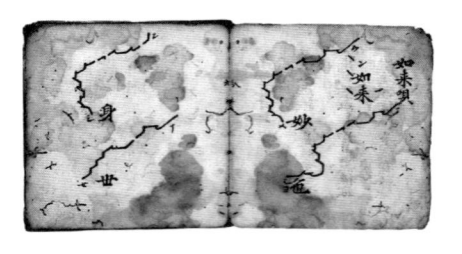

文明4（1472）年刊高野版『声明集』
世界最古の印刷楽譜

　史料展観は展示設備上の制約のため、限定公開の展覧会を、学会等の研究集会の際等にほぼ毎年開催してきた。第1回は1975年「雅楽資料展」（第26回音楽学会全国大会）であるが、国際学会は次の如くである。1983年「日本の楽譜・図像史料展」（第31回アジア・北アフリカ人文科学者会議）、1985年「日本音楽の史料」（ユネスコ世界音楽史MLM編纂会議）、1986年「日本の音楽文献」（IFLA国際図書館連盟東京大会）、1988年「日本の音楽文献」（IAML国際音楽資料情報協会「東京会議1988」）。

　公開展観としては、1981年ニューヨークのジャパン・ハウス・ギャラリィにおいて「日本の楽譜展」、1986年にはケルン東アジア美術館を会場に「日本仏教音楽の楽譜」展を開催、この時は併行して国際シンポジウム「日本とヨーロッパの中世音楽史料」をケルン大学音楽学研究所と日本音楽資料室の共催で実施した。

　国内では2006年11・12月に思文閣美術館（京都）において「雅楽の変遷」

展を開催。これに先立つ 2006 年 10 月より名称を「上野学園大学日本音楽史研究所」と改めた。2007 年 8 月には展観「日本とヨーロッパの横笛」(第 13 回日本フルートコンヴェンション・第 1 回ワールドフルートコングレス) を開催予定。

　2007 年 9 月、草加校地 (埼玉県草加市原町) に移転する。これに伴い組織等の変更があり、展示部門の設置も検討中である。

【収蔵品・展示概要】
〈収蔵史料〉
　明治維新以前に日本において行われた音楽とその伝承に関するキリシタン音楽を除く、ほぼ全領域におよぶ史料。文献(文書・記録・書籍・楽譜・図譜。写真)、楽器類 (楽器・他)。研究文献、逐次刊行物、録音、フィルム、他。
〈展示〉
　公開もしくは限定公開の企画展を随時開催してきたが、移転後は常設展示について検討中である。
　日本とヨーロッパの横笛、雅楽の変遷、中世音楽史料、日本仏教音楽の楽譜、日本の楽譜、日本の音楽文献、日本の音楽史料、日本の楽譜・図像史料、声歌遺響、日本の印刷楽譜、近世の音楽資料、音楽相承系譜と楽人補任記、琴楽資料展、楽歳堂旧蔵の楽書、声明資料展―講式―、江戸浄瑠璃河東節資料展、他。

【収蔵分野・総点数】
〈雅楽部門〉
　4 別置文庫 (平戸藩楽歳堂、円満院門跡、窪家本家、稲葉与八氏等各旧蔵雅楽書類) を中核に、平安期の古文書、楽譜等を含む文献史料。この分野最大級の収集。
〈声明部門〉
　天台・真言の声明二大系統を中心とする各宗派の声明史料が収集されている。文明 4 年 (1472) 刊高野版声明集は現存する世界最古の印刷楽譜である。
〈能楽部門〉
　諸流謡本等の能楽史料および狂言史料は有数の大規模な収集である。
〈近世音楽部門他〉
　前 3 部門を除く、ほぼ全領域におよぶ。
　以上、和装文献　約 30,000 点。
〈楽器類〉
　久迩宮家旧蔵雅楽器類 (別置 50 点) 他。

東京都

【主な収蔵品／コレクション】
〈別置文庫〉
1. 楽歳堂旧蔵楽書類
2. 稲葉与八旧蔵楽書類
3. 円満院門跡旧蔵楽書類
4. 窪家旧蔵楽書類
5. 平岡家旧蔵能脇方福王流史料
6. 山田孝雄旧蔵『體源鈔』
7. 攝取山引接寺旧蔵声明史料
8. 永田聴泉旧蔵琴楽史料
9. 金田一春彦博士収集声明史料
10. 慧日院旧蔵真言声明史料
11. 観世新九郎流小鼓史料
12. 波多野太郎博士収集明清楽史料
13. 般舟三昧院旧蔵聖教類
・写真別置：12 集
・楽器：久迩宮家旧蔵雅楽器類
〈主な収蔵品〉
東大寺花嚴会文書 3（天喜 4 年（1056）他）、三五要録零巻（平安 12 世紀）、梁塵秘抄断簡（平安 12 世紀）、維摩会表白　宝治元年（1247）尊信筆、吉祥天講式　弘安 3 年（1280）筆、結縁灌頂大阿闍梨声明　元弘 2 年（1332）定超授、新撰要記抄　貞和 3 年（1347）頼盛筆、今春禅鳳小謡集、金剛又兵衛康季節付謡本　永禄 7 年（1564）筆、隆達小歌集　慶長 5 年（1600）筆、五絃古琴　乾元元年（758）銘、揩鼓胴　康治 3 年（1144）法隆寺勝賢銘

【展示テーマ】
「勧進能之図」「絵巻〈びわのゆらい〉」（以上 2004 年度）／「近世音楽の史料」（2005 年度）／「雅楽の変遷―古の音色を求めて―」（2006 年度）

【教育活動】
講演「日本音楽史における近世について（その一）・（その二）」（2004 年度）／講演「『古楽図』所謂〈信西古楽図〉について」（2005 年度）／シンポジウム「音の復原と曲の復原」／講演「源氏物語と音楽」「雅楽の変遷」（以上 2006 年度）

【調査研究活動】

「西域伝来の古楽器揩鼓の研究」(2004・2005・2006年度　継続中)／「講式」伝本の調査(2005年度)／『古楽図』調査(2005・2006年度)／春日大社蔵「狛系楽書類」調査／彦根博物館蔵楽器類調査(以上2006年度　継続中)

【刊行物】

『日本音楽史研究』研究年報　第5号(2004年度), 第6号(2005年度)／『雅楽資料集　資料篇』『雅楽資料集　論考篇』『声明資料集』(以上2005年度)／『雅楽の変遷』展観目録(2006年度)

- 所在地　〒110-8642　東京都台東区東上野4-24-12(2007年9月まで), 〒340-0048　埼玉県草加市原町2-31(2007年10月以降)
- TEL　03-3842-1021(2007年9月まで), 0489-41-3123(2007年10月以降)
- FAX　03-3843-7548(2007年10月以降は未定)
- 交通　移転後に要問い合わせ
- 開館時間　2007年度に移転のため、利用停止中。2008年度に再開を予定し、目下検討中
- 入館料　同上
- 休館日　同上
- 施設　現在、地上8階、地下1階建の7階(330㎡)にある。2007年9月移転予定。地上3階建。目下検討中
- 利用条件
  (1) 利用を限定する場合の利用条件や資格　2007年度に移転のため、利用停止中。2008年度に再開を予定し、目下検討中
  (2) 調査研究目的で利用する場合の条件や資格　同上
- ミュージアムショップ/レストラン　なし
- 今後3年間のリニューアル計画　有り
- 設立年月日　昭和48(1973)年4月
- 設置者　上野学園大学
- 館種　私立大学, 歴史・音楽
- 責任者　所長・福島和夫(音楽文化部教授)
- 組織　移転後について目下検討中

東京都

学習院大学史料館

Gakushuin University Museum of History

　昭和50年（1975）、学校法人学習院の百周年記念事業の一環として、史料を系統的に収集し、それらの保管ならびに整理・調査・研究をおこない、閲覧・レファレンスに供するとともに、研究の成果を公表して、研究・教育に寄与することを目的として設立された大学附置研究施設。

　昭和60年（1985）に東京都から博物館相当施設の指定を受ける。

　平成9年（1997）には館内に学芸員資格取得事務室と博物館実習室を設置、学芸員資格に関する事務業務のほか、授業のための施設・史料提供、博物館実習生の受け入れ、学習院高等科との博学連携授業などをおこなっている。

【収蔵品・展示概要】

　収蔵史料は、古文書、考古遺物、古写真、文学史料、モノ資料など多岐にわたる。主として、学習院関係者からの寄贈・寄託史料、学習院に伝来する史料など、学習院に関係した史料を収蔵している。

　展示は、当館の調査・研究の成果を公表する場でもあり、企画展示が年2回開催されている。展示史料は当館の収蔵史料で構成されており、収蔵史料の目録刊行に合わせた企画展示、新収蔵史料の速報展などをおこなっている。

【収蔵分野・総点数】

　皇族・公家・大名・華族家史料、村の名主家史料、学習院関係者史料など、総計およそ13万件の史料を収蔵

【主な収蔵品／コレクション】
　〈旧制学習院歴史地理標本室移管資料〉
　旧制学習院中・高等科標本室から移管された地理歴史科教育・研究のための標本類。伝応仁陵古墳出土水鳥埴輪、唐三彩馬俑、アバイ模型など
　〈陸奥国棚倉藩主・華族阿部家史料〉
　老中など幕府重職者を多く輩出した譜代大名阿部家の史料。領知判物、朱印状、藩士先祖書など
　〈武蔵国秩父郡上名栗村町田家史料〉
　江戸近郊の材木供給地として知られる西川林業地帯の代表村である上名栗村の名主家史料。村の基本史料がほぼ完全な形でのこっている。林業関係の経営帳簿、村絵図など
　〈西園寺家史料〉
　藤原氏北家閑院流の貴族、西園寺家の史料。九条家車図、西園寺家車図、河瀬清貞山城国美豆牧代官職請文など
　〈辻邦生史料〉
　『背教者ユリアヌス』『西行花伝』などの作品で知られる作家であり、本学フランス文学科の教授であった辻邦生の史料。自筆原稿、執筆史料、創作ノート、日記、書著など
　〈西田幾多郎史料〉
　哲学者西田幾多郎の書簡、写真、原稿など
　〈小西四郎収集史料　絵双六〉
　小西四郎氏が収集・所蔵したコレクションのうちの絵双六
　〈高松宮家資料〉
　高松宮家ゆかりの品々。御爪箱など

【展示テーマ】
　「辻邦生展」（2004年度）／「明治・大正の学び舎―学習院で過ごした日々―」（2005年度）／「大好き　絵すごろく展」「描かれたメッセージ―いにしえの都物語・京の旅」（以上2006年度）／「新収資料　高松宮家展」（2007年度）

【教育活動】
　〈公開講座〉美術館の愉しみ―日本とイギリスの美術館を旅する／目白・学習院のキャンパスに見る近代建築の魅力／南米アンデスのキリスト教聖堂装飾―エキゾティシズムの転倒―／大正期の附録すごろく―川端龍子を中心に―／写された明治天皇の地方巡幸／雅楽の愉しみ

東京都

【調査研究活動】
　小西四郎収集絵双六史料の整理／学習院大学所蔵古写真の調査／武蔵国秩父郡上名栗村町田家史料の整理／学習院目白校地の石碑・道しるべの調査

【刊行物】
　『目白キャンパスの歴史ある建物』『学習院大学収蔵史料目録』第 19 号〜第 20 号／『写真集　明治の記憶　学習院大学所蔵写真』『学習院大学史料館紀要』第 13 号〜第 14 号／『ミュージアム・レター』第 1 号〜第 4 号

- 所在地　〒 171-8588　東京都豊島区目白 1-5-1
- TEL　03-3986-0221（内線 6569）
- FAX　03-5992-9219
- URL　http://www.gakushuin.ac.jp/univ/ua
- 交通　JR 山手線　目白駅下車　徒歩 5 分
- 開館時間　閲覧　9:30 〜 17:00，展示室　展覧会により開室時間を変更
- 観覧所要時間　20 分
- 入館料　無料
- 休館日　日曜日，祝休日，その他大学が定める休業日
- 施設　北 2 号館〈鉄筋コンクリート建築物〉：展示室（88 ㎡）・展示準備室・史料収蔵庫（126 ㎡）・地下書庫（155 ㎡）・作業室　北別館〈木造建築物〉：閲覧室（23.5 ㎡）・事務室・博物館実習室（100 ㎡）・会議室・館長室・助教室ほか
- 利用条件
  （1）利用を限定する場合の利用条件や資格　なし
  （2）調査研究目的で利用する場合の条件や資格　なし
- メッセージ　学習院大学史料館の閲覧室・事務室がある北別館は，明治 42 年（1909）に図書館として建てられた木造建築物です。設計は，旧東京音楽学校奏楽堂や旧帝国大学図書館（現国際子ども図書館）などで知られる久留正道です。屋根には天窓が設けられ，一部の窓ガラスは当時の「歪みガラス」がそのまま残っています。また，学習院の校章である桜花の文様が，床下換気口，廊下の下り壁，扉の蝶番などにデザインされています。このほかにも，学習院目白キャンパス内には，旧皇族寮をはじめ，様々な歴史的建造物・史跡が数多くのこっています
- 高齢者，身障者等への配慮　バリアフリー（展示室），段差有り（閲覧室）
- 車イスの貸出　なし
- 身障者用トイレ　有り（展示室），なし（閲覧室）
- 無料ロッカー　なし
- 駐車場　なし
- 外国語のリーフレット，解説書　なし
- ミュージアムショップ / レストラン　なし

東京都

- ・今後3年間のリニューアル計画
  なし
- ・**設立年月日**　昭和50（1975）年2月26日
- ・**設置者**　学校法人　学習院
- ・**館種**　私立大学，歴史
- ・**責任者**　館長・神田龍身（文学部教授）
- ・**組織**　館長:1名（兼任）　助教:1名(専任)　学芸員:4名(専任)

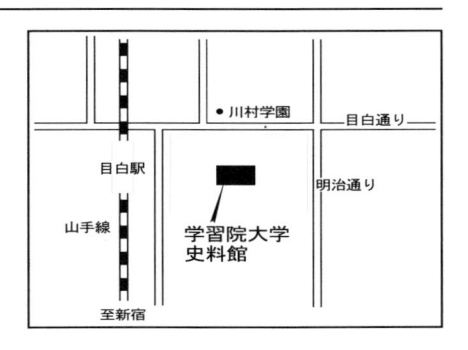

東京都

国立音楽大学楽器学資料館

Kunitachi College of Gakkigaku Shiryokan
(Collection for Organology)

　国立音楽大学における楽器の収集は昭和41年に遡り、その発端はルネッサンス・バロック音楽の演奏研究に必要な楽器の購入であった。まず始めに文部省科学研究費の補助を得て基本的な弦・管楽器27点が整った。
　次いで42年には日本音楽研究の資料充実のために、雅楽、能、箏曲などの楽器約30点とその他に歴史的鍵盤楽器4点などが加わった。こうして昭和51年に音楽研究所が設立され、楽器研究部門の課題の一つとして楽器の収集が積極的に行なわれるようになるまでには既に約124点の楽器が収集され、非公開ではあったが展示室も完備していたのであった。
　昭和52年から楽器展示室は学内にむけて毎週一日公開されるようになり、53年には新しく増築された現在の音楽研究所内に、290㎡の床面積を持った展示場と、収蔵庫及び研究室が設けられて、楽器の収集・展示はより充実したものに向かって歩み始めることができた。
　昭和55年度から従来の楽器研究部門は楽器資料館と改められ、文字通り音楽研究のための資料収集の場となり、次いで昭和63年には音楽研究所から分かれて楽器学資料館となり、楽器の学術研究を行ない、その成果を芸術・学術・教育の発展に寄与することを目的とする、独立した部門となった。

【収蔵品・展示概要】
　〈収集〉地域的・年代的に片寄りのない系統的な収集

〈展示〉
・ヨーロッパの楽器（種類別年代順に展示）
・分類別展示（世界中の楽器を種類別地域順に展示）
展示室内を上記2つの部分に分けて展示、他、テーマ展示のケースがいくつか有る

【収蔵分野・総点数】
楽器　約2400点
楽器計測資料　約100点
写真資料（スライド、レントゲン等）約2000点
楽器博物館資料　約700点　他

【主な収蔵品 / コレクション】
〈楽器〉（平成19年3月現在）
ヨーロッパ　496点
西南アジア　83点（パキスタン、アフガニスタン、イラン、イラク、トルコ、ヨルダン、シリア、イスラエル、アラビア半島）
北アメリカ　41点（ハワイを含むアメリカ合衆国、カナダ）
アフリカ　269点（マダガスカルを含む）
中南米　167点（メキシコ以南）
旧ソヴィエト連邦共和国　70点
東アジア　665点（日本、朝鮮半島、中国、台湾、チベット、モンゴル、ブータン）
南アジア　155点（インド、ネパール、バングラデシュ、スリランカ）
東南アジア　412点（ミャンマー、タイ、ヴェトナム、ラオス、カンボジア、マレーシア、インドネシア、フィリピン、パプアニューギニア）
オセアニア　52点（オーストラリア、ニュージーランド）
調査中　16点

【展示テーマ】
常設展示の他、特別展示のケースは日本の楽器（能の楽器）とインドの楽器

【教育活動】
〈学内向〉企画講座シリーズ「世界の楽器を知ろう」日本の楽器，いろいろな鍵盤楽器，アジアの楽器—インド—　他

東京都

〈学外向〉夏期音楽講習会「楽器学入門講座―世界の楽器を知ろう―」日本の楽器，鍵盤楽器，他／夏休み特別企画「子供見学会―楽器を学ぼう・楽器で遊ぼう―」／立川市中央公民館市民大学セミナー「日本を知ろう―国立音楽大学楽器学資料館見学会―」

〈学内・学外〉レクチュアコンサート「韓国伝統楽器の調べ―玄琴と奚琴―」

【調査研究活動】

所蔵データベース「楽器苑」作成（継続中）／鍵盤楽器（18世紀スクウェアピアノ）修復

【刊行物】

日本国内の伝統楽器に関する調査報告（3）―関東地方―

- 所在地　〒190-8520　東京都立川市柏町 5-5-1
- TEL　042-535-9574
- FAX　042-535-3631
- URL　http://www.gs.kunitachi.ac.jp/j_index.html
- 交通　西武拝島線、多摩都市モノレール　玉川上水駅下車　徒歩8分
- 開館時間　9:30 ～ 16:30
- 観覧所要時間　約60分
- 入館料　無料
- 休館日　木～火曜日、大学休講中（大学開講期間中の水曜日のみ開館）
- 施設　敷地面積　1760㎡（共有）　収蔵庫面積　100㎡　延床面積　469㎡　事務室面積　46㎡　展示室面積　323㎡
- 利用条件
  （1）利用を限定する場合の利用条件や資格　なし
  （2）調査研究目的で利用する場合の条件や資格　なし
- メッセージ　展示室内ガイド（約20分）
- 高齢者，身障者等への配慮　段差有り
- 車イスの貸出　なし
- 身障者用トイレ　なし
- 無料ロッカー　有り
- 駐車場　有り
- 外国語のリーフレット，解説書　なし
- ミュージアムショップ／レストラン　学内書籍売店、学生食堂、コンビニエンスストア利

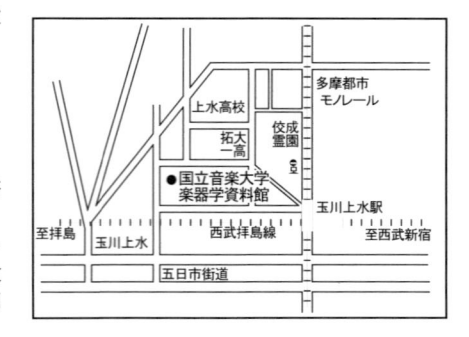

用可能
・**今後3年間のリニューアル計画**　なし
・**設立年月日**　昭和63（1988）年
・**設置者**　国立音楽大学
・**館種**　私立大学
・**責任者**　館長・藤本一子（教授）
・**組織**　10名　館長1、副館長1、学芸員（嘱託）2、臨時職員（嘱託等）6

東京都

慶應義塾大学アート・センター

Research Center for the Arts and Arts Administration, Keio University

慶應義塾大学の附属研究所のひとつであり、慶應義塾大学の独自性を生かしながらも、学内外の枠にとらわれることなく、芸術関連情報の学術的集散拠点として、文化的・芸術的感性の醸成と諸芸術活動の発展に寄与することを目指して設立され、諸学協同の立場から、現代における芸術活動のあり方、意義などの理論的探究と、実践的な活動を行っている。

主な活動は、アート・アーカイヴ、学外諸機関との協同プロジェクト、研究会、学内美術品の調査・保存、出版広報である。また、教育活動の一環として、学部生を対象とした「クリエイティブ産業研究―音楽コンテンツを中心に」と大学院生を対象とした「アート・アーカイヴ特殊講義／演習」を開講している。

谷中安規「騎馬」

【収蔵品・展示概要】

美術館・博物館施設ではないため、アーカイヴ（土方巽アーカイヴ、瀧口修造アーカイヴ、ノグチ・ルーム：アーカイヴ、油井正一アーカイヴ）として所管する資料を有している。

一貫教育校（小学校・中学校・高校）を含めた慶應義塾所蔵の作品に関しては、保存や展示等について助言を行っている。また、それらの作品のデータ整備に取り組んでいる。

展示については、専用の展示施設を所有していないが、近年では学内におい

て展示活動を展開している。所管のアーカイヴ資料を展示する資料展や、借用作品をアート・センターの事業企画と連動させた展示を実施している。アート・センターの活動領域との関係から現代芸術に関わる展示を中心としている。

【収蔵分野・総点数】
　アーカイヴ所管資料（2006年2月現在）：美術品資料84点、有形資料90点、書写資料612点、印刷・複写資料1,668点、写真資料28,386点、映像資料642点、録音資料2,216点、図書資料2,400点、逐次刊行物資料3,291点

【主な収蔵品/コレクション】
- 三島由紀夫『危機の舞踊』原稿、1960年
- 赤瀬川原平『易断面相図幕　肋膜判断』舞台装置、布・墨、1965年
- 横尾忠則『バラ色ダンス』ポスター、105.0cm × 75.0cm、1965年
- 大内田圭弥『疱瘡譚』公演記録映画、16mmフィルム、95分、1972年
- 土方巽『なだれ飴』舞踏譜、スクラップブック、1972年
- 瀧口修造《岡崎和郎宛　リバティ・パスポート》1977年　紙・タイプ打ちしたラベル　15.0cm × 10.7cm
- 瀧口修造・岡崎和郎《檢眼圖》1977年、アクリル板にシルクスクリーン・金属・レンズ、24.9cm × 26.0cm × 26.0cm
- 瀧口修造《檢眼圖傍白》製作年不明、紙・青インク・紐、28.6cm × 19.4cm
- タケミヤ画廊の展覧会案内状（70枚）1951-57年
- ノグチ・ルーム記録写真
- 『版芸術』昭和8年7月号、白と黒社（谷中安規《騎馬》他掲載）
- パウル・クレー《内面の光に照らされた聖女》1921年、リトグラフ

【展示テーマ】
　〈テーマ1: アーカイヴ資料の展示〉
　展覧会「瀧口修造1958―旅する眼差し」／アート・アーカイヴ資料展「ノートする四人―土方、瀧口、ノグチ、油井」
　〈テーマ2: 現代芸術に関わる展示〉
　富士ゼロックス版画コレクションによる「引用と創造―ウォーホル、ホックニー、オルデンバーク」

東京都

【教育活動】
　アート・マネジメント・エキスパートセミナー　フォローアップ・セミナー（2005,2006年度）／舞踏公演「幻容の道」（2005年度），「記憶の海」（2006年度）／レクチャー＆ディスカッション「アーティストはアーキヴィスト！」（2006年度）／港区委託事業　アート・マネジメント実践講座（入門編・ワークショップ）（2006年度）／設置講座　学部生対象「クリエイティブ産業研究─音楽コンテンツを中心に」，大学院生対象「アート・アーカイヴ特殊講義／演習」（以上2007年度）

【調査研究活動】
　各アーカイヴともに，資料等の収集・整理・研究・デジタル化・データベース化を進め，研究アーカイヴの実践的構築作業の成果報告として，シンポジウム「アーツ・アーカイヴのいま」を開催し，各アーカイヴからの報告を行った。
　学内所蔵作品の調査・保存活動／研究会の開催

【刊行物】
　〈Booklet〉　13　記憶としての建築空間　─イサム・ノグチ／谷口吉郎／慶應義塾（2005年），14　To and From Shuzo Takiguchi（2006年），15　文化施設の近未来　アートにおける公共性をめぐって（2007年）
　〈ARTLET〉　25　映画における真実（リアル），26　Note～ノートする～（以上2006年），27　油井正一＆アスペクト・イン・ジャズ（2007年）

- 所在地　〒108-8345　東京都港区三田2-15-45　西別館3階
- TEL　03-5427-1621
- FAX　03-5427-1620
- URL　http://www.art-c.keio.ac.jp/
- E-mail　ac-office@adst.keio.ac.jp
- 交通　1）JR山手線，京浜東北線　田町駅下車（徒歩約8分）　2）都営地下鉄浅草線・都営地下鉄三田線　三田駅下車（徒歩約7分）　3）都営地下鉄大江戸線　赤羽橋駅下車（徒歩約8分）　4）都営バス（田87）　渋谷駅前乗車，慶應義塾大前下車徒歩1分
- 開館時間　展示施設でないため，平常時としてはアーカイヴの利用について記載。展覧会等催事に関してはホームページにて随時告知。（原則）土方巽アーカイヴ：火・水・木曜日　12:30～17:00（事前予約制）／ノグチ・ルーム・アーカイヴ：木・金　曜日　12:30～17:00（事前予約制）
- 入館料　なし（公開施設でないため）
- 休館日　土・日曜日，祝日・慶應義塾の定めた休日（福澤先生誕生記念日：1月

10日, 開校記念日 :4月23日), 大学事務の休業期間（公開施設でないためアート・センターのオフィスアワーを記載）
- **施設**　慶應義塾大学三田キャンパス　西別館3階　アーカイヴスペース、保管庫、事務室
- **利用条件**
  (1) 利用を限定する場合の利用条件や資格　・資料等の閲覧は、個人の研究・著述のためのみとし、営利事業等は認めない。原則として、事前に電話予約する。展示会等への美術品・資料等の貸出しは所定の条件や手続きを満たした場合、貸出を行っている
  (2) 調査研究目的で利用する場合の条件や資格　・土方アーカイヴ、ノグチ・ルーム・アーカイヴについては、調査研究目的での利用可能（要予約・下記開館時間参照）・資料に関連した記事・論文・制作品を発表する際には、資料の所蔵先を記入し、その記事・論文・制作品1点またはコピーを寄贈すること
- **高齢者，身障者等への配慮**　段差有り
- **車イスの貸出**　なし
- **身障者用トイレ**　なし
- **無料ロッカー**　有り
- **駐車場**　なし
- **外国語のリーフレット，解説書**　なし
- **ミュージアムショップ/レストラン**　なし
- **今後3年間のリニューアル計画**　なし
- **設立年月日**　平成5（1993）年7月1日
- **設置者**　学校法人　慶應義塾
- **館種**　私立, 大学の附属研究所
- **責任者**　所長・前田富士男（文学部教授）
- **組織**　所長1名、副所長1名、准教授兼キュレーター1名、所員（学部専任教員が兼務）14名、顧問3名、訪問所員14名、アーカイヴスタッフ4名（うち3名は訪問所員兼務）、事務員4名（2007年4月1日現在）

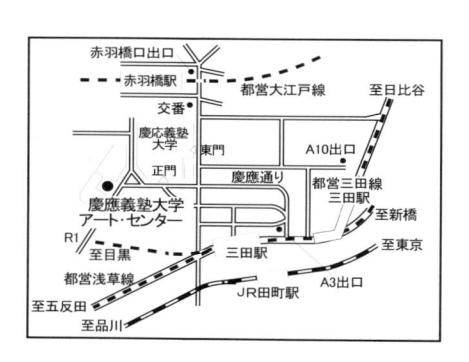

東京都

國學院大學考古学資料館（正式名称：國學院大學研究開発推進機構学術資料館考古学資料館部門）

The Museum of Archaeology Kokugakuin University （Kokugakuin University Museum）

"日本考古学の研究と展示公開"

　國學院大學考古学資料館は、昭和3年（1928）樋口清之博士によって創設された。奈良県桜井市出身の樋口博士は、幼少の頃より自身が収集された考古資料を大学に寄贈し、考古学資料室として開室したことに遡る。その後、大場磐雄博士や歴代の教員、本学卒業生等多くの寄贈者によってコレクションを充実し、日本国内はもとより中国、朝鮮、東南アジア等に及ぶ約

石　枕

10万点の考古資料を擁している。平成20年には創立80年の節目を迎える。
　昭和24年（1949）國學院高等学校に分室を設置。昭和27年（1952）12月には文部省告示第95号、昭和30年（1955）文部省告示第108号によって博物館相当施設に指定された。昭和50年（1975）名称を考古学資料館と変更。平成19年4月より組織改組によって國學院大學研究開発推進機構学術資料館考古学資料館部門となって今日に至っている。現在、渋谷校地再開発事業によってアカデミックメディアセンター（AMC）内に新資料館を建設中であり、平成20年秋の開館を予定している。新資料館は、展示面積も大幅に増やし、より充実した展示と活動を行っていく予定である。

【収蔵品・展示概要】
　日本考古学関連資料の網羅的収集を目指すが、地域的には関東以北の資料が多い。本館の特質として古墳時代の祭祀関連資料や鏡等の信仰関連資料を中心に収集を継続している。

東京都

　常設展示は、資料の時代別配置、実物資料の公開を基本とする。一方、資料に付随する情報については 2 次資料、デジタルコンテンツ等も多用し階層化を図り、一般に対しても理解を深める展示を計画している。詳細については、現在展示計画策定中。

【収蔵分野・総点数】
　旧石器時代・縄文時代・弥生時代・古墳時代・奈良時代・平安時代・中世・近世に至る考古資料が収蔵資料の大半を占め。特に東北地方を中心とする民俗資料や海外では中国・朝・東南アジア・中南米・北米等の資料も収蔵。総資料点数は、約 10 万点を数える。

【主な収蔵品 / コレクション】
　旧石器時代：白滝遺跡・置戸安住遺跡（北海道）、柳又遺跡・男女倉遺跡・小坂遺跡（長野県）、壬遺跡（新潟県）出土旧石器　他
　縄文時代：石小屋洞窟（長野県）、余山貝塚（千葉県）、花鳥山遺跡（山梨県）、大野遺跡（秋田県）縄文土器、石器、装身具　他
　弥生時代：大岩山銅鐸（滋賀県）、斉藤山遺跡（熊本県）、銅鉾（北九州地方）他
　古墳時代：姉崎二子塚古墳（千葉県）出土石枕（重要文化財）、常陸鏡塚古墳出土石製模造品（茨城県）、片山出土挙手人面土器（長野県）、建鉾山遺跡出土石製模造品（福島県）　他
　奈良・平安時代：各地出土土師器多数。国分寺瓦多数
　中世：陶器類・仏具・祭具・蔵骨器　他
　近世：磁器類　他
　外国コレクション：中国・韓国・東南アジア・北米・中南米　他
　寄贈コレクション：野口義麿コレクション・椪島隆コレクション・小野良弘コレクション・徳富蘇峰蒐集考古コレクション・服部和彦蒐集仏教美術コレクション　他

【調査研究活動】
　　静岡県熱海市伊豆山神社境内　伊豆山経塚遺跡学術調査報告／山形県庄内町皇野の調査

【刊行物】
　『國學院大學考古学資料館要覧　上川名昭氏旧蔵資料』（2005 年）／『國學

大学博物館事典　*133*

東京都

院大學考古学資料館紀要　第 22 輯』/『服部和彦氏寄贈資料図録Ⅰ　和鏡・柄鏡』（以上 2006 年）／『國學院大學考古学資料館紀要　第 23 輯』（2007 年）

- 所在地　〒150-8440　東京都渋谷区東 4-10-28　アカデミックメディアセンター内
- 交通　JR 渋谷駅東口下車日赤医療センター行き（学 03）國學院大學前下車
- 開館時間　9:00 ～ 17:00（予定）
- 入館料　無料（予定）
- 休館日　未定
- 施設　地上 6 階地下 2 階建てのアカデミックメディアセンター（延べ床面積 17,382.91 ㎡）の地下一階にあり、考古学資料館の他に神道資料館・校史・学術資産研究センター・折口信夫博士記念展示室・特別展示室等の複合展示施設となる。考古学資料館部門の展示・収蔵施設の占有面積は、約 1,032 ㎡ を予定（展示室 615 ㎡、収蔵庫 344 ㎡、特別収蔵庫 56 ㎡）し、その他、薫蒸施設、保存処理室、資料整理室等の関連施設の設置を予定している
- 利用条件
  （1）利用を限定する場合の利用条件や資格　策定中
  （2）調査研究目的で利用する場合の条件や資格　策定中
- メッセージ　平成 20 年秋リニューアルオープン
- 高齢者，身障者等への配慮　バリアフリー
- 車イスの貸出　有り
- 身障者用トイレ　有り
- 駐車場　なし
- 外国語のリーフレット，解説書　有り
- ミュージアムショップ／レストラン　ミュージアムショップについては計画有り
- 今後 3 年間のリニューアル計画　有り（現在リニューアル中）
- 設立年月日　昭和 3（1928）年
- 設置者　國學院大學
- 館種　私立大学，歴史
- 責任者　館長・吉田恵二（文学部教授）
- 組織　6 名（館長 1、専任教員 2、兼任教員 2、客員研究員 1）

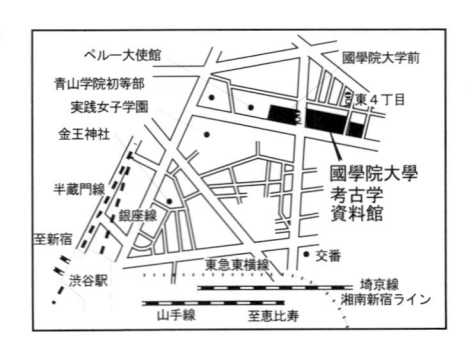

134　大学博物館事典

東京都

国際基督教大学博物館湯浅八郎記念館

International Christian University Hachiro Yuasa Memorial Museum

"初代学長の収集による工芸品および大学構内より出土の考古学資料を無料で公開"

当館は国際基督教大学初代学長であった故・湯浅八郎博士の本学創設・育成に対する貢献を記念し、大学創立25周年記念事業の一環として、1982年6月に開館した大学博物館である。レンガ造り2階建ての建物には民芸展示室、考古展示室、特別展示室、資料室などがあり、広く一般に公開されている。

特別展示室では、収蔵資料を中心とした企画展が、年に3回から4回開催され、それに付随した公開講座も開催されているが、こうした活動に対し1987年には山本有三記念郷土文化賞が授与された。2003年に博物館相当施設の指定を受け、現在では学芸員課程の実習施設としても利用されている。

【収蔵品・展示概要】

常設展示は民芸、考古の2つの部門展示があり、この他に特別展室では一年に三回の特別展示が開催される。

〈民芸部門〉

当館所蔵の民芸資料のうち、およそ1,000点が、民芸展示室において常設展示されている。筒描夜具地、絣などの染織品、箪笥や自在鉤などの木工品、また食器や貯蔵用に使用された陶磁器など、江戸時代以降、庶民の生活の中で実際に使われてきた品々である。今日では失われつつある、これらの道具類を通じ、日本人の暮らしの中の「用と美」が紹介されている。染織品など傷みやす

大学博物館事典

東京都

い資料は、随時、展示替えが行なわれるほか、外国の民芸品および類品の多い資料は、資料室において公開されている。
〈考古部門〉
　ICUの敷地は東京西部の野川流域に位置している。この付近は旧石器時代から、縄文時代の後期までの2万7千年以上にわたる人々の生活のあとを伝える多くの遺跡が埋蔵されている所として知られている。1957年以降、大学の教育プログラムの一環として学術的な発掘調査が行なわれてきた。こうして発掘された旧石器時代の石器類および縄文時代の土器、石器、装身具等が遺跡分布図と共に展示されている。また、敷石住居址や、関東ローム層を造形保存という特殊な方法で処理した実物の標本も展示されている。

【収蔵分野・総点数】
　〈陶磁器〉容器（食器／酒器／保存容器）・調度・調理用具・化粧道具・印判手・他　2472点
　〈染織品〉布地見本・風呂敷・袋物・夜具地・染織見本・衣服・産湯布・子負い帯・他　1357点
　〈紙工品〉型紙・型染和紙・浮世絵・凧　1162点
　〈木工品〉容器・調度・道具・調理道具・化粧道具・他　964点
　〈金工品〉容器・調度・道具・化粧道具・鏡・十字架・小置物・他　548点
　〈考古学資料〉石器・土錘・石錘・装飾品・祭儀遺物・土偶・土器・他　581点

【主な収蔵品／コレクション】
　〈民芸部門〉
　丹波布、筒描夜具地、産湯布、伊勢型紙、箪笥、菓子型、自在鉤、灯火具、石皿、そば猪口、盃台、柄鏡、お歯黒壺など
　〈考古部門〉
　敷石住居址、関東ローム層断面標本、大学構内出土の縄文土器、石器など

【展示テーマ】
　〈特別展〉
　「酒器展」「夜具と夜着」「収蔵品展」（以上2004年度）／「湯浅八郎の民藝」「弁当箱の工夫」「子供の着物と孫ごしらえ」（以上2005年度）／「バンクス植物図譜〜ICU図書館新収蔵資料より」「日本のパッチワーク　寄裂（よせぎれ）」「日本の文様VIII　文字」（以上2006年度）

東京都

【教育活動】
〈特別展に付随する公開講座〉
「お酒って何？食文化から見た酒」「日本の夜着」「絵を見る、絵を読む、絵を語る。」（以上2004年度）／「湯浅八郎と二十世紀」「弁当箱の工夫」「江戸時代の子供の着物」（以上2005年度）／「バンクス植物図譜　オーストラリア植物の研究史・魅力」「パッチワーク・キルトと日本の寄裂・刺し縫い」「写本と工芸の意匠における文字の要素―平安から桃山へ―」（以上2006年度）

【調査研究活動】
大学敷地内にある泰山荘内建造物6件（国登録有形文化財）の調査

【刊行物】
図録『湯浅八郎記念館所蔵品にみる日本の文様―幾何・器物』／年報『国際基督教大学博物館湯浅八郎記念館年報』　No.20,No.21

- **所在地**　〒181-8585　東京都三鷹市大沢3-10-2
- **TEL**　0422-33-3340
- **FAX**　0422-33-3485
- **URL**　http://subsite.icu.ac.jp/yuasa_museum
- **E-mail**　museum-office@icu.ac.jp
- **交通**　1）JR中央線三鷹駅南口または武蔵境駅南口より　小田急バス国際基督教大学行きにて終点下車　2）武蔵境駅南口からはタクシーで10分
- **開館時間**　10:00～17:00（土曜日は16:30まで）
- **観覧所要時間**　60分
- **入館料**　無料
- **休館日**　日・月曜日，祝日，展示準備期間，夏期休暇中および年末年始
- **施設**　前川國男建築事務所の設計による鉄筋コンクリート二階建ての建物で、外壁はレンガ造りによる二重構造となっている。建物面積は1,000㎡、延床面積は1,331㎡で館内には民芸展示室、考古展示室、特別展示室の他、公開講座などの催しにも利用されている多目的なエントランスホール、資料室、収蔵庫（第一、第二）学芸員室、工作室、事務室がある
- **利用条件**
  (1) 利用を限定する場合の利用条件や資格　20名以上の団体の場合は、事前に申請書を提出
  (2) 調査研究目的で利用する場合の条件や資格　収蔵資料の閲覧は、要事前連絡
- **メッセージ**　東京都三鷹市に位置する国際基督教大学の敷地は約62万㎡、東京ドームの約13個分にあたる。武蔵野の面影を残す緑豊かなキャンパスの中

東京都

にあるこの博物館は、四季折々の自然を楽しむにも最適である。また、付近には中近東文化センター附属博物館や天文台、神代植物園などがある
- 車イスの貸出　有り
- 身障者用トイレ　なし
- 無料ロッカー　有り
- 駐車場　有り
- 外国語のリーフレット，解説書　有り
- ミュージアムショップ/レストラン　ミュージアムショップとして独立したスペースはないが、受付にて特別展図録や収蔵品の絵はがき、カードなどの当館オリジナル・グッズを展示、販売している。また、エントランスホールにはセルフサービスでお茶を楽しんで頂けるコーナーを設けている
- 今後3年間のリニューアル計画　なし
- 設立年月日　昭和57（1982）年6月
- 設置者　国際基督教大学
- 館種　私立大学，歴史
- 責任者　館長・森本光生（学務副学長）
- 組織　6名（館長1、学芸員2、非常勤職員3）。運営審議委員会には館長を含む5名の委員

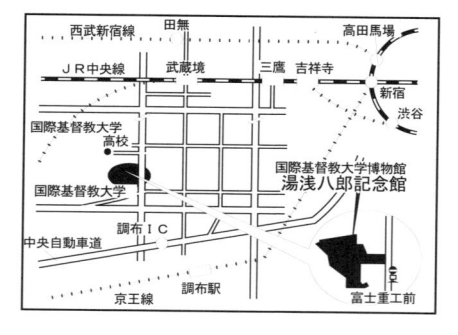

駒澤大学禅文化歴史博物館

The Museum of Zen Culture and History, Komazawa University

　当館は、平成11年に「東京都歴史的建造物」に選定された「耕雲館」を保存・活用し、平成14年、駒澤大学開校120周年記念事業の一環として開館した。耕雲館は、ライト風建築の第一人者である菅原榮造（1892-1968）が設計し、昭和3年に図書館として完成した。図書館としては、昭和48年に現在の図書館が建設されるまで使用され、この後「耕雲館」と名称を変え、国際センター、研究室、祝祷法要などに使用された。

　平成18年には、博物館相当施設として指定を受けた。

　設置の目的は、次のことが挙げられる。

　1. 駒澤大学の歴史とともに歩み、百二十年の歴史を語るうえで重要なシンボルとして位置付けられている旧図書館（耕雲館）に、博物館的機能を付与して教育の場を拡充するとともに、広く公開して地域文化の振興に寄与し、併せて東京都の歴史的建造物の景観保存事業に協力する。

　2. 本学の特色を活かした禅（仏教・宗教）の文化、歴史を中心とする博物館とし、一般公開することにより、地域社会のみならず、広く世界へ向けて大学の情報を発信する基地としての役割を担う。

　3. 年々増加の一途を辿る「学芸員」資格取得希望者を抱える本学博物館学講座に協力し、講座・実習の充実を図り、本学の特色を活かした優秀な学芸員を社会に送り出すための教育研究に資する場とする。

東京都

【収蔵品・展示概要】
〈常設展示室「禅の世界」〉
　駒澤大学の特色を活かした禅の歴史と文化をテーマとし、禅の象徴空間展示室Aと、曹洞宗を中心とした禅の歴史と文化をたどる展示室B-1～5で構成される。
　展示室A「禅とは何か？」：須弥壇と一仏両祖の尊像を中心に、修行僧の生活空間「単」の再現や、坐禅像、禅宗寺院の楽器（鳴らし物）などにより、禅の象徴的空間を構成する。
　展示室B-1「禅の源流」：禅の発祥から、日本への伝来に至る流れをたどる。
　展示室B-2「曹洞禅の成立と展開」：道元による日本曹洞禅の確立から、瑩山による地方展開に至る教団形勢の流れをたどる。
　展示室B-3「正法眼蔵・伝光録の世界」：『正法眼蔵』、『伝光録』を通し、曹洞禅の思想に触れる。
　展示室B-4「禅僧列伝」：中世、近世、近代の禅僧たちを紹介し、社会史の視点から曹洞禅の歩みを解き明かす。
　展示室B-5「禅の歴史と文化」：禅の影響から生まれた日本独自の多彩な文化や芸術などを紹介する。
〈企画展示室〉さまざまな可能性を持った大学の情報を発信する。
〈大学史展示室〉『旃檀林』の学寮時代からの駒澤大学の歴史をたどる。

【収蔵分野・総点数】
〈禅関係資料〉中世～近世の禅僧による墨蹟・絵画など約200点。
〈禅文化関係資料〉禅文化に関わる茶人等文化人の墨蹟。陶磁器、香炉、茶碗、茶道具など約50点。
〈仏教関係資料〉仏教遺物に関わる仏像（木像、石像、磚）、仏具、経筒、寺院瓦など約100点。
〈大学史関係資料〉駒澤大学の歴史に関わる資料など約400点。ほかに曹洞宗大学林時代に使用された禅籍類の版木約1300点。

【主な収蔵品／コレクション】
〈禅関係資料〉禅僧の書画は、曹洞宗、臨済宗、黄檗宗を問わず多数所蔵（白隠・仙厓・風外・良寛など）。また中世禅僧の肖像画（頂相）も所蔵。
〈禅文化関係資料〉千利休・古田織部など禅文化に関わる茶人の墨蹟。茶道具類には高麗茶碗（16-17世紀）、中国元～清代の陶磁器、煎茶道具など。
〈仏教関係資料〉仏像類には青銅三尊仏板（北魏）、石造仏像光背断片（北魏）、

青銅弥勒仏（高句麗）、木彫観音菩薩（北宋）など。経塚関係資料。日本・中国・朝鮮の古瓦。

〈大学史関係資料〉駒澤大学ゆかりの近代禅僧の書画。卒業生からの寄贈品（学生時代に使用した品物、古写真等）。元地理学科教授多田文男フィールドノート（96冊）。禅籍類の版木約1300点の中には、実際に刷られた本も駒澤大学図書館に所蔵される。

【展示テーマ】

常設展示「禅の世界」（通年）／企画展示「日本・中国の古瓦」／「館蔵資料展2006　禅のかたち・禅のこころ」「駒大の草創期」（以上2006年）／大学史展示「駒大校歌と北原白秋」（2007年）

【教育活動】

毎年、各種セミナーを開催。

〈禅文化歴史博物館セミナー〉（企画展示に即した内容）　第12回「中近世社会と禅僧」／第13回「古瓦の世界」〈実践セミナー〉（禅・宗教に関する実践的な内容）　第7回「お経に親しむ〜写経〜」／第8回「成道会と蝋八摂心」〈ふれあい禅寺めぐり〉　第4回「久保田先生といく埼玉古刹の旅」（以上2006年）

【刊行物】

『駒澤大学禅文化歴史博物館所蔵の古瓦』『駒澤大学禅文化歴史博物館　蔵品図録　絵画・墨蹟編1』（以上2006年）／『駒大史ブックレット』1〜6（2003年〜）　※大学関係の日誌等の翻刻資料集、続刊中

- **所在地**　〒155-8525　東京都世田谷区駒沢1-23-1
- **TEL**　03-3418-9610
- **FAX**　03-3418-9611
- **URL**　http://www.komazawa-u.ac.jp/cms/zenbunka/
- **E-mail**　zenpaku@komazawa-u.ac.jp
- **交通**　東急田園都市線「駒沢大学」駅下車　「公園口」の出口を出て、徒歩約10分
- **開館時間**　10:00〜16:30
- **観覧所要時間**　約60分
- **入館料**　無料
- **休館日**　土・日曜日，祝日，その他大学の定める休館日
- **施設**　博物館として使用している旧図書館（耕雲館）は、地上3階、地下1階の建物で、大学内に現存する最古の建造物である。建築面積559.78㎡、延べ

東京都

床面積 1,569.89 ㎡。地上 1 階（537.47 ㎡）はエントランス、常設展示室、大学史資料室等、地上 2 階（415.59 ㎡）は企画展示室、大学史展示室、館長室、事務室、学芸員室等、地上 3 階（66.1 ㎡）は収蔵庫がある。地下 1 階（567.36 ㎡）は、博物館実習室、作業室、鑑賞室等、博物館講座に使用される施設や、学芸員作業室、収蔵庫等を備えている。展示スペースは合計 355.19 ㎡。収蔵スペースは合計 106.64 ㎡。

- 利用条件
  （1）利用を限定する場合の利用条件や資格　なし
  （2）調査研究目的で利用する場合の条件や資格　収蔵資料の閲覧・撮影は要事前連絡。調査資料の掲載・公表の際は申請書を提出
- メッセージ　・各種セミナーや催事は一般参加も可能で開催 1 ケ月前より随時受付。・展示室 A では、禅僧の修行空間「単」の再現（部分）や、木魚、雲版、半鐘等、寺院の鳴らし物等を体験でき、来館者に人気が高い。・希望者に写経体験。・「正法眼蔵」「伝光録」の全文検索、駒澤大学図書館「電子図書館」（禅籍・仏書画像、古典籍等のデータベース）、「デジタル駒大史」など、パソコンによる資料閲覧が可能。・駒沢公園に隣接し散策スポットとして楽しめる。また徒歩圏内には向井潤吉アトリエ館がある
- 高齢者，身障者等への配慮　バリアフリー
- 車イスの貸出　有り
- 身障者用トイレ　有り
- 無料ロッカー　有り
- 駐車場　なし
- 外国語のリーフレット，解説書　有り
- ミュージアムショップ / レストラン　なし
- 今後 3 年間のリニューアル計画　なし
- 設立年月日　平成 14（2002）年 4 月 1 日
- 設置者　駒澤大学
- 館種　私立大学，歴史
- 責任者　館長・伊藤隆壽（仏教学部教授）
- 組織　館長 1、係長 1、学芸員（事務）3

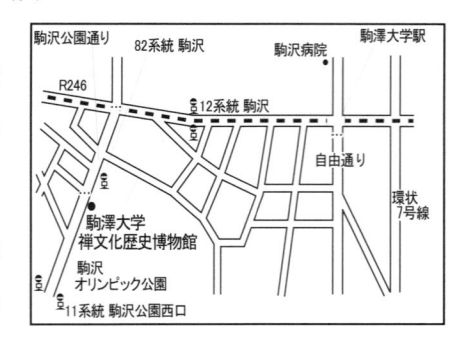

142　大学博物館事典

東京都

実践女子学園香雪記念資料館

Jissen Women's Educational Institute Kosetsu Memorial Museum

　実践女子学園香雪記念資料館は、学園創立100周年記念事業の一環として、平成11年に東京都日野市大坂上にある実践女子大学構内に設置された。館名の「香雪」は学祖下田歌子の号に由来する。

　香雪記念資料館の設立に先立つ本学園の展示施設の始まりは昭和55年に遡る。昭和42年、実践女子大学に学芸員課程（博物館学講座）が設置され、学内での博物館実習を行う場として、昭和55年10月に渋谷校舎の一室を改修して美術資料展示室が造られた。

　平成12年度より、学園が所蔵する学祖の資料展示をはじめ、資料収集方針の一つである女性画家作品を中心とした所蔵展、女性の文化活動を紹介する展示や学内の様々な専門分野に関係する展示を数多く開催してきた。また、学生、卒業生の作品展等の会場としても利用されている。講演会、ワークショップなど社会教育施設としての役割を踏まえた活動も行ってきた。

　平成16年度9月には、それまでの博物館活動が認められ、東京都教育委員会より博物館相当施設の指定を受けた。それに伴い、16年度より博物館実習生の受け入れも行っている。

【収蔵品・展示概要】
〈学祖下田歌子資料展〉
　本学図書館、学園が所蔵する学祖下田歌子関係資料等による下田歌子資料展を毎年入学式に合わせて年度始めに開催。毎年テーマを変えて、学祖の様々な

東京都

活動を紹介している。

〈女性が描いた作品、文化教養に関連した女性を描いた作品〉

学祖下田歌子によって創立されて以来、本学が長年女子教育に携わってきた事から、女性が描いた作品、文化教養に関連した女性を描いた作品を収集方針の大きな柱としている。描いた女性たちのそれぞれの生き方や女性たちの社会活動や文化活動の歴史を検証し、現在の女性のあり方にも通ずる問題提起となる展示を目指している。

〈中国考古美術品を中心とする美術工芸品〉

昭和42年、実践女子大学に学芸員課程が設置された当時、博物館学課程主任であった松原三郎教授が収集された作品を当館で受け継いだもの。

【収蔵分野・総点数】

江戸時代から昭和初期までの女性画家による絵画作品、文化教養活動に関連する女性が描かれた絵画作品

本学博物館学課程から引き継いだ中国考古美術工芸品

【展示テーマ】

「カトリックのクリスマスとプレセピオ―羊飼いの礼拝―」（2004年度）／「下田歌子と欧米教育視察展」「所蔵品展―新収蔵の女性画家作品を中心に」「女性たちが描いた　文雅の花展」（以上2005年度）／「下田歌子と中国―清国留学生部を中心に―」展／第1回「美²」展（実技担当教員による作品展）／「没後25年　向田邦子展～その魅力に出逢う～」（以上2006年度）　ほか

【教育活動】

講演会「世界の文化遺産を訪ねて『近代を再考する装置としてのエコミュージアム』」／「ヴィンチ村のレオナルド―その生涯と時代―」（以上2004年度）／ワークショップ「ミニチュア軸を作ってみよう」／「立体画像をつくってみよう」（以上2005年度）／ワークショップ「立体作品の展示方法」／ギャラリートーク第1回「美²」展作品解説（以上2006年度）　ほか

【調査研究活動】

所蔵作品調査（館報に作品解説、作品研究として毎年掲載）

【刊行物】

『実践女子学園香雪記念資料館館報』1号～4号（2004～2006年度）

東京都

- 所在地　〒191-8510　東京都日野市大坂上 4-1-1
- TEL　042-585-8873
- FAX　042-589-7225
- URL　http://www.jissen.ac.jp/kosetsu/
- E-mail　Kosetsu@jissen.ac.jp
- 交通　JR中央線　日野駅下車　徒歩12分　実践女子大学構内
- 開館時間　11:00～16:00
- 観覧所要時間　40分
- 入館料　無料
- 休館日　土・日曜日，祝祭日，大学休業期間（企画展開催期間以外は休館する場合あり）
- 施設　延床面積:435㎡　展示室:213㎡　収蔵庫:78㎡　事務室:96㎡　実習室:48㎡　構造:香雪記念館　鉄筋コンクリート造2階建（香雪記念資料館は1階部分）　本館　鉄筋コンクリート造地下2階地上5階建（収蔵庫は2階部分）
- 利用条件
  (1) 利用を限定する場合の利用条件や資格　なし
  (2) 調査研究目的で利用する場合の条件や資格　収蔵作品の調査，閲覧，撮影は許可制。事前に「特別観覧申請書」提出要
- メッセージ　香雪記念資料館は，緑豊かな実践女子大学キャンパス内にあり，入館料は無料である。近くには，「日野市郷土資料館」，「新選組のふるさと歴史館」，「日野宿本陣」，高幡不動尊などがある
- 高齢者，身障者等への配慮　バリアフリー
- 車イスの貸出　なし
- 身障者用トイレ　有り
- 無料ロッカー　なし
- 駐車場　有り
- 外国語のリーフレット，解説書　なし
- 今後3年間のリニューアル計画　なし
- 設立年月日　平成11（1999）年5月19日
- 設置者　学校法人　実践女子学園
- 館種　私立大学，美術
- 責任者　館長・仲町啓子（文学部美学美術史学科教授）
- 組織　4名（館長1、事務長1、学芸員1、事務員1、臨時職員1）　運営及びそれに関する重要事項は，学長，校長，各学部長，館長，総務部長，財務部長等による運営推進委員会が審議する

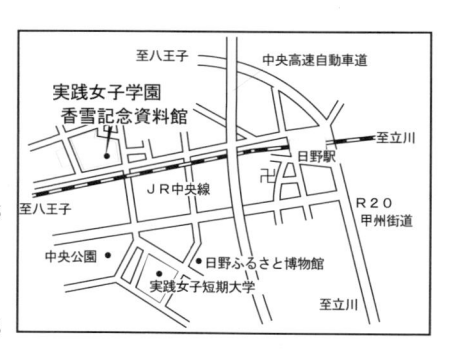

大学博物館事典　145

東京都

写大ギャラリー

SHADAI Gallery

関東

　写大ギャラリーは、1975年5月、東京写真大学短期大学部（現・東京工芸大学中野キャンパス）に開設された。当時はまだ写真をコレクションし、展示をしていく美術館やギャラリーはほとんど存在しなかった。本学はいち早く写真教育の創造的現場としての"写大ギャラリー"を創設して、写真家のオリジナル・プリントの展示と収集を開始した。日本では初公開の個展『ウィン・バロック展』でオープンした写大ギャラリーは、それ以降、日本で初公開の海外著名写真家の写真展を数多く開催してきた。また、日本人写真家の貴重な写真展を多数手がけている。
　本学は、1923年に日本における最初の私立写真専門高等教育機関として発足し、戦後の学制改革により「東京写真短期大学」（略称・写大）となった。それ以来、本学は「写大」の愛称で親しまれ、現在は東京工芸大学に名称変更したが、本学の原点を記念して現在でも名称を「写大ギャラリー」としている。

【収蔵品・展示概要】
　日常の写真教育の現場で、〈写真のすばらしさ〉や〈写真への愛と尊敬〉を語るとき、ことばだけではどうしても抽象論に偏ってしまいがちになる。しかし、目の前で一枚のオリジナル作品をみせて訴えたとき、その一枚の作品がどれほど強く見るものの心を揺さぶることか。すぐれた芸術作品は人の心に訴える力を持っている。だからこそ〈本物をみること〉の大切さ、そして〈実物に触れること〉の重要さは先人が教えてくれている。
　こうした考え方に立ち、1975年に「写大ギャラリー」は開設され、「写真展

＋教育現場＋作品収集」の三つの目的を持って活動している。
　教育現場と直結した写真専門の展示場として、国内外の著名写真家作品の展示だけでなく、国内では初めての個展となるような作家の紹介にも積極的に取り組んでいる。
　商業ベースでは取り上げられないような写真家の紹介などにも力を入れている。
　学内の施設ではあるが開設当初より展示はすべて一般に無料公開し、可能な限りギャラリー・トークを開催し、作家本人のメッセージを直接伝えている。

【収蔵分野・総点数】
　写真作品　約 5,000 点

【主な収蔵品／コレクション】
　〈国内写真家〉
　土門拳　約 1,200 点、森山大道　約 900 点、木村伊兵衛　約 200 点　細江英公、奈良原一高、東松照明など
　〈海外写真家〉
　ウィン・バロック、アンセル・アダムス、エドワード・ウェストン、ウィリアム・クライン、エドワード・スタイケン、ヴァン・デル・エルスケン、ロベール・ドアノーなど

【展示テーマ】
　海外著名写真家展「ポートレート」／川田喜久治写真展「Eureka　全都市」／マリオ・ディアス写真展「キューバ　1980-2000」／木村伊兵衛展「ヨーロッパ／中国」／高梨豊写真展「初國　pre-landscape」／大石芳野写真展「無告―カンボジアの証言―」

【教育活動】
　〈ギャラリートーク〉
　マルコス・ツィーマーマン「アルゼンチン北部―大地と人々」／川田喜久治・細江英公「川田喜久治作品について」／マリオ・ディアス「キューバの歴史と写真 100 年」／高梨豊・大日方欣一「高梨豊作品について」／大石芳野「カンボジアの証言」

東京都

【刊行物】
ANNUAL REPORT 05-06／ANNUAL REPORT 04

- ・所在地　〒164-8678　東京都中野区本町2-9-5　東京工芸大学　中野キャンパス内
- ・TEL　03-3372-1321
- ・FAX　03-5388-7996
- ・URL　http://www.t-kougei.ac.jp/arts/sc/sgallery.php
- ・E-mail　shadaigallery@t-kougei.ac.jp
- ・交通　東京メトロ丸の内線、都営地下鉄大江戸線　中野坂上下車　徒歩7分
- ・開館時間　10:00 〜 20:00
- ・入館料　無料
- ・休館日　写真展開催中　無休
- ・施設　展示壁面:43.6m　展示室面積:106.7㎡
- ・高齢者，身障者等への配慮　段差有り
- ・車イスの貸出　なし
- ・身障者用トイレ　なし
- ・無料ロッカー　有り
- ・駐車場　なし
- ・外国語のリーフレット，解説書　なし
- ・ミュージアムショップ/レストラン　なし
- ・今後3年間のリニューアル計画　なし
- ・設立年月日　昭和50（1975）年5月20日
- ・設置者　東京工芸大学
- ・館種　私立大学，写真
- ・責任者　ギャラリー運営委員会委員長・若尾真一郎（芸術学部長）
- ・組織　4名

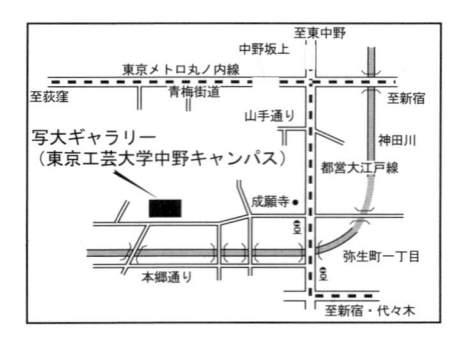

首都大学東京　牧野標本館

Makino Herbarium, Tokyo Metropolitan University

"日本の植物学の祖である故・牧野富太郎博士が個人的に所有していた押し葉標本をもとにして設立された植物標本館"

牧野標本館は、牧野富太郎博士（1862〜1957）の没後に遺族から寄贈された約40万点の未整理標本（牧野標本と呼ぶ）を整理、収蔵するために1958年に首都大学東京の前身である東京都立大学の深沢キャンパス内に設置された。2008年に設立50周年を迎える長い歴史をもつ植物標本館である。

牧野標本は、明治から昭和にかけて牧野博士らによって日本全国からまんべんなく採集されたものであり、日本列島の元々の植物相を知る上で非常に貴重な資料である。しかし、寄贈された段階の牧野標本は、古新聞に植物標本が挟まれただけ状態で、その新聞紙の損傷も進んでいた。さらに、標本の採集者、採集日、採集地などの標本にとって不可欠な情報も、断片的に直接、古新聞紙に書かれているだけの状態であった。そこで、古新聞紙に記録されていた標本情報の書き写しなどをしつつ、標本ラベルの作成、標本の台紙への貼付などの作業が根気よく続けられた。標本のラベル作成に当たっては、牧野博士自身が克明に記録していた採集日記を参考にして牧野博士の植物採集行動録を作成し、その情報なども活用しながら、何時、誰がどこで採集したかという標本に不可欠な情報を完備させていった。

現在では一通りの牧野標本の整理が終了して、約16万点の牧野標本が台紙に貼付された状態で牧野標本館に収蔵されている。さらに牧野標本は、多数の重複標本を含んでいたが、それを海外の著名植物標本庫との間の交換標本として活用することによって外国産の植物標本を獲得した。現在、牧野標本館が収蔵している約45万点の整理済み標本には牧野標本ではないものも少なくない

東京都

が、それらも牧野標本によって獲得できた標本が多い。

【収蔵品・展示概要】
　牧野標本館は、牧野標本を核として種子植物とシダ植物の押し葉標本、コケ植物の標本、海藻および車軸藻標本を収蔵している。牧野博士は、生涯で日本産の2500もの植物種に学名を付けた。したがって、牧野標本には学名を付ける元になった標本、いわゆるタイプ標本(基準標本)も約800点が含まれている。
　牧野標本館には牧野標本以外にも、いくつか重要な標本コレクションが所蔵されている。特に重要なものを列挙すると、まずロシアのコマロフ植物研究所から交換標本として送られたいわゆるシーボルト・コレクションがあげられる。これは、江戸時代末期にシーボルトが日本から持ち帰った標本のうちの約2700点である。その他には、共立薬科大学から寄贈された故・桜井久一博士の集めたコケ植物の標本約2万点（約600点の蘚類のタイプ標本を含む）からなる桜井コレクション、故・今堀宏三博士から寄贈された車軸藻類の約1700点からなる今堀コレクション、同じく車軸藻類でタイプ標本も多く含む約2500点からなる加崎コレクションなどもあげられる。
　これに加えて、近年、牧野標本館の教員スタッフや学外の研究協力者らによって精力的に収集された小笠原諸島を含む国内の標本、そしてヒマラヤ、中国、中央アジア、ミャンマー、さらに南米など外国産植物の標本を収蔵している。これら総計約45万点の整理済み標本が、3連の電動コンパクターからなる標本庫に収蔵されている。

【収蔵分野・総点数】
　植物標本　約48万点

【主な収蔵品/コレクション】
　牧野標本　約16万点（約800点のタイプ標本を含む）
　シーボルト・コレクション　約2700点
　桜井コレクション（コケ植物）約2万点（約600点のタイプ標本を含む）
　今堀コレクション（車軸藻類）約1700点
　加崎コレクション（車軸藻類、海藻類）約2500点

【展示テーマ】
　牧野富太郎博士没後50年記念展示会（神代植物公園と共催）

【教育活動】
夏休み親子標本作製教室（首都大学東京オープンユニバーシティ）

【調査研究活動】
小笠原諸島の植物調査／ヒマラヤの植物相の調査／ミャンマーの植物相の調査／DNA情報を活用した日本産シダ植物、コケ植物、キノコ類の種分類学的研究／日本列島に分布する植物の分子植物地理学的研究

- **所在地**　〒192-0397　東京都八王子市南大沢1-1
- **TEL**　042-677-2420
- **FAX**　042-677-2421
- **URL**　http://www.makino.shizen.metro-u.ac.jp/herbarium/index.html
- **交通**　京王相模原線南大沢駅下車、駅前
- **開館時間**　一般向けに特に公開しているわけではないが、10:00〜17:00の時間であれば、建物の中の展示を観覧可能
- **観覧所要時間**　展示を見るだけなら15分程度
- **入館料**　無料
- **休館日**　土・日曜日，祝日は建物の玄関入り口が施錠されている
- **施設**　標本室の面積は、約230㎡
- **利用条件**
  (1) 利用を限定する場合の利用条件や資格　標本庫の標本の利用は、基礎研究目的に限定している。営利目的の利用は認めていない
  (2) 調査研究目的で利用する場合の条件や資格　基礎的研究目的であれば、プロ、アマを問わずに開放している
- **メッセージ**　牧野標本館は、植物標本の収蔵を目的としており、一般への公開や展示に向けての取り組みは非常に限定的なのが現状である。しかし、牧野富太郎博士の紹介、牧野標本館の収蔵標本の概要、あるいは現在牧野標本館で行われている研究の成果などについて説明したパネルなどを新しいものに作り替えていく予定である。また、2008年は牧野標本館の設立50周年に当たるので、記念事業の一環として東京都内の各所で牧野標本館の一般向け展示会、講演会などを開催していく予定である。また、夏休みには、首都大学東京オープンユニバーシティと連携して親子植物標本作製教室を開催する
- **高齢者，身障者等への配慮**　バリアフリー
- **車イスの貸出**　なし
- **身障者用トイレ**　なし
- **無料ロッカー**　なし
- **駐車場**　有り
- **外国語のリーフレット，解説書**　なし
- **ミュージアムショップ/レストラン**　なし
- **今後3年間のリニューアル計画**　有り（特に展示）

東京都

- **設立年月日**　昭和 33（1958）年 6 月
- **設置者**　公立大学法人　首都大学東京
- **館種**　公立大学
- **責任者**　標本庫管理者・村上哲明（教授）
- **組織**　教授、准教授、助教　専門技術職員、各 1 名ずつ

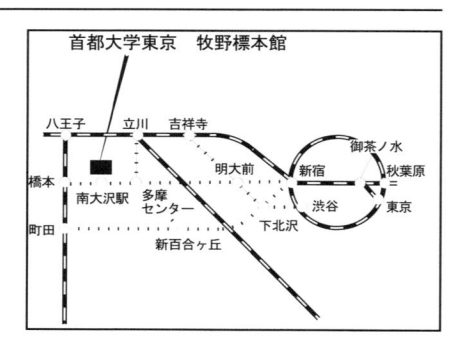

東京都

昭和女子大学光葉博物館

Showa Women's University Koyo Museum

　昭和女子大学光葉博物館は、平成6年4月11日に開館し、同年9月16日に歴史博物館として博物館相当施設に指定された。

　毎年、春と秋には多彩なテーマの特別展を開催するほか、収蔵資料展、卒業制作展、附属小中高校やオープンカレッジの作品展など、年6〜7回の展覧会を開催している。

　大学博物館として、学内各分野の教育研究の発表の場であるとともに、学生が日常的に文化財に触れる空間となっている。とくに学芸員資格取得を目指す学生には、収蔵資料や施設などを使用する活きた実習を行っている。そして、学内のみならず広く一般にも展覧会を公開し、地域に根ざした情報発信、文化交流の場となることを目指している。

【収蔵品・展示概要】
　〈収集方針〉
　教育資料を中心に収集。
　〈展示コンセプト〉
　1）モノ（実物資料）を通して、多様な文化に触れる機会を提供する。
　2）学生に発表の場を提供する。

【収蔵分野・総点数】
　古美術資料約150点、民俗資料約4000点、民族人類学資料約560点など総点数約5400点（現在整理中）

東京都

【主な収蔵品 / コレクション】
　古美術資料（中国の硯など）、民俗資料（民具、郷土玩具など）、民族人類学資料（世界の民族仮面など）、大学において使用される実物・標本などの授業資料（唐衣裳、束帯などの装束・掛図、西洋衣装 1/2 模型、仏像などのレプリカ資料）、その他（彫刻など）

【展示テーマ】
　春の特別展「アンデス祈りの布」／秋の特別展「人見東明とフュウザン会絵画運動」（以上 2004 年）／春の特別展「風を彩るうちわと扇子」／秋の特別展「江戸の武家屋敷」（以上 2005 年）／春の特別展「内藤濯と『星の王子さま』」／秋の特別展「京漆器を愉しむ」（以上 2006 年）ほか

【教育活動】
　特別講演会「人見東明とフュウザン会の画家たち」／「人見東明とフュウザン会絵画運動」ギャラリートーク（以上 2004 年）／特別講演会「泥絵と大名屋敷」（2005 年）／「内藤濯と『星の王子さま』」朗読発表会（2006 年）

【刊行物】
　光葉博物館報 No.8 〜 10 ／展覧会図録「人見東明とフュウザン会絵画運動」（2004 年）／「江戸の武家屋敷」（2005 年）／「京漆器を愉しむ」（2006）／展覧会パンフレット「風を彩るうちわと扇子」（2005 年）／「内藤濯と『星の王子さま』」（2006 年）

- 所在地　〒154-8533　東京都世田谷区太子堂 1-7　昭和女子大学（研究館 1 階）
- TEL　03-3411-5099
- FAX　03-3411-5302
- URL　http://www.swu.ac.jp/museum/
- E-mail　koyohaku@swu.ac.jp
- 交通　1）電車　東急田園都市線「三軒茶屋」駅下車　南口 A より徒歩約 8 分　2）バス　JR 渋谷駅西口バスターミナルより三軒茶屋方向「昭和女子大」バス停下車
- 開館時間　9:00 〜 17:00（展覧会ごとによる）
- 入館料　無料
- 休館日　日曜日，祝祭日，年末年始および大学の定める休日（展覧会毎による）
- 施設　地上 7 階地下 1 階建ての研究館の 1 階に展示室（208.55 ㎡）。他に館長室、事務室、学芸員室、特別収蔵庫、地下収蔵庫など
- 高齢者，身障者等への配慮　バリアフリー

- ・**車イスの貸出**　なし
- ・**身障者用トイレ**　有り
- ・**無料ロッカー**　有り
- ・**駐車場**　有り
- ・**外国語のリーフレット，解説書**　なし
- ・**ミュージアムショップ/レストラン**　専用施設はなし
- ・**今後 3 年間のリニューアル計画**　なし
- ・**設立年月日**　平成 6（1994）年 4 月 11 日
- ・**設置者**　学校法人　昭和女子大学
- ・**館種**　私立大学，歴史　博物館相当施設
- ・**責任者**　館長・灰野昭郎（特任教授）
- ・**組織**　5 名（館長 1、副館長 1、主任学芸員 1、学芸員 2）、運営委員会（学内教職員・学外有識者　10 名前後）

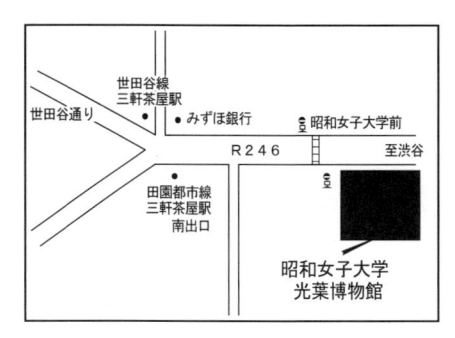

東京都

杉野学園衣裳博物館

　杉野学園衣裳博物館は、学園の創立30周年を記念し日本で初めての服飾博物館として1957年5月24日に開館した。
　学園の創始者である、杉野繁一・芳子夫妻が欧米諸国を訪れた際に収集した、実物の服飾資料が所蔵品の主流を成している。

【収蔵品・展示概要】
　服飾資料ならびに服飾関連資料を収蔵

【主な収蔵品 / コレクション】
　〈西洋衣裳〉
　シャルル・フレデリック・ウォルト「イブニングドレス」
　マリアノ・フォルチュニィ「デルフォス」など
　〈日本衣裳〉
　十二単、武官束帯など

- 所在地　〒141-8652　東京都品川区上大崎 4-6-19
- TEL　03-6910-4413
- FAX　03-3491-8728
- URL　http://www.costumemuseum.jp
- E-mail　museum@sugino.ac.jp
- 交通　JR 山手線・東急目黒線・都営地下鉄三田線・東京メトロ南北線　各線の目黒駅より徒歩7分
- 開館時間　10:00～16:00
- 観覧所要時間　約30分

東京都

- **入館料** 一般 200 円，高校生 160 円，小・中学生 100 円
- **休館日** 日曜日，祝日，大学の定める休業日
- **高齢者，身障者等への配慮** 段差有り
- **車イスの貸出** なし
- **身障者用トイレ** なし
- **無料ロッカー** なし
- **駐車場** なし
- **外国語のリーフレット，解説書** なし
- **設立年月日** 昭和 32（1957）年 5 月
- **設置者** 杉野学園
- **館種** 私立大学，歴史
- **責任者** 館長・中村賢二郎（杉野学園理事長）
- **組織** 4 名

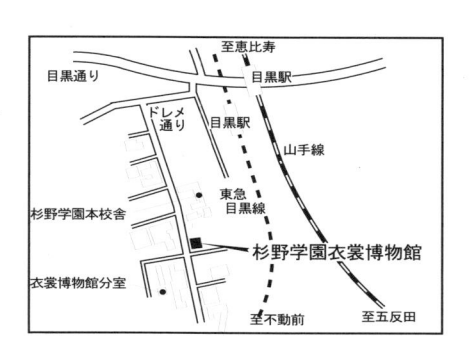

東京都

成蹊学園史料館

　成蹊学園は明治45（1912）年、創立者中村春二によって成蹊実務学校が開設されたことでその歴史が始まった。成蹊学園史料館は、創立者中村春二の遺徳を偲ぶとともに、中村の教育精神に触れ、成蹊学園教育の一層の発展を図るために、昭和63（1988）年に開館した。平成16（2004）年4月より「日本の近代教育」をその活動に加え、大正期の教育に関する常設展示をスタートした。
　博物館相当施設指定番号第39号　平成17年5月16日指定

【収蔵品・展示概要】
　成蹊学園史料館には創立者中村春二の著作や遺品・文書などを展示した『中村春二記念室』と、学園創立以来の歴史が具体的な資料によって概観できる展示室3室、また開校当初成蹊がその一翼を担った「大正自由教育」に関する展示を設けている。その他、年に数回史料館内ギャラリーにて特別展示を行っている。

【収蔵分野・総点数】
　創立者および学園関連史料の収集。近現代教育関連文書を主とし、絵画、茶道具、古写真等約3万点を所蔵している。

【主な収蔵品/コレクション】
　学園関連史料。近現代教育関連文書を主とし、絵画、茶道具、古写真等

【展示テーマ】
特別展「大正時代の女性雑誌」「奥田正造と茶の世界」（以上 2004 年度）

【教育活動】
「近代日本と知識人　南原繁」「だれがモダン・ガールだったか？― 1920 年代の消費文化と女性―」（以上 2004 年度）／「現代に生きる中村春二の教育理念　成蹊小学校　夏の学校」（2005 年度）／「成蹊気象観測所の 80 年」（2006 年度）

【調査研究活動】
調査研究は継続しており、その成果は下記の刊行物にて発表している。

【刊行物】
「成蹊学園史料館年報」（2003 年度 ,2004 年度）／「成蹊学園史料館　資料集 1」（2004 年度）／「成蹊学園史料館　資料集 2」（2005 年度）／「成蹊学園史料館　資料集 3」（2006 年度）

- **所在地**　〒 180-8633　東京都武蔵野市吉祥寺北町 3-3-1
- **TEL**　0422-37-3994
- **FAX**　0422-37-3704
- **URL**　http://www.seikei.ac.jp/
- **E-mail**　archives@jim.seikei.ac.jp
- **交通**　1）JR 中央線・総武線（東京メトロ東西線）・京王井の頭線　吉祥寺駅下車　吉祥寺駅北口バスのりば 1・2 番より関東バスで約 5 分／成蹊学園前下車　吉祥寺駅より徒歩約 15 分　2）西武新宿線　西武柳沢駅下車西武柳沢駅南口より関東バス（吉祥寺駅行き）で約 20 分／成蹊学園前下車
- **開館時間**　月曜日～金曜日　9:30 ～ 16:30，土曜日　9:30 ～ 11:30（学園の定める休業日を除く）
- **観覧所要時間**　約 60 分
- **入館料**　無料
- **休館日**　日曜日，祝日，および学園の定める休業日
- **施設**　学園敷地面積 175,925.021 ㎡　建築面積 646.34 ㎡　延べ床面積 1,179.92 ㎡
- **利用条件**
  （1）利用を限定する場合の利用条件や資格　収蔵史料の閲覧、複写は予約制。出版・テレビ放映等の営利目的での史料利用は別途申込が必要
  （2）調査研究目的で利用する場合の条件や資格　収蔵史料の閲覧、複写は予約制。史料の調査研究成果を公表する場合、要事前連絡

東京都

- 高齢者,身障者等への配慮　段差有り
- 車イスの貸出　有り
- 身障者用トイレ　有り
- 無料ロッカー　なし
- 駐車場　なし
- 外国語のリーフレット,解説書　なし
- ミュージアムショップ/レストラン　なし
- 今後3年間のリニューアル計画　なし
- 設立年月日　昭和63（1988）年11月18日
- 設置者　学校法人　成蹊学園
- 館種　私立大学,歴史
- 責任者　館長・橋本竹夫
- 組織　13名（館長1,課長1,学芸員2,非常勤職員9）

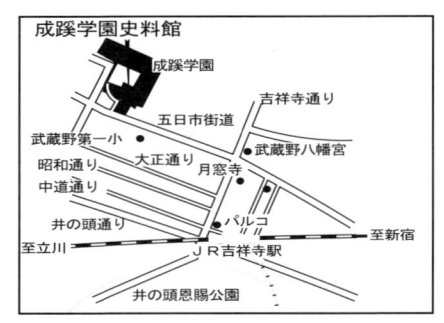

東京都

玉川大学小原國芳記念教育博物館

Museum of Educational Heritage, Tamagawa University

"ホンモノを見よ。全人教育の理想の実現を図る。"

標記のものが正式名称であるが、通常は「玉川大学教育博物館」と称して活動している。

玉川学園創立者の小原國芳が提唱した全人教育の理想を実現するため、広く教育関係資料の収集、調査研究、整理保存、展示、博物館教育等を行うことを目的とする。

小原國芳は、百聞は一見にしかず、「ホンモノを見よ」との訓辞を、学生に対し盛んにしていた。ホンモノとは実物、優れた事物のことであり、これらを見ること、触れることでの全人的人格形成を促していた。小原國芳のこの考えに基づき、大学生活の中でも学生たちが身近にホンモノに触れるよう設けられた場が当館である。

1969年8月16日　玉川学園教育博物館資料室として開設
1983年4月1日　玉川学園教育博物館資料館に改称
1986年4月1日　玉川学園教育博物館に改称
1987年5月9日　現在の施設に移転
1996年4月1日　大学附置機関に移行改組し、現在の名称に改称
2005年3月31日　博物館相当施設に指定

【収蔵品・展示概要】

常設展示は日本教育史資料と芸術資料の展示で構成する。

日本教育史のコーナーは、江戸時代の幕府の学問所、藩校、私塾、寺子屋等に関する資料や洋学関係の資料のほか、明治以降、第二次世界大戦終了直後までの時期における教科書、教具等を展示する。また玉川学園創立者小原國芳の

東京都

遺品と学園の歴史に関する展示も併設する。

芸術資料は、日本とイタリアの近代美術作品のほか、東方正教会の聖像画（イコン）等のキリスト教絵画を展示する。

その他、学内所在の遺跡から出土した考古資料や、ノーベル平和賞受賞者の医師・神学者・オルガニストのアルベルト・シュヴァイツァーの遺品も展示する。

【収蔵分野・総点数】

〈日本教育史資料〉

近世～近代の教科書、教具、教育思想家の遺墨、著作等約10,000点、旧外地教科書コレクション約7,000点等

〈芸術資料〉

日・伊の20世紀美術作品約100点、キリスト教絵画約80点、錦絵版画等計1,400点

〈考古資料〉

約940点

〈民俗資料〉

約2,100点

〈その他〉

アルベルト・シュヴァイツァー関係資料、ガスパール・カサド（チェリスト）関係資料、東敦子（声楽家）関係資料、ジョン・グールド鳥類図譜（全40巻）等を所蔵する

【主な収蔵品／コレクション】

〈日本教育史資料〉

近世の教育思想家の筆蹟、肖像、編著書、幕府の昌平坂学問所の絵図、釈奠図、長崎聖堂関係資料、各地の藩校、郷校、私塾に関するもの。近代教育の場で使用された教科書、教授書、教材、教具など。

〈芸術資料〉

主に美術資料を中心に収集を行い、その他若干数の音楽、演劇資料からなる。美術資料では、西洋と日本を地域区分として、古代から現代までの絵画、版画、工芸などを所蔵。

〈考古資料〉

玉川学園構内に所在する遺跡からの出土品、玉川学園考古学研究会が実施した町田市内の遺跡発掘調査による出土品、本学教職員・学生が採集した資料で構成。

〈民俗資料〉
　わが国の衣食住、生業、社会生活、信仰、芸能、儀礼などに関わる道具、器具、造形物などの、いわゆる民具と呼ばれる有形民俗資料。

【展示テーマ】
「写真でみる玉川学園75年」（2004年）／「ジョン・グールドの鳥類図譜─清子内親王殿下出版記念─」（2005年）／「掛図にみる教育の歴史」（2006年）

【教育活動】
　講演会「紀宮様のジョン・グールド鳥類図譜研究について」（2005年）／公開講座「博物館学講座」（主催・玉川大学継続学習センター）（毎年開講）

【調査研究活動】
　聖像画イコンの研究／ジョン・グールド鳥類図譜の研究／掛図に見る教育の歴史

【刊行物】
『玉川大学教育博物館館報』『博物館ニュース「集」』『イコン　聖像画の世界』『写真でみる玉川学園75年』『掛図にみる教育の歴史』

- **所在地**　〒194-8610　東京都町田市玉川学園6-1-1
- **TEL**　042-739-8656
- **FAX**　042-739-8654
- **URL**　http://www.tamagawa.jp/research/museum/
- **E-mail**　museum@tamagawa.ac.jp
- **交通**　小田急線「玉川学園前」駅下車　徒歩15分
- **開館時間**　9:00 〜 17:00（入館は16:30まで）
- **観覧所要時間**　30分
- **入館料**　無料
- **休館日**　土・日曜日，祝休日，玉川大学が定めた休日，展示替期間
- **施設**　鉄筋コンクリート造地上3階建校舎の3階に位置し，専有延床面積は1,382㎡。第1展示室374㎡，第2展示室261㎡，収蔵庫2室計240㎡のほか館長室、事務室、研究室、機械室等を有する
- **利用条件**
  （1）利用を限定する場合の利用条件や資格　団体見学の場合は、事前連絡が望ましい
  （2）調査研究目的で利用する場合の条件や資格　要事前連絡、許可申請
- **メッセージ**　校内における博物館の位置は、校門の案内所で尋ねられたい。来

東京都

館者用の駐車場はなく、また校内での児童・生徒・学生の安全確保のため、車での来館はご遠慮いただきたい。市内には町田市立博物館、町田市立国際版画美術館、町田市立自由民権資料館、町田市民文学館ことばらんど等が所在する

- 高齢者，身障者等への配慮　段差有り
- 車イスの貸出　有り
- 身障者用トイレ　なし
- 無料ロッカー　なし
- 駐車場　なし
- 外国語のリーフレット，解説書　有り
- ミュージアムショップ/レストラン　博物館受付で図録、絵葉書等を販売する。館内にレストランはないが、学内の食堂は一般来校者の利用も可
- 今後3年間のリニューアル計画　なし
- 設立年月日　昭和44（1969）年8月16日
- 設置者　学校法人　玉川学園（玉川大学）
- 館種　私立大学，歴史
- 責任者　館長・渡辺一雄（教育学部教授）
- 組織　11名（館長1名、教授1名、准教授2名、助手1名、学芸員1名、課長代理1名、課長補佐1名、係長1名、外来研究員（非常勤）2名）

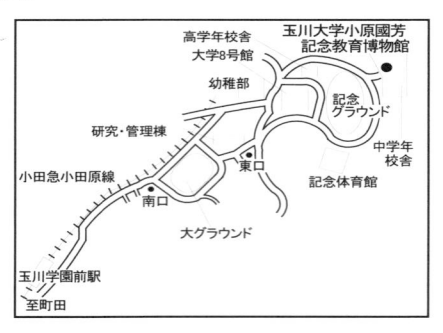

多摩美術大学美術館

Tama Art University Museum

"歴史的美術から現代美術までの創造世界を展示や
ワークショップ、公開講座で幅広く紹介"

　当館の歴史は、大学院開設（1964年修士課程）に伴う教育施設拡充の一環として現多摩美術大学上野毛キャンパス図書館内に併設された「附属美術参考資料館」に遡る。その後、キャンパスが八王子へ移転するのに伴い当館も移設され、1982年には博物館相当施設の指定を受けた。以来、一般の方々にも広く利用されている。また、1994年4月には「多摩美術大学附属美術館」に名称を変更。さらに、2000年4月には多摩市の多摩センター地区に移設し、「多摩美術大学美術館」として開館した。以来、現在日本で唯一のキャンパス外大学美術館として活動を展開している。

　活動は多摩美術大学が有するシンクタンク機能の社会化と社会参加を大きな役割とし、具体的成果として、大学研究室との共同研究の発表・展示や地域社会とのコラボレーション企画・ワークショップなどを開催。また他館との共同調査・展示によって、ネットワークの拡充にも取り組み、学内外に向けた芸術の収集と発信の拠点となるべく努めている。

　所蔵は歴史的芸術から現代アートまで多岐に渡り、広く一般の方々にとって身近に芸術を鑑賞できる環境を提供すると共に、研究創作活動の活性化に寄与している。加え、ワークショップ、公開講座等の事業によって多角的にアートと触れ合う機会を提供している。

【収蔵品・展示概要】
　常設展示は歴史分野、現代アート、産学共同研究の成果を定期的に入れ替え

東京都

て公開

　古代エジプト、ギリシャ、西アジア、ローマ、北・中南米、ヨーロッパ、中国、朝鮮、東南アジア、日本の優れた美術工芸品や考古資料、民族工芸を定期的に入れ替えて陳列。また、近代や現代の優れた美術作品、国内外の絵画、彫刻、素描、版画、ポスター、写真等の収蔵品から厳選し公開している。近年では、産学共同研究の成果として20世紀初頭のポスターを展示。

【収蔵分野・総点数】

〈歴史資料〉
　1950～60年代に収集されたコレクションが根幹となり、分野は古代エジプト、ギリシャ、西アジア、ローマ、考古資料に及ぶ。
〈工芸資料〉
　北・中・南米、ヨーロッパ、中国、朝鮮、東南アジア、日本等の美術工芸品から成る。
〈現代アート〉
　退職教員からの寄贈等から成り、分野は絵画資料、染織資料、版画、彫刻、陶芸、デザイン資料から成る。

【主な収蔵品/コレクション】

〈歴史資料〉
　ヘレニズム期彫刻の特色を全体に秘めた「婦人像」（23cm、B.C.4、ギリシア）や完全な形態を保ったローマ期の秤（B.C.前後、ポンペイ出土）、古代エジプトのコアガラス、中国唐時代の三彩文官俑
〈工芸資料〉
　19世紀のイギリスガラスに及ぶガラスコレクション、アール・ヌーボー期のフランスオペラ・ポスターコレクション（リトグラフ）、インドネシアの絣とジャワ更紗等の民俗衣装
〈現代アート〉
　ルオー、ヴァザルリ、ビュッフェ、コーラップ等の現代版画、ピカソの陶器、また本学において学生の指導に尽力された方々として、円鍔勝三、笠置季男、寒川典美、西常雄、早川巍一郎、舟越保武（彫刻）、川端実、瀬島好正、福沢一郎、牧野虎雄（油彩）、新井勝利、郷倉千靭（日本画）、上野泰郎（日本画）、深澤幸雄（版画）、田中稔之（油彩）等の作品が所蔵されている。
　最近では、富山芳男（油彩）、大宮政郎（版画）、川田喜久治（写真）、奈良原一高（写真）、武田秀雄（版画）、岡村吉右衛門（版画）、ヨゼフ・アルベル

ス （版画）、ベン・シャーン（版画、素描）、東京国際ミニプリント・トリエンナーレコレクション（版画）、加山又造（日本画）等

【展示テーマ】
〈常設展示〉「竹尾ポスターコレクション　ベストセレクション 02」（2006 年度）
〈企画展示〉「ポスト！南アフリカ現代写真」（2004 年度）／「若林奮」展（2005 年度）／「20 世紀コンピューターアート」展／「3 つのヒューマンスケープ」展（以上 2006 年度）

【教育活動】
木版リトグラフ／製本ワークショップ

【調査研究活動】
「加山又造　—アトリエの記憶—」「建築家　今井兼次の世界」「20 世紀コンピューターアート」等の企画展における大学研究室との共同研究

【刊行物】
各種企画展カタログ

- 所在地　〒206-0033　東京都多摩市落合 1-33-1
- TEL　042-357-1251
- FAX　042-357-1252
- URL　http://www.tamabi.ac.jp/museum/
- E-mail　museum@tamabi.ac.jp
- 交通　京王相模原線、小田急多摩線、多摩都市モノレール　「多摩センター駅」下車徒歩 5 分
- 開館時間　10:00 〜 18:00（入館は 17:30 まで）
- 観覧所要時間　60 分
- 入館料　一般:300 円（200 円），大学・高校生:200 円（100 円），中学生以下：無料　（カッコ）内は 20 名以上の団体料金　※身体障害者は無料。身体障害者同伴者は団体料金を適用
- 休館日　毎週火曜日（祝日にあたる場合は翌日），展示替期間，施設点検日，年末年始（12 ／ 28 〜 1 ／ 5）
- 施設　竣工:1990 年、設計 : 株式会社　山下設計、施工 : 大成建設株式会社、構造 :5 階建鉄筋コンクリート造、敷地面積:1,605.04 ㎡、床面積:684.05 ㎡、延べ面積:2,674.79 ㎡、4F: マルチメディアシアター　* 学芸員研究室　* 資料室　* 館長室、3F: 展示室（400 ㎡）、2F: 展示室（586 ㎡）　来館者入り口　* 事務室、

東京都

  1F: 多目的室（600㎡）、B1F:* 収蔵庫　機械室　＊業務用出入り口　＊は業務施設で一般の利用は不可
- 利用条件
  (1) 利用を限定する場合の利用条件や資格　特に定めなし（都度相談）
  (2) 調査研究目的で利用する場合の条件や資格　特に定めなし（都度相談）
- **メッセージ**　多摩美術大学美術館では、古美術から現代アート、建築や刺激的なポスター展示などを厳選して皆様をお待ちしております。そして、当館での体験で皆さんの生活にアートを持ち込んで下さい。そのために、展示だけでなくシンポジウム・ギャラリートーク・ワークショップ、そして舞踊やコンサート等のイベントも用意しております。館周辺には室内型テーマパークや、多摩市の複合芸術施設パルテノン多摩、植物観察園、緑が広がる公園があり、広い年齢層の方々が一日楽しく過ごせる環境が整っています
- 高齢者，身障者等への配慮　バリアフリー
- 車イスの貸出　有り
- 身障者用トイレ　有り
- 無料ロッカー　有り（コイン返却式）
- 駐車場　なし
- 外国語のリーフレット，解説書　有り
- ミュージアムショップ／レストラン　過去の展覧会図版、カタログを販売
- 今後3年間のリニューアル計画　なし
- 設立年月日　昭和39（1964）年
- 設置者　学校法人　多摩美術大学
- 館種　私立大学，美術
- 責任者　館長・峯村敏明
- 組織　10名（館長1、学芸員3、事務職員1　臨時職員5）＊館長は非常勤、経営企画には教職員や有識者で構成された美術館運営委員が関与している

168　大学博物館事典

東京都

地球史資料館

Museum of Evolving Earth

　本館の目的は、東京工業大学が全地球規模で収集した貴重な地球史資料、並びにそれから抽出された研究成果を保存、展示、公開し、『生命と地球環境の変遷』、『脆弱な地球』など最新の地球像を広く国民に啓蒙することにある。本館は上記目的を達成すべく、平成5年に地球惑星科学科を中心として、基本構想が練られ、その後、地球史資料館設置検討委員会並びに地球史資料館設立準備委員会の検討を経て、平成7年に学内措置として設置された。

　その後、資料館に関する基本的な運営等については地球史資料館運営委員会で、日常的な諸事項に関しては、同専門委員会で企画・検討・実施されている。

【収蔵品・展示概要】

　収蔵資料としては、世界最古生命化石含有岩石、世界で最高圧の広域変成岩他、約12万点を系統的に岩石保管庫に収蔵し、データベース化を進めつつある。

　展示資料としては、41億年前の世界最古の岩石、8千年前の恐竜の卵化石、三葉虫化石、ブラジル産巨大紫水晶他、約200点を室内に、38億年前の片麻岩等の大型の資料約20点を屋外に展示している。

　　　・所在地　〒152-8551　東京都目黒区大岡山2-12-1
　　　・TEL　03-5734-2618
　　　・FAX　03-5734-3538
　　　・URL　http://www.geo.titech.ac.jp/lab/maruyama/MEE/
　　　・E-mail　shio@geo.titech.ac.jp

東京都

- **交通** 東急目黒線、大井町線大岡山駅下車　徒歩1分
- **開館時間** 平日 12:00 ～ 16:00
- **入館料** 無料
- **休館日** 土日曜日，祝日，年末年始，イベント時
- **今後3年間のリニューアル計画** なし
- **設立年月日** 平成7（1995）年
- **設置者** 国立大学法人　東京工業大学
- **館種** 国立大学
- **責任者** 館長・吉澤善男（理工学研究科教授）

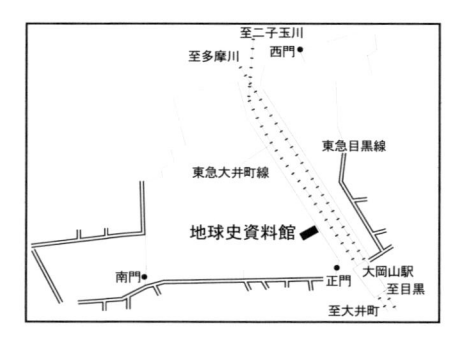

東京都

朝鮮大学校付属朝鮮歴史・自然博物館

"在日朝鮮人子女の教育と朝・日文化学術交流に資する資料の展示"

　朝鮮大学校は1956年創立時の建学理念にのっとり、在日朝鮮人子女の高等教育機関として民族文化と歴史の研究および教育、またその成果の普及を通じた朝・日学術文化交流に努めてきた。その間の学術研究成果と、朝鮮民主主義人民共和国政府より贈られてきた資料などの常時展示施設として1982年4月、朝鮮大学校創立25周年記念館に朝鮮歴史博物館と自然博物館を設置し、現在に至っている。

　歴史博物館では、2004年7月にユネスコ世界遺産に登録された高句麗古墳壁画の原寸大模写図、古朝鮮時代の琵琶形銅剣や細形銅剣など朝鮮で発掘された、日本ではめずらしい貴重な学術資料を見ることができる。

　また自然博物館では、鉱物資源や希少な化石類、朝鮮に生息する生物の標本などにより、朝鮮の自然を多様な角度から知ることができる。

　設置以来当博物館は、本校学生をはじめ、在日朝鮮人の各級学校学生たちの教育施設として広く利用されており、日本の研究者や朝鮮の文化・歴史に興味のある一般の方々にも公開され好評を得ている。また展示品の一部は、日本や韓国で開かれた展覧会などにも貸し出されている。

【収蔵品・展示概要】

　常設展示は、歴史、自然の二つの部門がある。
　〈歴史部門〉朝鮮原始時代から朝鮮王朝時代までの歴史を示す考古、美術資料約550点（うち高句麗古墳壁画の模写図70点）。
　〈自然部門〉原生代から新生代までの生物の化石、約300点。鉱石、岩石標

東京都

本約500点。鳥類および大型ネコ科4点など哺乳類の剥製約20点。大同江の全魚類73点、昆虫類約400点など。

【教育活動】
「アジアの渡り鳥保護国際シンポジウム」（2006年）

- ・所在地　〒187-8560　東京都小平市小川町1-700　朝鮮大学校内
- ・TEL　042-341-1331
- ・FAX　042-344-1300
- ・URL　www.korea-u.ac.jp
- ・交通　西武国分寺線鷹の台駅徒歩15分
- ・開館時間　予約制につき応相談
- ・観覧所要時間　60分
- ・入館料　無料
- ・休館日　予約制につき応相談
- ・施設　地上4階建ての朝鮮大学校創立25周年記念館の1・2階にあり、展示部門の延べ面積は約892㎡（その他1階、2階のロビー、通路、屋外などに一部展示）。他、視聴覚室、収蔵室など
- ・利用条件
  - （1）利用を限定する場合の利用条件や資格　見学希望については事前予約が必要
  - （2）調査研究目的で利用する場合の条件や資格　同上
- ・高齢者，身障者等への配慮　段差有り
- ・車イスの貸出　なし
- ・身障者用トイレ　なし
- ・無料ロッカー　なし
- ・駐車場　有り
- ・外国語のリーフレット，解説書　なし
- ・ミュージアムショップ／レストラン　無し
- ・今後3年間のリニューアル計画　なし
- ・設立年月日　昭和57（1982）年4月
- ・設置者　学校法人　東京朝鮮学園　朝鮮大学校
- ・館種　各種学校，歴史・自然
- ・責任者　副館長・河創国

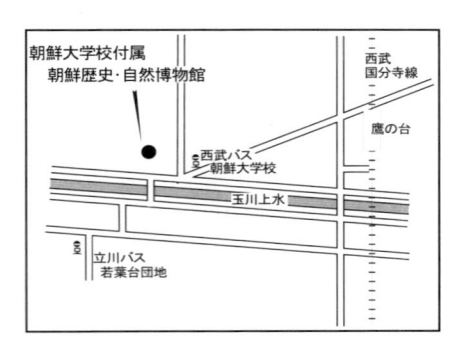

東京都

津田梅子資料室

Tsuda Collage Archives

　津田梅子資料室は、1980年に創立80周年記念事業の一つとして、星野あい記念図書室（丹下健三設計、1954年完成）を増築した際、その2階部分に付設された。学内の数カ所に置かれていた創立者津田梅子の資料を一カ所に集めるためであった。

　さらに、1984年早春に本学本館屋根裏から発見された梅子の書簡を含む、大量の文書類を収蔵している。

　創立100周年を記念して、2000年に改修され、図書館の2階に、事務・作業・閲覧室、展示スペース、収蔵室1・2を備えた現在の資料室となった。

津田梅子が留学出発時に着ていた着物

【収蔵品・展示概要】
　津田梅子および周辺の資料、教職員および学生関係資料、卒業生および本学関係者に関する資料、主に日米の女性高等教育関係資料、本学作成の非現用資料。

【展示テーマ】
　〈企画展〉
　「津田塾大学星野あい記念図書館設立から半世紀―星野あいが拓いた道」（2004年度）／「科学する女性たち―津田塾大学　数学・情報科学教育のあゆみ」（2005年度）／「メディアと高等教育―伝統と革新の軌跡」（2006年度）

東京都

【教育活動】
　シンポジウム「星野あいを語る」／レクチャー「女子高等教育を求め続けた女性たちの軌跡―近代日本における女子高等教育の発展過程」（以上 2004 年度）／シンポジウム「数学とともに活きる―津田塾大学数学科　新たなる出発」／シンポジウム「女性 IT プロフェッショナルの可能性―津田塾大学情報科学科の誕生にあたって」（以上 2005 年度）／レクチャー「メディアと高等教育―伝統と革新の軌跡」（2006 年度）

- 所在地　〒187-8577　東京都小平市津田町 2-1-1　津田塾大学　星野あい記念図書室　2F
- TEL　042-342-5219
- FAX　042-342-5249
- URL　http://www.tsuda.ac.jp/ja/umeko/umekosir.html
- E-mail　archives@tsuda.ac.jp
- 交通　1）西武国分寺線　鷹の台駅から徒歩 10 分　2）JR 武蔵野線　新小平駅から徒歩 20 分
- 開館時間　9:00 〜 16:00
- 入館料　無料
- 休館日　土・日曜日，祝日，その他大学の定める休業日
- 施設　星野あい記念図書室の 2 階にあり，専有面積は約 140 ㎡。展示スペース（約 40 ㎡）の他，収蔵室を 2 室，事務・作業・閲覧室
- 利用条件
  （1）利用を限定する場合の利用条件や資格　展示見学の希望者は要事前連絡
  （2）調査研究目的で利用する場合の条件や資格　閲覧の希望者は要予約
- 今後 3 年間のリニューアル計画　なし
- 設立年月日　昭和 56（1981）年
- 設置者　津田塾大学
- 館種　私立大学，大学史

東京都

電気通信大学歴史資料館

The UEC Historical Museum

"電気通信大学の教育研究に関連する歴史的機器及び資料を収集、保存し、展示することにより、科学技術の歴史に関する理解を深め、もって教育及び学術の発展に資する。"

1912（明治45）年、発生したタイタニック号の遭難事故は、映画等で広く知られている。この時、救難信号SOSが発信されたが、船舶通信士の当直は24時間制でなかったことから、最も近い海域にいた船がこの信号を受信できず救援に駆けつけられなかった。この教訓から1914（大正3）年、海上人命安全条約が締結され、大型船舶に24時間体制の無線局が義務づけられることとなった。この年勃発した第一次世界大戦終了後、急増する通信士の需要に答えるため、1918（大正7）年、電気通信大学の前身校である「無線電信講習所」が創設された。

核磁気共鳴（NMR）装置のマグネット

同講習所の卒業生は、その後、海運、水産界のみならず、技術の革新と我が国の発展にともない、国際通信、航空通信、陸上通信、電波航法、気象、電波探知、そして戦時中には陸海軍及びその航空隊において軍人・軍属として従事する通信士の養成を行った。1949（昭和24）年、同講習所を母体として、「電気通信大学」が発足し、通信はもとより、電気・電子・情報の分野や制御・知能機械、電子物性、システム、コミュニケーション、情報システム学あるいはレーザーとその教育研究は大きく発展した。一方、1999（平成11）年、SOSに代わるGMDSSの全面実施により、モールス信号の使用は縮減した。このため、学校創設以来の貴重な資料が散逸することを危惧し、また、ビジュアル的に技術の生成進歩及び先人の偉業と苦労を偲び、科学技術の過去から現在、そして

東京都

未来への展望を形成するとともに、大学の歴史を後世に伝えるため、歴史資料館を開設した。

【収蔵品・展示概要】

情報・通信機器を中心とした歴史的資料について収集。通信機器と計算機器が融合するまでを一応の目安としており、古典的なものから近年のものまで、技術の生成発展を的確に理解できるような展示を行っている。

資料の大方は使用可能で、動態保存も多数ある。例えば、往時の通信教育を再現するためモールス信号の実技・実習教室の設備の一部を移築しており、実際に電鍵を打鍵し送信することや、受信文を邦・英文タイプで浄書することも可能。

また、気象衛星からの画像受信装置や、無線航法の演習装置、海難時等のための方向探知機などは稼動状態で展示し、見学時に実際に動かすことも出来る。

そのほか、戦時中における日米両国航空機登載用等の軍用通信機の性能比較や、1世紀以上前のものを含む多数の貴重な真空管、計算機や音響機器、ラジオ、テレビなど、最近まで身近にあったものでも、技術革新により陳腐化したため目にする機会がなくなったものなど、現在、収集・保存しておかなければ、散逸してしまう貴重な産業遺産を収蔵し展示している。

【収蔵分野・総点数】

船舶無線、国際／海外（旧植民地）通信、電信／電話海底ケーブル、航法無線機、航空用無線機、漁業無線機、放送装置、日米軍用無線機、ラジオ、テレビ、マイクロ波中継装置、方向探知機、古典的通信機、受信装置一般、小型送受信機、アマチュア無線、アンテナ、船舶用ファクシミリ送画装置、気象衛星受画装置、計測・測定器、録音／録画機、音響機器、計算機、真空管（約5,000点）、核磁気共鳴装置、文献・書籍（約1,600点）等で資料の総点数は、真空管・文献等を除き、約6,000点

【主な収蔵品／コレクション】

アーク放電用にテラスコイル使用した送信装置、初期の真空管式送信機、昭和前期の海外通信用大型送受信機、戦時標準船用送信機、昭和30〜40年代の船舶無線局（モデル）、航法無線装置（方向探知機、ロラン、レーダー、GPS、船舶衝突予防装置）、気象衛星「ひまわり」受画装置、船舶用ファクシミリ、GMDSS（モールス符号による無線通信を使用しない新しい世界的な海上遭難安全システム）、真空管、核磁気（MMR）共鳴のマグネット、NMR装置用超

伝導マグネット、インマルサット・アンテナ、算盤、計算尺、歯車式計算機、初期電卓、パンチカード入力装置、回路素子（リレー、電子管、半導体、コア・マトリックス）、ミニコンピュータ、オフィス・コンピュータ、パーソナル・コンピュータ、ラジオ、テレビ、蝋缶式蓄音機、電蓄、録音機器、録画機器など。

なお、国立科学博物館産業技術史資料情報センターでWeb公開されている「産業技術の歴史」に、通信機器をはじめとする歴史資料館収蔵の貴重資料16点が登録公開されている。

【展示テーマ】

電気通信大学フォーラムにおいて、電気通信大学の歴史や真空管について資料及びパネルによる展示を実施

【教育活動】

歴史資料館において、新入社員教育を実施する企業もある

【調査研究活動】

・無線通信に関するロシア（モスクワ、サンクト・ペテルブルグ、クロンシュタット）現地調査（2004年）
・太平洋学会　日本海海戦100周年記念歴史セミナー「世界を変えた日露戦争」（2005年）において5人が研究発表
・「依佐美送信所の産業遺産的価値」について「産業観光国際フォーラム・TICCIH中間会議」（2005年）において研究発表
・日刊工業新聞（2006年7月8日）掲載の「暮らし豊かにする製品に受け継ぐ」に戦時中のレーダー技術が現代にどう受け継がれてきたかについて取材

【刊行物】

歴史資料館ガイド／"電気通信大学100年"

- **所在地**　〒182-8585　東京都調布市調布ケ丘1-5-1　電気通信大学内
- **TEL**　042-443-5296
- **FAX**　042-443-5296
- **URL**　http://www.museum.uec.ac.jp
- **E-mail**　museum@ssro.ee.uec.ac.jp
- **交通**　京王線調布駅下車徒歩3分
- **開館時間**　13:00～17:00（事前連絡により、その他の時間帯についても可能な限り対応）

東京都

- ・観覧所要時間　一般20～30分、詳細な説明希望の場合2～3時間程度
- ・入館料　無料
- ・休館日　日曜日,祝日,夏季一斉休業日（8月中旬2日間）,12月29日～1月3日,大学休業期間中の土曜日,その他大学が定める日
- ・施設　歴史資料館304㎡　要望により別途保管中の保存資料についても、見学に供する
- ・利用条件
  - （1）利用を限定する場合の利用条件や資格　なし
  - （2）調査研究目的で利用する場合の条件や資格　なし　事前に調査研究の目的等を連絡すれば、事項に精通した応対を準備する
- ・メッセージ　見学される方には、小学生向けから研究者レベルまで、それぞれのニーズに応じた説明解説・応対をいたしますので、できるだけ事前にご連絡ください。小・中・高校等団体見学や企業研修の実例もあります。バス等の駐車も可能です。資料の貸出、学術調査員への取材・相談等も可能です。原則として謝礼等の必要はありません。図書館において歴史資料館所蔵以外の文献・書籍の閲覧や、80周年記念会館においてPC等の利用も可能です。最寄り駅から至近距離にありますが、少し足をのばせば深大寺、植物公園、野川公園、新撰組近藤勇の生家跡や菩提寺、多摩川縁の散策、映画俳優の碑や調布映画発祥の碑、映画撮影所見学等もできます
- ・高齢者,身障者等への配慮　バリアフリー
- ・車イスの貸出　なし
- ・身障者用トイレ　有り（学内に）
- ・無料ロッカー　なし
- ・駐車場　有り（学内に、無料）
- ・外国語のリーフレット,解説書　なし
- ・ミュージアムショップ/レストラン　ミュージアムショップではないが、学内施設の創立80周年記念開館内で目黒会（同窓会）が本学ロゴマーク入り等のオリジナル・グッズを販売。大学会館内に食堂2・売店1、西キャンパス内に食堂1・売店1があり、食事やパーティにも利用可
- ・今後3年間のリニューアル計画　有り
- ・設立年月日　平成10（1998）年11月オープニングセレモニー・臨時開館　平成11（1999）年4月正式開館
- ・設置者　国立大学法人　電気通信大学
- ・館種　国立大学,科学技術史
- ・責任者　館長・尾関和彦（電気通信学部教授・情報基盤センター長・附属図書館長）
- ・組織　34名（館長1、館員9、学

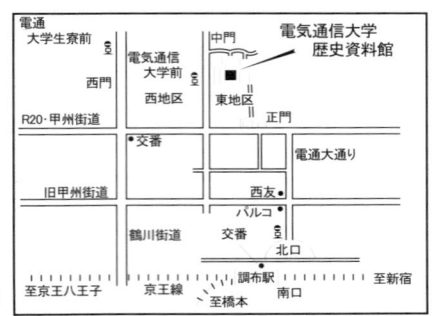

術調査員 20、技術職員 2、事務職員 1、事務補佐員 1）専任職員は配置せず、名誉教授や OB を中心とする学術調査員が交代で開館実施の主体となる。企画運営には館長、館員、学術調査員等で委員会等を構成し検討している

東京都

東京海洋大学海洋科学部附属水産資料館

The Museum of Fishery Sciences Tokyo University of Marine Science and Technology

水産資料館の歴史は、東京水産大学の前身である農商務省水産講習所に標本室が完成した 1902年3月に始まる。水産講習所の発展と共に、標本室も図書標本室として次第に整備されてきたが、1923年9月の関東大震災により、いったん、すべて灰燼に帰してしまった。図書標本室は1936年3月に再建され、故・東道太郎教授などの努力によって、その内容は再びすこぶる充実したものとなった。

1945年8月、第二次世界大戦の敗戦により、東京越中島の校舎は進駐軍によって接収され、図書標本室も閉鎖。ここから戦後の苦難の歴史が始まる。1947年3月、水産講習所は新天地を求めて神奈川県横須賀市久里浜の旧軍施設に移転。この際には教職員、学生の努力にもかかわらず、多数の標本・模型類が破損、紛失してしまった。

1949年度5月より第一水産講習所は東京水産大学となり、1951年には図書標本室は東京水産大学付属水産博物館と改称。1957年4月、東京水産大学は現在地の品川に移転を完了し、木造1棟を水産博物館として標本類を収納した。1959年11月には、創立70周年記念事業の一貫として展示室が設けられ、資料が一般に公開された。そして1971年9月、現在の建造物が完成し、名称も水産資料館と改められた。

1998年（平成10年）12月には、品川キャンパス内に展示されている練習船「雲鷹丸」が国の登録有形文化財に登録された。

2003年10月、東京水産大学と東京商船大学は統合し、東京海洋大学となっ

た。これに伴い、名称も東京海洋大学海洋科学部附属水産資料館となり、現在に至っている。なお、2005年（平成17年）3月31日には博物館に相当する施設として文部科学大臣から再指定されている。

水産資料館の活動は、大学と社会の連携の一端として、
1）　水産科学技術に関連した標本類の収集、整備、管理
2）　資料の展示・公開
3）　教育、研究用の資料の提供
4）　学術関連の国際交流
を目指している。

【収蔵品・展示概要】

1階ホールでは、世界や日本の水産生物、水産科学技術を紹介するための特別展示や臨時展示が行われる。また、初代研究練習船快鷹丸から最新の海鷹丸4世や青鷹丸の新船に至る歴代の研究練習船の模型が陳列されている。

2階の一般展示場には、標本、模型、写真などが、水産生物、増養殖、漁業、食品、環境・地学の各部門別に展示されている。

・水産生物部門の展示場には、海産哺乳類、海鳥類、両生類、魚類、甲殻類、貝類、藻類などの標本が陳列されている

・増養殖部門の展示品は、ノリ（海苔）、カキ、真珠などの養殖模型と資料、当時の増養殖を紹介する写真などからなっている。収集品の中には、日本の水産養殖史上貴重な資料も多い

・食品部門の展示場では、水産加工食品や乾燥品のほかに、フィッシュミール・プラントの模型が展示されている

・漁業部門の展示場では、定置網やその他漁具の模型、各種漁船の模型、船の構造模型などが展示されている

・環境・地学部門の主な展示品には、研究練習船神鷹丸の調査によりもたらされた明神礁の爆発（1952）についての資料がある

【主な収蔵品/コレクション】

〈雲鷹丸〉
水産講習所第2研究練習船として、33次の航海を行った鋼製3本マストバーク型補助機関付き帆船。国の登録有形文化財に指定（平成10年）。

〈セミクジラの全身骨格標本〉
1961年8月アラスカのコディアク島南東で捕獲されたもの。

東京都

〈海老名コレクション〉
　故・海老名謙一東京水産大学名誉教授が収集し，資料館に寄贈された貝類標本魚類標本
〈収蔵庫，模式標本収蔵庫，鳥類標本収蔵庫，地質標本収蔵庫〉
　動植物や海洋，地学関係の標本類が整理、登録、保管されている。一般公開はされてないが，学内外の研究者の研究用として利用されている。

【展示テーマ】
　〈企画展〉「貝類図譜― Classical Monographs of Shells ―」「顕微鏡で観察する『うろこ』展」（以上 2005 年），「南極海―その生態系と海鷹丸南極観測の足跡―」（2006 年）／「日本の海藻展」（2007 年）
　夏休み学習会「見て・さわって・学ぼう！（港区立郷土資料館・東京海洋大学水産資料館連携事業）『人とクジラのものがたり』〜クジラのこと、もっと知りたくありませんか〜」（2006 年）

【教育活動】
　公開シンポジウム「フランスにおける水産・海洋研究の現状と課題―海洋科学技術の新たな展開―」（2005 年）／一般講演会「南極海―その生態系を探る―」（2006 年）

【刊行物】
　水産資料館ガイド／鯨ギャラリーパンフレット

- **所在地**　〒108-8477　東京都港区港南 4-5-7　東京海洋大学品川キャンパス内
- **TEL**　03-5463-0430
- **FAX**　03-5463-0526
- **URL**　http://www.s.kaiyodai.ac.jp/museum/public_html/
- **E-mail**　museum@kaiyodai.ac.jp
- **交通**　1）JR 品川駅東口（港南口）より徒歩 15 分　2）モノレール天王洲アイル駅より徒歩 10 分
- **開館時間**　9:45 〜 16:00（入館は 15:30 まで）
- **観覧所要時間**　20 〜 60 分程度
- **入館料**　無料
- **休館日**　土・日曜日，祝日，第 2・4・木曜日，年末年始（12 月 28 日〜 1 月 4 日）その他に臨時休館有り
- **施設**　鉄筋コンクリート二階建て，建面積 531 ㎡、延面積 1,324 ㎡　雲鷹丸　鯨ギャラリー

東京都

- ・高齢者・身障者等への配慮　バリアフリー
- ・車イスの貸出　なし
- ・身障者用トイレ　なし
- ・無料ロッカー　なし
- ・駐車場　有り
- ・外国語のリーフレット，解説書　有り
- ・ミュージアムショップ/レストラン　なし
- ・今後3年間のリニューアル計画　なし
- ・設立年月日　明治35（1902）年3月
- ・設置者　国立大学法人　東京海洋大学
- ・館種　国立大学，水産
- ・責任者　館長・田中次郎（海洋科学部教授）

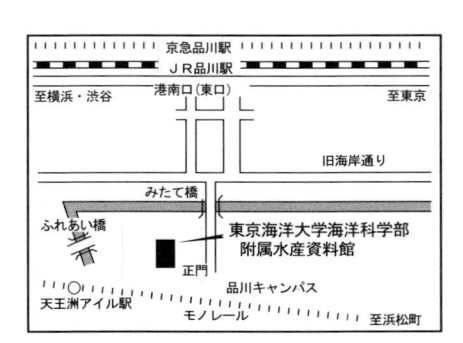

東京都

東京家政学院生活文化博物館

The Museum of Daily Life, Tokyo Kasei Gakuin

"身近な暮らしと結びついた生活文化"

　学校法人東京家政学院が、「人文学部／日本文化学科、工芸文化学科」の開講にあわせて、1990年に東京家政学院大学・同短期大学の付属施設として開設。教職員、学生の日頃の教育・研究の成果を発表する場であるとともに、広く地域にも公開し、生涯学習の場としても機能をはたすことをめざしている。また学芸員資格を取得するための実習施設としても活用されている。なお、当館は1991年に「博物館に相当する施設」（博物館法）に指定されている。

【収蔵品・展示概要】
　日本を中心に、世界諸国の生活文化の特質を理解できる標本の収蔵に力点を置き、衣裳、装身具、民具、各種工芸品などの系統的な展示を試みている。また年間の展示計画としては、常設展示、春季（随時）・秋季特別展、KVA祭（学園祭）における創立者大江スミの展示をはじめ、「博物館実習」の一環として展示実習、卒業制作の公開を兼ねた書道制作展・学生作品展など大学・短大研究室の教育・研究の成果を公開する展示にも重点をおいている。

【収蔵分野・総点数】
　・衣食住関連資料（民族衣装、染織品、装身具、陶磁器、漆器、ガラス器、竹木工品、金工品、瓦、和紙、郷土玩具など）
　・学院史関係資料（学校アルバム、教科書など）
　総点数は、購入品及び卒業生等からの寄贈品合わせて約1万点

【主な収蔵品/コレクション】
　民族資料（衣裳、染織品、装身具、工芸品など），度量衡器（秤類、桝類、ものさし類など），東北地方の木地玩具，学校アルバム，教科書

【展示テーマ】
　〈特別展〉「日本人形の姿と形―節句飾りを絵解きする―」（2004年度）／「遺跡との出会い―東京家政学院大学考古学実習の成果―」（2005年度）／「中央アンデスの編む・組む・織る」（2006年度）　ほか

【教育活動】
　特別展関連事業「木目込み人形を作ろう」教室（2004年）／「アンデスの組紐作り」教室（2006年）／公開講座「実物資料に触れてみよう」（2007年）

【調査研究活動】
　産官学との連携にもとづく特別展示の企画（2004年度）／相模川流域における遺跡・遺物調査と展示活動（2005年度）／中央アンデスの染織資料（研究室蔵）の整理・調査（2006年度）

【刊行物】
　『東京家政学院生活文化博物館年報』『中央アンデスの編む・組む・織る』『遺跡との出会い―東京家政学院大学考古学実習の成果―』『日本人形の姿と形―節句飾りを絵解きする―』『東京家政学院80周年のあゆみ』

- **所在地**　〒194-0292　東京都町田市相原町2600　東京家政学院大学構内　1号棟1階
- **TEL**　042-782-9811（代表），042-782-9814（直通）
- **FAX**　042-782-9814
- **URL**　http://www.kasei-gakuin.ac.jp/
- **E-mail**　museum@kasei-gakuin.ac.jp
- **交通**　1）JR横浜線「相原」駅下車、東京家政学院行バス7分または大戸・法政大学行バスで「相原十字路」バス停下車徒歩10分　2）京王高尾線「めじろ台」駅下車、東京家政学院行バス10分
- **開館時間**　9:30〜16:30
- **観覧所要時間**　30〜60分
- **入館料**　無料
- **休館日**　土・日曜日，祝日，大学の定める日（入試期間中など），展示入替期間など

東京都

- 施設　地上6階建ての大学校舎1号棟1階にあり、展示室の延べ床面積は191㎡。隣接して博物館事務室、収蔵庫がある
- 利用条件
  （1）利用を限定する場合の利用条件や資格　出版・テレビ放映等の資料利用は許可申請が必要
  （2）調査研究目的で利用する場合の条件や資格　資料利用の場合は許可申請が必要（調査目的、期間等詳細を明記）
- メッセージ　大学構内にあるので、大学見学者と同じ施設を利用することができる。また、大学敷地内の裏山には散策道があるので、自然林の中で散策を楽しむこともできる
- 高齢者，身障者等への配慮　バリアフリー
- 車イスの貸出　なし
- 身障者用トイレ　有り
- 無料ロッカー　なし
- 駐車場　有り
- 外国語のリーフレット，解説書　なし
- ミュージアムショップ／レストラン　学生食堂利用可
- 今後3年間のリニューアル計画　なし
- 設立年月日　平成2（1990）年5月24日
- 設置者　東京家政学院大学
- 館種　私立大学，歴史
- 責任者　館長・小瀬康行（人文学部准教授）
- 組織　3名（館長（学芸員）1、事務室長1、学芸員1）。博物館の運営は、博物館運営委員会と本学教員からなる博物館研究員会によって行われている

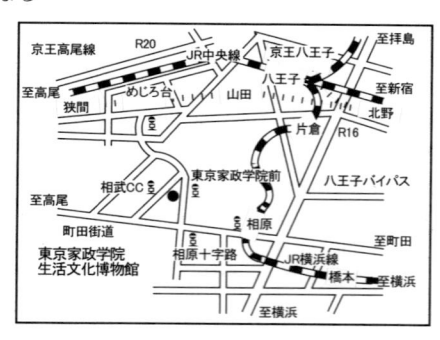

東京都

東京藝術大学大学美術館

The University Art Museum, Tokyo National University of Fine Arts and Music

　本学の芸術資料収集は、明治20年（1887）の東京美術学校設置に先立つ時期から行われてきた。現在の収蔵品は2万8000件余りに達している。これらの芸術資料は、文庫と呼ばれた図書館内に納められていた。昭和24年（1949）には東京美術学校と東京音楽学校が統合され、東京藝術大学が設置される。その後も収蔵品は附属図書館が管理し、教育研究に供してきた。昭和45年（1970）に芸術資料部門が独立し、音楽学部に保管されていた音楽学校時代の楽器資料等を加え、芸術資料館が発足し、美術・音楽両学部の共同利用機関として、芸術資料の研究・保存・公開のために活動を続けてきた。
　しかしながら所蔵品の増加にともなって収蔵庫が狭隘になり、また老朽化した施設の改善やコレクションの規模に見合った充分な展示空間への要望が学内外から高まったことから、平成8年（1996）に美術館新館が着工されるにいたった。そして平成10年（1998）には、美術館としての活動を発展させるべく、これまでの組織を拡充して、芸術資料館から大学美術館へと生まれ変わった。
　美術作品やそれに関わる資料を収集し、それらを研究することによって新しい価値を見出す。さらに将来の評価にも備えて万全の設備によって保存し、研究の成果を展示や様々な普及活動によって公開する。美術館はそのような活動によって運営されている。東京藝術大学の大学美術館においては、そういった活動に加えて、制作と教育研究の現場である芸術大学という特質を合わせて、わが国に前例のない実験的な美術館として機能することを基本理念としてい

東京都

る。

【収蔵品・展示概要】
　コレクションのなかでとりわけ大きな比重を占めているのが、「学生制作品」というジャンルである。東京美術学校では、その開校当初から学生の作品を収集してきた。通常の課題として制作された平常制作、卒業や修了の際の優秀作品を買い上げた卒業制作・修了制作などがそれにあたる。なかでもよく知られるのは、油画（西洋画科）の自画像である。これらの収蔵品は、卒業生達が後に巨匠へと育っていったために、日本の近現代の美術史を語る上で欠かせない作品群となっている。

【収蔵分野・総点数】
　東京藝術大学ではその収蔵品を、教育・研究のための資料として「芸術資料」と呼んでいる。現在に至るまでこの目的にそって行われてきた収集によって、今日では指定物件（国宝・重要文化財）22件を含む、約28,000件という日本有数のコレクションが形成されている。その内訳は美術作品にとどまらない。作家や作品にまつわる資料、制作教育のため、あるいは美術史研究のための資料、音楽資料など多岐にわたっている。2003年3月より、収蔵品データベースの検索が学外からも可能となった。

【主な収蔵品／コレクション】
　収蔵品は、国宝、重要文化財を含む絵画、版画、彫刻、工芸品、書蹟、拓本、建築、考古品をはじめ、石膏標本、複製、模本、写真などの芸術教育に必要な資料および学生制作品など。
〈収蔵品〉
　国宝「絵因果経」（奈良時代）、重文「菩薩立像」（奈良時代）、楽浪出土「金錯狩猟文銅筒」（後漢）、狩野芳崖「悲母観音」（1888）、高橋由一「鮭図」（1877頃）、浅井忠「収穫」（1890）、上村松園「序の舞」（1936）、黒田清輝「婦人像（厨房）」（1892）、横山大観「村童観猿翁」（1893）　他

【展示テーマ】
　〈新聞社共催による特別展〉「パリへ―洋画家たち百年の夢」「ルーヴル美術館展―古代ギリシア芸術・神々の遺産―」「ドイツ・表現主義の彫刻家　エルンスト・バルラハ」〈収蔵品をテーマにした企画展〉「芸大コレクション展　斎藤佳三の軌跡―大正・昭和の総合芸術の試み―」「芸大コレクション展　柴

田是真—明治宮殿の天井画と写生帖—」〈学部研究室との共催による自主企画展〉「HANGA　東西交流の波」

【教育活動】
「パリへ」展関連企画　講演会「東京美術学校・東京藝術大学の歴史と洋画」／「ルーヴル美術館」展関連企画　講演会「ギリシア陶器の絵物語—ルーヴルのコレクションから—」／博物館実習・学芸員資格取得のための美術館開設講座（学内向け）　など

【調査研究活動】
収蔵品調査研究・修復（重要文化財「小野雪見御幸絵巻」の修復など）／展覧会企画のための調査研究（芸大コレクション展として成果公開）／収蔵品データベースの構築　など

【刊行物】
年報／展覧会図録「パリへ—洋画家たち百年の夢」「芸大コレクション展　斎藤佳三の軌跡—大正・昭和の総合芸術の試み—」「ルーヴル美術館展—古代ギリシア芸術・神々の遺産—」「ドイツ・表現主義の彫刻家　エルンスト・バルラハ」

- 所在地　〒110-8714　東京都台東区上野公園 12-8
- TEL　050-5525-2436
- FAX　050-5525-2532
- URL　http://www.geidai.ac.jp/museum/
- 交通　JR上野駅公園口、東京メトロ千代田線根津駅より徒歩 10 分　京成上野駅、東京メトロ銀座線・日比谷線上野駅より徒歩 15 分
- 開館時間　10:00 〜 17:00（入館時間は 16:30 まで）
- 観覧所要時間　90 分
- 入館料　特別展：観覧料は展覧会ごとに異なる　芸大コレクション展：一般 300（250）円　学生 100（50）円（小・中学生は無料）＊（　）は団体料金で 20名以上に適用。障害者手帳をお持ちの方とその介護者 1 名は無料
- 休館日　毎月曜日（ただし月曜日が祝日・振替休日の場合は開館、翌火曜日休館），入学試験期間，年末年始，展示替，保守点検のための休館
- 施設　〈大学美術館本館〉収蔵部門、展示部門、研究管理部門の 3 つに大別され、さらに学生食堂（カフェテリア）、ミュージアムショップ、画材店などが入っている。地下 4 階・地上 4 階建、敷地面積 33,860.71 ㎡　延床面積 1,699.97 ㎡、平成 11 年（1999）4 月竣工。　〈陳列館〉本館ができるまでは、芸術資料館のメイン・ギャラリーとして長く親しまれてきた展示室。企画展開期中のみ

東京都

公開。鉄筋2階建、延床面積429㎡、昭和4年（1929）5月竣工。〈正木記念館〉東京美術学校の第五代校長である、正木直彦の長年にわたる功労を記念するために建設された。近世和風様式の鉄筋コンクリート造2階建、延床面積534㎡、昭和10年（1935）8月竣工。〈取手館〉上野校舎における当時の芸術資料館分館として、取手校地のやや緩やかな丘陵地に建設された。上野校地の収蔵庫不足を解消することを最大の目的として建てられたため、2・3階は収蔵庫と撮影室、1階に多目的ホールと事務室が配されている。鉄骨鉄筋3階建、延床面積2,945㎡、平成6年（1994）9月竣工

- 利用条件
  (1) 利用を限定する場合の利用条件や資格　展覧会観覧に関しては特になし
  (2) 調査研究目的で利用する場合の条件や資格　研究者に限る（研究歴の提出）。研究概要による
- メッセージ　当館は上野の杜（上野公園）に隣接しており、大変静かな環境に囲まれている。また大学構内ということもあり、若者たちの活気にあふれている。周辺には、東京国立博物館、国立西洋美術館、東京都美術館等もあり、多くの美術ファンに良質な美術鑑賞の場を提供している
- 高齢者，身障者等への配慮　バリアフリー
- 車イスの貸出　有り
- 身障者用トイレ　有り
- 無料ロッカー　有り
- 駐車場　有り
- 外国語のリーフレット，解説書　有り
- ミュージアムショップ / レストラン　ホテルオークラ直営のカフェ，ミュージアムショップ，藝大アートプラザ，大浦食堂（学生食堂）
- 今後3年間のリニューアル計画　なし
- 設置者　国立大学法人　東京藝術大学
- 館種　国立，美術
- 設立年月日　平成11（1999）年10月
- 責任者　館長・増村紀一郎（美術学部教授）
- 組織　30名（館長1，客員教授1，教授2，准教授2，助教2，学芸研究員4，兼任教授5，兼任准教授1，非常勤講師1，事務長1，事務職員4，非常勤事務職員6）

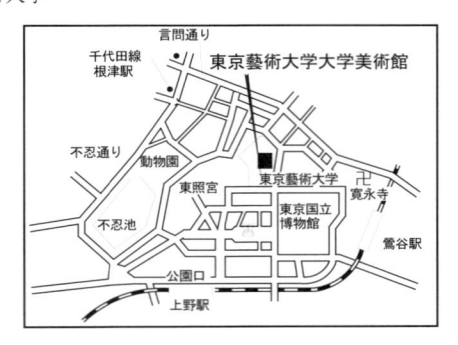

東京都

東京工業大学百年記念館

Tokyo Institute of Technology Centennial Hall

"未来への発展を期しての、東京工大創立以来の科学・技術・芸術の教育・研究の歴史的資料の収集・保存・展示・講演及びイベントと世界との交流"

この百年記念館は、東京工業大学の前身である東京職工学校が1881（明治14）年5月26日に創立されて以来百年に及ぶ歴史を回顧すると共に、未来に向けての一層の発展を期待するモニュメントとして計画し、1987（昭和62）年9月に完成、11月に開館したものである。地階等室内に、歴史を示す常設展示場を設け、1階・3階では企画展示が行えるようにし、また、2階・3階・4階では、ミーティングが行えるようになっている。

百年記念館の建物自体が、本学の名誉教授篠原一男の設計をもとに、卒業生や工業界など多くの方々の基金によってつくられた、実にユニークな建築物であり、内部の展示室には、東京工業大学の教育や研究の成果を示す科学・技術・芸術の歴史的資料を展示しており、海外からの見学者も多い。

【収蔵品・展示概要】
〈常設展示〉
草創期のリーダー：手島精一・正木退蔵・ワグネルの事蹟に関する資料
平野耕輔が寄贈した、貴重な窯業コレクション
「清らかな意匠」を追求した谷口吉郎、芸術性と科学・技術を融合させた清家清の建築（模型等）
古賀逸策の高安定水晶発振器の研究に関する資料
森田清・西巻正郎らによるマイクロ波、ミリ波真空管の開発研究資料

東京都

　中田孝の歯車研究の資料
　本学で教え、あるいは学んだ著名な芸術家たちの作品：ワグネル・板谷波山・河井寛次郎・浜田庄司・芹沢銈介・各務鉱三・島岡達三・辻常陸・加藤鈔ほかの作品
　高柳健次郎のテレビジョン開発研究
　神原周の合成ゴム・合成繊維研究に関する資料
　星野敏雄・佐藤徹雄のビタミン B_2・ウルソ（熊の胆）合成研究の資料
　内田俊一の化学工学科設立資料
　戦後の和田小六学長を中心とする大学改革資料
　末松安晴・伊賀健一の光通信研究に関する資料
　白川英樹の導電性高分子の発見（ノーベル化学賞受賞）に関する資料
　東京工大の科学・技術研究、教育の歴史的資料：スターリングエンジン、パーソンズタービン、梳綿（カード）機、N型織機、東京工大で研究・開発したロボット、ホログラム芸術作品・医用機器等

【収蔵分野・総点数】
　陶芸関係作品　約200点、平野コレクション　約50点、手島精一関連　約500点、古賀逸策関連　約1000点、神原周関連　約50点、中田孝関連　約50点、和田小六関連　約100点、ホログラム芸術作品関連　約100点、建築関連設計図・模型関連　約1300点、真空管関連　約80点、大型機械関連　約15点、東工大史料関連　約2000点

【主な収蔵品/コレクション】
　1. 本学ゆかりのワグネル、板谷波山、河井寛次郎、浜田庄司、芹澤銈介、各務鉱三、島岡達三、加藤鈔、辻常陸、田山精一、村田浩等制作の陶芸・ガラス工芸・型絵染コレクション
　2. 平野（耕輔）コレクション（陶磁・ガラス器）
　3. ホログラム芸術作品コレクション
　4. 正木退蔵・手島精一資料
　5. 森田・西巻正郎研究室製作真空管コレクション
　6. 谷口吉郎建築資料コレクション
　7. 篠原一男建築資料コレクション
　8. 計測器コレクション
　9. 計算器コレクション
　10. 東京工大収蔵、世界的技術遺産（史上最初のイギリス製蒸気タービン発

電機・スターリングエンジン等）
　11. 東京工大で使用した紡織機コレクション
　12. 東京工大で開発した大型機械コレクション
　13. 古賀逸策水晶時計研究コレクション古賀研究室戦時中レーダ研究資料
　14. 東京工大フェライト研究コレクション
　15. ホログラフィー医用機器
　16. 和田小六資料
　17. 第二次世界大戦直後の大学改革資料
　18. 東京工大ロボット研究コレクション
　19. 東京工大建築物建設写真コレクション
　20. 古橋家文書史料（江戸時代、大阪の大工）
　21. 東京工大歴史資料コレクション
　他

【展示テーマ】
　東京工業大学百年記念館　第5回特別展示・講演会　G. ワグネルが開いた近代陶芸・先端セラミックスの美・用・学の世界（2004年）／第6回特別展示　ナノワールド展　ナノからピコへの挑戦　東京工大における電子顕微鏡の歴史（2005年）／第7回特別展示・講演会　ホログラフィー　サイエンスからアートへ／第8回特別展示・講演会　先端ロボットの世界　社会に役立つロボットの創造／萬來舎写真展　谷口吉郎とイサム・ノグチ　建築と彫刻のコラボレーション（東京工大創立70周年記念講堂）（以上2006年）／東京工大陶磁器コレクション　島岡達三（ローテンション展示）　第1期「島岡陶器のテクスチャー」（2007年3月～），第2期「釉薬と色彩のバリエーション」（2007年6月～），第3期「用と美の展開」（2007年8月～）／第9回特別展示・講演会　進化するスーパーバイオワールド（2007年）

【教育活動】
　ワグネル記念学術講演会：ジョージ・J・ベドノルツ（1987年ノーベル物理学賞受賞）「ペロブスカイト型酸化物；サイエンスそしてテクノロジーへの宝の山」／吉田多見男（島津基盤技術研究所長）「2002年ノーベル化学賞と島津の研究開発」／吉村昌弘（応用セラミックス研究所教授）「なぜ溶液あるいは融液からのセラミックスの直接作製プロセスを研究するのか？」
　〈一般講演会〉
　先端セラミックス関係；中島章（東工大助教授）「固体表面の水を操る」／

東京都

坂井悦郎（東工大助教授）「巨大地下空間開発とセメント系材料」／前田敬（旭硝子中央研究所主幹研究員）「POP基板ガラスの開発」／細野秀雄（東工大教授）「光による結晶への情報書き込み」

陶芸関係；荒川正明（出光美術館）「アールヌーボーの陶芸―板谷波山を中心に―」／黒田和哉（日本陶磁協会）「日本陶磁史上におけるワグネルの功績」／佐藤一信（愛知県陶磁資料館）「ワグネルの旭焼きについて」／島岡達三、中澤三知彦「私の陶芸」

〈一般講演会〉

ホログラフィー　サイエンスからアートへ；辻内順平（東工大名誉教授）ホログラフィーの科学と技術／坂根巌夫（情報科学芸術大学院大学名誉学長）ホログラフィーの芸術／早川春見（国立印刷局研究所製品技術研究部長）銀行券とホログラム

【調査研究活動】

東工大の歴史的記念物スターリングエンジン、パーソンズ・タービン紡織機等の調査と研究／ホログラフィー研究の歴史とホログラム作品の調査／東工大出身作家の陶芸品の調査・研究／G.ワグネルの研究－その生涯と日本における業績の研究、資料収集／東工大における電子管研究の歴史と資料調査／東工大における光通信研究の歴史と資料調査・収集／東工大前身校における留学生の研究調査／第2次世界大戦後の東工大の教育・研究体制の変革の調査と資料整理

【刊行物】

「島岡達三陶芸作品特別展示会」目録冊子／『G.ワグネルが開いた近代日本陶芸・先端セラミックスの美・用学の世界』展示会目録冊子／『ホログラフィー、サイエンスからアートへ』講演会冊子／『ホログラフィーとその応用』冊子

- ・所在地　〒152-8550　東京都目黒区大岡山2-12-1
- ・TEL　03-5734-3340
- ・FAX　03-5734-3348
- ・URL　http://www.libra.titech.ac.jp/cent/
- ・E-mail　centshiryou@jim.titech.ac.jp
- ・交通　東急目黒線／大井町線　大岡山駅下車　徒歩1分
- ・開館時間　9:30～16:30
- ・観覧所要時間　60分
- ・入館料　無料

東京都

- 休館日　土・日曜日，祭日（正月前後、お盆の頃、その他工事や展示入れ替え等のため休館の場合あり。館のホームページで確認のこと）
- 施設　鉄骨鉄筋コンクリート造、地上4階・地下1階　建築面積760.02 ㎡、延床面積2,687.02 ㎡　着工1986年10月8日、竣工1987年9月30日　地階に特別展示室（2室）、1階に企画展示スペース、喫茶室が、2階・3階に事務室、会議室、資料室、展示・談話ロビーが、4階にレストランがある
- 利用条件
  (1) 利用を限定する場合の利用条件や資格　開館時間内の展示品の見学は自由だが、資料類の質問と利用については、サービス体制が不十分で、対応しきれないことがある。質問や閲覧希望の資料がある場合は、東京工業大学の評価・広報課（03-5734-2975）または、情報図書館課（03-5734-3331）に電話で問い合わせる
  (2) 調査研究目的で利用する場合の条件や資格　特に利用条件はないが、(1)と同様の手続きが必要
- メッセージ　皆様のご来館を歓迎致します。ただ、まだサービス態勢が不十分で、申しわけございません。入館料、見学料は不要です
- 高齢者，身障者等への配慮　段差有り（エレベーターあり）
- 車イスの貸出　なし
- 身障者用トイレ　有り
- 無料ロッカー　有り
- 駐車場　なし
- 外国語のリーフレット，解説書　有り
- ミュージアムショップ / レストラン　ミュージアムショップは未。喫茶室は1階に、レストランは4階にあり
- 今後3年間のリニューアル計画　有り
- 設立年月日　昭和62（1987）年11月
- 設置者　国立大学法人　東京工業大学
- 館種　国立大学，科学・技術・芸術・歴史
- 責任者　館長・相澤益男（学長）副館長・亀井宏行（大学院情報理工学研究科教授）
- 組織　11名（館長1、副館長1、事務担当課長1、係長1、係2（以上すべて他と兼務）、資料調査研究員2（特任教授1、助教1）非常勤職員3

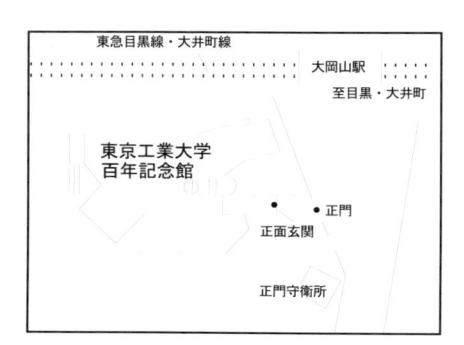

関東

大学博物館事典　195

東京都

東京純心女子大学　純心ギャラリー

　前身の東京純心女子短期大学を改組し、平成8年に東京純心女子大学（現代文化学部英米文化学科・芸術文化学科）が開学したことに伴い、翌平成9年4月4日に純心ギャラリーがオープンした。
　純心ギャラリーでは、次のような活動を行っている。
　学芸員課程の実習の場：作品の取り扱いや、学生による企画展制作の授業
　純心ギャラリー独自の企画展示：個展やコレクション展、美術公募展
　本学学生や教職員の作品発表の場：卒業制作展等
　また、純心ギャラリー独自の企画展に合わせた講演会、ギャラリートーク、ワークショップなども開催している。

【収蔵品・展示概要】
　版画・油彩・アクリル画・写真等を所蔵している。年1回の所蔵品展は、その大半の作品を展示している。

【収蔵分野・総点数】
　版画・油彩・アクリル画・写真等　38点

【主な収蔵品 / コレクション】
　オーギュスト・ルノワール「帽子飾り」（エッチング）
　千住博「水の惑星」シリーズより6点（リトグラフ）

久里洋二「おっぱいから魚」(油彩)
他

【展示テーマ】
久里洋二展（2004 年）／真鍋博展／東京純心アート・フェスティヴァル（学園内美術公募展）／全国中高生公募「天使の美術展」(美術公募展)（以上 2005 年)／あるクリエーターのコレクション——後藤光弥の INPUT OUTPUT ——（2006年)

【教育活動】
2005 年度　全国中高生公募「天使の美術展」の関連行事として、美術講演会「西洋美術の天使像」　講師：本学教授　井出洋一郎

【刊行物】
学芸員課程・純心ギャラリー年報　第 5 号（2002・2003 年度），第 6 号（2004・2005 年度)

- **所在地**　〒 192-0011　東京都八王子市滝山町 2-600
- **TEL**　042-692-0326
- **FAX**　042-692-5551
- **URL**　http://www.t-junshin.ac.jp/univ/gar/index.html
- **交通**　1）JR 八王子駅・京王八王子駅からバスで 15 分　2）JR 福生駅からバスで 30 分　いずれも「純心女子学園」下車すぐ
- **開館時間**　10:00 〜 17:00（土曜は 12:30 まで，但し展覧会によって異なる）
- **観覧所要時間**　10 〜 30 分程度（展覧会によって異なる）
- **入館料**　無料
- **休館日**　日曜日，祝日，展示替え期間等
- **施設**　〈ギャラリー〉床面積 203 ㎡　壁面長　60.15m（可動パネルを含むと 76m），(内訳)ギャラリー（1）：床面積 130 ㎡　壁面長 34m（可動パネルを含むと 49m），ギャラリー（2）：床面積　73 ㎡　壁面長 27m　〈収蔵庫〉床面積　25 ㎡
- **利用条件**
　(1) 利用を限定する場合の利用条件や資格　本学園の学生・教職員本学園の学生・教職員が主催する展覧会他，応相談
　(2) 調査研究目的で利用する場合の条件や資格　なし
- **高齢者・身障者等への配慮**　段差有り
- **車イスの貸出**　有り
- **身障者用トイレ**　なし

東京都

- ・無料ロッカー　なし
- ・駐車場　有り
- ・外国語のリーフレット，解説書　なし
- ・ミュージアムショップ/レストラン　なし
- ・今後3年間のリニューアル計画　なし
- ・設立年月日　平成9（1997）年4月4日
- ・設置者　東京純心女子大学
- ・館種　私立大学，美術
- ・責任者　ギャラリー運営会議長・上原文丸（芸術文化学科教授）
- ・組織　ギャラリー運営会議　5名、事務担当（学芸員）1名

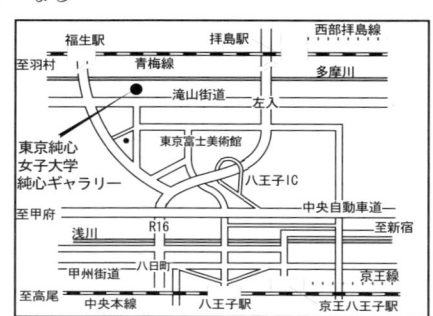

東京女子医科大学史料室
吉岡彌生記念室

Tokyo Women's Medical University Division of Historical Materials ・ YOSHIOKA Yayoi Memorial Room

　吉岡彌生記念室は、昭和45（1970）年に開設された。これより以前の昭和41（1966）年、本学の創設者である吉岡彌生・荒太夫妻の事績を始め、教員や卒業生など、本学に関する歴史資料を収集、調査研究するため、大学史料室が図書館下の一部署として開設された。これらの資料をもとに、同年、『東京女子医科大学小史』が刊行されたが、その後、収集した資料を一般に公開するための展示室として併設されたのが吉岡彌生記念室である。

　平成5（1993）年に吉岡彌生記念室を改装してからは、年に1～2回の特別展示を行うようになった。現在では毎年1回、5月に特別展示を行っている。

【収蔵品・展示概要】
〈展示〉
　常設展示では、本学の歩みを示す代表的な写真や創設者の愛用の品、往時の学生生活を忍ばせる教科書・ノートや制服、寮での日用品などを中心に展示している。また、特別展示は年に1回、約3カ月の会期で行っている。これは毎年創設者の命日5月22日に開催される学校行事「吉岡彌生記念講演会」に合わせたもので、本学や創設者、学生・卒業生の活動など、本学に関わる出来事の中からテーマを選び、テーマ別展示の中でも本学の歩みを示すことができるように配慮している。

東京都

〈収集方針〉
　本学および創設者に関わる歴史的資料を中心に、現在刊行されている雑誌新聞類の関連記事や学内の現用資料、現役の卒業生の活躍を示す取材記事・番組など、原則として本学に関わる資料はすべて受け入れている。
　また、女性が医師になるためには本学に入学する以外に方途がなかった時期があることなどから、本学のみにこだわらず、広く女性医師に関する資料にも収集の手を広げるように心がけている。

【収蔵分野・総点数】
　〈法人・附属病院関係資料〉（約 1600 点）　事業報告書、規約類、建物平面図、辞令、患者数報告など
　〈学生・卒業生関係資料〉（約 1250 点）　卒業証書、時間割、学校案内、教科書・ノート、学生寮規程など
　〈創設者一族関係資料〉（約 1200 点）　創設者書翰、遺品、辞令、位記、日記、揮毫、愛用品など
　〈看護系附属学校関係資料〉　産婆看護婦養成所生徒募集広告、保健婦講習所入学願用紙、東京女子厚生専門学校学則など
　〈写真類〉（約 1400 点）　卒業アルバム、建物写真、創設者肖像写真、授業風景写真、明治期女性医師肖像写真など

【主な収蔵品／コレクション】
　〈創設者一族関係資料〉吉岡彌生愛用の被布、筆・硯、吉岡彌生揮毫扁額・掛軸・色紙、書翰、日記など　吉岡正明懐中時計、顕微鏡（Zeiss／Leitz）など
　〈学生・卒業生関係資料〉卒業証書、徽章、制服・制帽など
　〈写真類〉卒業アルバムなど

【展示テーマ】
　〈特別展示〉「愛と至誠に生きる　女医吉岡彌生の手紙」（2005 年度）／「社団法人至誠会 80 年のあゆみ」（2006 年度）／「附属病院の発展～八千代医療センター開院～」（2007 年度）

【刊行物】
　『愛と至誠に生きる―女医吉岡彌生の手紙―』（NTT 出版　2005 年）

・所在地　〒162-8666　東京都新宿区河田町 8-1　東京女子医科大学

- TEL　03-3353-8111（内線 22213）
- FAX　03-3353-8209
- URL　http://www.twmu.ac.jp/U/facilities/f06yayoi.html
- 交通　1）都営地下鉄大江戸線　若松河田駅下車徒歩 5 分　2）都営地下鉄新宿線　曙橋駅下車徒歩 10 分　3）JR 新宿駅西口より都バス「東京女子医科大学行」終点
- 開館時間　平日:9:30 ～ 16:30　土曜日:9:30 ～ 12:00
- 観覧所要時間　20 分
- 入館料　無料
- 休館日　日曜日，祝日，毎月第三土曜日，創立記念日（12 月 5 日），年末年始（12 月 30 日～ 1 月 4 日），その他大学の定める休日
- 施設　大学史料室（事務室）と吉岡彌生記念室（展示室）は中央校舎（地上 9 階地下 1 階）の 2 階部分に設置されている。面積は大学史料室 15 ㎡、吉岡彌生記念室 30 ㎡。その他、学内の 3 ケ所に保存庫（合計で 110 ㎡）がある
- 利用条件
  - （1）利用を限定する場合の利用条件や資格　テレビ、雑誌などの取材の場合、本学広報室に申請する。団体見学者は事前に予約が必要
  - （2）調査研究目的で利用する場合の条件や資格　来室日を予約の上、各自が所属する図書館の紹介状を持参する。写真資料などの掲載の場合は掲載許可願を提出し、完成作品を 1 部寄贈する
- メッセージ　吉岡彌生や本学の歴史に加え、近代日本の女性医師育成史についても調査を重ねており、その方面に関するレファレンスや取材にも応じることができる。また、近隣には新宿歴史博物館や野口英世記念会展示室がある
- **高齢者，身障者等への配慮**　バリアフリー
- **車イスの貸出**　有り
- **身障者用トイレ**　有り
- **無料ロッカー**　なし
- **駐車場**　なし（応相談）
- **外国語のリーフレット，解説書**　有り
- **今後 3 年間のリニューアル計画**　なし
- **設立年月日**　大学史料室：昭和 41（1966）年 10 月，吉岡彌生記念室：昭和 45（1970）年 10 月
- **設置者**　東京女子医科大学
- **館種**　私立大学，歴史
- **責任者**　室長付・佐藤淑子
- **組織**　3 名（室長付 1〈図書館次長の兼務〉、学芸員 2）

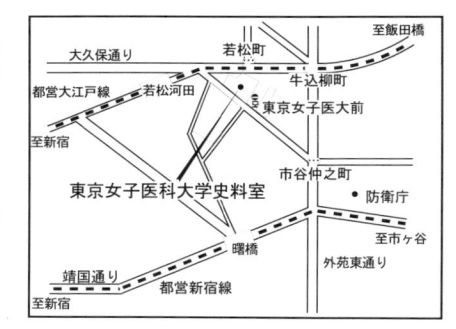

東京都

東京造形大学美術館

　東京造形大学の美術館は、東京造形大学附属横山記念マンズー美術館及びZOKEIギャラリーから構成されている。

　附属横山記念マンズー美術館は、芸術に造詣が深く、多くの美術品を収集されていた八王子の医師・横山達雄氏（1909～1993）が、特に現代彫刻界の巨匠、イタリアのジャコモ・マンズー氏（1908～1991）の作品（彫刻4点とレリーフ1点およびエッチング23点）を、1986年に本学に寄贈されたことがきっかけとなり、本学が大学キャンパスの移転計画の中に美術館の建設を組み入れ、1993年に誕生した。

写真　田中宏明

　この建物は、マンズーの芸術に精通されていた建築家の白井晟一氏の原案をもとに、河井正義氏と東海興業が設計施行することによって建てられた。

　完成披露パーティーには、イタリアよりインゲ・マンズー夫人も来館され、この美術館の完成に感動と感謝を込めて次の様に挨拶をされた。

　「医師・横山達雄氏とジャコモ・マンズーの二人の偉大な人物が、芸術と博愛という素晴らしい贈物を私達に残してくれました。それは、人類・美・そして文化への無限の愛が絆となり、この二人を結びつけたと思います。この美術館は泉であり、恵みの川となって出発し、精神という土地を潤し、健やかに成長し、慈しみという収穫をもたらせることと思います。この美術館を今後も大切に維持し発展させて戴きたい。この美術館の充実発展へ向けて、新たに、マンズー彫刻SONIAの首その他4点とアクアチント（銅版画）のデッサン8点を寄贈したい。」

1994年6月にこれらの作品も無事日本に着き、本美術館に追加展示されたことにより、年代として1956年作の彫刻「恋人たち」より1991年作の「オルフェウスの習作」に至る彫刻作品8点とレリーフ2点、並びにエッチング作品（1978年）23点と1967年から1980年に至るエッチング、アクアチントの作品8点の充実した内容となり、1994年4月より一般にも公開され、多くの参観者を迎えている。

1986年当時、健在でこの美術館の建設へ向けて尽力された本学教授で彫刻家の岩野勇三氏は、マンズーの作品に寄せて次の様に述べている。

「ジャコモ・マンズーは具象派を代表する世界的な彫刻家であり、イタリアルネッサンスにおけるドナテルロなどの伝統的な血を分けた生粋のイタリア彫刻家と言えましょう。」

【収蔵品・展示概要】
常設は、ジャコモ・マンズーの収蔵品を展示。その他に年数回の企画展を実施。

【収蔵分野・総点数】
ジャコモ・マンズーの作品41点

【主な収蔵品／コレクション】
〈エッチング　アクアチント作品（1978年）〉
インゲの胸像　1, インゲの胸像　2, インゲの胸像　3（2つのバージョン）, インゲの胸像　4（2つのバージョン）, インゲの胸像　5（2つのバージョン）, インゲの胸像　6, インゲの胸像　7（2つのバージョン）, 恋人たち　1, 恋人たち　2, 恋人たち　3, 恋人たち　4, 恋人たち　5, 画家とモデル　1, 画家とモデル　2, 画家とモデル　3, ユリシーズの首　1, ユリシーズの首　2, 横たわる女, 女と椅子, 子供を抱き上げる女, 横たわる娘, 肖像, オルフェの舞踏
〈ブロンズ作品〉
インゲの胸像, オデッセイアの壁, 恋人たち, 天国の鍵, 平和と戦争の門（ロッテルダム、聖ラウレンス教会の扉「平和と戦争」の習作）, ルチアーナの肖像ための習作, 婦人像, ソニアの首, 労働者の食卓, オルフェウスの習作（愛）
※1987年製作のブロンズに銀メッキを施したもの
〈エッチング　アクアチント作品〉
オイデプスの顔, イオカステ, オイデプスとクレオン, 視力を奪うオイデプス, オイデプスとイオカステ, イオカステ, アポロとクレオン, 羊飼いの死（オイデプスが羊飼いを威嚇する）, イオカステの死, ひじかけいすの女性

東京都

- **所在地** 〒192-0992 東京都八王子市宇津貫町1556番地
- **TEL** 042-637-8111（代表）
- **FAX** 042-637-8110（代表）
- **URL** http://www.zokei.ac.jp/
- **交通** 新宿駅から 1）JR中央線中央特快利用。八王子駅でJR横浜線乗換、相原駅下車。 所要時間約60分（快速利用70分） 2） 京王線急行利用。橋本駅でJR横浜線「八王子行」乗換、相原駅下車。（所要時間約70分） 3）小田急線急行利用。町田駅でJR横浜線「八王子行」乗換、相原駅下車。（所要時間約70分） 横浜駅から JR横浜線「八王子行」利用。相原駅下車。（所要時間約60分）
- **開館時間** 原則として10:00～16:30
- **入館料** 原則として無料
- **休館日** 日曜・祝日。開館日については HP もしくは電話で要問い合わせ。
- **施設** 横山記念マンズー美術館 555㎡ ZOKEIギャラリー 172.64㎡
- **ミュージアムショップ/レストラン** なし
- **設置者** 学校法人 桑沢学園
- **館種** 私立, 美術
- **設立年月日** 平成6（1994）年
- **責任者** 館長・岡村多佳夫

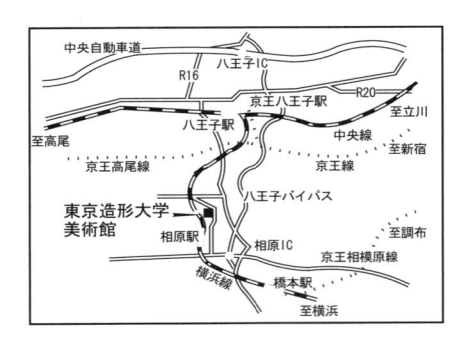

東京都

東京大学史料編纂所

Historiographical Institute, the University of Tokyo

史料編纂所は、日本の前近代の史料を研究・編纂する研究所である。その前身は、1793（寛政9）年設立の和学講談所までさかのぼる。明治維新後の1869（明治2）年、和学講談所の跡地に史料編輯国史校正局が設立され、新政府による修史事業が開始された。この事業が1888（明治21）年に文科大学への国史科開設とともに帝国大学（現、東京大学）に移管された。これが東京大学の部局としての史料編纂所の始まりである。対象とする時代は古代から明治維新期までである。1901（明治34）年から『大日本史料』『大日本古文書』などの前近代日本史基幹史料集の刊行を開始し、出版総数1千冊に達している。

1950（昭和25）年には文学部から独立して東京大学附置研究所となった。60名近い研究者が日本で唯一の前近代史料の研究・編纂・出版に従事し、日本の前近代史研究の中心的研究機関として活動している。また、大学院人文社会系研究科、大学院情報学環での教育にも参加している。1997（平成9）年には、付属施設、画像史料解析センター、2006（平成18）年には、前近代日本史情報国際センターを設置し、新しい手法による歴史研究を進めている。

【収蔵品・展示概要】

史料編纂所は、前述にあるように大学の附置研究所であり博物館ではないため、展示は行っていない。しかし、史料集編纂のため蒐集した収蔵品には以下のものがあり、これらは研究のために一般に公開し閲覧サービスを行っている。ただし、現在、本所建物（別館）の耐震性能不足のため、一時閉室をしており、

東京都

史料・図書・雑誌の閲覧はできない（2007 年 3 月 19 日〜）。史料編纂所には、100 年余の間に全国を採訪し、複本として集積されてきた本所作成史料が多数所蔵されていることが大きな特徴である。複製本も複製方法によって影写本・謄写本・写真帳などの種類がある。

図書部（図書室）では、寄贈・移管・購入等によって受け入れた多数の原本・写本類（貴重書）を所蔵している。国宝・重要文化財に指定されたものや、伝来のはっきりした史料群（特殊蒐書）など多くの貴重書がある。

一般図書の中には古い木版本や洋古書が含まれている。また、調査・蒐集のために必要なツールとして、日本関係史料所蔵機関の蔵書目録および地方史誌の蒐集の充実をはかっている。

常設展示は 1 階ロビーで行っているが、やはり耐震問題対応のため現在中止している。

【収蔵分野・総点数】
図書（版本を含む）:168,254 冊、史料（原本・写本類）:195,410 点、本所作成史料:110,329 点、逐次刊行物:2,703 種、フィルム類（複製本を含む）:64,242 点、電子出版物（ビデオテープを含む）:714 タイトル

【主な収蔵品 / コレクション】
〈国宝〉島津家文書
〈重要文化財〉台記など 14 件
〈特殊蒐書〉徳大寺家本など 55 件
〈古文書〉入来院文書など
〈古記録〉山科家日記など
〈画像史料〉倭寇図巻など

【展示テーマ】
第 34 回史料展覧会「東京大学史料編纂所の国宝・重文名品展」（2005 年度）

【教育活動】
ひらめき☆ときめきサイエンス　史料からみる日本の歴史（2005 年度）／第 10 回史料学セミナー（2005 年度）

・所在地　〒113-0033　東京都文京区本郷 7-3-1
・TEL　03-5841-5960

- FAX 03-5841-8425
- URL http://www.hi.u-tokyo.ac.jp/index-j.html
- E-mail chiefl@hi.u-tokyo.ac.jp
- 交通 1）東京メトロ丸の内線・都営地下鉄大江戸線「本郷三丁目」下車、徒歩8分 2）東京メトロ南北線「東大前」下車、徒歩10分
- 開館時間 図書室 9:15 ～ 17:00
- 入館料 無料
- 休館日 土・日曜日，祝日，蔵書点検期間（4月上旬頃），夏季期間の月曜日（8月第1～3週），月末整理日（原則最終月曜日），年末年始，入学試験日，その他臨時
- 施設 建物面積 7,962 ㎡ うち書庫部分 2,569 ㎡（収容能力41万冊）／特別収蔵庫 135 ㎡
- 利用条件
  （1）利用を限定する場合の利用条件や資格 一般向けの展示は行っていない。以下は図書室の利用条件
  （2）調査研究目的で利用する場合の条件や資格 貴重史料の閲覧は事前に申請が必要
- 高齢者，身障者等への配慮 段差有り
- 車イスの貸出 なし
- 身障者用トイレ なし
- 無料ロッカー 有り
- 駐車場 なし
- 外国語のリーフレット，解説書 有り
- ミュージアムショップ／レストラン 向かい側のコミュニケーションセンターで関連グッズを販売している
- 設立年月日 昭和25（1950）年
- 設置者 国立大学法人 東京大学
- 館種 国立大学，歴史
- 責任者 所長・横山伊徳（教授）
- 組織 職員：教授 18（2），准教授 20（7），助教 21（5），計 59（14），事務職員・技術職員 21（9），合計 80（23）
  ※（ ）女性教職員、内数

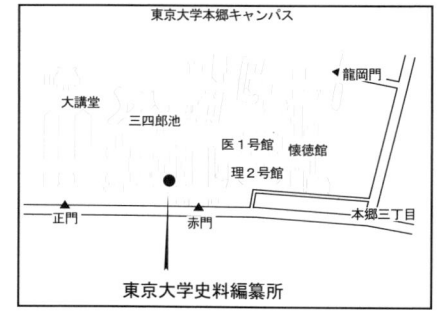

東京都

東京大学総合研究博物館

The University Museum, The University of Tokyo

　本館は、東京大学における大学博物館としての機能を担う学内共同利用施設であり、平成8（1996）年に1.学術標本の総合的な調査・収集・整理及び保存、2.学術標本の展示公開、3.学術標本の有効利用と展示公開に関する調査及びその成果の普及、4.博物館活動を推進するために必要な事項の処理などの研究教育及び業務を行うことを目的として設置された。

　前身は昭和41（1966）年に設置された総合研究資料館であり、考古、文化人類、人類先史、医学、動物、植物、薬学、岩石・鉱床、地史古生物、鉱山、鉱物、地理の12部門で構成されていた。昭和42（1967）年に考古美術、水産動物の2部門が、昭和43（1968）年に美術史、建築史、森林植物の3部門が増設され、17部門に発展して現在に至っている。

　また、平成13（2001）年には東京医学校本郷キャンパスの中心建築として創建され、東京大学に現存する最古の学校建築である旧東京医学校本館が全面的に改修され、総合研究博物館小石川分館が誕生した。

　学術標本の有効利用を推進するとともに、未来永続的な保存体制を整え、複数の分野の異なる研究ユニットを抜本的に組み立てて新しい研究領域・手法を開拓したり、大学における学術研究の成果を従来のものと違った方法で公表・公開することも本館の大きな使命であり、本郷にある総合研究博物館と小石川にある総合研究博物館小石川分館の2ケ所で公開展示活動を行っている。

【収蔵品・展示概要】
　本学の創設以来学内に集積された学術標本のうち、本館には理系、文系を問わず約300万点が収蔵されており、現在も海外学術調査をはじめ、各教官によって行われる調査研究によって学術標本は増加している。
　学内における研究・教育のあり方やその成果を社会に対して示すことは、大学博物館の重要な任務であり、開かれた大学を象徴する活動として「常設展示」、「特別展示」、「新規収蔵展示」、「モバイルミュージアム」等を展開している。
〈常設展示〉
　教育的効果の高い標本を一定のテーマに従って整理し長期に渡って公開しており、1.学内に眠る学術標本の発掘とその保存・修復、2.学問の原点であるモノに即した教育・研究の重要性を再認識させ、モノに接することができる環境の確保、3.学問の進行過程で生み出され、放置・破棄されてしまう「物品」の中で歴史的価値の高いモノを学問における歴史的「文化財」として認識し、正当な位置づけを与えることを目的としている。
〈特別展示〉
　学内で生産された先端的な教育研究の成果を展示手法の研究成果とともに公開する「実験展示」の場である。研究の成果のみでなく、仮説や理論が導きだされる道筋をその研究の基盤となる学術標本と共に提示している。
〈新規収蔵展示〉
　新たに収蔵された学術標本を内外の研究者にいち早く周知させることを目的とし、特別展示の会期にあわせて開催される。
〈モバイルミュージアム〉
　平成18年度から開始された事業で、博物館に収蔵されている学術標本を小型ミュージアム・ユニットに組み入れて、社会の様々な場所に展開・流動させる遊動型博物館の試みである。

【収蔵分野・総点数】
　　以下の17分野の学術標本約300万点を収蔵している。
〈地学系〉鉱物、岩石・鉱床、鉱山、地史古生物、地理
〈生物系〉植物、森林植物、薬学、動物、水産動物、人類・先史、医学
〈文化史系〉考古、建築史、考古美術（西アジア）、美術史、文化人類

【主な収蔵品/コレクション】
〈地学系〉
鉱物部門：本邦産鉱物標本、若林標本、Riester-Minami標本ほか

東京都

　岩石・鉱床部門：日本第四紀火山岩、日本産・外国産火山岩、Krantz 鉱物標本、本邦鉱山別鉱石・鉱物標本ほか
　鉱山部門：本邦産鉱山別鉱石標本、窯業材料鉱石標本、化石標本ほか
　地史古生物部門：古生代化石摸式標本類、新生代化石摸式標本、Krantz 化石標本ほか
　地理：伊能中図、山﨑文庫古地図、明治以降の日本・外国地図ほか
〈生物系〉
　植物部門：植物おし葉標本、早田文蔵台湾植物標本、中井猛之進朝鮮植物標本、シーボルト標本ほか
　森林植物部門：被子植物おし葉および乾燥標本ほか
　薬学部門：生薬標本、おし葉標本ほか
　動物部門：魚類液浸標本、両生類・爬虫類標本、昆虫標本、貝類標本ほか
　水産動物部門：石川昌魚類コレクション、石川昌頭足類コレクション、サメ類コレクション、魚類液浸標本ほか
　人類・先史部門：人骨、動物骨、印象部分模型、完形または形のある土器、古墳時代遺物、外国の遺物ほか
　医学部門：現代日本人骨、外国人骨、歯の石膏印象、エジプトミイラと木棺、人体計測資料ほか
〈文化史系〉
　考古部門：北海道東部および千葉県我孫子市の遺跡からの出土遺物及び調査時の図面類、トコロチヤシ出土品ほか
　建築史部門：朝鮮古瓦、朝鮮・中国の土器、写真乾板・フィルムほか
　考古美術部門：土器、石器、自然遺物、骨角器、写真資料ほか
　美術史部門：朝鮮の陶磁器、朝鮮・日本の陶磁器片、模写掛幅、写真資料ほか
　文化人類部門：アンデス地帯学術調査による表採を主とする資料、図面ほか

【展示テーマ】
　〈総合研究博物館〉常設展示「Systema Nature ―標本は語る」展（2004 年）／東京大学総合研究博物館開館 10 周年記念特別展示「アフリカの骨、縄文の骨―遥かラミダスを望む」展（2005 年）／特別展示「時空のデザイン」展／特別展示「東京大学コレクション―写真家上田義彦のマニエリスム博物誌」展（以上 2006 年）
　〈小石川分館〉常設展示「驚異の部屋― The Chambers of Curiosities」展（2006 年）

東京都

【教育活動】
〈学芸員専修コース〉「ミュージアムの実効性を高める方策を探る」(2005年)／「次世代ミュージアムを構想する―新たな知的価値の創出にむけて」(2006年)
〈公開講座〉「関野貞アジア踏査」「標本は語る―自然の体系をめざして」(以上2005年)／「時間と空間―デザイン・記憶・追跡・再現・揺らぎ」(2006年)
〈全学体験ゼミナール〉建築デザイン実習「アイデアをカタチにする」(2006年度)

【調査研究活動】
標本収集、調査、研究／21世紀博物館のあり方に対する研究／博物館評価の調査と研究／先端的解析技術を用いた学術標本研究／空間展示デザインに関する研究

【刊行物】
標本資料報告「Material Reports」No.66　総合研究博物館　酒井敏雄文庫収蔵　三好學教授著作・論文等及び関連資料目録／標本資料報告「Material Reports」No.67　総合研究博物館　人類先史部門所蔵　陸平貝塚出土標本(以上2006年)／研究報告「Bulletin」No.43　AN ARCHAEOLOGICAL STUDY OF THE JOMON SHELLMOUND AT HIKOSAKI／標本資料報告「Material Reports」No.68　総合研究博物館　渡辺仁教授旧蔵資料目録／標本資料報告「Material Reports」No.69　縄文時代人骨データベース　4) 千葉県の遺跡(向カノ台、矢作、余山など)(以上2007年)

- 所在地　〒113-0033　東京都文京区本郷7-3-1
- TEL　03-5841-8600（ハローダイヤル）
- FAX　03-5841-8451
- URL　http://www.um.u-tokyo.ac.jp/
- E-mail　web-master@um.u-tokyo.ac.jp
- 交通　地下鉄丸の内線・大江戸線「本郷三丁目」下車　徒歩8分
- 開館時間　総合研究博物館:10:00～17:00(入館は16:30まで)／小石川分館:10:00～16:30(入館は16:00まで)
- 観覧所要時間　60分程度
- 入館料　無料
- 休館日　総合研究博物館:特別展示開催時―月曜日（祝日の場合は翌日）常設展示開催時―土・日曜日，祝日／小石川分館:月・火・水曜日（ただし祝日は開館）

東京都

- **施設**　・総合研究博物館：建物面積　9,748 ㎡　小石川分館：建物面積　866 ㎡
- **利用条件**
  (1) 利用を限定する場合の利用条件や資格　なし
  (2) 調査研究目的で利用する場合の条件や資格　事前予約
- **メッセージ**　大学博物館であることから、展示解説等は大学1～2年生向けに作成されているが、館内には展示解説ボランティアが常駐し、来館者を迎えるレセプショニストとして、また展示内容を分かりやすく伝えるインタープリターとして活躍している
- **高齢者，身障者等への配慮**　段差有り
- **車イスの貸出**　有り（本館のみ）
- **身障者用トイレ**　有り
- **無料ロッカー**　なし
- **駐車場**　なし
- **外国語のリーフレット，解説書**　なし
- **ミュージアムショップ/レストラン**　なし
- **今後3年間のリニューアル計画**　なし
- **設立年月日**　総合研究博物館：平成8（1996）年5月11日，小石川分館：平成13（2001）年11月8日
- **設置者**　国立大学法人　東京大学
- **館種**　国立大学，自然史・文化史
- **責任者**　館長・林良博（大学院農学生命科学研究科教授）
- **組織**　教員・研究員13人、事務職員9人

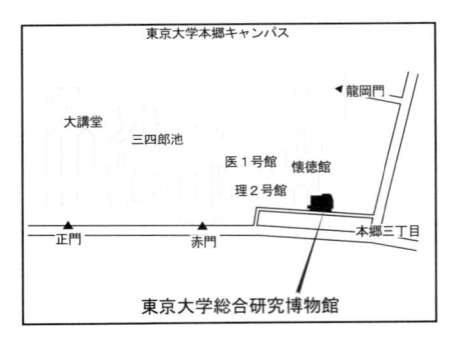

東京大学大学院総合文化研究科・教養学部 自然科学博物館

Nature and Science MUSEUM Graduate school of Arts and Sciences and College of Arts and Sciences, University of Tokyo

　自然科学博物館は、教養学部での一般教育に資することを目的として、1953（昭和28）年に設置された。東京大学総合文化研究科の自然科学系の教官をメンバーとする自然科学博物館委員会（準備委員会は1952（昭和27）年4月発足）によって運営されている。

　以前は時計台のある1号館に展示室を持ち、平常時の一般公開はせず、年1回、駒場祭をはさむ1週間だけ資料を公開していた。現在は、2003（平成15）年秋にリニューアルした駒場博物館の2階に展示室を構え、平日（月〜金）の10:30〜16:30まで一般公開している。

　毎年夏には、1階の美術博物館展示室まで使用して、小中高校生を主な対象とした特別展を開催している。

【収蔵品・展示概要】
　旧制第一高等学校時代から引き継がれた、西洋科学や工学の導入期に用いられた実験器具、計測器具、機械などの教育標本をはじめ、鉱物、岩石、化石、動・植物（蝶、キノコ中心）など、優に1万点を超える標本資料を所蔵。このほか、火山活動に関する映像資料などを保管している。

【収蔵分野・総点数】
　1）動物標本：17,850点

東京都

2）植物標本資料:100 点
3）地学標本資料:3,500 点
4）理化学実物資料:100 点
5）図書資料:600 点
6）写真資料:1,000 点
7）その他資料:100 点

【主な収蔵品 / コレクション】
　標本のうち、生物学関連では、日本の蝶類標本、化学関連では、DNA 等分子模型などがある。
　1983 年三宅島噴火の関連資料は、学内特定研究費や学部特別経費等の援助もあり、わが国最高の質と量を誇るもので、時に応じて研究・教育の両面に役立っている。

【展示テーマ】
　「錯覚展―心の働きにせまる不思議な世界」「木村駿吉　第一高等学校教師から海軍技師へ」「小学生からわかる光の世界　ニュートン・アインシュタイン・現代」／所蔵品展「測る人・図る人　明治以降の第一高等学校図学・製図教育」

【教育活動】
　特別展開催に合わせて、講演会、シンポジウムなどの関連企画を随時開催している。またパッケージ化可能な展示資料は、全国の科学館や教育委員会に貸し出しをしている。

【刊行物】
　「錯覚展―心の働きにせまる不思議な世界」（配布用小冊子）／「小学生からわかる光の世界　ニュートン・アインシュタイン・現代」（配布用小冊子）

- 所在地　〒153-8902　東京都目黒区駒場 3-8-1　東京大学　大学院総合文化研究科・教養学部　駒場博物館内 2 階　自然科学博物館
- TEL　03-5454-6139
- FAX　03-5454-4929
- URL　http://museum.c.u-tokyo.ac.jp/
- E-mail　komabamuseum@adm.c.u-tokyo.ac.jp
- 交通　京王井の頭線駒場東大前駅下車　徒歩 3 分
- 開館時間　10:30 〜 16:30　特別展開催時には変更になる場合有り。詳細は HP

で確認のこと
- **観覧所要時間** 20分
- **入館料** 無料
- **休館日** 土・日曜日，祝祭日，大学が定める休日
- **施設** 延床面積872㎡ 展示面積120㎡ 図書資料室、セミナー室、収蔵庫、事務室などを併設
- **高齢者，身障者等への配慮** バリアフリー
- **車イスの貸出** なし
- **身障者用トイレ** 有り
- **無料ロッカー** なし
- **駐車場** なし
- **外国語のリーフレット，解説書** なし
- **ミュージアムショップ/レストラン** 大学構内にフランス料理レストラン「ルヴェソンヴェール駒場」などのレストランが併設されている
- **今後3年間のリニューアル計画** なし
- **設立年月日** 昭和28（1953）年
- **設置者** 国立大学法人 東京大学大学院総合文化研究科・教養学部
- **館種** 国立大学
- **責任者** 委員長・伊藤元巳（大学院総合文化研究科・教授）
- **組織** 非常勤教職員 2名

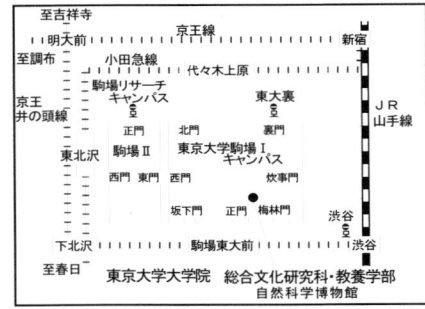

東京都

東京大学大学院総合文化研究科・教養学部 美術博物館

ART MUSEUM Graduate school of Arts and Sciences and College of Arts and Sciences, University of Tokyo

　昭和26年、東京大学教養学部における文系・理系横断型総合教育構想の一環として、初代教養学部長矢内原忠雄の構想により設置された。昭和37年より旧第2本館内に展示室を開設、定期的な展示活動を始める。昭和46年、現在の建物の2階に展示室を移転、平成15年に建物の全面改修を行い、リニューアルオープンを果たし現在に至る。

【収蔵品・展示概要】
　設立当初より収集を行ってきた東洋の考古資料をはじめ、アンデス関連資料、旧制第一高等学校から伝来する文書類、日本近代絵画資料など多岐にわたる資料を所蔵。また、現代美術の収集も行われている。なかでもマルセル・デュシャン「彼女の独身者たちによって裸にされた花嫁、さえも」（通称「大ガラス」）東京ヴァージョンの制作が昭和55年に完成、現在は常設展示されている。
　収集方針のコンセプトとしては、教材としての資料収集、本学の歴史史資料などが挙げられる。
　当館では様々なテーマの特別展を開催しているが、まず基本となっているのが「本学学部生への教育活動」という視点である。したがって、本学で行われている様々な研究を学生に紹介する、展示物を教材として利用することを目的の第一に挙げて展示計画は立てられている。また、実際の展示を構成していく段階ではテーマに関連した研究を行っている大学院生らを参加させ、彼らに対

しての展示制作を利用したプレゼンテーション教育の場とすることを心がけている。さらに、大学が行うべき社会連携活動の一環として、このようにして組み立てられた特別展を無料で提供し、本学で行われている研究・教育活動を広く一般に公開している。

大学博物館の博物館活動を通じて、大学院生、学部生、一般というそれぞれの立場に対する教育活動を同時に行っていくということが、本館の展示のコンセプトである。

【収蔵分野・総点数】

歴史資料　約5000件、古美術資料　約1000件、近代美術及び関連資料　約50件、現代アート及び関連資料　約50件

【主な収蔵品／コレクション】

設立当初より収集を行ってきた東洋の考古資料をはじめ、アンデス関連資料、旧制第一高等学校から伝来する文書、日本近代絵画資料など多岐にわたる資料を所蔵。近年では、当館の新しいテーマとして現代美術の収集も行われている。その第一歩としてマルセル・デュシャン「彼女の独身者たちによって裸にされた花嫁、さえも」（通称「大ガラス」）東京ヴァージョンの制作が昭和55年に完成し、現在は常設展示されている。

【展示テーマ】

form_raum_idee—デッサウのバウハウスとハレのブルク・ギービヒェンシュタイン美術デザイン大学、世界の現代デザインを切り開いた二つの美学校—（2005年）／江戸の声—黒木文庫でみる音楽と演劇の世界—／聖書に生きる—トーラーの成立からユダヤ教へ—／一高校長森巻吉とその時代—向陵の興廃この一遷にあり—（以上2006年）／創造の広場（ピアッツァ）イタリア—永遠に再生する夏—（2007年）

【教育活動】

特別展開催に合わせて、講演会、シンポジウムなどの関連企画を随時開催している。

【調査研究活動】

文部科学省科学研究費基盤研究（C）「第一高等学校旧蔵実験機器・掛図・事務文書等の整理と調査」（継続中）

東京都

【刊行物】
　「聖書に生きる―トーラーの成立からユダヤ教へ―」（特別展配布資料）／「江戸の声―黒木文庫でみる音楽と演劇の世界―」（特別展図録）／「東京大学教養学部美術博物館資料集 2 ―有職装束類―」（所蔵品資料集）／「彼理（ぺるり）と Perry（ペリー）―交錯する黒船像―」（特別展配布資料）／「色の音楽・手の幸福―ロラン・バルトのデッサン」（特別展図録）

- 所在地　〒153-8902　東京都目黒区駒場3-8-1　東京大学　大学院総合文化研究科・教養学部　駒場博物館
- TEL　03-5454-6139
- FAX　03-5454-4929
- URL　http://museum.c.u-tokyo.ac.jp/
- E-mail　komabamuseum@adm.c.u-tokyo.ac.jp
- 交通　京王井の頭線駒場東大前駅下車　徒歩3分
- 開館時間　特別展開催時　10:00～18:00（入館は17:30まで）　それ以外の期間については変更になる場合有り。詳細はHPで確認のこと
- 観覧所要時間　約40分
- 入館料　無料
- 休館日　火曜日（特別展開催時　それ以外の期間については変更になる場合有り。詳細はHPで確認のこと）
- 施設　延床面積 872 ㎡　展示面積 307 ㎡　図書資料室、セミナー室、収蔵庫、事務室などを併設
- 利用条件
  （1）利用を限定する場合の利用条件や資格　特になし
  （2）調査研究目的で利用する場合の条件や資格　利用した資料に関する研究の公開
- 高齢者，身障者等への配慮　バリアフリー
- 車イスの貸出　なし
- 身障者用トイレ　有り
- 無料ロッカー　なし
- 駐車場　なし
- 外国語のリーフレット，解説書　なし
- ミュージアムショップ／レストラン　大学構内に、フランス料理レストラン「ルヴェソンヴェール駒場」や「イタリアン・トマト」などのカフェ・レストランが併設されている
- 今後3年間のリニューアル計画　なし
- 設立年月日　昭和26（1951）年
- 設置者　国立大学法人　東京大学大学院総合文化研究科・教養学部
- 館種　国立大学
- 責任者　委員長・池田信雄（大学院総合文化研究科教授）

東京都

・**組織** 助教 1名、教員 1名、
　　　 非常勤教職員 4名

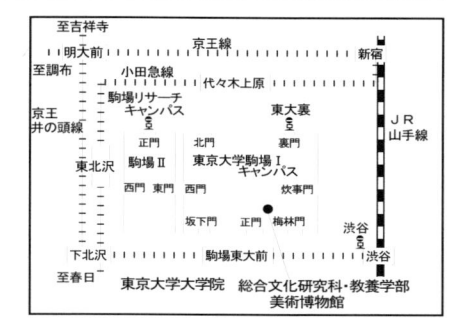

東京都

東京大学大学院理学系研究科附属植物園

"本植物園は東京大学の植物学研究施設であり、現存する日本最古の植物園でもある。"

本植物園は国立大学法人東京大学大学院理学系研究科附属植物園の施設であり、今からおよそ300年前に徳川幕府が設けた小石川御薬園で約130年前から東京大学附属植物園となった。

【収蔵品・展示概要】
東アジアを中心とした種子植物約4,000種

- 所在地　〒112-0001　東京都文京区白山3-7-1
- TEL　03-3814-0138
- FAX　03-3814-0139
- URL　http://www.bg.s.u-tokyo.ac.jp/
- 交通　都営地下鉄三田線白山駅　徒歩10分
- 開館時間　9:00～16:30（入園は16:00まで）
- 観覧所要時間　40分程度
- 入館料　大人330円
- 休館日　毎週月曜日（月曜日が国民の祝日の場合は翌日），年末年始（12月29日～1月3日）
- 施設　本園、附属植物園の敷地面積は161,588㎡。栃木県日光市には日光分園があり高山植物の育成・研究を行なっている
- 利用条件
  （1）利用を限定する場合の利用条件や資格　庭園は一般公開（有料）、資料は研究・教育目的に限定して利用を許可する場合がある
  （2）調査研究目的で利用する場合の条件や資格　植物学の教育・研究を目的とする場合
- 高齢者，身障者等への配慮　段差有り
- 車イスの貸出　なし
- 身障者用トイレ　有り
- 無料ロッカー　なし
- 駐車場　なし
- ミュージアムショップ/レストラン　なし

- **設立年月日** 明治10（1877）年 東京大学法・理・文・三学部附属植物園となった
- **設置者** 国立大学法人 東京大学
- **館種** 国立大学，植物研究施設
- **責任者** 園長・邑田仁

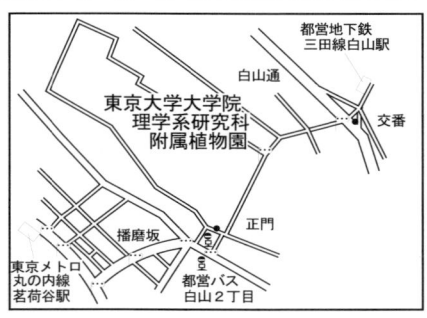

東京都

東京農業大学「食と農」の博物館

Food and Agriculture Museum, Tokyo University of Agriculture

"食と農、知との出会いの場"

東京農大創立110周年記念事業の一環として平成16年4月6日開館。これまでの東京農業大学農業資料室を廃止、その収蔵品を移管し一部を展示、また同大醸造博物館所蔵の日本の酒器もまた移管し常設展とした。1・2階が博物館、3・4階が（財）進化生物学研究所の研究室・標本室・実験室・飼育室となっている。設計は環境と建築の有様を模索してきた世界の建築家隈研吾氏、馬事公苑モールけやき広場に面した芦野石のルーパーが景観にマッチする。近隣の馬事公苑・美術館を控える地の利等から開館から2年半で30万人の来館者があった。

収蔵品は全国津々浦々から収集した古農具3655点、醸造関連用具や様々な素材からなる日本の酒器498点、天然記念物の日本鶏を中心とする鶏剥製標本115点、屋久・秋田杉など大小の材鑑標本47点を数え随時展示替えをしている。前年度より2期に分けて企画展、関連した体験的イベントを開催。イベントに関連したカフェ・プチ・ラディッシュの特色あるメニューが人気を呼んでいる。

平成17年8月2日、博物館に併設して動物園・植物園・水族館というくくりを取り去った展示温室「バイオリウム」がオープン、（財）進化生物学研究所の所有するマダガスカルを中心にした貴重な熱帯の動植物が観られる。水～日が無料公開、火・木に研究員の解説によるバイオリウムツアーが開催されている。

【収蔵品・展示概要】

コンセプト安全性や環境問題などで特に国民的関心が高い「食」と「農」をテーマとして、本学の110年に及ぶ歴史と蓄積を多くの方々に提供すると同時

に、大学の研究や企業の技術開発などに実際に触れることを通して社会貢献する。

【収蔵分野・総点数】
人文科学資料 4153 点　自然科学資料 162 点

【主な収蔵品／コレクション】
〈人文科学資料〉民族資料古農具（3655 点）：数十点を展示, 日本の酒器（498 点）：約 200 点を展示
〈自然科学資料〉動物資料, 鶏の剥製標本 115 体：全て展示, 植物資料, 材鑑標本（47 品種）：約半数を展示
※収蔵庫不足から現在は収集していない。

【展示テーマ】
食と健康展／アブラナ科野菜　大根フェスタ展／人類の原器ヒョウタン 1 万年の世界（湯浅浩史コレクション）展／沙漠よ緑に蘇れ（ジブチ共和国 15 年の熱き闘い）展／バオバブの木の下で展

【教育活動】
東京の地野菜をもっと知ろう（セミナー）／お菓子から食文化を考える（セミナー）／トマトフェスタ（公開講座）／日本の食文化「植物性乳酸菌」を考える（シンポジウム）／「雑穀王国・岩手」発〜雑穀を学ぶ楽しむ！（セミナー）

【刊行物】
〈出版〉漆器の弁当箱・食籠・盆／バオバブの木の下で
〈展示案内〉No.1〜21: 食と健康展／アブラナ科野菜　大根フェスタ展／人類の原器ヒョウタン 1 万年の世界（湯浅浩史コレクション）展

- **所在地**　〒158-0098　東京都世田谷区上用賀 2-4-28
- **TEL**　03-5477-4033
- **FAX**　03-3439-6528
- **URL**　http://www.nodai.ac.jp/syokutonou/
- **交通**　1）小田急線経堂駅から徒歩 20 分　2）小田急線千歳船橋駅から、東急バス・渋 23: 渋谷駅行き、用 01: 用賀駅行き、等 11: 等々力行き　3）東急田園都市線用賀駅から、東急バス・園 02: 世田谷区民会館、用 01: 祖師谷大蔵駅行き　何れも「農大前」下車徒歩 3 分

東京都

- ・開館時間　4〜11月　10:00〜17:00，12〜3月　10:00〜16:30
- ・観覧所要時間　120分
- ・入館料　無料
- ・休館日　毎月曜日，毎月末火曜日（8・12・1月を除く），ほか大学の規定による
- ・施設　鉄筋コンクリート・鉄骨造陸屋根4階建　土地面積1692.56㎡　建物延床面積2051㎡（収蔵庫含む）
- ・利用条件
    - （1）利用を限定する場合の利用条件や資格　展示利用：大学関係者、食と農関連校友企業
    - （2）調査研究目的で利用する場合の条件や資格　学内に責任者をおく
- ・メッセージ　〈博物館併設バイオリウム案内〉BIORIUMはBIO（生き物）RIUM（空間）の造語です。マダガスカルを中心に世界の熱帯から集められた進化生物学研究所の貴重な動植物を見ることができます。水〜日は無料で公開、火・木曜日のみ有料公開、14:00と15:00の2回進化生物学研究所の研究員の案内・解説付きで公開エリアを30分ほど見学する「バイオリウムツアー」を行っています。料金は大人500円・団体400円・子供250円。大人の方には博物館内カフェのドリンク付きになっています。ツアー申込（財）進化生物学研究所　03-3420-7449　休館：博物館に準ずる。〈近隣案内〉直ぐ目の前に東京オリンピックの馬術競技会場となった馬事公苑があります。18ヘクタール（東京ドーム約4個分）の敷地に、数々の馬関連の施設が整っています。月に1度「馬に親しむ日」が設けられ、乗馬体験・馬車運行やポニーの演技など馬とのふれあいを楽しめます
- ・高齢者，身障者等への配慮　バリアフリー
- ・車イスの貸出　有り
- ・身障者用トイレ　有り
- ・無料ロッカー　なし
- ・駐車場　なし
- ・外国語のリーフレット，解説書　有り
- ・ミュージアムショップ/レストラン　有り
- ・今後3年間のリニューアル計画　なし
- ・設立年月日　平成16（2004）年4月6日
- ・設置者　学校法人　東京農業大学
- ・館種　私立大学，民俗
- ・責任者　館長・夏秋啓子（東京農業大学教授）
- ・組織　館長、副館長、事務室長、事務職員3名　計6名（館長・副館長兼務、学芸員免許所有2名）

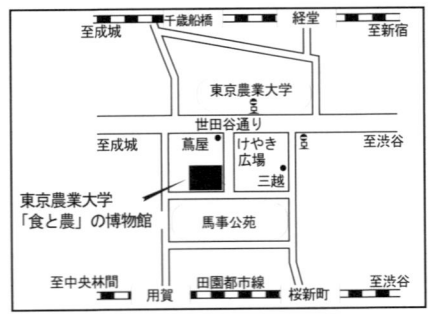

東京都

東京理科大学近代科学資料館

Ridai Museum of Modern Science

　東京理科大学では、明治14年設立の東京物理学校時代からの学術資料や実験器具が多数保管されていた。創立110年にあたる平成3年、東京物理学校昭和16年卒業の二村冨久氏の寄贈で、地上5階地下2階の「二村記念館」が建設された。その1階部分で平成3年11月26日開館したのが「近代科学資料館」である。

　近代科学資料館は、明治39年東京神楽坂に建てられた東京物理学校の校舎を復元した建物で、「近代科学の黎明期の英知に触れることにより、科学技術への関心を高め科学技術の重要性の理解を深める。」ことを目的としている。資料館は、新宿神楽坂の散策コースにある。展示は、石やワラを使った計算からパソコンまでの〈計算の歴史〉と〈和算〉〈近代機器〉〈エジソンの発明品〉。日本の科学技術と係りの深い東京物理学校・東京理科大学の学園史資料。見て触れて遊んで学べる〈理科実験室〉となっている。

　年何回かの公開講座、少年少女実験教室もおこなっている。

【収蔵品・展示概要】

　常設コーナーは、6部門から成る。

　1. 計算と計算機の歴史コーナー：ギリシヤのカリクリ・アバカスから、算木・ソロバン・機械式計算機・電卓を経て今使用しているパーソナルコンピューターまでの計算の歴史を展示。計算機やコンピュータの実演コーナーもある。

　2. 近代機器コーナー：エジソンの電灯の発明、真空管・トランジスタ・半導体・CPUなどの発明により、人類はパーソナルコンピュータ・デジタル家電・ロボッ

東京都

ト・ICカードなどそれまでにない生活を手にした。このコーナーは、その変遷の歴史展示である。

3. エジソンの発明品コーナー：エジソン自筆サイン付肖像写真、スタンダードF型蓄音機（1911）、アンベローラ75型蓄音機（1915）、エジソン炭素電球（フィラメントは京都男山八幡産の竹）

4. 和算・理科学本コーナー：本学教員玉名貞三・三上義夫・小倉金之助が使用した資料が収蔵品の中心で、関孝和のベルヌイ数・行列式・円周率と円弧の計算などを展示。

5. 楽しい理科の実験室：不思議な子豚、太陽光発電模型、クルックス管とラジオメーター、お遊び分子模型、タワシロボットなど各種ロボット

6. 学園史資料コーナー：開成学校製水準器（1875）、明治23年製守谷商会製天秤（現存日本最古の日本製化学天秤）、『明治15年東京物理学校規則』原本（最古の現代物理用語文献）など。展示方法：ガラスケース展示、一部実機による操作体験が可能

【収蔵分野・総点数】

1. 計算と計算機の歴史（1146）
2. 近代機器（170）
3. エジソンの発明品（106）
4. 和算・理科学本資料（3511）
5. 楽しい理科の実験室（30）

収蔵品総数：5891件

【主な収蔵品／コレクション】

〈主な収蔵品・コレクション〉

貴重技術遺産：機械式計算機コレクション202点、Bushu式アナログ微分解析機（1935年頃大阪大学製）、*FACOM201パラメトロン電子計算機（日本で発明されたパラメトンを論理素子としたコンピュータの実用機。1960年富士通信機製、東京理科大学で研究・実習に使用したもの1060年）、Bendix C15 Computer（東海道新幹線開業のためのダイヤを算出したコンピュータ）*キャノーラ130電卓、*キヤノン・ポケトロニク電卓、*ビジコンLE-120A電卓（世界初の手のひらサイズ電卓）、日立ベーシックマスター MB6880（国産初の8ビットマイクロコンピュータ）*印の4点は、国立科学博物館産業技術資料

〈登録品〉
　文献資料：『具註暦』（理科大切）天皇家の文書を担当した広橋家の中世文書。和算関係資料（朝鮮重刊本『算学啓蒙』、写本『大成算経』理科大本、関孝和著『括要算法』、最上流開祖「会田安明自筆コレクション」など約3500点）、『英和対訳袖珍辞書』（堀辰之助篇1862年、最古の英和辞典一番本）、物理学校設立者及び明治の教科書のコレクション445点。

【展示テーマ】
　「東京物理学校125周年特別企画・明治の青年たちは西洋の近代科学をいかに学びいかに普及し科学技術を確立していったか」（2006年）／「ビジコンと電卓展―パソコンへの日本の技術史」（2007年）／「関孝和と和算の世界」

【教育活動】
　「和算の面白さ」「講座コンピュータの歴史」（以上2005年）／小年少女実験教室「親と子の実験教室・電池とあそぼう」（2006年）／「ミクロの世界を探検する―もしも原子が見えたなら」／小年少女実験教室「とかすことの科学」（以上2007年）

【調査研究活動】
　機械式計算機・電卓・コンピュータ調査およびデータベース作成（ホームページで公開中）／関孝和・会田安明和算書調査およびデータベース作成。

【刊行物】
　『講座・コンピュータの歴史』（科学フォーラム2006.9～10 東京理科大学出版会）／『東京物理学校125周年特別企画／東京物理学校――設立者・教員・卒業生の功績展示案内』（2007.4 東京理科大学近代科学資料館）

- 所在地　〒162-8601　東京都新宿区神楽坂1-3
- TEL　03-5228-8224
- FAX　03-5228-8116
- URL　http://www.tus.ac.jp/info/setubi/museum.html
- E-mail　museum@admin.tus.ac.jp
- 交通　1）JR総武線「飯田橋」西口4分　2）地下鉄「飯田橋」B3出口3分
- 開館時間　10:00～16:00
- 観覧所要時間　30～60分
- 入館料　無料

東京都

- 休館日　日・月曜日，祝祭日，6月14日，8月中旬，年末年始
- 施設　展示場面積:360.50 ㎡・館長室兼事務室 55 ㎡　及び倉庫
- 利用条件
  (1) 利用を限定する場合の利用条件や資格　なし
  (2) 調査研究目的で利用する場合の条件や資格　あらかじめ書類で館長に願い出て許可を受けた場合利用できる
- メッセージ　「見て触れて遊んで学べる」資料館。今日生活の隅々まで行き渡りつつある先端科学技術のルーツと技術の原理を知り、「科学技術の重要性」考えてもらうことをテーマとしている。小中高校生と年配の方の来館が多く、むずかしくない「理科」を学ぶことができる。当館は、夏目漱石の「坊ちゃん」が書かれた、明治39年に建てられた東京物理学校の校舎を復元した建物で、新宿神楽坂の散策コースにある。当館の隣接地が泉鏡花・北原白秋の住んだ地。付近には、神楽坂・神楽坂毘沙門天・宮城道雄記念館・矢来能楽堂・赤城神社・尾崎紅葉旧邸跡、芸術倶楽部跡、史蹟関孝和墓（浄輪寺）などの観光スポットがある
- 高齢者，身障者等への配慮　バリアフリー
- 車イスの貸出　なし
- 身障者用トイレ　有り
- 無料ロッカー　なし
- 駐車場　なし
- 外国語のリーフレット，解説書　なし
- ミュージアムショップ / レストラン　なし
- 今後3年間のリニューアル計画　有り
- 設立年月日　平成3（1991）年11月26日
- 設置者　東京理科大学
- 館種　私立大学，科学
- 責任者　館長・関根慶太郎（理工学部教授）
- 組織　専任1、派遣1、非常勤1（工学博士、学芸員資格者、学術関係者各1）

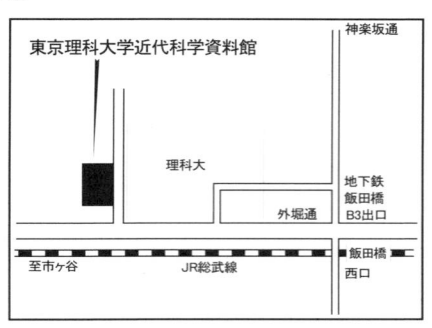

東京都

日本女子大学成瀬記念館

Naruse Memorial Hall, Japan Women's University

　日本女子大学の創立者・成瀬仁蔵の教学の理念と大学の歴史を明らかにし、ひいては女子教育研究の進展に寄与することを目的として設立された。

　成瀬仁蔵の没後15年（1934年）に際し、「成瀬先生遺品遺墨保存会」の設置が、卒業生の団体である「桜楓会」より提唱される。

　1936年、保存会が収集した資料をもとに『成瀬先生記念帖』を発行。

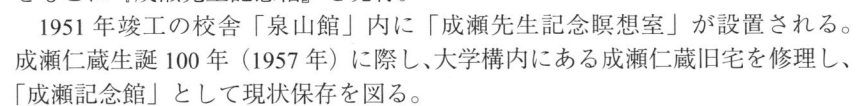

　1951年竣工の校舎「泉山館」内に「成瀬先生記念瞑想室」が設置される。成瀬仁蔵生誕100年（1957年）に際し、大学構内にある成瀬仁蔵旧宅を修理し、「成瀬記念館」として現状保存を図る。

　1976年、成瀬記念館（成瀬仁蔵旧宅）にある資料整理開始、その後、図書館内の「成瀬記念室」に移される。

　1983年、成瀬記念館設立準備室設置。

　1984年10月18日、成瀬記念館開館、成瀬仁蔵旧宅は「成瀬記念館分館」となる。「成瀬先生記念瞑想室」内の資料は成瀬記念館および分館に移される。

　1990年、博物館相当施設となる。

　1996年、西生田キャンパス・西生田成瀬講堂内に成瀬記念館西生田記念室開室。

【収蔵品・展示概要】

　創立者および学園史関係の資料を収集。

　常設展示室では、実物資料やパネル等により創立者の生涯および教学の理念

東京都

を明らかにしている。
　企画展示は年間 4 回程度行ない、テーマを絞って学園の歴史を紹介するほか、造形芸術の分野など第一線で活躍する卒業生を取り上げている。

【収蔵分野・総点数】
　創立者の遺品・日記等　約 200 点
　「成瀬文庫」（創立者旧蔵の図書）　洋書　約 1900 冊、和書　約 500 冊
　書簡　約 3700 点
　学園史関係文書・記録、その他文書類、写真、教具・教材類等　約 2 万点　書・扁額・絵画等　約 300 点

【主な収蔵品／コレクション】
　〈扁額〉成瀬仁蔵、渋沢栄一、森村市左衞門　ほか
　〈絵画〉柳敬助、大橋了介、浮田克躬、荻太郎、山口都、亀本信子　ほか
　〈染色〉宮地房江
　〈オールドノリタケ〉
　〈理科および家政学関係教具・教材（明治期〜）〉理科掛図、顕微鏡、X 線装置、食器類　ほか

【展示テーマ】
　「成瀬仁蔵その生涯」展（シリーズで開催）／「軽井沢夏季寮の生活」展（シリーズで開催）／「安座上真紀子　ペーパートーイの世界」展（2004 年度）／「女子大生が演じたシェイクスピア劇」展（2005 年度）／「山口都絵画展」（2006 年度）

【教育活動】
　「シェイクスピアの世界へ」特別公開講演会・シンポジウム（2005 年度　生涯学習総合センターとの共催）

【調査研究活動】
　「実践倫理講話筆記」調査、『日本女子大学校長成瀬仁蔵先生述　実践倫理講話筆記　明治 40 年度ノ部』（2004 年度）および『同　明治 41 年度ノ部』（2006 年度）刊行。
　日本女子大学校通信教育に関する調査、『日本女子大学史資料集　第 9　日本女子大学校通信教育関係資料』（2004 年度）刊行。

東京都公文書館所蔵　日本女子大学関係資料調査、『日本女子大学史資料集第 10-（1）　東京都公文書館所蔵　日本女子大学関係資料』（2006 年度）刊行。上代タノ（第 6 代学長）関係資料調査

【刊行物】

『成瀬記念館』（年報）／『写真が語る　日本女子大学の 100 年』（2004 年度）／『女子大生が演じたシェイクスピア劇』展図録（2005 年度）／『山口都絵画展』図録（2006 年度）／『Naruse Memorial Hall』（英文利用案内）

- **所在地**　成瀬記念館（目白キャンパス）〒 112-8681　東京都文京区目白台 2-8-1／成瀬記念館西生田記念室（西生田キャンパス）〒 214-8565　神奈川県川崎市多摩区西生田 1-1-1
- **TEL**　03-5981-3376
- **FAX**　03-5981-3378
- **URL**　http://www.jwu.ac.jp/institution/naruse/outline/
- **交通**　1）JR 山手線「目白駅」下車徒歩 15 分または日本女子大学行スクールバス　2）都営バス [新宿駅西口行][江戸川橋行][椿山荘行] →「日本女子大前」下車　3）東京メトロ有楽町線「護国寺駅」下車出口 4 より徒歩 10 分
- **開館時間**　火～金 :10:00 ～ 16:30，土 :10:00 ～ 12:00（西生田記念室は土曜休室）
- **観覧所要時間**　10 ～ 30 分位
- **入館料**　無料
- **休館日**　日・月曜日，祝日，その他学園の休日・長期休暇および展示替期間（西生田記念室は上記のほか土曜日）
- **施設**　壁式鉄筋コンクリート造、建築面積 325.17 ㎡、延床面積 586.00 ㎡。1 階に事務室、会議室、2 階に記念室・瞑想室、図書閲覧室、展示室、資料収蔵室あり。大学構内に成瀬記念館分館（成瀬仁蔵旧宅）あり。川崎市西生田キャンパスに成瀬記念館西生田記念室あり
- **利用条件**
  （1）利用を限定する場合の利用条件や資格　資料の利用は、原則として展示見学のみに限定している。（展示は一般に公開。制限なし）
  （2）調査研究目的で利用する場合の条件や資格　資料は、主に物理的な事情により展示以外は非公開であるため、調査研究目的であっても閲覧日時等全て当方の都合による
- **メッセージ**　建物自体が学園の歴史と創立者の理念を具現しているため、展示だけでなく、全体の雰囲気を感得されることを期待している
- **高齢者，身障者等への配慮**　段差有り
- **車イスの貸出**　なし
- **身障者用トイレ**　なし
- **無料ロッカー**　なし
- **駐車場**　なし

東京都

- 外国語のリーフレット，解説書　有り（若干）
- ミュージアムショップ/レストラン　なし
- 今後3年間のリニューアル計画　なし
- 設立年月日　昭和59（1984）年10月18日
- 設置者　学校法人　日本女子大学
- 館種　私立大学，歴史
- 責任者　館長・後藤祥子（学長）
- 組織　学校法人日本女子大学の附属機関。館長（学長）1名、主事（教員）1名、学芸員（現在は専任3名）

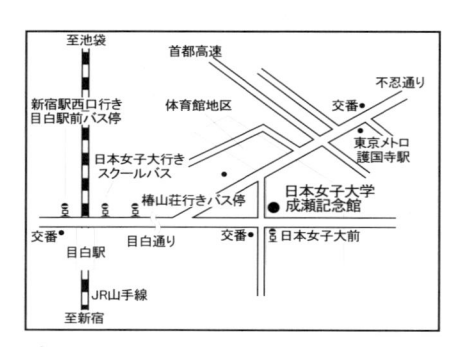

日本大学芸術学部　芸術資料館
The Art Museum Nihon University College of Art

"8つのアート　1つのハート"

　日本大学芸術学部は、大正10年（1921年）法文学部の中に美学科が誕生した時に始まり、現在では学部8学科のほか、大学院博士前期課程5専攻、博士後期課程1専攻を擁する総合芸術大学となっている。

　創設以来、今日にいたる間に教育・研究のための資料として、芸術に関する多くのものを収集し、展示・公開してきた。とりわけ昭和46年9月に図書館棟が独立した建物として建設され、5階部分がこれら資料の保存・管理・展示施設となってからは、「図書館ギャラリー」として数多くの資料の展示を行ってきた。平成5年度からは、芸術学部における教育・研究の成果を社会に還元するという趣旨から、より積極的に一般公開することにした。このため大学では、博物館施設の名称を「日本大学芸術学部芸術資料館」とし、芸術に関する資料の収集、調査研究、展示等の活動の一層の充実をはかることになった。これにあわせて学部の付属機関としての資料館の規程、利用細則なども整え、施設の整備も行った。また広く社会に公開することから、東京都教育委員会に「博物館相当施設」としての申請を行い、平成6年2月23日にその指定を受けた。

　芸術資料館では、芸術に関する企画展を毎年10回程度行っているが、こうした展示を通して学生・教職員のみならず、広く一般の方々にも芸術に親しんでいただきたいと考えている。

　なお、現在、芸術学部江古田校舎では再開発計画が進行中であり、芸術資料館も建替えとなるため、仮設の建物で運営されているが、平成22年度には新芸術資料館が開館する予定である。

東京都

【収蔵品・展示概要】

　収蔵資料は、写真、映画、美術、デザイン、音楽、演劇等にかかるものである。展示は、常設展ではなく、すべて企画展として年10回程度行われている。

　写真関係の資料では、オリジナルプリントの収集に力をいれており、年2回テーマを設定して展示している。また、かつて岩波映画製作所が収集した幕末から明治にかかる写真関係の雑誌、書籍、作品等のコレクションも収蔵されている。

　映画関係の資料では、映画フィルムが多く、日本の記録映画、日本・外国の劇映画、映画学科制作の作品、学生の制作作品等のほか、多数の映画のビデオ、映画のレーザーディスクを収蔵している。また、映画にかかる撮影、照明、現像、録音、編集、映写機材などの初期から現在にいたるまでの歴史的な機械的資料も多数保有している。

　美術・デザイン関係の資料では、油彩、水彩、素描などの絵画、版画および彫刻などの作品を保有している。展示は卒業制作展などを行っている。

　演劇関係の資料では、昭和20～30年代に行われていた三越歌舞伎で六代目尾上菊五郎などによって使用された歌舞伎衣裳が多数所蔵されているほか、大道具帳などがある。また、最近中国の京劇の衣裳や能・狂言の面を多数購入した。展示は、年1回演劇資料展として行われている。

【収蔵分野・総点数】

　写真関係の資料では、オリジナルプリントの収集を昭和47年から開始しており、現在日本人117作家1,816点、外国人151作家1,722点のオリジナルプリントを保有している。また、幕末明治期の写真1,448点も所蔵している。写真関係の資料は、長期保存用の材料で装丁、収納され、温度20度、相対湿度40％に保たれた収蔵室に保管されている。

　映画関係の資料では、映画フィルム約700点のほか、映画のビデオ、映画のレーザーディスク、映画にかかる歴史的な機械的資料、および映画雑誌や台本、スチル、ポスター、チラシ、パンフレットなどが約5万点収蔵されている。

　美術・デザイン関係の資料では、絵画、彫刻などの作品のほか、著名な外国人作家の制作による椅子のコレクションがあり、文献ではバウハウス叢書などを保有している。

　演劇関係の資料では、歌舞伎衣装が約2,000点のほか、270演目におよぶ大道具帳などや京劇の衣裳175点、能面44点、狂言面13点などがある。

【主な収蔵品 / コレクション】
〈写真関係の資料　オリジナルプリント〉
　外国人作家では、エドワード・スタイケン、エドワード・ウエストン、エメッド・ゴーウイン、アンセル・アダムス、ウジェーヌ・アジェ等の作品、日本人作家では、秋山庄太郎、大石芳野、金丸重嶺、篠山紀信、白川議員、土門拳、並河萬里、林忠彦、細江英公等の作品。他に幕末から明治にかかる写真関係の雑誌、書籍、作品など。
〈映画関係の資料〉
　映画フィルム、映画のビデオ、映画のレーザーディスク。歴史的資料としての撮影機材では、シネマトグラフのレプリカ、シンクレアー、パルボォ、アイモ、ミッチェルスタンダード、戦後映画機材輸入制限時代の日本製ミッチェル型カメラなど。映画雑誌では、日本で最初に創刊された映画雑誌『活動写真界』や『活動写真雑誌』など。他に台本、スチル、ポスター、チラシ、パンフレット類。
〈美術・デザイン関係の資料〉
　絵画、彫刻などの作品が中心であるが、中にはレンブラントのエッチングや美術学科の教授であった彫刻家柳原義達氏の作品も含まれているほか、スコットランド、アメリカ、スイス、オランダ、デンマーク、イタリア、フランスなどの作家の制作による椅子のコレクションがある。
〈演劇関係の資料〉
　藤娘・鷺娘・娘道成寺等の歌舞伎舞踊衣裳、覇王別姫・三国誌・白蛇伝等の京劇衣裳、京劇にかかる舞台セット、翁系・尉系・鬼神系・怨霊系・女面・男面などの能の面や狂言の面など。

【展示テーマ】
　エメッド・ゴーウイン　オリジナルプリント展／美術学科専任教員による作品展／演劇資料展―能・狂言の面（以上 2004 年度）／オリジナルプリント展―白黒ファインプリントの世界／公共広告機構 CM の変遷／演劇資料展―舞台美術作品展（以上 2005 年度）／オリジナルプリント展―白黒ファインプリントの世界／世界のポスター展／演劇資料展―メーテルリンク展／写真学科卒業生によるオリジナルプリント展（以上 2006 年度）　ほか

【刊行物】
　「日本大学芸術学部芸術資料館収蔵　能・狂言の面」「財団法人北野生涯教育振興会　日本大学彫刻奨学生の現在展」（以上 2004 年度）／「古賀宏一　舞台美術展〜妍麗なる劇空間の創造〜」（2005 年度）／「世界のポスター展

東京都

Part2」（2006 年度）／絵葉書（2002 年度～）

- **所在地**　〒176-8525　東京都練馬区旭丘 2-42-1
- **TEL**　03-5995-8315
- **FAX**　03-5995-8209
- **URL**　http://www.art.nihon-u.ac.jp/am/
- **交通**　1）西武池袋線　江古田駅北口下車　徒歩 3 分　2）都営地下鉄大江戸線新江古田駅下車　徒歩 13 分　3）東京メトロ有楽町線　小竹向原駅下車　徒歩 10 分
- **開館時間**　平日　9:30 ～ 16:30，土曜日　9:30 ～ 12:00
- **観覧所要時間**　45 分
- **入館料**　無料
- **休館日**　日曜日，祝祭日，大学の定める休日，休暇中
- **施設**　芸術資料館は，江古田校舎の展示室，展示準備室，事務室，研究室，視聴覚室，講座室，資料保管室などの施設からなっているが，所沢校舎には収蔵庫があり，総面積は 494.9 ㎡である。これらは前述のように現在一部仮設の建物となっているが，写真資料，映画資料，美術資料の収蔵室は保存・管理の関係から，それぞれの学科に併置されている。このため同じキャンパス内であるが，通常これらの資料は学科棟で保管されており，展示に使用する際は芸術資料館の展示室に運ばれることになる
- **利用条件**
  （1）利用を限定する場合の利用条件や資格　なし
  （2）調査研究目的で利用する場合の条件や資格　なし
- **メッセージ**　下記の休館日以外の大学の授業期間内は，何らかの芸術に関する企画展を常時行っております。企画展の予定は，芸術学部のホームページに掲載されておりますのでご覧下さい。場所は，練馬区の観光ポイント巡りマップなどにも掲載されておりますが，西武池袋線の江古田駅のすぐ近くです。入館料は無料ですので，一般の方もお気軽に大学にお出かけ下さり，芸術に親しんでいただければ幸いです
- **高齢者，身障者等への配慮**　段差有り
- **車イスの貸出**　なし
- **身障者用トイレ**　有り
- **無料ロッカー**　なし
- **駐車場**　なし
- **外国語のリーフレット，解説書**　なし
- **ミュージアムショップ / レストラン**　なし
- **今後 3 年間のリニューアル計画**　平成 22 年度　建替えによる新芸術資料館開館予定
- **設立年月日**　平成 5（1993）年 5 月 10 日
- **設置者**　学校法人　日本大学
- **館種**　私立大学，美術博物館　博物館相当施設

・**責任者**　館長・野田慶人（日本大学芸術学部長）
・**組織**　館長　1名、副館長（学芸員）1名、館員　4名、事務職員　2名

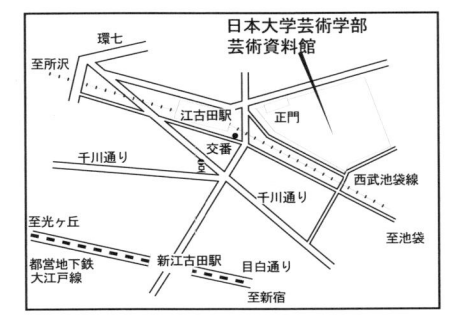

東京都

野上記念　法政大学能楽研究所

Hosei University Nogami Memorial Noh Theatre Research Institute

　野上記念法政大学能楽研究所は、斬新な視野から能楽研究に新分野を開拓し、「能研究と発見」などの著書によって知られる元法政大学総長野上豊一郎博士の学内外における功績を記念し、博士が文学部内に設けられた能楽研究室を拡充・独立させて、博士没後二年目の1952年（昭和27）4月創設された。

　能楽研究所の目的は、中世に生れた日本の古典芸能であると同時に現代に生きる演劇の一翼を担う能楽（能・狂言）の歴史的変遷を調査・研究するとともにその芸術性を解明し、蒐集した蔵書資料を公開して、能楽研究の発展と能楽の振興に寄与することにある。

　研究所の特色のひとつに、室町時代から現代に及ぶ古今東西の能楽資料の充実があげられる。研究所では、設立当初から、研究の基礎となる関係資料の整備と蔵書の充実に力を注ぐとともに、豊富な文献資料を公開して、能楽研究に、あるいは舞台活動に寄与してきた。近年、能楽は、国内はもとより国際的にも注目されており、能楽研究所は、能楽に関する、わが国唯一の総合的研究機関として、50年の歴史を踏まえつつ、これまで以上の活動を展開していきたいと考えている。

【収蔵品・展示概要】

　昭和29年4月までの蒐書約3000冊については、同年8月刊行の『蔵書目録附解題』に詳しく、そのなかには野上博士旧蔵で弥生子夫人から寄贈された安

東京都

土桃山期の「車屋謡本」100冊をはじめ、仙台伊達家旧蔵「伝観世小次郎信光謡本」100冊、「堀池謡本」74冊や最古の狂言本『天正狂言本』など、貴重書が少なくない。蔵書は年ごとに充実し、室町期写本、江戸期の写本・版本、明治期以降の活字本、雑誌、絵画、図録、外国語文献、その他、室町時代から現代におよぶ能楽関係資料が揃い、現在、蔵書数は約四万冊を数える。

また多くの方々の御芳志により図書・資料の寄贈を受け、研究教育に活用されている。

【主な収蔵品/コレクション】

鴻山文庫：江島伊兵衛氏旧蔵書。金春禅竹筆『明宿集』ほか室町から現代までの古今東西の能楽資料、約10000点。

般若窟文庫：宝山寺旧蔵金春家伝来文書の大半。金春禅鳳自筆謡本ほか、幕末までの能楽関係資料、約2000点。

観世新九郎文庫：服部康次氏蔵小鼓観世家文書。織田信長朱印状・豊臣秀吉書状ほか「四座役者目録」著着自筆本など能楽関係資料、約700点。

鷺流狂言水野文庫：鷺流狂言愛好家水野善次郎氏旧蔵鷺流伝書。約450点。

楠川文庫：能楽シテ方楠川正範氏旧蔵金剛流伝書。約60点。

三宅文庫：謡曲研究家三宅氏旧蔵書。謡曲関係資料・レコード・テープほか、約90点。

香西文庫：能楽研究家で研究所顧問香西精氏旧蔵図書。能楽関係図書及び研究ノート等、約150点。

野上文庫：下掛り宝生流の謡を嗜んだ野上豊一郎・弥生子氏旧蔵書。能楽関係資料（欧文文献をも含む）約200点。

古川文庫：東京女子大学教授ほかを歴任し、創設以来の所員（兼任）であった古川久氏旧蔵狂言関係図書。約150点。

【調査研究活動】

創立以来、全国各地の諸家諸機関に伝わる能楽資料の調査と写真撮影による蒐集を進めている。

【刊行物】

『能楽研究』（法政大学能楽研究所紀要）1974年創刊　既刊30号

・所在地　〒102-8160　東京都千代田区富士見2-17-1
・TEL　03-3264-9815

東京都

- FAX　03-3264-9607
- URL　http://www.hosei.ac.jp/fujimi/noken/
- 交通　JR中央線，地下鉄有楽町線，東西線，南北線市ケ谷駅または飯田橋駅下車ともに徒歩10分
- 開館時間　火・木　9:30〜20:00，金　9:30〜16:30（11:30〜12:30は昼休みにつき閉室）
- 入館料　無料
- 休館日　月・水・土・日曜日，祝日，その他能楽研究所が定めた日（法政大学入学試験期間など）
- 施設　専有床面積:421.50㎡，ボアソナードタワー（2000年3月竣工）の23階に位置する
- 利用条件
  （1）利用を限定する場合の利用条件や資格　事前に要連絡，初めての利用には紹介状（指導教授，研究者，公的機関など）が必要
  （2）調査研究目的で利用する場合の条件や資格　同上
- 車イスの貸出　なし
- 身障者用トイレ　なし
- 無料ロッカー　有り
- 駐車場　なし
- 外国語のリーフレット・解説書　有り
- ミュージアムショップ/レストラン　なし
- 今後3年間のリニューアル計画　なし
- 設立年月日　昭和27（1952）年4月
- 設置者　学校法人　法政大学
- 館種　私立大学，能楽
- 責任者　所長・西野春雄（教授）
- 組織　所長1，専任所員1，事務1，嘱託事務1，臨時職員2以上6名

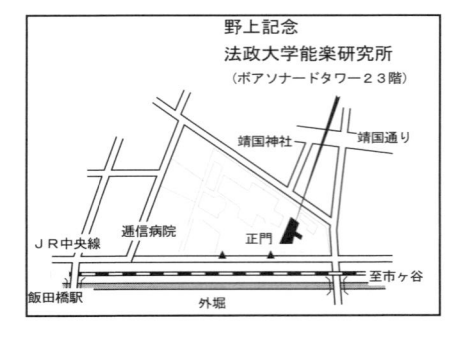

東京都

文化学園服飾博物館

Bunka Gakuen Costume Museum

"服飾を中心に世界の諸文化を理解し、自らの文化への認識を深める"

　学校法人文化学園の母体は1923年に創立され、今日、文化服装学院と文化女子大学へと発展し、わが国の服装教育の中心的存在として、服飾界に多くの人材を送り出してきた。

　すぐれた実物資料による教育・研究をめざし服飾の専門博物館を設置することは学園の創設当初より構想され、以来資料の収集を積極的に進め、1979年に文化学園服飾博物館は開館した。2003年には学園創立80周年を記念し、甲州街道沿いに新博物館が完成した。

　また2002年には、経済産業省の「高感性ファッション産業創成支援基盤整備事業」の一環としての支援を受け、収蔵品のデジタル化を進め、インターネットを通じて約2000件の収蔵品データベースを公開している。

【収蔵品・展示概要】
〈収蔵品〉
　古今東西の服飾資料を中心に関連の資料も含めて収集する。
〈展示〉
　所蔵品の性質上、常設展示は行わず年4回展示替えを行う。それぞれテーマを設け、館蔵品の中から展示する。

【収蔵分野・総点数】
〈日本〉
　小袖、能装束、近代の宮廷衣装、庶民の服飾、袋物・髪飾りなどの装身具、

東京都

正倉院裂・名物裂などの古裂類、調度類。
〈西洋〉
18世紀から20世紀の各時代の典型的スタイルのドレス、オートクチュールのデザイナーの作品、東欧の民族衣装、帽子、靴、バッグなど、時代裂、アール・ヌーヴォーのガラス器。
〈アジア、その他の地域〉
中国、韓国、インドネシア、インド、中近東、アフリカ、中南米の民族衣装や染織品など。
総点数は3部門合計で約2万点

【主な収蔵品/コレクション】
日本：三井家旧蔵の小袖、井伊家旧蔵の能装束、近代の宮廷衣装など。
西洋：18世紀から20世紀の各時代の典型的スタイルのドレス、オートクチュールのデザイナーの作品。
アジア、その他の地域：中国、韓国、インドネシア、インド、中近東、アフリカ、中南米の民族衣装や染織品など。
〈小川コレクション〉
小川安朗・文化女子大学教授の民族衣装コレクション
〈カワールコレクション〉
パレスチナの民族衣装の収集・研究家、カワール氏のコレクション
〈松島コレクション〉
インドやアフガニスタンなどの染織収集家、松島きよえ氏のコレクション

【展示テーマ】
「花の表現―服飾・染織にみる花文様」「イスラム世界の服飾文化」（以上2004年度）／「ドレスのかたち　立体⇔平面　1770-1960」「世界の絞り」「館蔵名品展　日本服飾の美」「一枚の布―まとう・つつむ」（以上2005年度）／「異国趣味―ヨーロピアン・ファッションにみるエキゾチシズム」「夏のきもの　江戸時代～昭和時代」「男のおしゃれ―世界の男性衣装に見る美意識」「動物からの恵み―服飾のなかの動物素材」（2006年度）　ほか

【教育活動】
講演会「イスラム女性の過去・現在・未来―トルコを中心として」／講演会「イスラムの美術と服飾」（以上2004年度）／講演会「オートクチュールのカッティング」／レクチャー「絞りの技法」（以上2005年度）／講座「夏のきもの

の着こなし」／シンポジウム「メンズウエアのクリエイションとテクニック」（以上 2006 年度）

【刊行物】
『世界の伝統服飾』『日本服飾の美』『三井家のきもの』『西アジア・中央アジアの民族衣装』『ヨーロピアン・ファッション』『文化学園服飾博物館だより』

- 所在地　〒151-8529　東京都渋谷区代々木 3-22-7　新宿文化クイントビル
- TEL　03-3299-2387
- FAX　03-3299-2602
- URL　http://www.bunka.ac.jp/museum/hakubutsu.htm
- 交通　1）JR・京王線・小田急線　新宿駅（南口）より　徒歩 7 分　2）都営地下鉄新宿線・大江戸線　新宿駅（新都心出口 6）より　徒歩 4 分　3）都営バス　新宿駅西口 22 番のりば（京王百貨店前）宿 75 出入系統　新宿車庫行き　文化服装学院前下車（乗車時間約 3 分）　徒歩 0 分
- 開館時間　10:00 〜 16:30　＊各展示期間中 2 回、金曜日は 19:00 まで
- 観覧所要時間　約 60 分
- 入館料　一般:500 円、大学・専門学校・高校生:300 円、小・中学生:200 円
- 休館日　日曜日、祝日、振替休日、年末年始、夏期休暇、展示替の期間
- 施設　地上 23 階，地下 3 階建ての新宿文化クイントビルの地上 1・2 階（部分）にあり、延べ床面積は 1,680 ㎡。展示室の他、収蔵庫、学芸室など
- 利用条件
  （1）利用を限定する場合の利用条件や資格　20 名を超える団体見学の場合は事前予約が好ましい。展示解説を希望の団体は事前に要相談出版、テレビ放映等の営利目的での資料利用は有料
  （2）調査研究目的で利用する場合の条件や資格　学外者への調査研究のための特別観覧は原則行っていない
- メッセージ　展示会の内容、開催日時等はホームページにて公表している他、新聞、雑誌等に紹介されることも多い。電話での問い合わせも可。各展示会期中 2 回、学芸員によるギャラリートークを行う。2 階ロビーで所蔵資料 6,000件、30,000 点余りの画像を公開（要事前連絡）大型バスでの団体見学可能。（要事前連絡）
- 高齢者，身障者等への配慮　段差有り（EV あり）
- 車イスの貸出　有り
- 身障者用トイレ　有り（ビル内）
- 無料ロッカー　有り
- 駐車場　有り（有料）
- 外国語のリーフレット，解説書　有り
- ミュージアムショップ／レストラン　受付窓口にて各種図録、絵はがきなど販売。新宿文化クイントビル内に飲食店舗あり

東京都

- 今後3年間のリニューアル計画
  なし
- 設立年月日　昭和54（1979）年11月
- 設置者　学校法人　文化学園
- 館種　私立大学，歴史
- 責任者　館長・大沼淳（学校法人文化学園理事長）
- 組織　館長1、学芸室長1、学芸員5（うち2名は教職と兼任）、事務員1、非常勤職員3

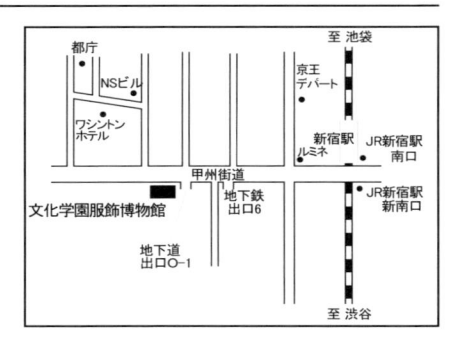

東京都

武蔵野音楽大学江古田キャンパス 楽器博物館

Museum of Musical Instruments
Musashino Academia Musicae

　本学では、教職員・学生の教育・研究のために、昭和28年から楽器資料を収集し、楽器陳列室で展示・保管してきたが、昭和42年、邦楽器研究家である故・水野佐平氏から貴重な邦楽器コレクションが寄贈されたことを機会に、この陳列室を改組し、武蔵野音楽大学楽器博物館として開館した。さらに、昭和53年には入間キャンパスにも楽器博物館が、平成5年にはパルナソス多摩に楽器展示室が開設されて現在に至っている。
　平成18年には、江古田キャンパス楽器博物館とパルナソス多摩楽器展示室が、「博物館相当施設」として東京都より指定を受けた。

【収蔵品・展示概要】
　所蔵資料は、楽器、楽器附属品、装置・器具類、その他の音楽関係資料の4部門に分類されている。楽器部門には数々の名器や希少な歴史資料と世界各地の民族楽器が、楽器附属品部門にはヴァイオリンやチェロの各弓コレクションが、装置・器具類にはエジソンの蝋管機や歴史的オルゴールが、音楽関係資料には楽器演奏人形や図像資料がそれぞれ含まれ、その総数は優に5,000点を超え、わが国最大の楽器博物館として内外に高い評価を得ている。
　さまざまな資料が、地域別に分類、展示されている江古田キャンパス楽器博物館では、ヨーロッパの鍵盤楽器、管弦楽器の名器をはじめ、世界各国の伝統楽器、民族楽器など約3000点を見ることが出来る。

東京都

【収蔵分野・総点数】
　歴史資料　約3700点（江古田キャンパス楽器博物館）

【主な収蔵品／コレクション】
　ナポレオン帽子型ピアノ、グランドピアノ（クララ・シューマン愛用）、ヴァイオリン銘器コレクション、木管楽器コレクション、世界各地の民族楽器

【刊行物】
　武蔵野音楽大学楽器博物館写真集「KALEIDOSCOPEII」／絵葉書集 IV ／絵葉書6種

- 所在地　〒176-8521　東京都練馬区羽沢1-13-1
- TEL　03-3992-1410
- FAX　03-3991-7599（代表）
- URL　http://www.musashino-music.ac.jp/
- 交通　1)西武池袋線「江古田駅」北口下車　徒歩5分　2)西武有楽町線「新桜台駅」下車4番出口　徒歩5分
- 開館時間　毎週月曜日〜金曜日　10:00〜16:00
- 入館料　無料
- 休館日　土・日曜日，祝日，学園休暇中
- 高齢者，身障者等への配慮　段差有り
- 車イスの貸出　なし
- 身障者用トイレ　有り（学内）
- 無料ロッカー　なし
- 駐車場　なし
- 外国語のリーフレット，解説書　なし
- 今後3年間のリニューアル計画　なし
- 設立年月日　昭和42（1967）年
- 設置者　学校法人　武蔵野音楽学園
- 館種　私立大学，歴史
- 責任者　館長・福井直昭（教授）

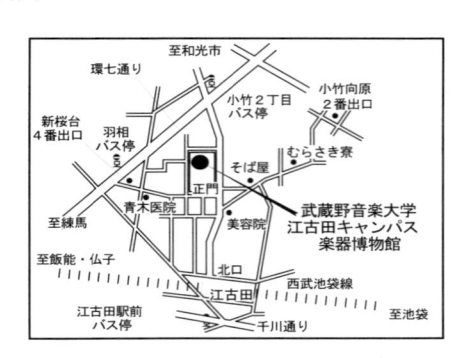

武蔵野音楽大学パルナソス多摩 楽器展示室

Museum of Musical Instruments
Musashino Academia Musicae

　本学では、教職員・学生の教育・研究のために、昭和28年から楽器資料を収集し、楽器陳列室で展示・保管してきたが、昭和42年、邦楽器研究家である故・水野佐平氏から貴重な邦楽器コレクションが寄贈されたことを機会に、この陳列室を改組し、武蔵野音楽大学楽器博物館として開館した。さらに、昭和53年には入間キャンパスにも楽器博物館が、平成5年にはパルナソス多摩に楽器展示室が開設されて現在に至っている。
　平成18年には、江古田キャンパス楽器博物館とパルナソス多摩楽器展示室が、「博物館相当施設」として東京都より指定を受けた。

【収蔵品・展示概要】
　所蔵資料は、楽器、楽器附属品、装置・器具類、その他の音楽関係資料の4部門に分類されている。楽器部門には数々の名器や希少な歴史資料と世界各地の民族楽器が、楽器附属品部門にはヴァイオリンやチェロの各弓コレクションが、装置・器具類にはエジソンの蝋管機や歴史的オルゴールが、音楽関係資料には楽器演奏人形や図像資料がそれぞれ含まれ、その総数は優に5,000点を超え、わが国最大の楽器博物館として内外に高い評価を得ている。
　パルナソス多摩楽器展示室では、テーマに基づく系統的展示を、半年毎に企画展として公開している。

東京都

【収蔵分野・総点数】
歴史資料　約 200 点（パルナソス多摩楽器展示室）

【主な収蔵品 / コレクション】
西洋管弦楽器の銘器、木管楽器セット、グランドピアノ（プレイエル製）

【展示テーマ】
「楽器の素材」「打楽器」「東アジアの楽器」「弦楽器」「邦楽器」

【刊行物】
武蔵野音楽大学楽器博物館写真集「KALEIDOSCOPEⅡ」／絵葉書集Ⅳ／絵葉書 6 種

- 所在地　〒206-0033　東京都多摩市落合 5-7-1
- TEL　042-389-0711
- FAX　042-389-3671
- URL　http://www.musashino-music.ac.jp/
- 交通　京王相模原線・小田急多摩線・多摩モノレール「多摩センター駅」下車　徒歩 15 ～ 20 分
- 開館時間　毎週月曜日～金曜日　10:00 ～ 16:00
- 入館料　無料
- 休館日　土・日曜日，祝日，学園休暇中
- 高齢者，身障者等への配慮　段差有り
- 車イスの貸出　なし
- 身障者用トイレ　有り
- 無料ロッカー　なし
- 駐車場　なし
- 外国語のリーフレット，解説書　なし
- 今後 3 年間のリニューアル計画　なし
- 設立年月日　平成 5（1993）年
- 設置者　学校法人　武蔵野音楽学園
- 館種　私立大学，歴史
- 責任者　館長・福井直昭（教授）

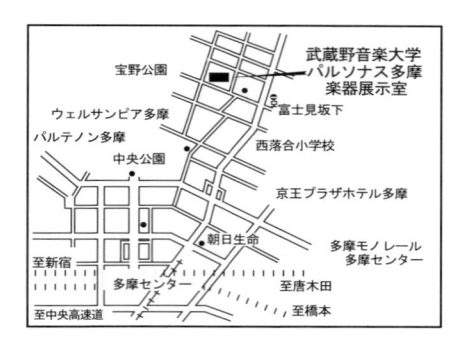

東京都

武蔵野美術大学美術資料図書館

Musashino Art University Museum & Library

　美術資料図書館は、美術・デザインを中心とする造形分野の総合専門大学である武蔵野美術大学の、情報資料センターとしての役割を担うものとして、1966年（昭和41）、従来の付属図書館を改組転換する形で出発した。武蔵野美術大学は、その前身となる1929年（昭和4）創立の帝国美術学校から展開した造形美術学園・武蔵野美術学校時代を経て、1962年（昭和37）10月、大学として発足し、その際、図書館の充実と美術館・博物館施設の建設は必須のものと考えられていた。しかし、当時の大学の規模と経済状態は、それぞれを独立のものとして設立するだけの余裕はなく、図書館と美術館・博物館を一体の施設として造り、運営することになった。ただし、このような一体性を重視したより大きな理由は、当時の大学運営にあたる人々の、美術館・博物館はかくあるべきだという強い理念にもとづくものであった、と言ってよかろう。

　造形専門大学として、造形実技に中心を置く分野を多く持つ武蔵野美術大学にとって、その教育・研究を支える施設として、美術・デザインの作品を集め、利用することのできる資料館、つまり美術館・博物館は不可欠のものであり、より完全なものが望ましいという気持ちは誰もが持っていた。長い歴史を持つ欧米の美術館・博物館には充実した図書館と研究施設を持っているものが多かったし、また美術館機能を併せもつ図書館も少なくなかった。そうした事例を念頭に置いて、美術資料図書館は構想され、出発したのである。それは、新しい図書館・博物館のあり方を模索する試みの出発でもあった。

東京都

【収蔵品・展示概要】
　本学の教育研究にかかわる学内ニーズに対応するべく資料収集がおこなわれており、1.絵画、版画、彫刻、2.グラフィックデザイン、3.プロダクトデザイン、4.美術工芸品、5.民芸品、6.民俗・民族資料の6つが収集の柱になっている。
　実物に接する機会をより多く提供するために、収蔵品を中心とした企画展示を年間10回程度開催している。常設展示として内外の椅子、約300脚からなる「近代椅子コレクション」がショーウインドウ形式の作品庫に収蔵展示されている。また、常設展示スペースでは近・現代デザイン資料（ID製品、工芸品、椅子、玩具、ポスターなど）のスタディ・コレクションを多角的に展示している。

【収蔵分野・総点数】
　美術（日本画、油彩画、素描、版画、彫刻）が約2000点。
　デザイン（ポスター、椅子、家具、工業製品、工芸・クラフト製品、玩具）が約21000点。
　日本東洋陶磁330点。
　民俗（別棟「民俗資料室」に陶磁器、竹細工、布、木器、郷土玩具、信仰資料など9万点）。

【主な収蔵品/コレクション】
　本学に関係した元教員・名誉教授の作品（日本画、油彩画、彫刻など）が150点。
〈柳瀬正夢コレクション〉
　昭和前期に前衛美術の旗手として活躍した柳瀬正夢の遺族から寄贈された油彩、パステル、水彩、素描、挿絵、ポスターなど約1100点。
〈近代椅子コレクション〉
　モダンデザインの展開を椅子の側面からたどるスタディ・コレクション、約300脚。
〈ポスターコレクション〉
　美術史、デザイン史、表現史、印刷史などの学内教育研究資料として構築してきたが、現在では美術館をはじめ学外にも貸出している、約2万点。
〈日本東洋陶磁コレクション〉
　縄文・弥生土器、古窯、近世陶、民窯など日本陶磁史の概略を示すほか、中国・朝鮮陶磁器も含む約330点。
〈三林亮太郎舞台装置図コレクション〉
〈絵本コレクション〉
　欧米・日本の絵本、約5000冊は図書資料担当課によって管理されている。

【展示テーマ】
　「衣服の領域―概念としての衣服」(2004年度)／「デザイン国際化時代のパイオニア―川上元美・喜多俊之・梅田正徳」「那須勝哉日本画展」(以上2005年度)／「見ること／描くことの持続―後期モダニズムの美術」「御用絵師の仕事と紀伊狩野家」「ホルガー・マチスポスター展」「レ・メートル・ド・ラフィッシュポスター芸術の巨匠たち」(以上2006年度)　ほか

【教育活動】
　「齋藤素巖と構造社―「戦争」―公共彫刻の世代（シンポジウム）」(2005年度)／「美術と政治・社会の境を巡って（講演）」「狩野家絵師の多様な仕事（シンポジウム）」(以上2006年度)

【調査研究活動】
　パリの美術館・図書館現地調査（2006年度）

【刊行物】
　『御用絵師の仕事と紀伊狩野家』『ホルガー・マチスポスター展』『黙示―新正卓展』『スペースピクトグラムの試論』『韓国・ドイツ・日本学生絵本展』『デザイン国際化時代のパイオニア―川上元美・喜多俊之・梅田正徳』『那須勝哉日本画展』　ほか

- 所在地　〒187-8505　東京都小平市小川町1-736
- TEL　042-342-6003
- FAX　042-342-6451
- URL　http://www.musabi.ac.jp
- 交通　1）JR中央線国分寺乗換え、西武国分寺線『鷹の台』下車徒歩約20分
　　　2）JR中央線国分寺駅北口下車徒歩3分、西武バス国分寺駅北入口発『武蔵野美術大学』または『小平営業所』行、武蔵野美術大学下車
- 開館時間　美術館10:00～18:00（月～金），10:00～17:00（土）
- 観覧所要時間　30分
- 入館料　無料
- 休館日　日曜日，祝日，大学が定める休業日（2月1日～3月31日）
- 施設　鉄筋コンクリート3階建（一部鉄骨構造）、総床面積約6,000㎡の建物。中央に3階まで吹抜けの彫刻（石膏像）展示スペース（432㎡）があり、その両側（南北）に図書館機能と美術館機能に応じた各種スペースが配置され、斜廊によって各階が連絡されている。また、建物の裏側（西）には書庫と作品庫が配置されている。美術館機能についていえば、展示スペースとして1

東京都

　　階企画展示室(378 ㎡)と 2 階企画展示室(126 ㎡)および常設展示スペース(161 ㎡)があり，収蔵スペースとして 4 つの作品庫(840 ㎡)がある。
- 利用条件
　(1) 利用を限定する場合の利用条件や資格　出版などへの作品の写真掲載依頼には検討のうえ有償で応ずる
　(2) 調査研究目的で利用する場合の条件や資格　館長が特別に許可した者
- メッセージ　どの展覧会も入場無料
- **高齢者，身障者等への配慮**　段差有り
- **車イスの貸出**　なし
- **身障者用トイレ**　なし
- **無料ロッカー**　なし
- **駐車場**　なし
- **外国語のリーフレット，解説書**　なし
- **ミュージアムショップ／レストラン**　なし
- **今後 3 年間のリニューアル計画**　有り
- **設立年月日**　昭和 42(1967)年 4 月 1 日
- **設置者**　武蔵野美術大学
- **館種**　私立大学，美術・デザイン
- **責任者**　館長・神野善治（造形学部教授）
- **組織**　図書館を担当する図書資料担当課と美術館を担当する美術資料担当課で構成されている。美術館は 8 名（館長 1、美術資料担当課長 1、美術資料担当職員 4、専任嘱託 1、非常勤 1）。展示企画には教員が関与している

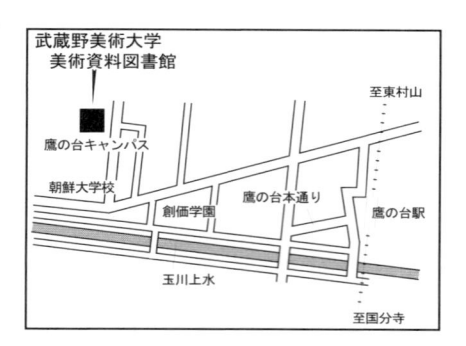

明治大学博物館

Meiji University Museum

"建学の理念「権利自由　独立自治」の高揚に資する考古、刑事、伝統工芸の個性的展示"

　明治大学は、早くから博物館教育事業を展開し、刑事博物館（1929年創設）、商品陳列館（1951年創設、2002年博物館に改称）、考古学陳列館（1952年創設、1985年博物館に改称）が設置され、さまざまな学術資源の集積と公開に努めてきた。

　3つの博物館は、半世紀以上にわたり刑事関係資料や古文書、伝統的工芸品、考古資料や文化財調査報告書などの文献を収集保存し、独自の資料所蔵体系を構築するとともに、国内有数のコレクションを展示して学術研究や教育文化の向上、出版報道の利用に供してきた。キャンパスの再開発が構想され、生涯教育向け校舎の新築が計画される中で、新教育棟への移転を契機に、従来懸案とされていた3博物館の統合が実現した。

　2004年4月1日、生涯教育の拠点となるアカデミーコモンがオープンし、地階に私学では初のユニバーシティ・ミュージアムとして明治大学博物館が開館し、最先端の施設設備のもとで考古、刑事、商品の3つの部門展示、特別展や公開講座など充実した博物館事業が展開されている。

　1988年に私学としては初めて博物館友の会が結成され、自主運営で活発な生涯学習活動を継続するとともに、ボランティア有志が展示解説、図書室管理、特別展受付を務めて利用者へのサービス向上に協力してくれている。

　本大学は、1984年以来長野県小県郡長和町にある鷹山黒耀石原産地遺跡群の調査研究を継続しており、2001年4月に黒耀石研究センターを開設した。

東京都

【収蔵品・展示概要】
　常設展示は、考古、刑事、商品の3つの部門展示がある。
〈考古部門〉―人類と歴史―
　本大学は、1950年に文学部考古学専攻が設置されて以降、旧石器時代から古墳時代にいたる各時代の遺跡を全国的に発掘調査してきた。それらの中には、出土資料が重要文化財に指定された栃木県出流原遺跡、群馬県岩宿遺跡、埼玉県砂川遺跡、神奈川県夏島貝塚などが含まれている。
〈刑事部門〉―法と人　罪と罰―
　建学の理念「権利自由」にもとづき、古代から近代に至る歴史的な法令、江戸の庶民に法令を伝達した高札、捕物道具、日本や外国の拷問・刑罰具など人権抑圧の歴史を物語る刑事関係資料を展示している。とくに断頭台ギロチン、中世ドイツの拷問・処刑具ニュルンベルクの鉄の処女は、わが国唯一の展示資料である。
〈商品部門〉―さまざまな伝統的デザイン―
　昭和30（1955）年代以降の高度経済成長期に機械工業製品が躍進する一方、従来の伝統工芸の衰退を契機として、漆器、染織品、陶磁器などの収集・展示を開始した。商品の原材料、部品、製造技法、製造工程、意匠の種別などを紹介し、伝統工芸の全体像を概観できるよう展示されている。

【収蔵分野・総点数】
〈考古部門〉
　旧石器時代、縄文時代、弥生時代、古墳時代の考古資料、世界各地の旧石器時代資料　黒耀石研究に関する学術資料　中国鏡などの東アジア考古関係資料　化石人骨標本など
〈刑事部門〉
　江戸時代の古文書、捕物道具、拷問・処刑具など刑事関係資料　古代から近代に至る法制史料　高札　近世・近代の歴史的事件に関する絵画資料　絵図・古地図・法史学関連資料など
〈商品部門〉
　原材料標本、貿易商品、一般商品、地方特産品、伝統的工芸品など
　総点数は、3部門合計で約40万点にのぼる。

【主な収蔵品／コレクション】
〈考古部門〉
　国指定重要文化財　栃木県出流原遺跡・群馬県岩宿遺跡・埼玉県砂川遺跡・

神奈川県夏島貝塚の各出土資料　茂呂遺跡(旧石器時代)、雨滝遺跡(縄文時代)、板付遺跡（弥生時代）、五領遺跡（古墳時代）などの各出土資料
〈刑事部門〉
　ギロチン　ニュルンベルクの鉄の処女など日本や諸外国の拷問・刑罰具　古代から近代に至る日本史上著名な法制史料　高札コレクション　名和弓雄捕物道具コレクション　日向国延岡藩内藤家文書　東北から九州にいたる各地の地方文書　絵図　錦絵など
〈商品部門〉
　陶磁器　漆器　竹木工品　染織品　ガラス製品　金工品　和紙　文具　郷土玩具など

【展示テーマ】
　特別展「韓国スヤンゲ遺跡と日本の旧石器時代」（2004年度）／特別展「江戸時代の大名—日向国延岡藩内藤家文書の世界—」（2005年度）／特別展「掘り出された〈子ども〉の歴史—石器時代から江戸時代まで—」／主催展「2005年度新収蔵資料展」／共催展「レオナルドのもう一つの遺産」／明治大学コレクション展「赤津焼—七釉の景色—」（以上2006年度）　ほか

【教育活動】
　「国際学術会議 SUYANGGAE and Her Neighbours」（2004年度）／特別講演会「好太王碑を巡る論争—水谷拓本と新発見の墨本—」（2005年度）／「寺子屋講座　内藤家文書の世界を探訪する—史料が語る歴史・法・社会3」／アウトリーチ活動「読んで・見て・触れる延岡の歴史」／文部科学省委託事業「明治大学博物館　地域子ども教室」（以上2006年度）　ほか

【調査研究活動】
　日本・外国のユニバーシティ・ミュージアムの動向調査（2004年度）／内藤家文書近代史料の整理（2005年度）／明治大学黒耀石研究センター拠点研究の実施／内藤家文書近代史料の調査／『内藤家文書目録』再刊のための文書調査・目録刊行／高札の調査・整理・目録刊行（以上2006年度）　ほか

【刊行物】
　『明治大学博物館研究報告』『明治大学博物館年報』『内藤家文書　増補・追加目録』『明治大学博物館資料』『明治大学博物館ガイドブック』『明治大学博物館広報誌　ミュージアム・アイズ』『黒耀石文化研究』『韓国スヤンゲ遺跡と

東京都

『日本の旧石器時代』『江戸時代の大名―日向国延岡藩内藤家文書の世界―』『掘り出された〈子ども〉の歴史―石器時代から江戸時代まで―』

- 所在地　〒101-8301　東京都千代田区神田駿河台1-1　明治大学アカデミーコモン内
- TEL　03-3296-4448
- FAX　03-3296-4365
- URL　http://www.meiji.ac.jp/museum/
- 交通　1）JR御茶ノ水駅下車徒歩3分　2）東京メトロ御茶ノ水駅・新御茶ノ水駅下車徒歩5分　3）都営新宿線・三田線神保町駅下車徒歩10分
- 開館時間　博物館 10:00～16:30／黒耀石研究センター 9:00～17:00
- 観覧所要時間　博物館 120分／黒耀石研究センター 30分
- 入館料　博物館　常設展は無料　特別展は有料の場合あり／黒耀石研究センター　無料
- 休館日　博物館　8月10日～16日，12月26日～1月7日，その他大学の定める休業日／黒耀石研究センター　土・日曜日，祝日，8月10日～16日，12月26日～1月7日，その他大学が定める休業日
- 施設　地上11階地下2階建てのアカデミーコモン（延べ床面積25,803㎡）の地下1・2階にあり，博物館の専有延べ面積は2,593㎡。展示部門（880㎡）の他，図書室，視聴覚教室，体験学習室，会議室，古文書整理室，考古・民俗資料整理室，特別収蔵室，考古・民俗資料収蔵室，古文書収蔵室，写真保管室など。また長野県小県郡長和町にある分館の黒耀石研究センターは地上2階建て，エントランスホール，収蔵室，整理分析室，洗浄分類室，図書閲覧室，図書収蔵室，会議室，事務室など
- 利用条件
    （1）利用を限定する場合の利用条件や資格　出版・テレビ放映等の営利目的での資料利用は有料。団体見学で展示解説の希望者は，見学日の7日前までに要連絡
    （2）調査研究目的で利用する場合の条件や資格　古文書等の収蔵資料の閲覧は，予約制。資料の調査研究成果を公表する場合，要事前連絡
- メッセージ　図書室は開架式で，文化財調査報告書，考古学・歴史学系図書，地方史誌，展覧会図録，辞典類など約7万冊を備え，万人が利用可（日・祝日は閉室）。火・木・金曜の開館中，友の会ボランティアによる展示解説が受けられる。地下2階に，大型バス，身障者用の駐車スペースがある（要事前連絡）。博物館は，交通便利な都心に立地し，最寄り駅から近く，周辺には神保町古書店街，カザルスホール，ニコライ堂，湯島聖堂，神田明神などがある
- 高齢者，身障者等への配慮　バリアフリー
- 車イスの貸出　有り
- 身障者用トイレ　有り
- 無料ロッカー　有り

- ・**駐車場** 有り（有料）
- ・**外国語のリーフレット，解説書** 有り
- ・**ミュージアムショップ / レストラン** 刊行物やオリジナル・グッズの展示、イベントの告知、来館者のご意見の掲示、友の会や交流機関の情報提供のスペースとして、ミュージアムショップ「エム・ツー」がある。1階にカフェレストラン「パンセ」があり、食事やパーティーに利用可
- ・**今後3年間のリニューアル計画** なし
- ・**設立年月日** 昭和4（1929）年4月
- ・**設置者** 明治大学
- ・**館種** 私立大学，歴史
- ・**責任者** 館長・杉原重夫（文学部教授）
- ・**組織** 15名（館長1、副館長1、事務長1、事務長補佐1、学芸員4、非常勤職員6、特別嘱託職員1）。経営企画には、教職員や学外有識者で構成された博物館協議会や各種の委員会が関与している

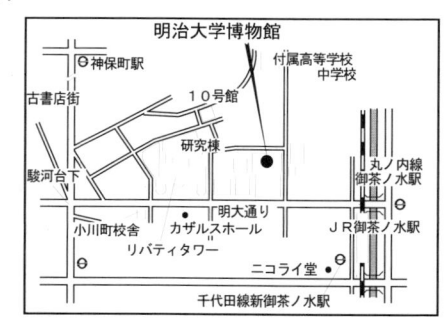

東京都

早稲田大学會津八一記念博物館

Aizu Museum, Waseda University

　平成10年5月15日開館。書家・歌人・美術史家で知られる會津八一を記念して開館した総合博物館。展示は東洋美術、近現代美術、考古資料など、本学に蓄積した学術資料が中心。
　博物館のある2号館は今井兼次の設計により、大正14年に図書館として建てられた学内最古の建物で、ヴォールト型天井、正面玄関の円柱など建物自体が貴重な文化財である。

【収蔵品・展示概要】
　常設展示室には常時200〜300点のさまざまな早稲田大学の文化財を展示している。會津八一コレクション、會津八一の書をはじめとして、日本近現代美術作品、考古資料、アイヌ民族の文化資料及び富岡重憲コレクション等を展示替えしながら、広く多くの方々に公開するとともに、学内外へと情報を発信している。また、年に数回の企画展を開催している。

【収蔵分野・総点数】
　古美術資料　2150点、近代美術資料　1400点、考古学資料　5000点、歴史資料　3500点、図書及写真資料　6500点

【主な収蔵品／コレクション】
　會津八一コレクション、會津八一の書、日本近代美術、アイヌ民族文化財の土佐林コレクション、関東・東北の考古遺物、旧富岡美術館（近世禅書画、東

洋陶磁）他の寄贈資料等

【展示テーマ】
　富岡重徳コレクションの近代美術―絵画・書・工芸・印章―／沖縄の壺体國吉清尚展／西川寧への手紙―會津八一西川寧往復書簡―／下野谷遺跡展―縄文の遺物を中心に―（以上 2006 年）

【教育活動】
　〈シンポジウム〉　東国古墳と 6 世紀の東アジア／法隆寺再建非再建論争百周年記念シンポジウム（以上 2005 年）／記憶と歴史―日本における過去の視覚化をめぐって（2006 年）

【調査研究活動】
　文部科学省高度化推進事業「オープンリサーチ整備事業」の採択により、「日本文化の源流に関する共同研究」

【刊行物】
　早稲田大学會津八一記念博物館研究紀要（2004,2005,2006 年）／下野谷遺跡展図録／西川寧への手紙／沖縄の壺体國吉清尚展／勝家伝来文書（以上 2006 年）

- ・所在地　〒 169-8050　東京都新宿区西早稲田 1-6-1　早稲田大学 2 号館
- ・TEL　03-5286-3835
- ・FAX　03-5286-1812
- ・URL　http://www.waseda.jp/aizu/index-j.html
- ・E-mail　aizu@list.waseda.jp
- ・交通　1）東京メトロ東西線早稲田駅徒歩 5 分　2）JR 高田馬場駅から都バス（学バス）早大正門行き終点下車徒歩 1 分　3）都電荒川線早稲田駅徒歩 5 分
- ・開館時間　10:00 〜 17:00
- ・観覧所要時間　約 60 分
- ・入館料　無料
- ・休館日　日曜日，祝日，8 月全日，夏季休業期間中の土曜日，大学創立記念日（10 月 21 日），冬季休業期間，年末年始，入試期間
- ・施設　延床面積　1980 ㎡　早稲田大学 2 号館内
- ・利用条件
　　（1）利用を限定する場合の利用条件や資格　出版等営利目的の資料利用については有料

東京都

　(2) 調査研究目的で利用する場合の条件や資格　特に定めてはいないが、事前に所定の用紙に記入の上提出
- メッセージ　収蔵資料データベース検索用PC2台設置。早稲田大学西早稲田キャンパス内にあり、当博物館見学に併せて、大隈講堂をはじめとする歴史的建造物の見学、また、キャンパス内のツアーもおすすめできる
- 高齢者，身障者等への配慮　バリアフリー
- 車イスの貸出　有り
- 身障者用トイレ　なし
- 無料ロッカー　なし
- 駐車場　なし
- 外国語のリーフレット，解説書　有り
- ミュージアムショップ/レストラン　刊行物（図録、紀要）、ハガキ　販売
- 今後3年間のリニューアル計画　なし
- 設立年月日　平成10（1998）年5月
- 設置者　学校法人　早稲田大学
- 館種　私立大学，総合
- 責任者　館長・大橋一章（文学学術院教授）
- 組織　13名（館長1、特任教授1、助手〔学芸員資格有〕3、事務長1、専任職員1、派遣社員6）運営については選出された協議員によって構成される会議体によって決定される。協議員は大学の教授

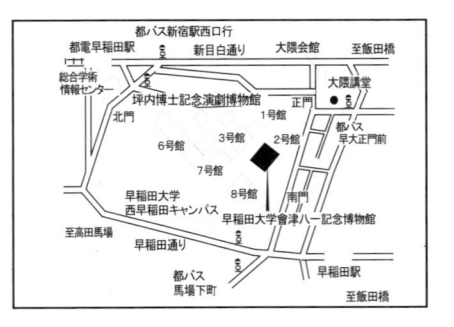

東京都

早稲田大学坪内博士記念演劇博物館

The Tsubouchi Memorial Theatre Museum

　早稲田大学演劇博物館は、1928（昭和3）年10月、坪内逍遙博士が古稀の齢（70歳）に達し、その半生を傾倒した「シェークスピヤ全集」全40巻の翻訳が完成したことを記念して、各界有志の協賛により設立された。以来、日本国内はもとより、世界各地の演劇・映像の貴重な資料を収集し現在に至っている。錦絵46,000枚、舞台写真200,000枚、図書150,000冊、その他衣装・人形などの演劇関係資料52,000点をあわせて、数十万点にもおよぶ膨大なコレクションは、およそ80年間培われた"演劇の歴史"そのものであり、演劇・映画のみならず、文学・歴史・服飾・建築・風俗など、多岐にわたる資料の宝庫である。一般公開していることにより学外のファンも多く、通称"エンパク"として広く親しまれている。

　活動としては、常設展示のほか平均して年8〜10本の企画展を開催し、それに付随して関連講座やワークショップを行い、展示への理解を深めていただくようにしている。さらに1998（平成10）年に建物のリニューアルを行った際、ボランティア有志による展示解説を導入、毎週金曜と土曜の午後に実施している。定期刊行物としては年2回の「演劇博物館報」と、年1回の紀要「演劇研究」を刊行。展示図録や収蔵資料の目録なども随時発行している。その他、資料閲覧、他館への展覧会出品協力、出版報道の利用協力も多く、近年では膨大な資料を簡便により多くの研究に役立てていただく為、収蔵品のデジタルアーカイブ化に着手、HP上で順次画像公開している。

　また2002（平成14）年には、文部科学省による21世紀COEの拠点の一つに採択され、演劇研究センターが併設された事により、本学演劇映像専攻をは

東京都

じめとする内外の研究者に資料を提供、最新の演劇研究と若手研究者の育成にも貢献している。

【収蔵品・展示概要】

坪内博士の提唱する比較演劇の見地から「演劇」に関する一次資料を年代・国籍・演劇ジャンルを問わず広く収集している。収集した資料を展示する博物館であるとともに演劇専門図書館としての機能も併設。早稲田大学関係者だけでなく、広く一般に公開している。

常設展示としては、テーマを「日本の演劇」として本館三階全体を「古代」「中世」「近世」「近代」「現代」という時代毎に部屋を区切り、各時代に誕生した演劇が現在に至るまで併存しているという特徴がわかるようになっている。これに加えて、日本各地に残る民俗芸能を集めた「民俗芸能」室、逍遙と縁の深いシェイクスピア関係の資料を集めた「シェイクスピアの世界」と、貴賓室として作られた部屋に逍遙の業績を集めて展示した「逍遙記念室」がある。その他企画展示としては、主に企画展示室Ⅰ・Ⅱ、六世中村歌右衛門記念特別展示室の3部屋を使用して年に8～10本の展示を開催している。

常設展示内容は以下の通りである。

〈シェイクスピアの世界〉シェイクスピアという個人や戯曲そのものを紹介するだけではなく、作品がどこで、どのように上演されてきたかを辿りながら、"シェイクスピアの世界"をご覧いただく。

〈逍遙記念室〉この記念室はもとは貴賓室として作られ、逍遙の来館時に使用した。室内は、エリザベス朝時代の意匠を取り入れ、天井には逍遙の干支に因んだ羊の装飾がほどこされている。逍遙の多岐にわたる業績を、著書や原稿でたどり、あわせて逍遙の愛蔵品を展示している。

〈民俗芸能〉神楽（かぐら）・田楽（でんがく）・風流（ふりゅう）の系統の資料を展示するとともに、代表的な祭と芸能を写真によって紹介している。

〈古代〉外来楽など国際性豊かな古代芸能の世界を紹介している。

〈中世〉民間芸能から能への大成、新たな芸能の登場など多彩な中世の芸能を紹介している。

〈近世〉歌舞伎と人形浄瑠璃に代表される庶民生活に密着した近世の芸能を紹介している。

〈近代〉欧米文化の移入から大正・昭和を経て新しい舞台芸術までの演劇の流れを紹介している。

〈現代〉劇団・劇場から寄せられる貴重な上演情報を公開している。

【収蔵分野・総点数】
坪内逍遙の演劇に関するものは全て受け入れるという方針により、演劇・映像に関するものはジャンルを問わず何でも受け入れている。オークションなどでの購入も行っているが、寄贈が多く近年では著名な演劇人よりの大量寄贈が続いている。総点数は既に数十万点を越え現在も日々更新中である。

【主な収蔵品/コレクション】
坪内逍遙関係資料（直筆原稿その他），安田文庫能楽関係資料，安田文庫貼込帳（演劇以外にも様々な資料が張り込まれた画帳。マイクロ化して市販。），歌舞伎関係資料（都万太夫座屏風・許多脚色帳・河竹黙阿弥旧蔵台帳類等、近世期歌舞伎関係資料），役者絵コレクション（46,000枚。全てデジタルアーカイブ化しHP上で公開中。），六世中村歌右衛門関係資料（映像写真・衣装・楽器・台本等一括寄贈），千田是也関係資料（演出ノート・使用台本・蔵書等一括寄贈），杉村春子関係資料（映像写真・衣装・使用台本等一括寄贈），市川右太衛門関係資料（映像写真・衣装・使用台本等一括寄贈），花柳章太郎舞台衣装コレクション（主な新派出演作品で使用したもの），越路吹雪舞台衣装コレクション（ロングリサイタル・「古風なコメディ」使用衣装等々），キネマ旬報（1919年（大正8）創刊号より現在までの全冊）　ほか

【展示テーマ】
六世中村歌右衛門展（2004年度より毎年実施）／日英交流　大坂歌舞伎展（2005年度　大英博物館・大阪市立博物館との共催）／文芸協会100年展／イプセン没後100年記念「日本におけるイプセン受容の歴史」／実りの季—四季の能装束展（以上2006年度）

【教育活動】
各企画展ごとに演劇講座を開催。
2002～2006年度、21世紀COE「演劇研究センター」と共催の活動として、国際サミュエルベケットシンポジウム、イプセン没後100年記念フェスティバルをはじめとする37回の国際研究集会等、558回の研究会・イベントを開催、13の海外提携機関との学術交流、若手研究者育成のため国内外から特別研究生144名の受け入れ等を行った。
2005年度「ときめきひらめきサイエンス—大学の博物館へようこそ」受託

東京都

【調査研究活動】

ジョゼフ・フォン・スタンバーグ「女の一生」幻のフィルム断片の発見、世阿弥の能楽論『三道』の歴史的発見、舞踊詩劇「女と影」研究上演、資料のデジタル化とデータベース公開など、21世紀COE演劇研究センター拠点としての調査研究活動を展開した。

【刊行物】

定期刊行物『演劇博物館報』『演劇研究』『演劇研究センター紀要』『COEニューズレター』／単行本『演劇学のキーワーズ』『言葉と文化のシェイクスピア』等6冊出版

- **所在地**　〒169-8050　東京都新宿区西早稲田1-6-1　早稲田大学　西早稲田キャンパス内
- **TEL**　03-5286-1829
- **FAX**　03-5273-4398
- **URL**　http://www.waseda.jp/enpaku/index-j.html
- **E-mail**　enpaku@list.waseda.jp
- **交通**　1) JR山手線高田馬場駅から早大正門行きバスで終点早大正門下車徒歩2分　2) 東京メトロ東西線早稲田駅より徒歩8分
- **開館時間**　10:00～17:00（火・金曜日は19:00まで）
- **観覧所要時間**　60分
- **入館料**　無料
- **休館日**　祝日，祝日との連休となる場合の日曜日，大学の授業休止期間のうち一定の期間，詳細はHPを参照
- **施設**　演劇博物館本館は坪内逍遙の発案により，建物自体が一つの資料となるよう，16世紀エリザベス朝時代ロンドンに実在した劇場，「フォーチュン座」を模して建築家今井兼次らにより設計された，鉄筋コンクリート三階建ての建物である。正面にある張り出しが舞台で，上演時は張り出しと一，二階の廊下・バルコニーが舞台，図書閲覧室が楽屋，舞台を囲むようにある両翼は桟敷席，建物前の広場は一般席という構造である。実際にこの舞台を使ってシェイクスピア劇を初めとして何度も公演が行われている。昭和初期の特色ある建築物として新宿区の文化財に指定されている。博物館全体としては，博物館本館（5号館）に展示室646㎡・和書閲覧室102㎡があり，別館（6号館）に洋書貴重書閲覧室65㎡・AVブースを備える。この他，収蔵庫・書庫・事務スペースなどを合わせ，2700㎡余となる。
- **利用条件**
  (1) 利用を限定する場合の利用条件や資格　営利目的での資料利用は有料。図書の貸出は早稲田大学大学院生と教職員に限定
  (2) 調査研究目的で利用する場合の条件や資格　貴重書の閲覧は予約制

東京都

- **メッセージ**　展示室、図書室とも誰でも無料で見学・閲覧できる。土曜・日曜開館（但し洋書・貴重書・AVブースは閉室）。火・金は夜7時まで開館（但し洋書・貴重書・AVブースは午後5時まで）。金・土の午後はボランティアによる展示解説を受けられる
- **高齢者，身障者等への配慮**　段差有り
- **車イスの貸出**　なし
- **身障者用トイレ**　なし
- **無料ロッカー**　有り
- **駐車場**　なし
- **外国語のリーフレット，解説書**　有り
- **ミュージアムショップ/レストラン**　図録等の刊行物、ポストカード等のオリジナルグッズを販売している
- **今後3年間のリニューアル計画**　なし
- **設立年月日**　昭和3（1928）年10月27日
- **設置者**　早稲田大学
- **館種**　私立大学，演劇
- **責任者**　館長・竹本幹夫（文学研究科教授）
- **組織**　20名（館長1、副館長1、事務長1、調査役1、専任職員7、常勤嘱託3、助手6）他に派遣社員

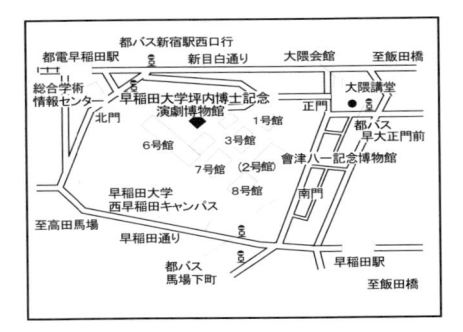

神奈川県

女子美アートミュージアム

Joshibi Art Museum

"JAM"

1900年（明治33年）私立女子美術学校創立。
1987年（昭和62年）美術資料館設置基本方針が打ち出される。
1988年（昭和63年）アートセンター（仮称）の名称で準備委員会発足。
1990年（平成2年）4月　神奈川県相模原市に大学校舎移転。4月　女子美術大学美術資料館を3号館図書館に併設。10月　女子美術大学美術資料館開館。10月　女子美術大学90周年記念「大久保婦久子・片岡球子・多田美波・三岸節子」展開催。
1994年（平成6年）11月　博物館相当施設の指定を受ける。
2001年（平成13年）9月　女子美術大学「創立100年記念棟」10号館竣工。10月　創立100周年記念棟1階に女子美アートミュージアム（JAM）開館。10月　女子美術大学創立100周年記念棟落成記念展「日本近代洋画のへの道―山岡コレクションを中心に―」開催。

【収蔵品・展示概要】
　女子美術大学は、前身である私立女子美術学校が創設された1900年から今日まで、多くの作家を輩出してきた。当館では、三岸節子・片岡球子・大久保婦久子・郷倉和子・多田美波をはじめとした本学出身の作家や、本学にゆかりの深い美術家の作品を中心に、洋画・日本画・版画・彫刻・立体・工芸・ポスター・映像作品など、約2500点を収蔵している。その中には、インドネシアの絣織り（イカット）のまとまったコレクションなど、日本では貴重な美術資

神奈川県

料も含まれる。

【収蔵分野・総点数】
絵画（日本画、油絵、版画）、立体作品、現代アート（溝田コレクション）、染織資料（型紙、原画を含む）

【展示テーマ】
「生誕100年記念・没後20年　岡田謙三展」「作家からの贈りもの　アーティストたちのおもちゃ」「タイポグラフィ・タイプフェイスのいま。デジタル時代の印刷文字」（以上2004年度）／「Ten Colors　活躍する若手女子美卒業生展」「スモール＆ビューティフル：スイス・デザインの現在」（以上2005年度）／「小袖にみる華・デザインの世界」展／「拡がるメディアアート展—光る・動く・感じる・遊ぶ—」「活字書体の源流をたどる」（以上2006年度）／「ポスターにできること。—電通人権ポスターより—」（2007年度）

【教育活動】
「タイポグラフィ・タイプフェイスのいま。デジタル時代の印刷文字」シンポジウム（2004年度）／「小袖にみる華・デザインの世界」展シンポジウム（2006年度）／「活字書体の源流をたどる」講演会（2006年度）　ほか

【刊行物】
『女子美術大学美術館年報』『「アジアの華II　美の環流」展図録』『「タイポグラフィ・タイプフェイスのいま。デジタル時代の印刷文字」展図録、会議録』『「小袖にみる華・デザインの世界」展図録』『「拡がるメディアアート展—光る・動く・感じる・遊ぶ—」報告書』『「活字書体の源流をたどる」展図録』

- 所在地　〒228-8538　神奈川県相模原市麻溝台1900
- TEL　042-778-6801
- FAX　042-778-6815
- URL　http://www.joshibi.ac.jp/jam/
- E-mail　bsk@joshibi.ac.jp
- 交通　小田急線相模大野駅北口3番バス乗り場から「女子美術大学」行で約20分、終点下車
- 開館時間　10:00～17:00（入館は16:30まで）
- 入館料　企画展による。＊学生、未就学児、65歳以上、身体障害者手帳等をお持ちの方は無料

神奈川県

- **休館日** 火曜日，展示替期間
- **施設** 地上4階建ての10号館1階にあり、美術館の専有延べ床面積は1204.21㎡
- **利用条件**
  （1）利用を限定する場合の利用条件や資格　団体見学での展示解説の希望者は、要事前連絡
  （2）調査研究目的で利用する場合の条件や資格　収蔵資料の閲覧は事前に特別閲覧申請書を提出すること
- **メッセージ**　当館の近隣には神奈川県立相模原公園、神奈川県相模原市立麻溝公園、ふれあい動物広場があり、季節ごとの緑や花の観賞や小動物とのふれあいもでき、自然を満喫することができる
- **高齢者，身障者等への配慮**　バリアフリー
- **車イスの貸出**　有り
- **身障者用トイレ**　有り
- **無料ロッカー**　有り
- **駐車場**　有り
- **外国語のリーフレット，解説書**　有り
- **ミュージアムショップ/レストラン**　刊行物やオリジナル・グッズの販売、イベントの告知
- **今後3年間のリニューアル計画**　なし
- **設立年月日**　平成13（2001）年10月
- **設置者**　学校法人　女子美術大学
- **館種**　私立大学，美術
- **責任者**　館長・伊勢克也（短期大学部教授）
- **組織**　館長1、部長1、副部長1、課長1、課員1、学芸員1、非常勤学芸員1、パートタイマー2。展覧会企画運営は教職員で構成された委員会が関与している

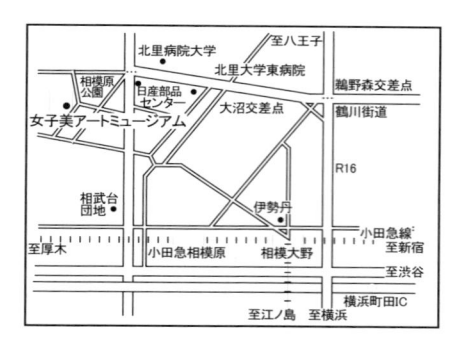

日本大学生物資源科学部博物館

NIHON UNIVERSITY, College MUSEUM of Bioresource Sciences

　当博物館は昭和49（1974）年に設置された標本模型委員会から発展した。当初、委員会が設置された目的は、旧農学部（藤沢校舎、横須賀校舎）所蔵の標本類（昆虫・植物さく葉標本、海産脊椎動物、海産無脊椎動物）、旧東京獣医畜産大学所蔵の標本類（脊椎動物・家畜病理標本・同模型標本類）、および農獣医学部発足後に入手した大型脊椎動物の骨格標本や、各学科所蔵の標本模型類を学部で統一して管理、運営を計るためであった。その後、少しずつ標本類を収集しながら計画を進め、昭和53（1978）年には藤沢校舎に資料室を設置した。昭和56（1981）年に完成した新資料室に標本類を移設し、昭和59（1984）年には名称を日本大学農獣医学部資料館とした。

　そして平成2（1990）年に神奈川県教育委員会教育長から、博物館相当施設としての指定を受けた。

　平成17（2005）年には1階を、平成18（2006）年には3階部分を改修し、日本大学生物資源科学部博物館と名称を改めてリニューアルオープンした。今後も収蔵物、展示物の整備を図り、学部に根ざした博物館として発展していく予定である。

【収蔵品・展示概要】
　日本大学生物資源科学部の11学科に関連するものを中心に、約3万点の収蔵物を保管している。特に大型動物骨格標本や、蝶類の標本が多いのが特徴と

神奈川県

なっている。展示されていないが、貝類などを代表とする海産無脊椎動物や魚類の標本も数多く収蔵している。植物の分野では、アラスカの植物、生薬の標本に加えて、パプアニューギニアの民間薬用植物も収集されている。

　1階の展示の中心である骨格標本は、ガラスケースを通さない本物の質感、迫力を感じていただけるよう、あえてケースに入れない展示を行っている。

　また、3階には古い農機具をはじめ、昆虫や稲の展示と、実際に顕微鏡を使って観察できるコーナーや、実物の骨に触れるコーナーなどを設けたイベントホールがある。

【収蔵分野・総点数】
　全身骨格標本、動物剥製標本、鳥類剥製標本、植物錯葉標本、海藻乾燥標本、昆虫標本、農機具類、木幹標本、木材標本、液浸標本、漁具等、生物系分野の標本を中心に約3万点を収蔵。

【主な収蔵品/コレクション】
　全身骨格標本：家畜動物（ウマ、ブタ、イヌなど数品種ずつ）、野生動物（クロミンククジラ、アフリカゾウ、ミナミゾウアザラシ、キリン等の大型動物の全身骨格標本）など

　剥製標本：鳥類（トキ、ヤイロチョウ、クマゲラ等の貴重種）、小動物（テン、レッサーパンダ等）、大型動物（ホワイトタイガー、アカカンガルー、シベリアオオカミ、アメリカアリゲーター）など

　植物錯葉標本：日本植物を中心に、アラスカ、ペルー、中国の生薬標本、パプアニューギニアの薬用植物、海藻標本など

　昆虫標本：カザリシロチョウのコレクションを中心に、アレキサンドラトリバネアゲハを含む世界のアゲハチョウなど

　液浸標本：魚類、動物を中心に多数

　木材標本：MDF、集成材、腰板などを数種類とヒノキ名刺、寄木細工などの木工製品、認証材第1号を取得した木柱など

　農機具：唐箕、脱穀機、たわら編み機など

　このほか、木幹標本、稲の品種標本、漁具等を収蔵

【教育活動】
　第22回理科実験セミナー　動物発光の観察／第23回理科実験セミナー　身近な場で鳥類の世界を知る〜野外観察および調査法〜（以上2004年度）／第24回理科実験セミナー　海の生物をもっと知ろう〜表層から深層まで〜／第

神奈川県

25回理科実験セミナー　冬の樹木〜枯葉と芽〜（以上2005年度）／第26回理科実験セミナー　海の食物連鎖／第27回理科実験セミナー　簡単な微生物の観察法〜身近な細菌の世界〜（以上2006年度）

【刊行物】
博物館報（第14号・第15号・第16号）

- 所在地　〒252-8510　神奈川県藤沢市亀井野1866
- TEL　0466-84-3892
- FAX　0466-84-3893
- URL　http://www.brs.nihon-u.ac.jp/content/hakubutsukan/hakubutsu.html#h1
- E-mail　siryokan@brs.nihon-u.ac.jp
- 交通　小田急江ノ島線　六会日大前駅下車　徒歩2分
- 開館時間　平日　10:00〜16:00，土曜日　10:00〜12:00
- 観覧所要時間　60分
- 入館料　無料
- 休館日　日曜日，祝日，10月4日（創立記念日），8月中旬（夏季休暇），年末年始（冬季休暇）その他大学の休日に準ずる
- 施設　地下1階、地上4階の建物のうち、現在は1階と3階を博物館として公開。展示室は1階と3階で合計約983㎡、収蔵庫約214㎡であり、作業室、事務室等を合わせた博物館の専有延べ面積は約1,582㎡。収蔵庫は液浸標本等の収蔵庫、昆虫標本収蔵庫、植物標本収蔵庫、農機具収蔵庫、骨格標本・剥製標本収蔵庫を設けている
- 利用条件
  （1）利用を限定する場合の利用条件や資格　なし
  （2）調査研究目的で利用する場合の条件や資格　なし
- メッセージ　小田急江ノ島線の六会日大前駅を降りて、すぐ近くに見える日本大学生物資源科学部の中に位置しています。駅から徒歩2分の好立地です。学生の教育にはもちろん、開館時間中は無料で地域住民の方にも開放しております。全身骨格や昆虫、農機具など展示分野も多岐にわたっているので、小さいお子様からご年配の方まで楽しんでいただけると思います。実際に骨や顕微鏡に触れるコーナーや、積み木で遊べるコーナーもあります。リニューアルして展示スペースも広がったため、小学校の遠足、社会福祉施設からの見学、観光コースなどで利用されています。また、学内にはバラ園や農場もありますので、合わせて足を運んでみてください
- 高齢者，身障者等への配慮　バリアフリー
- 車イスの貸出　なし
- 身障者用トイレ　なし
- 無料ロッカー　なし
- 駐車場　有り

神奈川県

- 外国語のリーフレット，解説書　有り
- ミュージアムショップ / レストラン　なし
- 今後3年間のリニューアル計画　有り
- **設立年月日**　昭和49（1974）年10月　資料館として開館したのは平成2（1990）年4月
- **設置者**　学校法人　日本大学
- **館種**　私立大学，科学（動植物中心）
- **責任者**　館長・遠藤克（動物資源科学科教授）
- **組織**　館長　1名、学芸員　1名、非常勤職員　1名、計3名。学内の教授等で構成された運営委員会で運営方針等を決定している

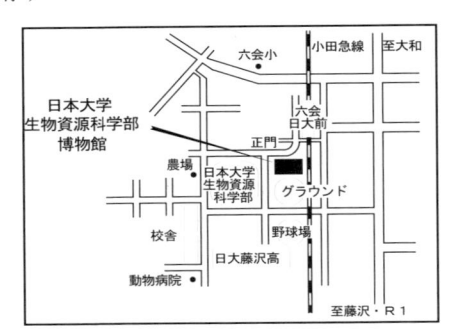

新潟大学旭町学術資料展示館

Asahimachi Museum, Niigata University

　新潟大学が所有又は保管している貴重な学術資料等を本学の学生及び職員並びに広く社会に公開することにより、本学の教育研究の推進及び地域社会における教育機会の向上を図ることを目的に設置された施設である。

　当館は旭町キャンパスに所在し、1929（昭和4）年建築当初から旧制新潟師範学校の児童博物館等として利用されてきた建物であり、2005（平成17）年国の登録有形文化財に登録された。人文学部・教育人間科学部・理学部・医学部・歯学部・工学部・農学部・災害復興科学センター・附属図書館所蔵の貴重資料の常設展示並びに企画展示を行っており、週3日無料で公開している。

【収蔵品・展示概要】

　常設展では、「自然・技術の歩み」「人類史」「芸術」「図書資料」のテーマで展示を行っている。また、年3回程さまざまなテーマの「企画展」を開催している。

　〈自然・技術の歩み〉自然をテーマに新潟の稀産植物、新潟の地質を紹介している。この中では、新潟地震と地盤の関係や自然災害と地質の関係についてパネル展示をしている。また、大正・昭和初期の心理学研究室の実験装置、理学部・工学部の前身である旧制新潟高等学校・旧制長岡高等工業学校の実験器具、歯科医療の江戸時代から昭和初期における歯の治療や口腔衛生に関する資料を展示し、技術の歩みをたどるコーナーとなっている。

　〈人類史〉医学部第一解剖学教室の故・小片保教授が収集した1,800体にの

新潟県

ぼる人骨資料（縄文時代から現代にわたる各時代の資料）の中から代表的なものを展示している。また、新潟県内初出土の壺形埴輪など、県内の資料を中心に原始・古代の考古学資料を展示している。「体験コーナー」では、貝塚の貝殻、黒曜石原石等に手を触れてみることができる。

〈芸術〉教育人間科学部芸術環境講座が所有する美術作品や関連資料を、随時テーマを決めて展示公開している。また、現職教員の創作活動や教育・研究活動の一端を紹介する企画展示も行っている。

〈図書資料〉附属図書館の所蔵する古典籍・古文書等の貴重資料を、随時テーマを決め紹介している。

【収蔵分野・総点数】

〈自然・技術の歩み〉
化石、鉱物、岩石、大正・昭和初期の心理学実験装置、工学部実験器具、江戸時代から昭和初期における歯の治療器具や口腔衛生に関する資料（木床義歯、ゴム床義歯、お歯黒用具など）

〈人類史〉
人骨資料（縄文・弥生・古墳・近世・現代）、壺形埴輪、火焔形土器、古墳時代豪族居館濠剥離標本「芸術」油絵、中国・日本絵画、近代日本の書、日本画や書の複製、碑帖、画譜、印章

〈図書資料〉国書・漢籍、古文書

総点数：約 2,000 点

【主な収蔵品／コレクション】

〈自然・技術の歩み〉
新潟県最古の岩石「橋立変成岩」、マントル起源の岩石、江戸時代の木床義歯、マルベ式混色器、ストロボスコープ、ヘリオスタット、朱鷺の剥製

〈人類史〉
医学部第一解剖学教室の故・小片教授の古人骨コレクション、宮城県貝殻塚貝塚出土屈葬人骨、南魚沼市飯綱山 10 号墳壺形埴輪

〈芸術〉（教育人間科学部所蔵）
宮本三郎「アトリエの裸婦」、田村孝之助「裸婦」、伝戴文進「山水図」、曽我二直庵「鷲鷹図屏風」

〈図書資料〉（附属図書館所蔵）
佐渡金山図絵、鈴木牧之「北越雪譜」、諸国客船帳、堀家文書（新潟県指定文化財）

【展示テーマ】
　食品加工技術と未来（2004年）／2004年新潟県連続災害の現場から（2005～2006年）／戦が西からやって来た?!―「倭国乱」の検証―／大学博物館ポスター展／新潟県の化石（以上2006年）

【教育活動】
　新潟大学　新潟駅南キャンパス公開連続講座　年2回開催／シンポジウム「戦が西からやって来た?!―「倭国乱」の検証―」（2006年）／体験教室「新潟市内のビルの石材から化石を探そう」（2006年）／フォーラム「佐渡を世界遺産に！」（2007年）／あさひまち展示館写生会

【刊行物】
　あさひまち（新潟大学旭町学術資料展示館ニューズレター）年1回発行／博物館ボランティア養成セミナー記録集／近代の科学・技術のあゆみ／阿賀北の中・近世城館跡を訪ねて

- 所在地　〒951-8122　新潟県新潟市中央区旭町2番町746
- TEL　025-227-2260
- FAX　025-227-2260
- URL　http://www.lib.niigata-u.ac.jp/tenjikan/
- 交通　1）JR新潟駅よりタクシーで15分　2）東中通りバス停下車、徒歩5分　3）市役所前バス停下車、徒歩7分
- 開館時間　10:00～18:00
- 観覧所要時間　30分
- 入館料　無料
- 休館日　月・水・金曜日，日曜日，12月29日～1月3日
- 施設　・旭町学術資料展示館（国登録有形文化財）：鉄筋コンクリート2階建て　総面積266㎡　展示室4　事務室1
- 利用条件
  （1）利用を限定する場合の利用条件や資格　なし
  （2）調査研究目的で利用する場合の条件や資格　なし
- メッセージ　付近には、會津八一記念館、北方文化博物館、新津記念館（国登録有形文化財）、県政記念館（国重要文化財）などがあります
- 高齢者，身障者等への配慮　1階はバリアフリーであるが、2階へはエレベータがなく登れない
- 車イスの貸出　なし
- 身障者用トイレ　有り
- 無料ロッカー　なし

新潟県

- ・**駐車場** 有り
- ・**外国語のリーフレット，解説書** 有り
- ・**今後3年間のリニューアル計画** なし
- ・**設立年月日** 平成13（2001）年4月
- ・**設置者** 国立大学法人 新潟大学
- ・**館種** 国立大学，考古・歴史・美術
- ・**責任者** 館長・橋本博文（人文学部教授）
- ・**組織** 館長（併任）1 事務補佐員1

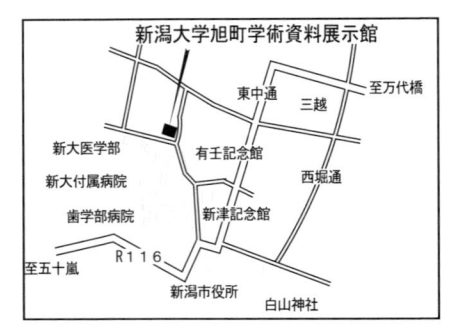

新潟薬科大学薬学部附属薬用植物園

Medicinal Plant Garden, Niigata University
of Pharmacy and Applied Life Science

〈設立目的〉
薬学部設置基準による。薬用植物の教育と研究
〈経緯〉
1979年　新潟薬科大学開学とともに新潟市上新栄町に本園を設置
1986年　薬用植物園五頭分園（阿賀野市）を設置
2005年　新潟薬科大学の移転に伴い、新潟市秋葉区東島に本園を設置

【収蔵品・展示概要】
・生きている薬用植物の栽培と展示
・薬用植物の乾燥物は薬用植物資料室（学内）に収蔵
・園内の植物には名札を設置
・植物目録の配布

【収蔵分野・総点数】
〈薬用植物〉乾燥物：約500種　栽培中の植物：約400種

【主な収蔵品／コレクション】
薬用植物（生品）、熱帯性の薬用植物（生品）

【展示テーマ】
薬用資源植物の栽培と展示

新潟県

【教育活動】
　薬用植物学講義／生薬学実習／（財）日本薬剤師研修センター　薬剤師生薬研修／薬草勉強会（五泉市食生活改善推進委員協議会など）

【刊行物】
　五頭薬用植物園目録／新潟薬科大学薬用植物園目録

- 所在地　〒956-8603　新潟県新潟市秋葉区東島265-1　新潟薬科大学
- TEL　0250-25-5000
- FAX　0250-25-5021
- E-mail　sirasaki@nupals.ac.jp
- 交通　JR信越本線古津駅下車、徒歩10分
- 開館時間　9:00～17:00
- 観覧所要時間　20分
- 入館料　無料
- 休館日　土曜日，日曜日，祝日および大学の休日
- 施設　〈本園〉敷地面積:3,000㎡　温室面積:150㎡　管理棟延床面積:140㎡　〈五頭分園〉敷地面積:3,000㎡
- 利用条件
  （1）利用を限定する場合の利用条件や資格　なし
  （2）調査研究目的で利用する場合の条件や資格　本学薬学部、応用生命科学部の研究室教員及びその関係者のみ
- メッセージ　開園中の入園は自由
- 高齢者，身障者等への配慮　バリアフリー
- 車イスの貸出　なし
- 身障者用トイレ　なし
- 無料ロッカー　なし
- 駐車場　有り
- 外国語のリーフレット，解説書　有り
- ミュージアムショップ／レストラン　休憩施設は学内食堂を開放
- 今後3年間のリニューアル計画　なし
- 設立年月日　昭和54（1979）年4月1日
- 設置者　新潟薬科大学　新潟科学技術学園
- 館種　私立大学，薬用植物園
- 責任者　園長・白崎仁
- 組織　薬用植物園運営委員会を設置

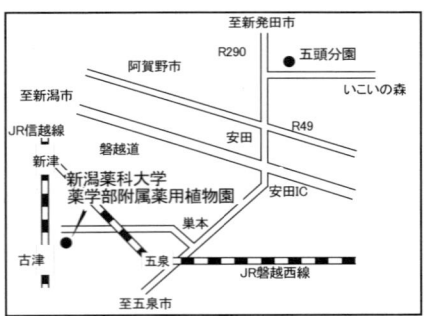

278　大学博物館事典

新潟県

日本歯科大学新潟生命歯学部 医の博物館

Museum of Medicine and Dentistry

"歴史的資料（史料）を通して医学史を教育研究し、あわせて史料を一般公開し学術文化に寄与する"

　現在は過去の蓄積であり、とりわけ学術文化の世界においては、後人の仕事は先人の活動が基となっている。そのような先人の努力と業績を継承する見地から、本学では昭和52年（1977）に、「歯科医学史料室」を開設し、関係資料の収集と保存、および研究を進めてきた。同史料室は、主として本学ならびに医療関係者に資料を公開していたが、広く一般公開し社会的啓蒙に寄与するために、平成元年（1989）に竣工した8号館の2階に、「医の博物館」を開館した。同年に新潟県より博物館相当施設の指定を受け、平成5年（1993）には、本学関係の資料を展示した「大学記念室」を開設した。

【収蔵品・展示概要】
　現代までの、医学、歯科医学、薬学関係史料の収集と保存。本館で保存・展示する諸資料は、全て、篤志の方々からの寄贈によるもので、寄贈博物館を運営方針としている。

【収蔵分野・総点数】
　古医書、医療風俗を描いた浮世絵、医療器械・器具、大学関係資料等約5000点

新潟県

【主な収蔵品 / コレクション】
〈古医書〉
　ヴェサリウス：人体構造論（第2版・1555年）、フォシャール：外科歯科医（初版・1728年）、クルムス：解剖図譜（オランダ語版・1734年）、山脇東洋：蔵志（1759年）、杉田玄白：解体新書（1774年）、ジェンナー：牛痘法の研究（初版・1798年）、ダーウィン：種の起原（初版・1859年）など
〈自筆書簡〉
　ダーウィン、ナイチンゲール、レントゲン、リスター、キューリー夫人の肖像写真と書簡など
〈浮世絵〉
　幕末から明治中期まで、豊国、国貞、国芳、芳年らの医療風俗を描いた浮世絵など
〈歯科関係資料〉木床義歯や象牙製義歯、歯科医療用器械・器具など
〈薬学関係資料〉薬看板、薬研、印籠、薬袋など

【教育活動】
　市民公開講座「新潟県の医学と医療の歴史」

【調査研究活動】
　1）歯科人類学　2）歯科医学教育史　3）医籍・歯科医籍の編成過程

- 所在地　〒951-8580　新潟県新潟市中央区浜浦町1-8
- TEL　025-267-1500
- FAX　025-267-1134
- 交通　1）JR新潟駅下車、タクシーで約20分　2）市内循環バスで「浜浦町一丁目」下車、徒歩1分　3）JR越後線関屋駅下車、徒歩約10分
- 開館時間　10:00～16:00
- 入館料　無料
- 休館日　土・日曜日，国民の祝日，6月1日（創立記念日），8月12～16日，12月29日～1月4日
- 施設　日本歯科大学新潟生命歯学部8号館（鉄筋コンクリート3階建て）2階部分　第一展示室170㎡、大学記念室27㎡、セミナー室83㎡等
- 利用条件
　（1）利用を限定する場合の利用条件や資格　なし
　（2）調査研究目的で利用する場合の条件や資格　事前に書面で申請
- メッセージ　医療・歯科医療の歴史や文献に関するリファレンス
- 高齢者，身障者等への配慮　段差有り
- 車イスの貸出　有り

新潟県

- **身障者用トイレ**　有り
- **無料ロッカー**　なし
- **駐車場**　有り
- **外国語のリーフレット，解説書**　なし
- **今後3年間のリニューアル計画**　なし
- **設立年月日**　平成元（1989）年9月
- **設置者**　日本歯科大学
- **館種**　私立大学，歴史
- **責任者**　館長・中原泉（理事長・学長）
- **組織**　館長1、副館長1、事務長1、事務職員1、計4名（うち常勤2名、学芸員2名）

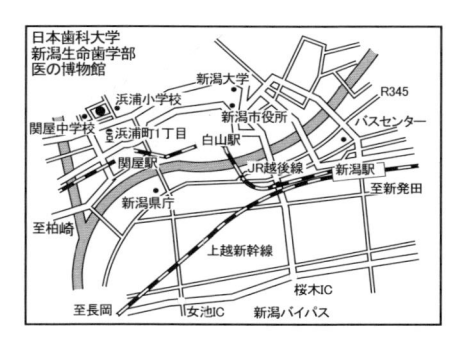

北陸

富山県

富山大学薬学部附属薬用植物園

Experimental Station for Medicinal Plant Research, School of Pharmacy and Pharmaceutical Sciences, University of Toyama

1923（大正12年）　富山薬学専門学校薬草園が神通川廃川地に設置
1927（昭和2年）　富山市奥田の富山薬学専門学校敷地内へ移転
1949（昭和24年）　富山大学薬学部薬草園へ引き継ぎ
1965（昭和40年）　五福キャンパスへの移転に伴いキャンパス内と寺町へ移転
1977（昭和52年）　富山医科薬科大学発足に伴い富山医科薬科大学薬学部附属薬用植物園が設置される
1979（昭和54年）　富山大学薬学部附属薬草園（寺町）より植物の移植完了
2005（平成17年）　富山県内三大学統合に伴い富山大学薬学部附属薬用植物園となる

【収蔵品・展示概要】
　標本見本区には名札を付した約330種の薬用植物が維持管理され、教育実習に活用されている。
　水生植物は数段の水槽からなり、それぞれの植物に適した水深になるよう工夫し水位を調整しており、水温の上昇と藻の発生を抑えるため循環装置が設置されている。
　樹木区はキハダの林および約200種の薬木からなり、日陰を好む植物を下草に配植し、自然に近い条件下で維持管理されている。

富山県

　温室とパーム室には、主に東南アジアおよび南米パラグアイ産の薬草、薬木が約610種（一部園芸品種を含む）保存管理されており、パーム室では植物を地植え管理している。冬季は最低室温15°以上を保つよう暖房設備が作動する。
　これらの他に苗圃区と実験圃場区および竹林を有し、実験圃場では栽培試験や育種の基礎試験が行われている。

【収蔵分野・総点数】
　現在の保有植物の総数は品種を含め1,982種である。内訳は羊歯植物16科28属36種、種子植物182科894属1,946種（裸子植物10科17属32種、離弁花植物110科450属1,009種、合弁花植物37科245属515種、単子葉植物25科182属390種）である。

- 所在地　〒930-0194　富山県富山市杉谷2630
- TEL　076-434-7590
- FAX　076-434-5052
- URL　http://www.pha.u-toyama.ac.jp/plant/index-j.html
- 交通　1）JR富山駅から　富山地方鉄道バスで富山大学附属病院前下車（所要時間約30〜40分）　2）北陸自動車道　富山西I.C.より約4分　富山I.C.より約20分　小杉I.C.より約20分
- 開館時間　原則として学外者には非公開　ただし一般公開日が設けられている
- 入館料　一般公開の際は無料
- 休館日　原則として学外者には非公開であり特に設定していない
- 施設　面積:13,334㎡　建物：研究棟（2階建て）延べ401㎡、温室・ボイラー室200㎡、作業管理棟160㎡、トラクター車庫、倉庫79.2㎡、温室（パーム室）90㎡、堆肥舎90㎡
- 利用条件
　　利用を限定する場合の利用条件や資格　目的が、研究又は専門的教育に関連したものであり、かつ、薬用植物についてある程度の専門知識を有する者が引率する場合には見学を許可している
- 高齢者，身障者等への配慮　段差有り
- 車イスの貸出　なし
- 身障者用トイレ　なし
- 無料ロッカー　なし
- 駐車場　有り
- 外国語のリーフレット，解説書　なし
- ミュージアムショップ／レストラン　なし
- 今後3年間のリニューアル計画　なし
- 設立年月日　大正12（1923）年

富山県

- **設置者**　国立大学法人　富山大学
- **館種**　国立大学，薬用植物園
- **責任者**　園長・黒崎文也（准教授）
- **組織**　准教授1名、助教1名、技術系職員3名、計5名

石川県

金沢大学資料館

Kanazawa University Museum

"本学の理念「地域と世界に開かれた大学」のもと、社会に開く大学の窓であり、過去・現在・未来の大学を省察する拠点である。"

資料館は、金沢大学の城内キャンパスから角間キャンパスへの総合移転を機に、加賀藩時代の遺構である「石川門」、「三十間長屋」、「鶴丸倉庫」に保管されていた資料を引き継ぎ、本学における学術研究資料を系統的に収集、整理及び保存し、教育研究に資することを目的として平成元年（1989）に設立された。以来、大学の総合博物館として、文化史・自然史・科学技術史など諸分野にわたる学術標本を収集・整理・保存し、展示や公開講演会、刊行物などを通じて学内外に向けて公開・還元している。

平成13年（2001）からは、情報公開法の施行、金沢大学五十年史編纂事業の完了、第Ⅱ期総合移転の開始など、学内外の諸事情による資料の散逸を防ぐために、本学の歴史に関わる記録資料の収集・整理を始めており、大学文書館としての役割も果たすようになっている。

【収蔵品・展示概要】
〈収蔵品概要〉
当館では、金沢大学における学術標本（研究・教育に資する資料、研究・教育に貢献した資料）および本学の歴史に関わる資料を収蔵する。

石川県

　学術標本は、学術研究の目的で収集・生成された「学術研究と高等教育に資する資源」であり、現在、文化史資料（考古学資料・歴史資料・美術資料・心理学資料・その他）、自然史資料（地理学資料・医学資料・その他）、科学技術史資料（物理学資料・工学資料・その他）等を収蔵している。

　本学の歴史に関わる資料は、本学の前史（前身校）に関わる資料と新制大学成立（昭和24年（1949））以降の本学の歴史に関わる資料を収蔵する。いずれも文書資料・非文書資料ともに収蔵する。また、本学に在籍した教官の研究・教育に関わる資料も収蔵する。

〈展示概要〉
　常設展示では、金沢大学の歴史紹介や、大学の研究・教育の紹介、資料館収蔵品の紹介を行っている。その他年1回の特別展、数回の企画展等を開催している。

【収蔵分野・総点数】

〈学術資料〉
　文化史資料（暁烏敏陶磁器コレクション、能登酒見龍護寺旧蔵仏像、当世具足、絵画・彫刻、扁額・書、古文書、考古学資料、古典心理学実験機器）約14,200点、自然史資料（守屋コレクション岩石試料、医学機器）約4,400点、科学技術史資料（第四高等学校物理機器、工学部実験機器）約300点

〈本学の歴史に関わる資料〉
　前身校の資料（第四高等学校、石川師範学校、石川青年師範学校、金沢高等師範学校、金沢医科大学、金沢医科大学附属薬学専門部、金沢工業専門学校）約6,600点、新制大学成立以降の資料　約100点、教官の資料　約20点
　総計　約25,620点（2005年3月現在）

【主な収蔵品／コレクション】

〈文化史資料〉加賀藩藩校扁額「明倫堂」「経武館」、白糸威六枚胴具足、紺糸威二枚胴具足、能登酒見龍護寺旧蔵仏像4体、暁烏敏陶磁器コレクション、金沢城跡出土資料、一乗谷朝倉氏遺跡資料、西村見暁コレクション、小中屋（こなかや）文書、松嶋家文書など
〈自然史資料〉尾張町田上医院レントゲン装置、医学部人体構造画像など
〈科学技術史資料〉第四高等学校物理機器、工学部実験機器（K-60型ユンケル式ディーゼル機関、万能測長機ほか）など
〈前身校文書史料〉

石川県

【展示テーマ】
〈特別展〉「文字・人・こころ　金沢大学ゆかりの墨蹟・拓本・手跡」(2004年)／「科学技術史研究の卵たち」(2005年)／「四高開学120周年記念展示　学都金沢と第四高等学校の軌跡」(2006年)／「金沢大学資料館へようこそ」(2004～2007年)〈企画展〉「加賀藩の洋学の導入に貢献したオランダ語辞書」(2005年)／「金沢城址出土資料　軒丸瓦の編年」「読み書きする江戸人　近世地域社会の文字と生活」(以上2006年)

【教育活動】
公開講演会「水の分子式をH_2Oと教えたスロイスの舎密学講義」／金沢大学サテライトプラザ・ミニ講演「金沢大学資料館—語りかける"モノ"たち—」(以上2004年)／公開講演会「保存された四高物理機器」(2005年)／文学部博物館実習(2004～7年)

【調査研究活動】
学術資料・本学の歴史に関わる資料の収集・整理・保存

【刊行物】
『金沢大学資料館紀要』4(2006年)／『金沢大学資料館だより』23～29(2004～7年)／『金沢大学資料館資料目録』1～3(2004～5年)／『金沢大学資料館史料叢書』1・2(2005・6年)／特別展示図録

- 所在地　〒920-1192　石川県金沢市角間町　金沢大学附属図書館内
- TEL　076-264-5215
- FAX　076-234-4051
- URL　http://web.kanazawa-u.ac.jp/~shiryo/top_frame.html
- E-mail　museum@ad.kanazawa-u.ac.jp
- 交通　JR金沢駅東口3番乗り場発　91・93・94・97金沢大学行き(兼六園下経由)　34～37分「金沢大学中央」下車　片道350円
- 開館時間　10:00～16:00
- 観覧所要時間　30分
- 入館料　無料
- 休館日　土・日・祝日，年末年始，展示替期間，中央図書館休館日
- 施設　地階：前室31㎡、暗室8㎡、展示準備室81㎡、収蔵庫(1)180㎡、倉庫8㎡、1階：収蔵庫(2)123㎡、2階：展示室301㎡、通路8㎡
- 利用条件
  (1) 利用を限定する場合の利用条件や資格

石川県

- ・閲覧場所は資料館内に限る
- ・貸出は、他機関から公共目的を持つ展示会等への出陣依頼があった場合に限り行う
- ＊その他、金沢大学資料館利用規程に従うこと
- (2) 調査研究目的で利用する場合の条件や資格
- ・資料の閲覧、撮影・複写、出版物掲載等、借用については、事前に連絡の上、申請書を提出し、資料館長の許可を得ること
- ・調査研究の成果物を、資料館に寄贈すること
- ＊その他、金沢大学資料館利用規程に従うこと
- ・メッセージ　資料館展示室は、金沢大学附属中央図書館の館内にあり、平日10:00から16:00まで誰でも観覧することができる。事前連絡の上、展示解説も可能。HPで展覧会・講演会の新着情報と収蔵資料の一部を公開している
- ・高齢者，身障者等への配慮　バリアフリー
- ・車イスの貸出　有り
- ・身障者用トイレ　有り
- ・無料ロッカー　有り（利用制限あり）
- ・駐車場　有り
- ・外国語のリーフレット，解説書　有り
- ・ミュージアムショップ／レストラン　なし
- ・今後3年間のリニューアル計画　未定
- ・設置者　国立大学法人　金沢大学
- ・館種　国立，総合
- ・設立年月日　平成元（1989）年4月
- ・責任者　館長・宮下孝晴（教育学部教授）
- ・組織　館長1名、非常勤職員（学芸員）2名。調査研究については、研究員8名（併任）、客員研究員7名(学外有識者)。管理運営に関する重要事項については、資料館委員会が審議する

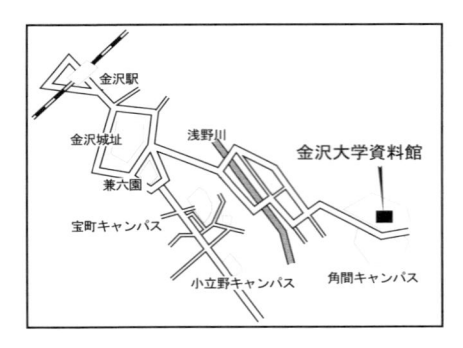

石川県

北陸大学薬学部付属薬用植物園

Botanical Garden of Hokuriku University

〈設立の理念〉
　薬用植物を栽培すると共に本学構内に生育する薬用植物の植生を保護し、教育と研究に資することを目的とする。

〈沿革・概要〉昭和50年4月、本学の開学と同時に北陸大学付属薬用植物園（その後、薬学部付属薬用植物園）として設置。昭和50年11月薬草園造成工事に着工、51年5月完成。同年12月、管理棟及びガラス温室が完成。武田薬品工業（株）、国立衛生試験場伊豆薬用植物栽培試験場、熱川バナナ・ワニ園、富山医科薬科大学附属薬用植物園、金沢大学薬学部附属薬用植物園、近畿大学薬学部附属薬用植物園、昭和薬科大学付属薬用植物園等から薬用植物が寄贈され、薬草園の充実が図られ、昭和52年4月開園した。

　開園以来、表示板の設置、園路の整備等、見本園として充実をはかり、有用植物の収集ならびに種の保存に努めてきた。現在、温室植物を含め約1,200種を保有し、薬用植物学、生薬学実習等で、学生の教材及び見学に活用されると同時に研究材料の栽培も手がけ、現在5教室からの栽培依頼に対応している。また、社会教育の場として一般市民からの見学にも対応している。また、薬草園独自の役割として、薬用植物の栽培研究や系統保存に関する研究を行っている。

【収蔵品・展示概要】
　日本薬局方収載生薬の基原植物を中心として、その他一般の薬用植物（民間薬）の栽培品、及びこれらの系統保存のための種子。薬用植物を中心とする腊

石川県

葉標本（通常、展示していない）。

【教育活動】
　本学学生を対象とした薬草園見学を通年実施。
　金沢健康センター主催の「身近な薬草教室」の一環として、薬草園の見学・説明を実施（毎年）。
　日本薬剤師研修センター主催の「漢方薬・生薬認定薬剤師」の薬用植物園実習研修の実施。

- 所在地　〒920-1181　石川県金沢市金川町ホ3
- TEL　076-229-1165
- FAX　076-229-2781
- URL　http://www.hokuriku-u.ac.jp/yakugaku/yakusoen2/index.html
- E-mail　h-kizu@hokuriku-u.ac.jp
- 交通　JR金沢駅より「北陸大学薬学部行き」バス利用、約40分
- 開館時間　9:00～17:00　ただし、予約者以外の一般には非公開
- 観覧所要時間　60～90分
- 入館料　無料
- 休館日　大学の休日（土・日曜日，祝日，建学の日）　ただし予約があれば開園
- 施設　〈圃場〉14,832 ㎡（整形圃場）：上段（園の中心地区、見本園、管理棟、温室）7,914 ㎡　中段（主として木本を栽培）3,891 ㎡　下段（主として木本を栽培）3,000 ㎡　高低差：上段―下段　60m　〈温室〉136 ㎡：鉄骨サッシガラス張り、平屋建、自動開閉装置、ボイラー付き　〈管理棟〉122.4 ㎡：木造カラー鉄板葺、平屋建、管理室13 ㎡、標本室15 ㎡、実験室25 ㎡、その他49.4 ㎡　〈給水施設〉園の全圃場に給水
- 利用条件
  - （1）利用を限定する場合の利用条件や資格　原則的に一般に向けては非公開。ただし、事前に申し込みがあれば見学可能。資格は問わない
  - （2）調査研究目的で利用する場合の条件や資格　事前に申し込みがあれば可能。資格は問わない
- 高齢者，身障者等への配慮　段差有り
- 車イスの貸出　なし
- 身障者用トイレ　なし
- 無料ロッカー　なし
- 駐車場　有り
- 外国語のリーフレット，解説書　なし
- ミュージアムショップ/レストラン　なし
- 今後3年間のリニューアル計画　なし
- 設立年月日　昭和50（1975）年4月1日
- 設置者　学校法人　北陸大学

石川県

- **館種** 私立大学，薬用植物
- **責任者** 園長・木津治久（薬学部生薬学教室教授）
- **組織** 園長、助手1名

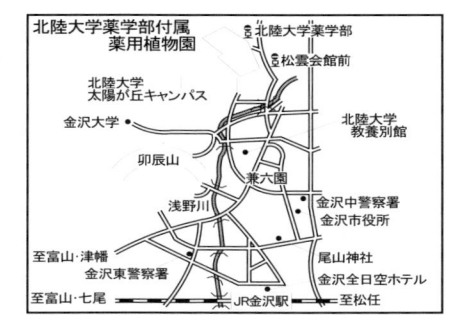

山梨県

山梨大学水晶展示室

　大正9年(1920年)山梨大学では、前身の山梨師範学校当時、百瀬康吉氏より、水晶及び水晶加工品46点が寄贈された。当時山梨師範学校は県立であったため、県有財産として、師範学校が保管することになった。

　昭和2年(1927年)水晶の保存・展示を目的とし、不燃性の鉄筋コンクリート造りの水晶館が建造された。

日本式水晶

　昭和24年(1949年)国立山梨大学が発足し、学芸学部が水晶類を保管することとなった。

　昭和31年(1956年)寄贈された水晶類が、県より国に移管され国有財産となった。

　昭和37年(1962年)石川文一氏から水晶装身具33点が寄贈された。

　平成17年(2005年)水晶館が老朽化したため、大学本部棟広報プラザ内に水晶展示室として公開することとなった。小田切康文氏から水晶印材107点の寄託を受けた。

【収蔵品・展示概要】
　水晶及び水晶加工品の展示と人工水晶の展示
　山梨県では、古くから水晶鉱床の開発が盛んに行われ、多くの水晶が採掘された。これに伴い、甲府市を中心に研磨・宝飾業が著しく発展して本県の地場産業の礎が築かれた。今でも、県産の水晶や水晶の工芸品が観光地の特産品になっている。

一方、工業製品への利用が高まるにつれて、県内では山梨大学を中心に人工水晶の開発研究が行われ、世界的に有数の技術を備え、工業化が進められて来た。

山梨大学の水晶展示室には、これらの貴重な水晶の歴史が詰まっている。

【収蔵分野・総点数】

水晶、水晶加工品（百瀬康吉氏より寄贈）、水晶装身具（石川文一氏より寄贈）、水晶印材（小田切康文氏より寄託）及び人工水晶、計約200点。

【主な収蔵品／コレクション】

日本式双晶、日本式双晶付着晶群、紫水晶晶群、奇形水晶晶群、異状水晶晶群、葦状水晶晶群、両頭水晶晶群、児持水晶晶群、電気石入水晶晶群、両面水晶晶群、水入水晶晶群、両錐面水晶、黒水晶、鼠色水晶、草入水晶、家屋型水晶、煙水晶、燐灰石、ライン鉱、水晶付着ライン鉱、灰重石、黄玉、長石、紅石英、ペグマタイト、石灰華、富士縄状溶岩、雨畑硯、水晶硯、水晶花瓶、水晶装身具

- 所在地　〒400-8510　山梨県甲府市武田4-4-37　大学本部棟2階広報プラザ内
- TEL　055-220-8004
- FAX　055-220-8799
- URL　http://www.yamanashi.ac.jp
- E-mail　soumuk@yamanashi.ac.jp
- 交通　JR中央線甲府駅下車、徒歩25分
- 開館時間　平日 8:30〜17:15
- 観覧所要時間　10分
- 入館料　無料（入館希望者は事前連絡要）
- 休館日　土・日曜日，祝祭日，年末年始12月28日〜1月3日，大学入試期間中など，その他大学が定める休館日
- 施設　地上5階建の大学本部棟2階
- 利用条件
  (1) 利用を限定する場合の利用条件や資格　出版・テレビ放映等の営利目的で使用の場合は、応相談。（過去に利用料を支払うケースはなし）
  (2) 調査研究目的で利用する場合の条件や資格　展示物の貸し出しは目的にかかわらず原則不許可
- 高齢者，身障者等への配慮　バリアフリー
- 車イスの貸出　なし
- 身障者用トイレ　なし
- 無料ロッカー　なし

山梨県

- ・駐車場　なし
- ・外国語のリーフレット，解説書　なし
- ・ミュージアムショップ/レストラン　なし
- ・今後3年間のリニューアル計画　なし
- ・設立年月日　平成17（2005）年4月
- ・設置者　国立大学法人　山梨大学
- ・館種　国立大学，歴史
- ・責任者　国立大学法人山梨大学総務部総務・広報課
- ・組織　専任はいない。水晶室の事務は、総務部総務・広報課が行っている

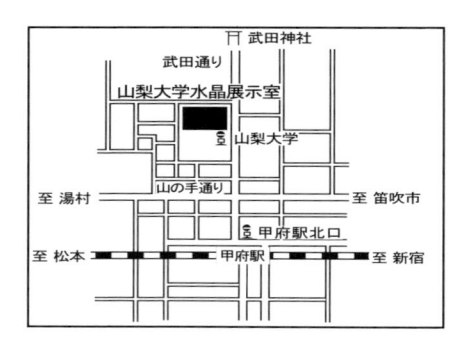

文化学園北竜湖資料館

　学校法人文化学園の関連施設として平成2年にオープン。飯山市愛宕町の町家（江戸時代後期と推定）を平成元年に北竜湖畔に移築し、この一部を資料館として改修。1階展示室には日本各地の郷土玩具を展示、2階展示室は企画展を開催。

【収蔵品・展示概要】
　〈収蔵品〉日本各地の郷土玩具
　〈展示〉1階展示室：日本各地の郷土玩具（常設）、2階展示室：企画展示

【収蔵分野・総点数】
　日本各地の郷土玩具　約1,000点、ロシアと旧ソ連邦諸国の民芸品　約60点

【主な収蔵品/コレクション】
　〈松森コレクション〉郷土玩具のコレクター、松森務氏収集の日本各地の郷土玩具のコレクション

【展示テーマ】
　〈常設展〉「日本各地の郷土玩具」
　〈企画展〉「三代豊国」（1999年度）／「歌川国芳の系譜」（2000年度）／「尾上菊五郎の魅力」（2001年度）／「和漢の銅鏡と中国の工芸品」（2004年度）／「ロシアと周辺諸国の民芸」（2006年度）

長野県

- ・所在地　〒389-2322　長野県飯山市大字瑞穂7332-2
- ・TEL　0269-65-3121
- ・FAX　0269-65-4515
- ・URL　http://www.bunkahokuryukan.com/index.php
- ・交通　1）JR長野駅から飯山線で戸狩野沢温泉下車、タクシーで15分　2）車の場合は、文化北竜館HP（交通案内 http://www.bunkahokuryukan.com/traffic.htm）参照
- ・開館時間　10:00 ～ 16:00（入館は15:30まで）
- ・観覧所要時間　約40分
- ・入館料　200円（20名以上の団体は100円）　小中学生は無料
- ・休館日　水曜日（祝日の場合は翌日休館）　冬期（11月上旬～ 4月下旬）
- ・施設　学校法人文化学園の研修施設、文化北竜館の敷地内にある茅葺屋根の建物。総面積は341㎡。展示スペースの他、座敷、茶の間、仏間など
- ・利用条件
  - （1）利用を限定する場合の利用条件や資格　20名を超える団体見学の場合は事前予約が好ましい。出版、テレビ放映等の営利目的での資料利用は有料
  - （2）調査研究目的で利用する場合の条件や資格　学外者への調査研究のための特別観覧は原則行っていない
- ・メッセージ　周辺は小菅神社奥社（重要文化財）をはじめ、数々の文化財が残され、里山の風景が残る北竜湖畔の散策などができる。大型バスでの団体見学可能（要事前連絡）。資料館と同じ敷地内に宿泊施設（文化北竜館）あり
- ・高齢者，身障者等への配慮　段差有り
- ・車イスの貸出　なし
- ・身障者用トイレ　なし
- ・無料ロッカー　なし
- ・駐車場　有り
- ・外国語のリーフレット，解説書　なし
- ・ミュージアムショップ/レストラン　敷地内の文化北竜館にレストラン「メイプル」あり（営業時間:11:00 ～ 14:00）
- ・今後3年間のリニューアル計画　なし
- ・設立年月日　平成2（1990）年5月
- ・設置者　学校法人　文化学園
- ・館種　私立大学，歴史
- ・責任者　館長・大沼淳（学校法人文化学園理事長）
- ・組織　館長1（文化学園服飾博物館館長が兼任）、学芸員3（文化学園服飾博物館学芸員が兼任）、非常勤職員1

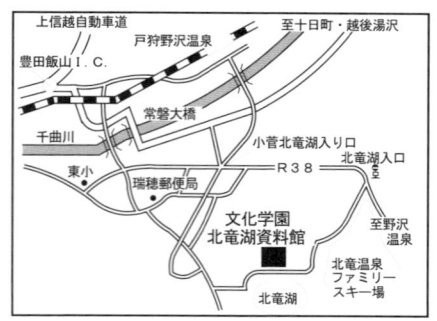

岐阜薬科大学薬草園

Herbal Garden of Gifu Pharmaceutical University

"生活の中に薬草を"

　昭和7年に、岐阜市立の岐阜薬学専門学校（岐阜市九重町）として創立し、昭和24年の学制改革に伴い「岐阜薬科大学」となった。本学初の薬草園は、金華山麓の岩戸に帝国在郷軍人会岐阜支部より600坪の土地を借用したもので、開拓には主に植物研究部員らがあたり、念願の薬草園が昭和12年に開園した。昭和14年には九重町構内に温室が完成し、隣接して薬草園が整備され、岩戸の薬草園は昭和22年に閉園した。昭和38年に園夫の嘱託が始まるまでは、薬草園の管理運営は生薬学の教員と植物研究部員によって行われた。

　昭和40年の岐阜市三田洞への学舎移転にともない、昭和42年に温室が、昭和43年に薬草園がそれぞれ三田洞構内に完成した。しかし構内では手狭なため、昭和46年に現在の岐阜市椿洞字東辻ケ内935（三田洞より約4km）に移転した。面積が9,202 m²となり、その内1/3には自然林を残している。温室と作業管理舎も建てられた。薬用植物の見本園と、研究材料の栽培および試験栽培を目的とした試験園からなり、薬木、水生植物についても栽植された。自然林を利用して、林床にはオウレン、イカリソウなどが栽植された。

　昭和57年に中国南京市にある南京薬学院（現：中国薬科大学）との姉妹校提携に基づいて薬草の種苗や標本の交換が行われ、薬草園にも中国薬草コーナーが設置された。ハーブへの関心が高まる中で、ラベンダー、カミツレ、セントジョーンズワートなどハーブコーナーを設置した。平成11年には老朽化した管理舎が、平成12年には温室が改築され現在に至っている。現在、117科約700系統の植物を保存している。

岐阜県

【収蔵品・展示概要】
　・薬用植物全般を栽培
　・各学生の教育目的に、局方生薬を中心とした医薬品原料植物の展示栽培
　・一般への薬草に関する啓蒙活動のため、身近な薬草、ハーブの展示栽培
　・新規有用化合物の探索研究のための材料保存や生薬基原植物の鑑定のために、各地域からの植物導入

【収蔵分野・総点数】
　117科約700系統の植物を保存

【教育活動】
　・薬用植物学、生薬学の講義の中で、実際の植物を観察する
　・ガイドボランティア（一般）の講習会
　・一般公開を実施（4月から10月の月、水、金、日、ただし8月および祝日はのぞく）

【調査研究活動】
　来園者増加に関わる取り組みについての報告／オウレン観察会／アガリクス栽培／ガイドボランティアの活動について

【刊行物】
　薬草ガイドブック（共著：植物園協会）

　　・**所在地**　所在地：〒502-0801　岐阜県岐阜市椿洞字東辻ケ内935　連絡先：〒502-8585　岐阜県岐阜市三田洞東5-6-1　岐阜薬科大学
　　・TEL　058-237-3941（大学代表）
　　・URL　http://www.gifu-pu.ac.jp/yakusou/index.html
　　・E-mail　esakai@gifu-pu.ac.jp
　　・**交通**　JR岐阜駅または名鉄新岐阜駅より、岐阜バス三田洞線（彦坂真生寺行き）「寿松苑前」（新岐阜から約40分）で下車、徒歩5分
　　・開館時間　10:00～16:00
　　・観覧所要時間　30～60分
　　・入館料　無料
　　・休館日　4月～10月の火・木・土曜日、祝日と8月および11月～3月
　　・施設　分館：子ノ原川島記念演習園（非公開、岐阜県高根村（現：高山市）の子ノ原高原）
　　・利用条件

（1）利用を限定する場合の利用条件や資格　特になし
　（2）調査研究目的で利用する場合の条件や資格　園長に事前相談
- **メッセージ**　ガイドボランティアが同行します
- **高齢者，身障者等への配慮**　段差有り
- **車イスの貸出**　なし
- **身障者用トイレ**　なし
- **無料ロッカー**　なし
- **駐車場**　なし
- **外国語のリーフレット，解説書**　なし
- **ミュージアムショップ／レストラン**　なし
- **今後 3 年間のリニューアル計画**　なし
- **設立年月日**　現在の薬草園は昭和 46（1971）年に設置
- **設置者**　岐阜薬科大学
- **館種**　市立大学，薬草園
- **責任者**　園長・田中俊弘（教授）
- **組織**　薬草園研究室（大学内）教授 1 名、准教授 1 名、栽培管理（外部委託 3 名）

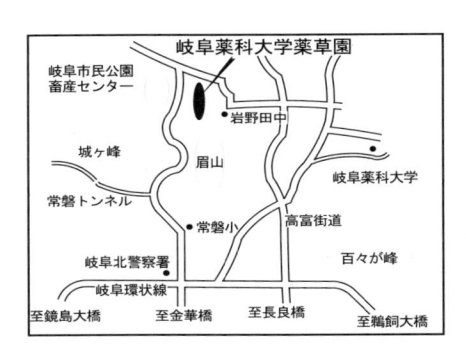

静岡県

静岡県立大学薬用植物園

　静岡県立大学の付属薬用植物園として大学設置基準第41条「薬学部における薬用植物園の設置義務」により、薬学部の教育に必要な植物の栽培、収穫及び研究を行うこと、さらに静岡県民および一般社会人に対して生涯教育の場を提供することを目的に平成元年静岡県立大学の開設と同時に設置された。本園で栽培されている植物の多くは本学薬学部の前身である静岡薬科大学の薬用植物園（静岡県子鹿）から移植したものである。

【収蔵品・展示概要】
　栽培植物数：約800種
　羊歯植物　10科14種、裸子植物　8科13種、被子植物双子葉植物　114科620種、被子植物単子葉植物　16科146種

【教育活動】
　「天然薬品学」の講義や「生薬学」の実習の時間を利用して、日本薬局方に収載されている生薬の基原植物を中心に、薬用に供される植物の観察を指導している。

【調査研究活動】
　静岡県立大学で行われている植物を使った研究に対して生きた植物の提供、高等植物から医薬資源を開発することを目的に行われている研究をサポートするために大量栽培した薬用植物の提供、および品種保存のための系統維持を中

心に栽培を行っている。

- 所在地　〒422-8526　静岡県静岡市谷田 52-1
- TEL　054-264-5880
- URL　http://pharm.u-shizuoka-ken.ac.jp/~yakusou/Botany_home.htm
- 交通　1）JR 東海道線草薙駅から徒歩 15 分、または静鉄バス 4 分「県立大学前」下車
- 開館時間　9:00 ～ 17:00
- 休館日　土・日曜日，祝日，平日でも大学の都合により休園することがある
- 施設　標本園　3,300 ㎡、栽培圃場　2,000 ㎡、温室 115.1 ㎡（展示温室・栽培温室・研究温室）
- メッセージ　薬用植物や生薬に関する知識を一般市民に啓蒙することを目的に平日の一般開放を行っている。また、年数回の薬用植物観察会を開き薬用植物に関する情報提供も行っている。その際には薬用植物の栽培を広めるために苗や球根等を配布している
- 設立年月日　平成元（1989）年
- 設置者　静岡県公立大学法人 静岡県立大学
- 館種　公立大学，植物園

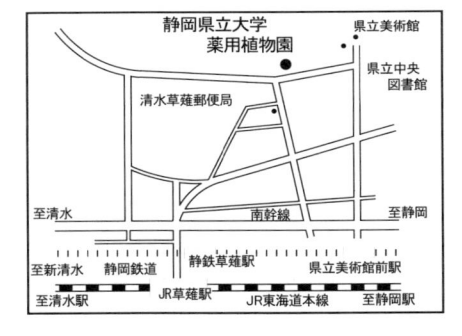

静岡県

静岡大学キャンパスミュージアム
Campus Museum of Shizuoka University

　静岡大学キャンパスミュージアムは、学内のさまざまな場所で保管されてきた学術資料を整理・保存し、公開することを目的として平成8年度（1996）に設置された学内共同施設である。大学創立50周年（平成11年）にあわせて展示室を整備・公開し、平成16年度（2004）からは、特色ある研究をテーマとした企画展を実施している。こうした活動を紹介する広報誌として、「静岡大学キャンパスミュージアムニュースレター」を年1回発行しているほか、平成17年度には公開講演会「第五福竜丸と静岡大学」を開催するなど、大学の知的財産を継承し、発展させるための活動を続けている。
　以上の活動の成果により、平成18年4月には、学則に定める「学内共同利用施設」として学内での新たな位置づけが与えられた。なお、平成15年度（2003）には、静岡キャンパスの図書館前にヒマラヤスギのモニュメント"UNIVERSITY"が完成し、キャンパスミュージアムの活動を象徴する記念碑となっている。

【収蔵品・展示概要】
　常設展示の主なテーマは以下のとおり
　1）原始・古代の静岡
　人文学部考古学研究室が静岡県内で行った発掘調査のうち、磐田市西貝塚、菊川市白岩遺跡、静岡市神明山1号墳、同金山1号墳などの出土資料を展示している。また、静岡キャンパス内の古墳から出土した資料も展示している。
　2）ビキニ環礁水爆実験と静岡大学

静岡県

アメリカの水爆実験により起きた「第五福竜丸事件」（1954年）の関連資料を展示している。当時の静岡大学は、「死の灰」の研究で顕著な成果をあげ、その結果、理学部に放射化学研究施設が設置された。
3）オストラコーダ
オストラコーダは、体長が0.3～1mmほどの微小動物。約5億年前から地球上にいたことが知られ、地球環境への適応や進化の様子を知ることができる。次々と新種が発見されており、国際動物命名規約に基づいた正基準標本7点、副基準標本66点を収蔵している。
4）富士山の植生
富士山には平野部の照葉樹林から山頂のコケ群落まで様々な植物の分布が認められる。ここでは静岡大学が行った富士山の植生に関する研究をパネルで紹介している。
このほか、地球最古の岩石、静岡の岩石・鉱物・化石、静岡の神代杉などを展示している。

【収蔵分野・総点数】
〈大学史資料〉写真資料、第五福竜丸事件関連資料、各種実験装置
〈考古資料〉静岡県内の縄文・弥生・古墳時代に関する考古資料
〈自然資料〉オストラコーダ標本（タイプ標本を含む）、南米の蝶類標本、岩石・鉱物標本、化石標本、樹木年輪試料

【主な収蔵品/コレクション】
静岡県内に所在する西貝塚（縄文時代）・白岩遺跡（弥生時代）・春林院古墳・神明山1号墳・金山1号墳・新林1号墳・静岡大学構内古墳群（古墳時代）の各出土資料。
「死の灰」を含む第五福竜丸事件関連資料
静岡県内出土スギ・ヒノキの年輪試料
静岡県大室山噴火火山灰層剥ぎ取り資料
オストラコーダ研究関連資料:Holotype（正基準標本）7点、Paratype（副基準標本）66点
静岡県の各種岩石・鉱物標本
静岡大学で開発・研究に使われた実験装置（気体試料の電子線回折装置など）
以上のほか、浜松キャンパスの高柳記念館には、日本初のテレビ実験の際に使われたアイコノスコープなどの実験装置が収蔵されている。

静岡県

【展示テーマ】
　常設展示のほか、年 1・2 回、学内の研究成果に関する企画展を行っている。過去 3 年間の企画展のテーマは次のとおり。
　「富士山の火山防災マップ」「分類学への招待」（以上 2004 年度）／「静大考古学の 50 年」「南アルプスの自然」（以上 2005 年度）／「静大生の南極」（2006 年度）

【教育活動】
　公開講演会「第五福竜丸と静岡大学」（2005 年度）

【調査研究活動】
　学内資料の調査・収集

【刊行物】
　静岡大学キャンパスミュージアムニュースレター No.6 〜 8

- 所在地　〒 422-8529　静岡県静岡市駿河区大谷 836
- TEL　054-238-4264
- FAX　054-238-4312
- URL　http://sakuya.ed.shizuoka.ac.jp/sum/
- E-mail　kenkyu2@adb.shizuoka.ac.jp
- 交通　JR 静岡駅よりバス（静大前または大谷行き、静大前下車 5 分）
- 開館時間　授業期間中（4 〜 7 月，10 〜 2 月）の火・木曜日　12:00 〜 15:00 および企画展開催中
- 観覧所要時間　30 分
- 入館料　無料
- 休館日　上記開館時間以外も観覧可能（要事前連絡）。ただし、土・日曜日，祝日は休館
- 施設　静岡キャンパスの理学部 B 棟 1 階に、展示室、資料保管庫、標本庫、資料整理室などからなる合計 336 ㎡の専用施設を有している。入口ホール等も活用した展示スペースは約 140 ㎡である。また、平成 17 年度には、資料保管庫の一部を改装して視聴覚機材を備えた実習室を整備し、キャンパスミュージアムに関連するさまざまな活動の利用に供している。なお、浜松キャンパスには、関連施設として高柳記念館がある
- 利用条件
  （1）利用を限定する場合の利用条件や資格　団体見学で展示解説を希望する場合は、要事前連絡
  （2）調査研究目的で利用する場合の条件や資格　資料調査を希望する場合、ま

静岡県

たその成果を公表する場合は、要事前連絡
- **メッセージ**　静岡大学で行われた研究の成果をみることのできる一般公開施設。日本平で有名な有度山の一角に位置するキャンパスは自然豊かで、キャンパス内の高台に登れば駿河湾を眼下に望むことができる。また、周辺には国史跡・片山廃寺跡などの文化財も点在し、足をのばせば、特別史跡・登呂遺跡を見学することもできる。なお、静岡大学の浜松キャンパス内には、「日本のテレビの父」として著名な高柳健次郎博士の業績を伝える高柳記念館があり、こちらも一般に公開されている
- **高齢者，身障者等への配慮**　段差有り
- **車イスの貸出**　なし
- **身障者用トイレ**　なし
- **無料ロッカー**　なし
- **駐車場**　なし
- **外国語のリーフレット，解説書**　なし
- **ミュージアムショップ/レストラン**　なし
- **今後3年間のリニューアル計画**　なし
- **設立年月日**　平成8（1996）年4月
- **設置者**　国立大学法人　静岡大学
- **館種**　国立大学，総合
- **責任者**　運営委員会委員長・和田秀樹（理学部教授）
- **組織**　運営委員会のもとにワーキンググループ（WG）が設置され、業務を行っている。WGの構成員は、展示・収蔵資料に関係する各学部の教員（現在6名）で、WG長1名が置かれている。事務に係わる業務は、学術情報部研究協力・情報図書チームが担当している

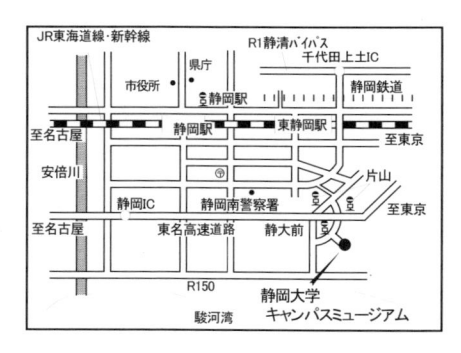

中部・東海

静岡県

東海大学海洋科学博物館

Tokai University Marine Science Museum

1962年　東海大学海洋学部設置（世界唯一）

1970年5月　東海大学海洋科学博物館開館

周囲を海に囲まれたわが国では、海洋に関する科学・知識・技術は非常に重要である。当時この分野の研究は不充分で、一般の海洋への関心・知識もまだ高まっていなかった。東海大学は、ユニークな発想のもとにつくられた海洋学部において、海洋に関する科学技術の研究教育に先鞭をつける一方、海洋科学に関する博物館を作り、社会一般に対して海洋開発の思想と知識の重要性を訴え、啓蒙普及の役割を担う。大学建学の精神を踏まえながら一般公開の社会教育施設として、海洋科学技術の先端的な研究成果の紹介啓蒙の場としての役割も担う。

〈概要〉1F: 水族館（水深6m、容積600m^{3}の大水槽などがある）　2F: マリンサイエンスホール・機械水族館　3F: 研究所

【収蔵品・展示概要】

常設展示は水族部門、マリンサイエンス、メクアリウム（機械水族館）の3部門がある。

1. 駿河湾産海洋動物（約330種4000点）（生活史・多様性・深海動物）博物館生れの魚たち
2. 海洋の科学・探査開発、海洋を調べる意義・方法・道具の成果を伝える展示
3. 海の生き物に学び作られた機械生物（メカニマル）

【収蔵分野・総点数】
魚類無脊椎動物：生体 4,890 点　標本 9,261 点
植物：標本 62 点／地学：実物 197 点　標本 954 点　模型 30 点／理化学：実物 175 点　標本 39 点　模型 209 点／その他：標本 58 点　模型 106 点／人文科学：歴史模型 30 点

【主な収蔵品／コレクション】
ピグミーシロナガスクジラ全身骨格（全長 18.1m、模式標本）：新亜種として登録するさいの根拠となった標本（世界唯一）
メガマウスザメ：世界で 20 番目の発見となる個体（剥製標本として世界唯一）

【展示テーマ】
ニモ水族館：カクレクマノミほか展示　クマノミの不思議　繁殖室見学／サメの大博覧会：メガマウスザメがやってきた　ハンズオン主体の展示／深海掘削船ちきゅうと深海のなぞ：模型・映像・標本など／海のキッズアート：自由工作・海藻押し葉・疑似体験

【教育活動】
海と魚の探究セミナー（大人対象）／サイエンスパートナーシッププロジェクト「海洋生物の繁殖戦略を探る」（高校教員研修）／メガマウスザメ公開解剖（一般参加）／体験学習プログラム：3 コース 14 テーマ／サマースクール（小学校 5 年生コース・小学校 6 年生コース）

【調査研究活動】
浅海性魚類の繁殖に関する研究／浅海性魚類の活動リズム解析／魚類の雌雄性に関する研究／観覧者行動に関する研究／潜水による魚類の生態研究

【刊行物】
「海・人・自然」（東海大学博物館研究報告）／「海のはくぶつかん」（東海大学社会教育センター）／「東海大学社会教育センター年報」

- 所在地　〒424-8620　静岡県静岡市清水区三保 2389
- TEL　054-334-2385
- FAX　054-335-7095
- URL　http://www.muse-tokai.jp/
- 交通　1）JR 東海道線清水駅下車、駅前より東海大学三保水族館行きバスで終

静岡県

点下車　徒歩1分　2）車は東名清水インターから港湾道路を経由し三保街道、または東名静岡インターから久能街道（いちご街道）を通ってどちらも30分
- 開館時間　9:00～17:00
- 観覧所要時間　90分
- 入館料　大人1500円（高校生以上）　小人750円（4才以上）　他に団体割引（20名以上）自然史博物館との共通割引有り
- 休館日　火曜日（祝日のときは翌日），12月24日～1月1日　但しゴールデンウィーク，7・8月と正月の火曜日は開館
- 施設　地上3階建　敷地面積12,639㎡　建物延床面積2,915㎡　別棟の標本室2階建　実験棟2階建（合計626㎡）あり
- 利用条件
  (1) 利用を限定する場合の利用条件や資格　特になし
  (2) 調査研究目的で利用する場合の条件や資格　事前申込が必要
- メッセージ　当館は駿河湾に突き出た三保半島の先端に立地しています。駿河湾は日本で最も深い湾として知られ、熱帯系から寒流系、外洋と深海の生物が豊富に見られます。サクラエビなどの深海生物を目的とした漁業も盛んです。博物館の展示や諸活動にこれらの点を反映させており、楽しみながら学習できることが特徴です
- 高齢者，身障者等への配慮　バリアフリー
- 車イスの貸出　有り
- 身障者用トイレ　有り
- 無料ロッカー　なし（有料ロッカー有り）
- 駐車場　有り
- 外国語のリーフレット，解説書　なし
- ミュージアムショップ/レストラン　ミュージアムショップ有り
- 今後3年間のリニューアル計画　有り
- 設立年月日　昭和45（1970）年5月2日
- 設置者　学校法人　東海大学
- 館種　私立大学，科学・水族館
- 責任者　館長・西源二郎（海洋研究所教授）
- 組織　20名（館長1、事務5、学芸員14）自然史博物館と兼務者を含む

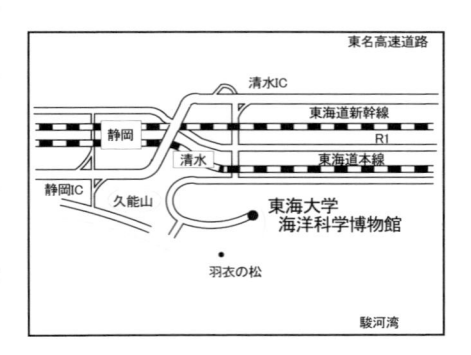

静岡県

東海大学自然史博物館

Tokai University Natural History Museum

　自然史博物館の目的は地球とその生物の現在までの歴史を展示し、自然のなりたちを理解することにつとめることである。自然史博物館は1973年に開催された「ソビエト大恐竜展」の主な大型動物のレプリカがもととなり、1981年10月に「恐竜館」として開館し、1983年5月に「地球館」を併設し、1993年1月に全館を整備した。2002年1月に旧人体科学博物館の建物に移設しリニューアルをした。
　展示については恐竜化石を中心にそれ以降の時代の哺乳類や無脊椎動物などの化石が主体をなす。またディスカバリールームでは体験的に学ぶスペースがある。また体験活動としては秋に家族向けの自然観察会を開催している。さらに主に学校団体向けに化石クリーニングなどいくつかの体験プログラムも用意している。

【収蔵品・展示概要】
　主に生物の歴史を展示することから化石や現生生物の標本を収集し、収集調査活動としては当館の展示の核となる恐竜関係や地域の化石や駿河湾の生物などがある。
　展示は脊椎動物の進化からはじまり、恐竜ホールに7体恐竜の全身骨格があり恐竜についての標本や情報がある。次に中世代の海をテーマにしてアンモナイトや首長竜などがあり、「生きている化石」そして「哺乳類の時代」と続く。新生代の後半は「氷期の時代」としてマンモスなど絶滅動物をテーマとしている。ディスカバリールームでは手にとれる標本や、化石クリーニング、鉱

静岡県

物、サメの歯、恐竜 Q&A などの展示がある。

【収蔵分野・総点数】
　化石標本　4,000 点／岩石鉱物標本　400 点／貝類標本　12,000 点／その他 250 点

【主な収蔵品/コレクション】
　野口博　貝類標本：9,828 点
　恐竜化石全身骨格：ディプロドクス、プロトケラトプス、タルボサウルス、プロバクトクラウス、ステゴサウルス、トリケラトプス、ディノニクス、ユウオプロケファル
　その他全身骨格：スクトサウルス、ディメトロドン、ケナガマンモス、オオツノシカ、ステラーカイギュウ

【展示テーマ】
　〈特別展〉くびなが竜がやってきた／サメの進化と化石（以上 2004 年）／恐竜フィギュア大集合（2005 年）／川原の石と海岸の石（2006 年）／ゾウの仲間とその進化（2007 年）

【教育活動】
　〈毎年秋に自然観察フィールドワーク（家族向け）〉清水の水（淡水生物）／三保の魚／久能山の化石／春に恐竜夢旅行（博物館で 1 泊して恐竜の学習）
　〈体験学習プログラム（主に学校団体向け）〉化石クリーニング／太古の世界（ガイドツアー）／海岸の石など

【調査研究活動】
　掛川層群から産出した脊椎動物化石（研究報告 7 号、2005 年）／掛川層群から産出したカニ化石（研究報告 8 号、2006 年）／オーストラリアの恐竜化石の特徴（研究報告 8 号、2006 年）

【刊行物】
　「海・人・自然」（東海大学博物館研究報告）／「海のはくぶつかん」（東海大学社会教育センター機関誌）／「東海大学社会教育センター年報」

　　　　・所在地　〒424-8620　静岡県静岡市清水区三保 2389

- TEL　054-334-2385
- FAX　054-335-7095
- URL　http://www.muse-tokai.jp/
- 交通　1）JR東海道線清水駅下車、駅前より東海大学三保水族館行きバスで終点下車徒歩1分　2）車は東名清水インターから港湾道路を経由し、三保街道または東名静岡インターから久能街道（いちご街道）を通ってどちらも30分
- 開館時間　9:00～17:00
- 観覧所要時間　60分
- 入館料　大人1,000円（高校生以上）　小人500円（4才以上）　他に団体割引（20名以上）海洋科学博物館との共通割引有り
- 休館日　火曜日（祝日のときは翌日），12月24日～1月1日　但しゴールデンウィーク，7・8月と正月の火曜日は開館
- 施設　地上3階建て　敷地面積4,311㎡　建物延床面積1,423㎡　別棟の1階建て研究室有り（45㎡）
- 利用条件
　（1）利用を限定する場合の利用条件や資格　特になし
　（2）調査研究目的で利用する場合の条件や資格　事前申込が必要
- 高齢者，身障者等への配慮　バリアフリー
- 車イスの貸出　有り
- 身障者用トイレ　なし
- 無料ロッカー　なし
- 駐車場　有り
- 外国語のリーフレット，解説書　なし
- ミュージアムショップ/レストラン　ミュージアムショップ有り
- 今後3年間のリニューアル計画　なし
- 設立年月日　昭和56（1981）年10月26日
- 設置者　学校法人　東海大学
- 館種　私立大学，自然史
- 責任者　館長・西源二郎（海洋研究所教授）
- 組織　7名（館長1、事務3、学芸員3）

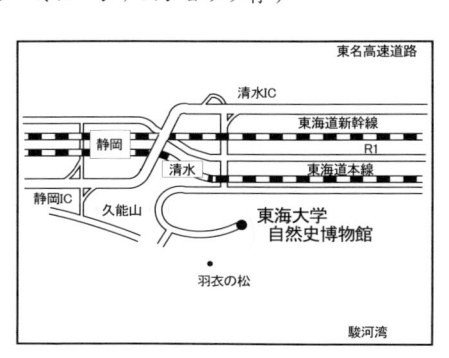

静岡県

常葉美術館

Tokoha Museum of Art

　常葉学園は1972（昭和47）年、菊川市の高田ケ丘に短期大学と高等学校を設立した。その際、両校に美術・デザイン科を設置したが、その後1977（昭和52）年6月、常葉美術館を開館した。美術館は学園に学ぶ学生、生徒にとっての研鑽の場であると同時に、地域の人々の文化の向上に寄与することを目的に活動している。展示は、毎年春と秋に2回特別企画展を開催するほか、地域の公募展、高校美術・デザイン科卒業制作展などを実施している。

【収蔵品・展示概要】
　主要館蔵品は渡辺崋山をはじめとする日本近世絵画、曽宮一念などの日本洋画および県内ゆかり作家の作品などがある。

【収蔵分野・総点数】
　谷文晁、渡辺崋山、福田半香などの江戸時代の文人画家を中心に遠州の南画家の作品及び、静岡県ゆかりの洋画家曽宮一念の洋画・水彩・素描、書など。ほかに、20世紀の版画作品など。約340点所蔵。

【主な収蔵品／コレクション】
　主要な所蔵品は、谷文晁「秋景山水図」、渡辺崋山「西王母図」、福田半香「浅絳山水図」（静岡県指定文化財）などの江戸時代の文人画家を中心に遠州の南画家の作品及び、静岡県ゆかりの洋画家曽宮一念の「桑畑」「冬日」、北川民次

「メキシコ・水浴の図」、「茶畑」など。

【展示テーマ】
〈特別展〉「朝鮮通信使展」(2004年度)／「佐野繁次郎展」(2005年度)／「佐々木信平展」「水彩画の巨匠　中西利雄展」「丸沼芸術の森所蔵　アンドリュー・ワイエス水彩素描展」（以上2006年度）

【教育活動】
グリーンウッドセミナー／福田繁雄講演会／ヴィクトリア・ワイエスの講演会

【調査研究活動】
曽宮作品調査／朝鮮通信使展─江戸時代の善隣友好─　カタログ／日韓の文化比較研究─朝鮮通信使記録を中心として─　研究成果報告書

【刊行物】
『朝鮮通信使展』『佐々木信平展』『中西利雄と日本の水彩画展』『アンドリュー・ワイエス　水彩・素描展』

- 所在地　〒439-0019　静岡県菊川市半済1550
- TEL　0537-35-0775
- FAX　0537-35-0775
- URL　http://www.tokoha.net/museum/
- E-mail　art-museum@hski.tokoha.ac.jp
- 交通　JR1）東海道本線菊川駅下車、徒歩約15分　2）東名菊川インターより北へ車で約5分
- 開館時間　9:30～17:00
- 観覧所要時間　30分
- 入館料　特別展：有料
- 休館日　企画展開催中のみ木曜日，平常展については要お問い合わせ
- 施設　常葉学園菊川高校美術・デザイン科棟8階建ての1階にあり、展示室面積は472㎡のほか、事務室、収蔵庫
- 利用条件
  (1) 利用を限定する場合の利用条件や資格　個別に対応
  (2) 調査研究目的で利用する場合の条件や資格　個別に対応
- メッセージ　自然の豊かな場所に立地し、落ち着いた雰囲気で作品を鑑賞できます
- 高齢者，身障者等への配慮　バリアフリー

静岡県

- ・車イスの貸出　有り
- ・身障者用トイレ　なし
- ・無料ロッカー　なし
- ・駐車場　有り
- ・外国語のリーフレット，解説書　なし
- ・ミュージアムショップ/レストラン　刊行物販売、レストランは学生食堂営業時は利用可能
- ・今後3年間のリニューアル計画　なし
- ・設立年月日　昭和52（1977）年6月
- ・設置者　学校法人常葉学園
- ・館種　私立　美術
- ・責任者　館長・日比野秀男（常葉学園大学造形学部長）
- ・組織　5名（館長1、学芸主幹1、研究員1、学芸員1、事務1）

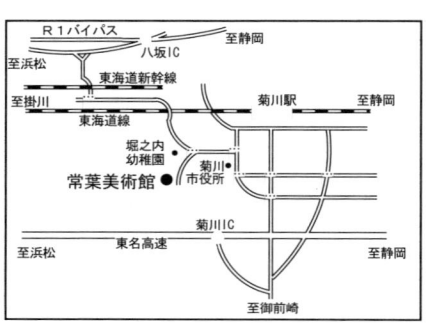

愛知県立芸術大学芸術資料館

Aichi Prefectural University of Fine Arts and Music Museum

　愛知県立芸術大学は、愛知県を中心とする中部地方の産業経済が著しい躍進を遂げているのに対応して、東西の中間に特色ある文化圏を築き、地方文化の発展に寄与する目的で、昭和41年4月1日に開学した。

　芸術資料館は、大学の付属施設として昭和48年に開館、翌年に第1回目の展示が行われたが、以後、「収蔵資料展」、美術学部教員による「美術学部教員展」、「退官記念展」など、年間を通じて展覧会を開催してきた。また、近年は、研究発表という形式で、学生による展覧会も積極的に行い、学内における展示空間の充実を図っている。一方、芸術関係の資料収集、保管を行う役割を担い、本学の研究、教育の向上にも努めている。

　なお、芸術資料館は、平成19年2月9日付で、分館の法隆寺金堂壁画模写展示館とともに、博物館法に規定する博物館相当施設として指定された。また、同年4月からは、設置者が「愛知県」から「愛知県公立大学法人」となり、新たなスタートを迎えるに至った。

【収蔵品・展示概要】

　愛知県立芸術大学芸術資料館では、現在1,360点以上の資料（作品）を収蔵し保管している。その種類は日本画、油画、彫刻、デザイン、写真、陶磁といった資料（作品）のほか、楽器、楽譜などの音楽資料と多岐にわたっており、さらに博物館課程の授業のための教育参考資料なども含んでいる。同時に、毎年学生の卒業・修了制作で優秀な作品も継続的に収蔵している。

愛知県

　寄贈、もしくは購入で受け入れた新収蔵資料（作品）については、その翌年度に展示公開することを原則としているが、ほかにも毎年春に開催される収蔵資料展で、これまで収蔵してきた収蔵資料（作品）を随時出陳している。

【収蔵分野・総点数】
　〈美術関係〉日本画（日本画、デッサン、日本画資料、模写、模写手本）、油画（油画、デッサン、版画）、彫刻（彫刻、デッサン）、デザイン（デザイン道具系、デザイン伝達系、デザイン資料）、陶磁（陶磁セラミック系、陶磁陶芸系、陶磁資料）、教育参考資料（博物館学用資料、中国関係資料）
　〈音楽関係〉楽器、音響機器、文献
　など、1,368点（平成19年4月1日現在）

【主な収蔵品/コレクション】
　片岡球子「山頂」（紙本着色、1963年）、「法隆寺金堂壁画模写」（大壁4点、小壁8点）、「高松塚古墳壁画模写」（4点）、鬼頭鍋三郎「小萬舞姿」（油彩、キャンバス、1976年）、エミール・A・ブールデル「果実」（ブロンズ）、島田章三「受話器をもつ三つのかたち」（油彩、キャンバス、1985年）、藤田嗣治「夢見る女」（油彩、キャンバス）など。

【展示テーマ】
　〈収蔵資料展〉
　「―古典への誘い―模写作品展」「愛知県立芸術大学ゆかりの作家作品展」「芸大を巣立った作家たち―卒業・修了制作買上げ作品展」（以上2005年度）／「風景―街と人―展」「やきものにみる花鳥風月展」（以上2006年度）／「―東海地方ゆかりの作家たち―展」（2007年度）

【教育活動】
　公開講座やシンポジウムなどは、芸術資料館の主催ではなく、大学として行っている。

【調査研究活動】
　愛知県立芸術大学三ケ峯第1号古窯、及び第2号古窯の調査・研究（継続中につき、報告書未刊）／芸術資料館収蔵庫　害虫調査（継続中につき、報告書未刊）など。

- 所在地　〒480-1194　愛知県愛知郡長久手町大字岩作字三ケ峯1-114
- TEL　0561-62-1180（代）
- FAX　0561-62-0083
- URL　http://www.aichi-fam-u.ac.jp/
- 交通　1）名古屋方面から　市営地下鉄東山線終点「藤が丘」駅下車、東部丘陵線（リニモ）乗り換え「芸大通」駅下車徒歩約15分　2）豊田・瀬戸方面から　愛知環状鉄道「八草」駅下車、東部丘陵線（リニモ）に乗り換え「芸大通」駅下車徒歩約15分
- 開館時間　会期中の開館時間は10:30～16:30
- 観覧所要時間　30分
- 入館料　無料
- 休館日　不定休（要問い合わせ）
- 施設　地上2階、地下1階建て、建物面積1,855㎡。展示室、事務室、収蔵庫、研究室、演習室など。分館に法隆寺金堂壁画模写展示館。そのほか、別棟で新収蔵庫（31㎡）、古窯址1、2号（123㎡）がある
- 利用条件
  (1) 利用を限定する場合の利用条件や資格　展覧会へは来館自由
  (2) 調査研究目的で利用する場合の条件や資格　要事前連絡
- メッセージ　愛知県立芸術大学のキャンパスは、名古屋市街の東、長久手町の丘陵地にある。建築家、吉村順三氏によって設計された校内は、特徴ある建物と、緑あふれる美しい自然とが調和された、のびのびとした空間となっている。芸術資料館・法隆寺金堂壁画模写展示館で開催される展覧会へは、一般の方にも自由に来館してもらっている。また、校内各所には屋外作品も設置され、気軽に鑑賞できることも、芸術大学ならではといえよう
- 高齢者，身障者等への配慮　バリアフリー（但し一部段差有り）
- 車イスの貸出　有り
- 身障者用トイレ　有り（隣接図書館内）
- 無料ロッカー　なし
- 駐車場　有り（学内）
- 外国語のリーフレット，解説書　なし
- ミュージアムショップ/レストラン　なし。但し学内に食堂あり
- 今後3年間のリニューアル計画　なし
- 設立年月日　昭和48（1973）年4月
- 設置者　愛知県公立大学法人
- 館種　公立大学，芸術
- 責任者（館長名）　館長・小林英

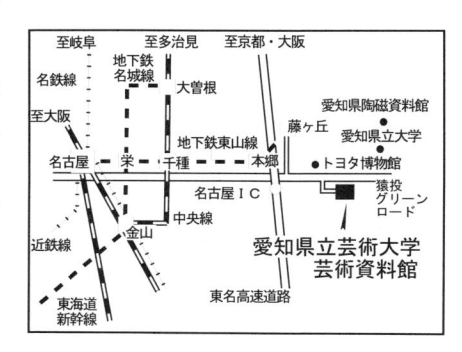

愛知県

　　　樹（教授・芸術創造センター副センター長）
・**組織**　4名：館長1（教授）、主査1（常勤職員・兼務）、学芸員2（契約職員）。主な企画・運営は、本学教員で構成された芸術資料館運営委員会で承認される

愛知県立芸術大学
法隆寺金堂壁画模写展示館

Museum of HORYUJI Mura lPaintings(Reproductions),
Aichi Prefectural University of Fine Arts and Music

　本学では、古典模写技術の教育的効果に着目し、昭和49年から法隆寺金堂壁画模写事業に着手し、14年の歳月をかけて同寺金堂の外陣12面の大壁を、また、平成3年度から2年かけて内陣飛天図20面を完成させた。法隆寺金堂壁画模写展示館は、それら模写作品を展示、保管するため、平成元年に建てられた施設である。同施設内には、模写保存修理研究室も設けられており、模写及び古典技術の習得などに利用されている。

　なお、芸術資料館が本館にあたるのに対し、分館として位置づけられている。

【収蔵品・展示概要】

　〈収蔵方針については、別記「芸術資料館」を参照〉

　法隆寺金堂壁画現状模写（外陣大壁12面、内陣飛天図20面）、及び飛天図復元模写1面を、毎年春季、秋季展として一般公開している。また、高松塚古墳壁画模写や釈迦金棺出現図模写のほか、伝源頼朝像、伝平重盛像、伝藤原光能像といった神護寺所蔵の肖像画模写など、本学日本画専攻の教員、卒業生が従事する模写事業で制作された作品も、特別展として出陳している。

【収蔵分野・総点数】

　別記「芸術資料館」参照。

愛知県

【主な収蔵品 / コレクション】
別記「芸術資料館」を参照。

【展示テーマ】
「法隆寺金堂壁画模写春季展」「法隆寺金堂壁画模写秋季展」「特別展西大寺十二天像模写展」「特別展高松塚古墳壁画模写展」「特別展神護寺所蔵肖像画模写展」「特別展釈迦金棺出現図模写展」「特別展―新収蔵にみる古典の世界―展」など。

【教育活動】
別記「芸術資料館」を参照。

【調査研究活動】
別記「芸術資料館」を参照。

- 所在地　〒480-1194　愛知県愛知郡長久手町大字岩作字三ケ峯1-114
- TEL　0561-62-1180（代）
- FAX　0561-62-0083
- URL　http://www.aichi-fam-u.ac.jp/
- 交通　1）名古屋方面から：市営地下鉄東山線終点「藤が丘」駅下車、東部丘陵線（リニモ）乗り換え「芸大通」駅下車徒歩約15分　2）豊田・瀬戸方面から：愛知環状鉄道「八草」駅下車、東部丘陵線（リニモ）に乗り換え「芸大通」駅下車徒歩約15分
- 開館時間　開館日：3・4・5月の各月16日～月末, 9・10・11月の各月16日～月末, 会期中の開館時間は10:00～16:00
- 観覧所要時間　30分
- 入館料　無料
- 休館日　（会期中の）月曜日，各月の最終日曜日を除く日曜日（要問い合わせ）
- 施設　地上1階建て、建物面積1,297㎡。展示室、特別展示室、収蔵庫、模写保存修理研究室など。芸術資料館の分館にあたる
- 利用条件
  (1) 利用を限定する場合の利用条件や資格　展覧会へは来館自由
  (2) 調査研究目的で利用する場合の条件や資格　要事前連絡
- メッセージ　別記「芸術資料館」参照
- 高齢者，身障者等への配慮　バリアフリー
- 車イスの貸出　有り
- 身障者用トイレ　なし
- 無料ロッカー　なし

愛知県

- ・駐車場　有り（学内）
- ・外国語のリーフレット，解説書　有り
- ・ミュージアムショップ/レストラン　別記「芸術資料館」参照
- ・今後3年間のリニューアル計画　なし
- ・設立年月日　平成元（1989）年4月
- ・設置者　愛知県公立大学法人
- ・館種　公立大学，芸術
- ・責任者　館長・小林英樹（教授・芸術創造センター副センター長）
- ・組織　4名：館長1（教授）、主査1（常勤職員・兼務）、学芸員2（契約職員）。主な企画・運営は、本学教員で構成された芸術資料館運営委員会で承認される

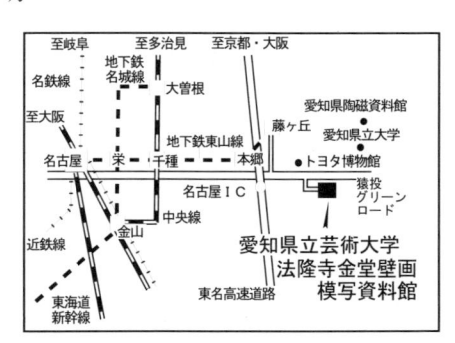

愛知県立芸術大学法隆寺金堂壁画模写資料館

愛知県

愛知大学記念館
（愛知大学東亜同文書院大学記念センター）
Toa Dobun Shoin University Memorial Center

　愛知大学記念館は、愛知大学東亜同文書院大学記念センター展示室として、近代中国の革命家である孫文と彼を支えた山田良政・純三郎兄弟に関する展示室、愛知大学の前身校で中国・上海に 1901 ～ 1945 年まで存在した東亜同文書院（1939 年、専門学校から大学に昇格）に関する展示室と、1946 年 11 月の創立から現在までの愛知大学の歴史を紹介する愛知大学史展示室より構成されている。
　1991 年、山田純三郎の遺族より、山田兄弟と孫文、辛亥革命・中国革命に関する膨大な史資料が愛知大学に寄贈された。これを機に愛知大学東亜同文書院大学記念センターが組織され、寄贈された史資料の整理が進められた。
　1998 年、愛知大学本館が文化庁によって有形文化財に登録され、同年 5 月 9 日、学内展示施設「愛知大学記念館」として生まれ変わった。これにより山田家寄贈の史資料と、東亜同文書院の歴史、ならびに愛知大学の歴史を紹介する様々な資料を展示し、一般公開することになった。
　なお、愛知大学東亜同文書院大学記念センターは従来、資料の展示および整理が中心だったが、2006 年 5 月、文部科学省の私立大学学術研究高度化推進事業（オープン・リサーチ・センター）に選定された。今後、2010 年度まで国内各地で所蔵史資料の展示会を開催するとともに、講演会、研究会、国際シンポジウムなども行い、東亜同文書院・愛知大学に関する研究活動も展開していくことになっている。また、施設の改修も事業の一環であり、2006 年度には愛知大学史展示室を改装するなど、見学者にとって観やすいものにするための展示室整備も今後行われる。

【収蔵品・展示概要】
　常設展示は以下の通りである。
　1）孫文・辛亥革命と山田良政・純三郎関係資料展示室
　1991年に山田家から寄贈された史資料の一部を展示しており、山田兄弟（特に純三郎）の生涯を軸として、中国近代史、近代日中関係史を紹介している。孫文による山田良政墓碑の銘文、山田純三郎夫妻へ贈られた孫文・宋慶齢夫妻のサイン入り写真、山田純三郎と孫文などの革命家たちとの間で使用された暗号電報、犬養毅や頭山満の書などの、貴重な史資料が展示されている。
　2）東亜同文書院関係資料展示室
　愛知大学の前身である東亜同文書院（大学）の歴史を、様々な資料で紹介している。東亜同文書院創設の構想者・近衞篤麿と、その子である近衞文麿の書、実際に使用されていた種類豊富な中国語教科書、卒業年次生が夏季休暇を利用して中国各地を調査旅行した際のパスポート、調査旅行の成果をまとめた『調査報告書』、旅行中の日誌である『大旅行誌』、東亜同文書院大学教員・学生が敗戦で引き揚げる際に、苦労して持ち帰った学籍簿・成績簿などが展示されている。
　3）愛知大学史展示室
　旧東亜同文書院大学の関係者らが中心となって1946年に愛知大学が豊橋市に創設された経緯に関する展示をはじめとして、愛知大学史上の大事件である愛大事件（1952年）、薬師岳遭難事故（1963年）に関する展示、東亜同文書院時代に作成された辞書編纂のための中国語原稿カードをもとに、1968年愛知大学が編纂・出版した『中日大辞典』に関する展示などを紹介している。また、昔の学生生活の様子を紹介するものとして、学生寮の部屋を再現したコーナーがある。

【収蔵分野・総点数】
　1）孫文・辛亥革命と山田良政・純三郎関係資料
　戦前の山田純三郎の活動を示す資料を中心として、戦後の山田純三郎に関する資料、山田純三郎の子息に関する資料など。
　2）東亜同文書院関係資料
　東亜同文書院卒業生、ご遺族や同窓会組織から寄贈された資料、東亜同文書院初代・第三代院長を務めた根津一に関する資料、東亜同文書院の経営母体であった東亜同文会に関する資料など。
　3）愛知大学史関係資料
　創設期の中心人物をはじめとする過去の教職員、卒業生から寄贈された資料・

愛知県

写真類、大学内の各課が所蔵していた資料など。

総点数は、3部門合計で約 5,000 点にのぼる。

【主な収蔵品／コレクション】

1) 孫文・辛亥革命と山田良政・純三郎関係資料

孫文・陳其美・黄興などの有名な中国の革命家や、犬養毅・頭山満などの日本近代史上有名な人物による書幅類、山田純三郎と中国の革命家との間で交わされた書簡類、革命家たちを写した写真類、戦後の山田純三郎の動静を今に伝える書簡類など。

2) 東亜同文書院関係資料

東亜同文書院校舎や学生たちを写した写真類、東亜同文書院接収関係書類、東亜同文会会員の書簡類、根津一に関する様々な資料、すなわち写真類、書簡類、文書類、書画類、勲章、東亜同文書院校舎設計図面、銅像・肖像画類、根津一が実際に着用していたフロックコートなど。

3) 愛知大学史関係資料

愛知大学設立認可時の CIE（占領軍の民間情報教育局）からの文書、マッカーサー夫人代理人からの書簡、中日友好協会会長や地元豊橋の有力者寄贈の書など。

なお、「愛知大学記念館」は 1908 年に陸軍第 15 師団司令部として建てられ、愛知大学創立後は半世紀もの間、大学本館として使用された。現在は有形文化財に登録されている。

【教育活動】

「愛知大学創立 60 周年記念写真・パネル展」（2006 年）／第 8 回図書館総合展特別フォーラム「海を渡った若者たち」（2006 年，講師：安彦良和氏、藤田佳久氏、Ronald Suleski 氏）／公開研究会「小岩井淨と人民戦線」（2006 年，講師：藤城和美氏）／公開研究会「わが父本間喜一と愛知大学・東亜同文書院大学を語る」（2006 年，講師：殿岡晟子氏）／公開講演会「日本における中国語教育の源流　「華語萃編」から見た同文書院の中国語教学」（2007 年，講師：今泉潤太郎氏）

【調査研究活動】

海外における東亜同文書院関係資料の所蔵調査（2004 年，2006 年，2007 年）／寄贈資料の整理と目録化（2005 年，2006 年）

愛知県

【刊行物】
『愛知大学東亜同文書院大学記念センター収蔵資料図録』（2003 年発行，2005 年改訂版発行）／『同文書院記念報』VOL13 〜 VOL15（2005 〜 2007 年）／安澤隆雄『東亜同文書院とわが生涯の 100 年』（愛知大学東亜同文書院ブックレット 1，2006 年）／『愛知大学創成期の群像　写真集』（愛知大学東亜同文書院ブックレット別冊，2007 年）

- 所在地　〒 441-8522　愛知県豊橋市町畑町 1-1　愛知大学内
- TEL　0532-47-4139
- FAX　0532-47-4196
- URL　http://www.aichi-u.ac.jp/institution/05.html
- E-mail　tshien@ml.aichi-u.ac.jp
- 交通　名古屋鉄道豊橋駅・JR 東海道本線豊橋駅より豊橋鉄道渥美線乗り換え、愛知大学前駅下車
- 開館時間　9:30 〜 16:30
- 観覧所要時間　約 60 分
- 入館料　無料
- 休館日　毎週土・日曜日，祝日，創立記念日，夏期・冬期休暇期間，その他大学が定める休校日
- 施設　木造 2 階建ての「愛知大学記念館」の 1 階部分（1 階面積 924.15 ㎡）にあり、愛知大学東亜同文書院学記念センターの専有延べ面積は、愛知大学史展示室に関係する部分も含め、2007 年 5 月現在で 442 ㎡余。事務室、展示室、資料庫、研究員室、視聴覚室、図書室、図書整理室がある
- 利用条件
  （1）利用を限定する場合の利用条件や資格　団体見学の場合は事前予約が必要
  （2）調査研究目的で利用する場合の条件や資格　資料閲覧希望の場合には事前連絡を要する
- メッセージ　希望者は、展示室見学の際に解説が受けられる。図書室は、中国近代史、近代日中関係史、『大旅行誌』復刻版など、近代史に関する多くの図書があり、どなたでも閲覧可能。複写も実費でセルフサービスにより可能（ただし、保存状態などの関係で不可の場合もある）。愛知大学記念館は豊橋市でも古い建築物の 1 つである。2006 年には愛知大学記念館前で NHK 朝のテレビ小説「純情きらり」のロケが行われた。また、愛知大学内には昭和天皇御手植えの松もある
- 高齢者，身障者等への配慮　段差有り
- 車イスの貸出　なし
- 身障者用トイレ　なし
- 無料ロッカー　なし
- 駐車場　有り
- 外国語のリーフレット，解説書　有り

愛知県

- ・ミュージアムショップ/レストラン　なし
- ・今後3年間のリニューアル計画　有り
- ・設立年月日　平成10（1998）年5月9日
- ・設置者　愛知大学
- ・館種　私立大学，歴史
- ・責任者　記念センター長・藤田佳久（文学部教授）
- ・組織　センター長1、事業責任者2、研究員若干名、専門職若干名。他に、ポスト・ドクター1名、リサーチ・アシスタント3名

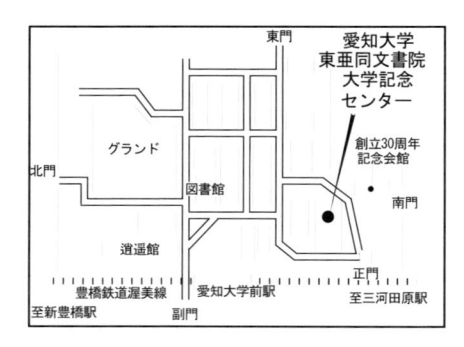

愛知県

中京大学アートギャラリー C・スクエア

Chukyo University Art Gallery, C.SQUARE

　中京大学アートギャラリーC・スクエア（以下、C・スクエア）は、1994年、中京大学創立40周年を記念して建設された0号館（通称、センタービル）の竣工に伴い設置。大学と地域社会とのインタフェイスとしての役割を担った、美術展示を主たる内容とする社会教育施設であり、当時は美術系の学部学科をもたない大学として全国唯一の施設だった。

　名称の由来は、C×C、つまりCの二乗（C^2）のことで、Chukyo Universityの頭文字"C"に、communication（伝達）、community（地域社会）、contemporary（同時代）、creation（創造）、culture（文化）などの頭文字"C"を掛け合わせるとの謂。「中京大学（C）が地域社会（C）に向けて、同時代（C）の創造的（C）文化（C）を伝える（C）広場（square）」として機能させたいとの意思表明である。

　このためC・スクエアの展覧会は中京大学関係者のみならず、広く一般市民にも無料で公開しており、併せて展覧会に連動した出展作家による講演会、シンポジウム、ワークショップなどを開催。社会教育・生涯学習という公共的使命をもった場として、美術・造形芸術にかかわる教育普及活動を行っている。

　展覧会の企画にあたってはジャンルを問わず、国内外の美術・造形芸術分野で活躍している（あるいは今後活躍が期待される）作家の、同時代性を明確に示す内容という原則を掲げている。

愛知県

【主な収蔵品/コレクション】
現代美術、グラフィックアートなど

【展示テーマ】
〈2004 年〉第 61 回企画「金村修展　13TH FLOOR ELEVATOR OVER THE HILL」／第 62 回企画「宇川直宏　ウズライブ 2004」／第 63 回企画「アニアス・ワイルダー展　NEW PROJECT」／第 66 回企画「封印された星　瀧口修造と日本のアーティストたち」瀧口修造、加納光於、中西夏之、岡崎和郎、池田龍雄、野中ユリ、合田佐和子、四谷シモン、上野紀子・中江嘉男、平沢淑子、高梨豊、秋山祐徳太子、荒木経惟、金井久美子、渡辺兼人、桑原弘明、島谷晃、山下清澄、河原朝生、梅木英治、大月雄二郎、伊勢崎淳

〈2005 年〉第 68 回企画「原田和男展　鉄の響／シデロ・イホス」／第 69 回企画「内田あぐり展— continue —」／第 70 回企画「柳澤紀子展　Fragment かけら」ミクストメディア、版画／第 72 回企画「都築響一展『珍日本紀行中京版　世界の中心で愛知を叫ぶ』『ニッポン国世界村』」写真、映像

〈2006 年〉第 74 回企画「葉栗剛展《風景より…》」／第 75 回企画「distance—関口正夫・三浦和人そして牛腸茂雄—展」／第 77 回企画「山口晃展　ラグランジュポイント」

【教育活動】
〈シンポジウム〉「美術にできること」馬場駿吉、原田明夫、柳澤紀子／「現代美術とメディアアート」千葉成夫、吉岡洋、幸村真佐男／「スナップショット考—日常を撮る行為について—」高梨豊、関口正夫、三浦和人、大日方欣一ほか

【刊行物】
〈各展覧会リーフレット（解説テキスト）〉第 61 回企画「証人になるということ—金村修小論」倉石信乃／第 64 回企画「美術が成り立つ場を求めて」千葉成夫／第 70 回企画「身体と版画—柳澤紀子の作品について」堀切正人／第 75 回企画「習慣としてのスナップショット」大日方欣一

- 所在地　〒466-8666　愛知県名古屋市昭和区八事本町 101-2（センタービル 1 階）
- TEL　052-835-5669
- FAX　052-835-7139
- URL　http://www.chukyo-u.ac.jp/c-square/top.html

- E-mail　c-square@mng.chukyo-u.ac.jp
- 交通　1) 名古屋市営地下鉄名城線・鶴舞線北改札口経由、5番出入口に直結　2) その他バス便あり
- 開館時間　9:00 〜 17:00
- 観覧所要時間　展示内容によるが、10 〜 120 分（映像展示などを含む）
- 入館料　無料
- 休館日　日曜日，祝日，中京大学の定める休業日
- 施設　名古屋キャンパスセンタービル（地上9階+GF階）内1階に所在
- メッセージ　中京大学名古屋キャンパスは交通至便な市街地にあり、C・スクエアのあるセンタービルには地下鉄名城線・鶴舞線八事駅5番出入口が直結している。担当者が在室の場合は、申し出があれば作品に関する質問、作品解説に応じる
- 高齢者，身障者等への配慮　バリアフリー
- 車イスの貸出　なし
- 身障者用トイレ　有り
- 無料ロッカー　なし
- 駐車場　なし
- 外国語のリーフレット，解説書　なし
- ミュージアムショップ/レストラン　ミュージアムショップはないが、関連書籍は同じフロアにある生協書店で取り扱う。飲食はキャンパス内6箇所の店舗が利用できる
- 今後3年間のリニューアル計画　なし
- 設立年月日　平成6（1994）年10月8日
- 設置者　中京大学
- 館種　私立大学，美術
- 責任者　キュレイター，C・スクエア専任参事・森本悟郎

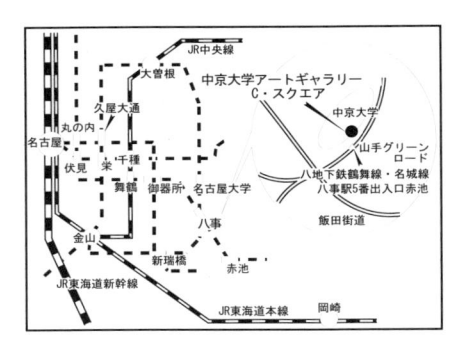

愛知県

中部大学民俗資料室

Museum of Folklore Art Chubu University

　昭和59年に国際関係学部が創設されて以来、その研究と教育の一環として、世界の民俗資料が収集されてきた。民俗資料室は、それらの収集品を学内また広く学外に向けて公開する展示スペースである。世界各地の民俗資料を、生活・経済・宗教の3つのカテゴリーに分け、また地域を、東アジア、東南アジア、南アジア、オセアニア、ヨーロッパ、ラテンアメリカ、アフリカ、中近東に分けて、収集と展示をおこなっている。

牛車（コスタリカ）

【収蔵品・展示概要】
　インドネシアの工芸と民具、パプアニューギニア・フィジーの民具、パプアニューギニアの儀礼用具と生活用具、ペルーの葦舟・織物、ボリビアの織物、メキシコの衣裳、インドネシア王族の婚礼衣裳、民族楽器、インド・東南アジアのタペストリー・民具、リトアニアの民具と織物、アフリカの民具と木彫・仮面、中国・韓国の民具・農具・衣裳ほか、展示標本数1011点。

【収蔵分野・総点数】
　総計1136点：東アジア292、南アジア64、オセアニア287、ヨーロッパ176、ラテンアメリカ78、アフリカ72、中近東27

　　・所在地　〒487-8501　愛知県春日井市松本町1200
　　・TEL　0568-51-1111

- **FAX** 0568-51-1141
- **URL** http://www.chubu.ac.jp/
- **交通** JR中央本線・愛知環状鉄道高蔵寺駅下車、北口8番のりばより名鉄バス「中部大学前」行に乗車（10分）
- **開館時間** 火～金曜日 9:30～16:30（12:00～13:00閉室）
- **休館日** 土～月曜日
- **設置者** 中部大学
- **館種** 私立大学，民俗資料

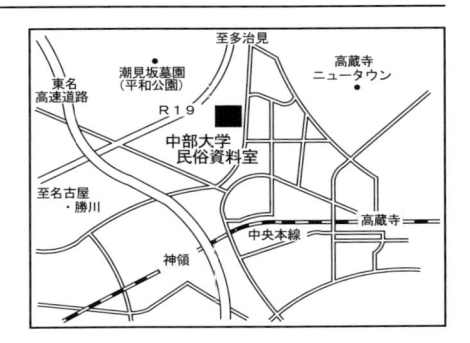

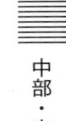

愛知県

名古屋大学博物館

The Nagoya University Museum

奈良坂源一郎「蟲魚圖譜」

　名古屋大学博物館は2000年4月に国内で5番目の総合大学博物館として誕生した。名古屋大学所蔵の学術標本・資料、ならびに大学における研究成果のフィードバック・資源化・社会還元を総合的にかつ国際的に行うことを目的としている。

　主なミッションは以下の6つである。

　研究／次世代教育／展示／知の創造と継承／標本収集／国際交流等

【収蔵品・展示概要】
　〈常設展示〉
　1. 地球史をかいま見る
　（1）地球外からの使者、重量約80kgのギベオン隕石
　（2）岩石標本：オーストラリアで採取された35〜31億年前の枕状溶岩や縞状鉄鉱、南アフリカ産プラチナを含むパイロキシナイト、上麻生礫岩中の日本最古の岩石など

（3）環太平洋産の中生代放散虫化石（画像データベース検索）
　（4）今から1600年前のヒゲクジラ類の化石
　（5）時を測る：年代測定資料として利用された直径2mの木曽大ヒノキ
　2. 足下から学ぶ
　（1）地震の周期を探る：猿投山北断層のはぎとり標本など
　（2）地下を知る：重力異常立体視図、リアルタイム地震情報など
　3. ヒトの営み：羽沢貝塚の断層はぎとり標本、縄文土器（角田コレクション）、民族資料など
　4. 名古屋大学における教育研究の歴史と成果から
　（1）ノーベル化学賞受賞野依良治教授の足跡と業績
　（2）電子顕微鏡研究：上田良二教授のモデル、我が国初の商用電顕HU-2型など
　（3）脳神経外科のパイオニア齋藤眞教授と名古屋大学医学部
　（4）木曽馬最後の純血個体「第三春山号」の骨格標本
　（5）アザラシ型癒しロボット「パロ」
　5. 名古屋大学博物館収蔵資料の紹介
　6. 誕生石コーナー
　7. 野外観察園の今、ハンズオン「この実なんの実」

【収蔵分野・総点数】
　岩石・鉱物系標本　510,400+7箱
　化石標本　400,000
　現生動物標本　29,867+85箱
　現生植物標本　74,400
　歴史資料・文書記録等　6,564
　機器類標本　240
　地図類標本　1,100以上
　映像資料　256
　その他　500　（※ 2003年7月現在）

【主な収蔵品/コレクション】
　〈主な収蔵資料〉
　1. 岩石・鉱物系標本：アフリカ大陸大地溝帯の岩石（名古屋大学調査隊採集）：オーストラリア、中国、南極の岩石・鉱物
　2. 化石標本：放散虫などの中・古生代微化石コレクション

愛知県

　3. 現生動物標本：名帝大時代の動物液浸標本、木曽馬・ニワトリ骨格標本、福田宗一関係標本、キクイムシ標本、ヒト胎児の連続組織切片
　4. 現生植物標本：高木コケコレクション、木材標本、吉崎誠海藻コレクション、野外観察園の植物標本
　5. 歴史資料・文書記録等：大道寺家文書、植村直己関係資料、浅見アジア民俗資料コレクション（中国年画）、樋田直人コレクション（蔵書票）、毛利フーフェラントコレクション、奈良坂源一郎関係資料、熊澤正夫教授研究資料
　6. 機器類標本：電子回折装置、電子顕微鏡関係（ラングカメラ、その場実験装置）、旧教養部物理学教室所蔵教育機器類、整流器ベルトーロ、名高商（名大経済学部）商品見本、医用機器類（本荘鈴平資料）
　7. 地図資料：志知コレクション（重力測定基本図）
　8. 映像資料：電子顕微鏡関連、齋藤眞名誉教授関連、木曽馬関連、名大アフガニスタン栄養調査隊の記録、雛の雌雄鑑別法
　9. その他：マウス個体記録カード、名古屋大学医学部旧蔵ムラージュ

【展示テーマ】
　〈特別展〉第7回「名古屋大学の研究・教育を支えた匠の技」（2004年）／第8回「時を測る―地球誕生から中世まで―」（2005年）／第9回「スポーツと名古屋大学　する・みる・つくる」（2006年）
　〈企画展〉第10回「名大キャンパスの野鳥」／第11回「地球は玉手箱―誕生石の魅力―」（以上2007年）

【教育活動】
　第2回名古屋大学博物館国際フォーラム「次世代教育と国際連携」（2006年）／特別展及び企画展関連特別講演会67回実施（通算）／名古屋大学博物館コンサート（NUMCo）18回実施（通算）／名古屋市生涯学習推進センター主催大学連携キャンパス講座「おもしろ博物学」（2005年より実施、対象：一般）／中学生のためのネイチャーウォチング（海岸での生物観察）（年1回実施）／どんぐりから探る古代の知恵・自然の知恵（どんぐりから縄文時代の食事情等を知る）（年1回実施）／地球教室（山や川において化石採集や自然観察を親子で体験実習）（年数回実施）

【刊行物】
　名古屋大学博物館報告（年1回刊行，2006年第22号）

- ・所在地　〒464-8601　愛知県名古屋市千種区不老町
- ・TEL　052-789-5767
- ・FAX　052-789-5896
- ・URL　http://www.num.nagoya-u.ac.jp/
- ・交通　地下鉄名城線「名古屋大学」駅下車　2番出口
- ・開館時間　10:00 〜 16:00
- ・観覧所要時間　60分
- ・入館料　無料
- ・休館日　日・月曜日
- ・利用条件
  - （1）利用を限定する場合の利用条件や資格　なし
  - （2）調査研究目的で利用する場合の条件や資格　名古屋大学博物館資料取扱要領（館内利用）による
- ・高齢者, 身障者等への配慮　バリアフリー（入口）　段差有り（館内階段有り）
- ・車イスの貸出　有り
- ・身障者用トイレ　有り
- ・無料ロッカー　有り
- ・駐車場　有り（身障者用）
- ・外国語のリーフレット, 解説書　有り
- ・ミュージアムショップ／レストラン　なし
- ・今後3年間のリニューアル計画　有り
- ・設立年月日　平成12（2000）年4月
- ・設置者　国立大学法人　名古屋大学
- ・館種　国立大学, 総合
- ・責任者　館長・西川輝昭
- ・組織　教授2名　准教授3名　助教2名　事務職員2名　事務補佐員3名　技術補佐員3名

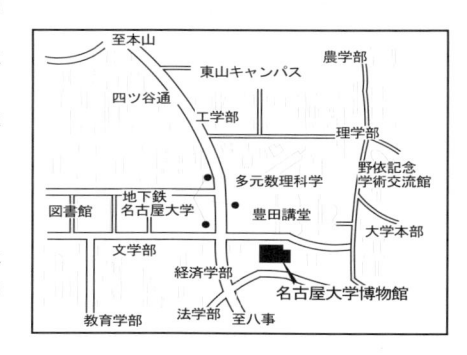

愛知県

南山大学人類学博物館

Nanzan University Museum of Anthropology

　南山大学人類学博物館は、1949年に南山大学附属人類学民族学研究所の資料陳列室として設立され、1979年に大学附属の「南山大学人類学博物館」の名称となった。1966年には、博物館相当施設にも登録されている。現在はG棟地下にあり、3つの展示室と資料室・学習室を備えている。
　人類学博物館では、人類学資料だけでなく、考古学、民具の資料や、昭和の家電製品などの生活資料を収集・展示している。

放送局型ラジオ

　また、一般向けの講座やフィールドワークなども開催しているほか、博物館実習を行って学芸員の養成に努めるなど、調査研究や収集保存だけでなく、教育普及にも力を入れている。

【収蔵品・展示概要】
　常設展は3つの展示室からなる。
　「人類の歴程」と題された第1展示室は考古資料の展示室で、旧石器時代から古代までの資料を展示している。日本考古学研究所から移管された縄文資料や、ヨハネス・マリンガー神父の旧石器資料はよく知られたコレクションである。また、南山大学による調査資料として長良川流域の旧石器時代資料、知多郡東浦町入海貝塚、田原市保美貝塚などの縄文時代遺跡、名古屋市高蔵遺跡・瑞穂遺跡などの弥生時代遺跡から出土した資料が知られている。
　「昭和を感じる」と題された第2展示室では、昭和30年代を中心とする家電や玩具などの生活資料を展示している。

「多様な世界」と題した第3展示室では、1960年代から70年代にかけて上智大学の調査団が収集し本学に移管されたタイ西北部山地民族の資料と、本学の調査団や当地のミッションに在籍したアウフェナンガー神父によって収集されたニューギニアの資料が展示されている。

この他、多数の考古学・民族学・民俗学に関する資料を収蔵している。

【収蔵分野／総点数】

〈考古資料〉
国内外の旧石器資料、縄文時代から古墳時代の考古資料など
〈民族資料〉
西北タイ山地民・ニューギニア・東南アジアなどの民族資料や画像のコレクション
〈民俗資料〉
農具、漁具、工具、商具、日用品、玩具、家電など
総点数は約10万点にのぼる

【主な収蔵品／コレクション】

〈考古資料〉
マリンガー・コレクション（ヨーロッパやアジアの旧石器資料）、日本考古学研究所からの移管資料（千葉県堀之内貝塚・姥山貝塚・二ッ木遺跡など）、愛知県入海貝塚・保美貝塚・高蔵遺跡瑞穂遺跡・白山藪古墳・大須二子山古墳・蓮池古墳出土資料など
〈民族資料〉
「上智大学西北タイ歴史・文化調査団」コレクション、「南山大学東ニューギニア調査団」コレクション、「友枝啓泰アンデス民族画像」コレクションなど
〈民俗資料〉
農具、漁具、工具、商具、日用品、玩具、家電など

【展示テーマ】

特別展「職人の道具―ある棟梁の大工道具を中心に―」／パネル展「フィールドを旅する―大学院生のまなざし―」／2006年度博物館実習生企画展（以上2006年度）

【教育活動】

シンポジウム「博物館の可能性」（2004年度）／シンポジウム「博物館はど

愛知県

うなる?!—強い博物館像をめざして—」／博物館講座「南山大学人類学博物館のすべて」（以上 2005 年度）／シンポジウム「様々な博学連携」／博物館講座春期講座「濃尾地方の考古学」／博物館講座秋期講座「モノから学ぶ生活史」（以上 2006 年度）

【調査研究活動】

学術資料の文化資源化に関する研究（南山大学人類学博物館オープン・リサーチ・センター事業）

【刊行物】

『南山大学人類学博物館紀要』『南山大学人類学博物館年報』『南山大学人類学博物館オープン・リサーチ・センター年次報告書』

- 所在地　〒466-8673　愛知県名古屋市昭和区山里町 18 番地
- TEL　052-832-3111（代表）
- URL　http://www.ic.nanzan-u.ac.jp/MUSEUM/
- E-mail　a-museum@nanzan-u.ac.jp
- 交通　1）地下鉄名城線「名古屋大学」駅 1 番出口より徒歩約 10 分　2）地下鉄名城線「八事日赤」駅より徒歩約 10 分　3）地下鉄鶴舞線「いりなか」駅 1 番出口より徒歩約 15 分
- 開館時間　10:00 〜 16:30
- 観覧所要時間　30 分
- 入館料　無料
- 休館日　日曜日，祝日，大学の事務休日（年末・年始など），2 月の入試期間
- 施設　名古屋キャンパス G 棟地下にあり，展示室（232.5 ㎡）ほか，収蔵庫（319.3 ㎡）、資料室（66.14 ㎡）、視聴覚室（40.6 ㎡）、学習室（68.7 ㎡）などがある。占有延べ床面積は 895.8 ㎡
- 利用条件
  （1）利用を限定する場合の利用条件や資格　団体見学で展示解説を希望する場合は、事前に連絡の上、文書をすること
  （2）調査研究目的で利用する場合の条件や資格　事前に博物館に連絡の上、資料調査願・掲載願などの文書を提出すること
- メッセージ　当館は、数十万年前から数十年前までの、世界各地の人類の営みに関する資料を収蔵・展示している博物館です。時間や空間を超えて、人類の歩んできたその足跡を辿っていただきたいと思います
- 高齢者，身障者等への配慮　段差有り
- 車イスの貸出　なし
- 身障者用トイレ　なし
- 無料ロッカー　有り

- **外国語のリーフレット，解説書** なし
- **ミュージアムショップ / レストラン** 『南山大学人類学博物館紀要』の販売
- **今後 3 年間のリニューアル計画** 有り
- **設立年月日** 昭和 24（1949）年
- **設置者** 南山大学
- **館種** 私立大学，考古学・民族学・民俗学
- **責任者** 館長・浜名優美（副学長〔教学担当〕、総合政策学部教授）
- **組織** 6 名（館長 1、博物館担当教員 1、特別嘱託職員 2、臨時職員 2）。その他、博物館の事務に係る担当部署や、教員と事務職員で構成された各種委員会が関与している

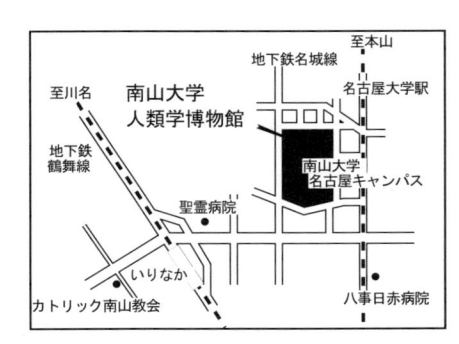

三重県

皇學館大学　佐川記念神道博物館

The Sagawa Memorial Museum of Shinto and Japanese Culture, Kogakkan University

　我が国の歴史・文化の源泉である神道及び神社の紹介を通じ、日本の文化及び歴史・伝統・信仰・思想等の様子を正しく伝える目的のもと、皇學館大学が平成元年に設置、同4年10月26日開館した大学附属の博物館施設である。

【収蔵品・展示概要】
　1. 特殊神饌のいろいろ
　神の召し上がる飲食物である神饌のうち、特殊神饌や供覧神饌の数々を模型により展示している。これら特殊神饌は、上代の食生活を知るうえでも貴重な資料である。
　2. 神社の祭祀（まつり）
　神社で行われる祭祀（まつり）を、祭場・舗設・修祓・神饌・幣帛・玉串・直会等神社祭式の順序に従い展示している。神職の装束その他神道関係資料も見ることができる。
　3. 郷土伊勢歌舞伎関係資料（千束屋資料と濱池文平氏収集の考古資料等、郷土伊勢とその周辺の資料を展示している。
　4. 皇學館と皇學館大学
　皇學館と皇學館大学の歴史及びその学問等を紹介している。

【収蔵分野・総点数】
　古美術資料　50、考古学資料　150、歴史資料　700、神道資料　700

【主な収蔵品 / コレクション】
　伊勢歌舞伎関係資料（千束屋資料）、濱池文平氏収集考古資料

【展示テーマ】
　千束屋の歌舞伎衣裳とその意匠Ⅰ―女方衣裳に織り込まれた美意識―（2003～2004年）／千束屋の歌舞伎衣裳とその意匠Ⅱ―立役衣裳に織り込まれた伊達と粋―（2004～2005年）／博物館学芸員課程履修学生の倉陵祭展示（卒業展示）

【教育活動】
　〈教養講座〉「日本の祭りⅠ～Ⅲ―祭りの意義と歴史・芸能―」（2004～2006年度）
　〈夏休み親子教室〉「昔の本づくりに挑戦―自分だけの日記帳を作ろう！―」（2004年度）／「ペットボトルで野菜を育てよう！」（2005年度）／「草木染め教室―オリジナルの手ぬぐいを染めてみませんか？―」（2006年度）

【刊行物】
　皇學館大学佐川記念神道博物館館報　第15号・第16号・第17号

- 所在地　〒516-8555　三重県伊勢市神田久志本町1704番地
- TEL　0596-22-6471
- FAX　0596-22-6463
- URL　http://www.kogakkan-u.ac.jp/
- E-mail　sinhaku@kogakkan-u.ac.jp
- 交通　近鉄宇治山田駅前・JR伊勢市駅前より三交バス・皇學館大学前下車徒歩5分、又は徴古館前下車徒歩2分（皇學館大学キャンパス内）
- 開館時間　平日　9:00～16:00（入館は15:30迄），土曜日　9:00～12:00（入館は11:30迄）
- 観覧所要時間　20分程度
- 入館料　無料
- 休館日　日曜日，国民の祝日，振替休日，本学創立記念日（4月30日），神宮神嘗祭（10月17日），本学休業日，年末年始（12月28日～1月4日），臨時休館日（本館が特に必要と認めた日）
- 施設　構造・規模：鉄筋コンクリート造2階建　建築面積:1,031.50㎡　敷地面積:3,042.48㎡　延床面積:1階　970.05㎡・2階　848.72㎡（ロビー展示室、第1・第2展示室、第1～第3収蔵庫、皇學館ギャラリー他）
- 利用条件
　（1）利用を限定する場合の利用条件や資格　なし

三重県

  (2) 調査研究目的で利用する場合の条件や資格　事前に定められた手続きが必要
- 高齢者，身障者等への配慮　段差有り
- 車イスの貸出　有り
- 身障者用トイレ　有り
- 無料ロッカー　有り
- 駐車場　有り
- 外国語のリーフレット，解説書　有り
- ミュージアムショップ/レストラン　なし
- 今後3年間のリニューアル計画　なし
- 設立年月日　平成元（1989）年設置、平成4（1992）年10月26日開館
- 設置者　学校法人皇學館　皇學館大学
- 館種　私立大学，歴史
- 責任者　館長・島原泰雄（文学部教授）
- 組織　4名（館長1、学芸員1、助手1、事務職員1）、運営には教職員で構成された運営委員、専門委員などの委員会が関与しており、学外有識者に研究嘱託を依頼している

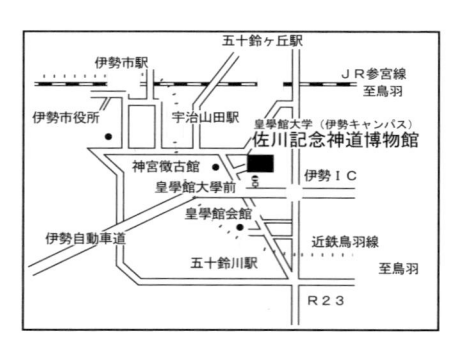

滋賀県

滋賀大学経済学部附属史料館

Archival Museum Faculty of Economics, Shiga University

　主に滋賀県下における歴史資料の散逸を防ぎ、その保存と学術的活用を図ることにより、経済史、経営史及び社会史等の関連諸学の発展に寄与することを目的とする。

昭和10年5月　経済学部の前身彦根高等商業学校内に近江商人研究室設置
昭和25年8月　滋賀大学経済研究所に史料館設立
昭和27年3月　鉄筋コンクリート2階建史料館が完成
昭和27年12月　博物館法により博物館相当施設として指定
昭和36年3月　展示室、館長室、研究室、事務室を増設
昭和38年7月　滋賀大学経済学部附設日本経済文化研究所（旧経済研究所）より独立、滋賀大学経済学部附設史料館と改称
昭和42年6月　国立学校設置法施行規則による学部附属研究施設となり、滋賀大学経済学部附属史料館と改称
昭和50年9月　滋賀大学彦根地区図書館棟新築に伴い同棟2階に移転
平成6年10月　鉄筋コンクリート3階建史料館竣工
平成7年11月　新営史料館開館

【収蔵品・展示概要】
　史料の収集は滋賀県域における古文書・民俗資料等を対象としている。
　収蔵品の公開は、主に閲覧と展示によって行う。展示は、収蔵品によって構成。彦根高等商業学校内に設置された近江商人研究室以来、当史料館においては近江商人に関する史資料の調査・収集と研究を活動の大きな柱としてきた。そ

滋賀県

こで、研究成果に基づいて近江商人関係史資料を、近江国・滋賀県の村々における人々の生活史資料とともに常設展示している。近江商人関係史料のコーナーは、年1回の展示替えを行い、近江各地域の近江商人をとりあげ展示・解説している。また、春季展示・秋季企画展を毎年実施している。

【収蔵分野・総点数】

設立以来、半世紀を経て約15万点の古文書を収蔵するに至った。この内訳としては区有文書80件、家文書171件であり、受入形態は寄贈79件、寄託133件、購入124件となっている。収集地域別に見れば、滋賀県内湖北63件、湖東212件、湖南19件、湖西8件、県外・その他に大別される。中世文書3件（菅浦文書、今堀日吉神社文書、大嶋神社・奥津嶋神社文書）はいずれも国の重要文化財の指定を受け、地方・町方・商家あわせ13万5千点を越す近世文書とともに、各自治体史の編纂事業や、経済史・経営史等広い研究分野で活用されている。近代史料では第百三十三国立銀行等の銀行帳簿（4,044点）が明治12年から揃っており、全国的に稀少なものである。

また民俗資料は、古文書の収集に並行して寄贈・寄託を受けたもので、約1,000点を数える。内訳は行政（高札等）、経済（含藩札等）、宿駅、度量衡（秤・枡等）、商業、手工業製品（武佐墨・湖東焼等）、農具、生活民具、信仰、教育に粗分類されるが、ほかに彦根高等商業学校、滋賀大学関係の資料も対象として収集・保管している。

【主な収蔵品／コレクション】

〈古文書〉

菅浦文書　中世分（1,261点）　昭和51年3月　国の重要文化財指定。西浅井町菅浦区有文書。鎮守須賀神社等に秘蔵され、大正6年におおやけになった、中世惣村を知る上での一級史料。

今堀日吉神社文書（1,180点）　昭和62年6月　国の重要文化財指定。東近江市今堀町有文書。中世商業、惣村・宮座を知る上での一級史料。

大嶋神社・奥津嶋神社文書（228点）　昭和62年6月　国の重要文化財指定。近江八幡市北津田の大嶋神社・奥津嶋神社所有文書。惣村・宮座や湖上漁業史を知る上での一級史料。

中井源左衛門家文書（20,383点）　近江商人史料。近世の近江商人のなかでも屈指の豪商であった日野町の中井源左衛門家の文書。当館収蔵文書の中でも学術的評価の高いものの一つである。

大浜家文書（7,319点）　大庄屋史料。長浜市大浜太郎兵衛家の文書で、質的・

量的に価値ある村方文書である。
　西川伝右衛門家文書（2,870点）　北海道交易史料。北海道交易の始祖と言われ、北海事業に尽くし、松前藩の御用達として苗字帯刀を許された近江八幡市の西川伝右衛門家の文書で、利用頻度はかなり高い。
〈民俗資料〉
　松前渡海船絵馬　寛政8年　彦根市柳川町の豪商建部七郎右衛門が船を新造した際、航海の無事を祈願して氏神大宮神社に奉納した船絵馬。
　琉球貿易図屏風　19世紀　2001年に全面的な修復を行い、下貼文書を通して制作年代推定への手がかり、薩摩藩が制作に関与していた可能性などが明らかになった。

【展示テーマ】
　最近の企画展・春季展示のテーマ例　「近江商人　中井源左衛門―新収史資料を中心に―」（2004年）／「近江商人の商いと商品」／史料館新営10周年記念特別展「館蔵史料にみる近江の社会―中世から近代へ―」（以上2005年）／春季展示「描かれた琉球と蝦夷地―琉球貿易図屏風と古地図から―」／企画展「近江の街道と宿場のまちなみ―収蔵宿絵図から―」（以上2006年）

【教育活動】
　企画展については一般市民を対象として関連講演会を開催している。また展示は学内での授業・ゼミにも活用されている。

【調査研究活動】
　研究紀要　第38号（2004.3）～第40号（2006.3）の発行／平成15年度～平成17年度科学研究費「近世・近代商家活動に関する総合的研究」への協力／平成18年度～平成20年度科学研究費「商家文書からみた地域社会の変容に関する総合的研究」への協力

【刊行物】
　研究紀要　第38号・第39号・第40号／展示図録　平成16年度企画展図録「近江商人　中井源左衛門―新収史資料を中心に―」／同史料館新営10周年記念特別展図録「館蔵史料にみる近江の社会―中世から近代へ―」／同平成18年度企画展図録「近江の街道と宿場のまちなみ―収蔵宿絵図から―」

　・**所在地**　〒522-8522　滋賀県彦根市馬場1-1-1

滋賀県

- TEL　0749-27-1046
- FAX　0749-27-1046
- URL　http://www.biwako.shiga-u.ac.jp/shiryo/
- E-mail　shiryo@biwako.shiga-u.ac.jp
- 交通　1）JR 彦根駅より　直行バス「滋賀大行」9 分，路線バス彦根県立大学線「市立病院前行」約 10 分「栄町一丁目」下車（徒歩 5 分）または「滋賀大口」下車（徒歩 1 分），タクシーで約 5 分，徒歩で約 25 分　2）JR 米原駅よりタクシー約 10 分
- 開館時間　9:30 ～ 16:00
- 観覧所要時間　常設展 30 分　企画展 30 分　計 60 分
- 入館料　なし
- 休館日　土・日曜，祝日，年末年始（12 月 27 日～ 1 月 4 日）
- 施設　1 階　330 ㎡（展示室 147 ㎡、収蔵庫 75 ㎡）　2 階　318 ㎡（事務室 43 ㎡、閲覧室 77 ㎡・18 席，講義室 38 ㎡）　3 階　336 ㎡（書庫 226 ㎡、補修室 38 ㎡）
- 利用条件
  - （1）利用を限定する場合の利用条件や資格　なし
  - （2）調査研究目的で利用する場合の条件や資格　史料閲覧：学外者の閲覧は月～水曜日で、あらかじめ閲覧願を提出し、館長の許可を得る。（学生については指導教員の紹介状が必要）貴重史資料（菅浦文書（中世分）、菅浦家文書（中世分）、今堀日吉神社文書、大嶋神社・奥津嶋神社文書、琉球貿易図屏風）の閲覧については別様式になるので詳しくは電話で問い合わせる。※この他当館収蔵史料についてのご利用（出版物への撮影・掲載、出陳等）は、電話で問い合わせる
- メッセージ　企画展は史料館ホームページのお知らせ欄で案内している。常設展示は水～金曜日の開館時間中であれば随時見学可能
- 高齢者，身障者等への配慮　バリアフリー
- 車イスの貸出　なし
- 身障者用トイレ　有り
- 無料ロッカー　有り
- 駐車場　有り
- 外国語のリーフレット，解説書　有り
- ミュージアムショップ/レストラン　なし（大学生協の利用可）
- 今後 3 年間のリニューアル計画　なし
- 設置者　国立大学法人滋賀大学
- 館種　国立，歴史
- 設立年月日　昭和 25（1950）年 8 月
- 責任者　館長・筒井正夫（教授）
- 組織　館長、運営委員、史料評価員、専任教員、兼任教員、研究員、学芸員

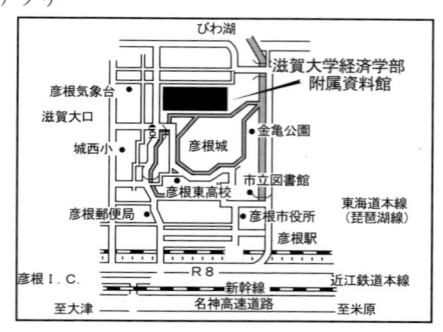

京都府

大谷大学博物館

Otani University Museum

　大谷大学は1665年（寛文5）に東本願寺の学寮として京都の地に創立されたことにはじまる。1901年（明治34）には東京巣鴨に移転開校し、近代的な大学としてスタートした。のち1913年（大正2）に現在の地に移転して、今日に至っている。

　2001年に近代化100年（創立336年）を迎えるにあたり、真宗総合学術センター（響流館：こうるかん）を新設し、創立以来収集してきた多くの資料を広く展示・公開する博物館施設が併設された。そして2003年10月に真宗・仏教文化財を中心に展示・公開する大学博物館として開館した。

【収蔵品・展示概要】
　収蔵品は、真宗学・仏教学をはじめ、哲学・思想・文学などの多分野にわたり、典籍を中心に約12,000点を収蔵している。
　展示は、春・夏・秋・冬の4回の企画展と秋に特別展を開催し、年間約130日間おこなっておいる。企画展は、館蔵品を中心として、春に「大谷大学のあゆみ」、夏と秋には「仏教の歴史と文化」、冬には「京都を学ぶ」を基本テーマとして、館蔵の名品などを紹介している。特別展は、館蔵品に加え、他機関からの出品もまじえた展観をおこなっている。

【収蔵分野・総点数】
　総収蔵点数　約12,000点
　考古資料　約700点／絵画資料　約200点／書跡資料　約9,550点／工芸資

京都府

料　約650点／彫刻資料　約30点／民俗資料　約70点／金石拓本　約800点

【主な収蔵品/コレクション】
　重要文化財8件を所蔵している。
　宋拓「化度寺故僧邕禅師舎利塔銘」中国・唐時代（原碑亡佚）、宋拓「信行禅師興教碑」中国・唐時代（原碑亡佚）、『判比量論』断簡　奈良時代もしくは統一新羅時代、『三教指帰注集』平安時代、『高野雑筆集』平安時代、『春記』平安時代、『選択本願念仏集』鎌倉時代、『湯浅景基寄進状』鎌倉時代

【展示テーマ】
　「特別展　京の文化人とその遺産」（2004年）／「特別展　ファウスト　伝説と作品　フランクフルト・ゲーテ博物館の名品」（2005年）／「特別展　鈴木大拙没後四十年記念展　大拙　その人と学問」（2006年）ほか、春夏秋冬の企画展を開催。

【教育活動】
　「特別展　京の文化人とその遺産　記念講演」（2005年）／「博物館で学ぼう　拓本教室」「特別展　鈴木大拙没後四十年記念展　大拙とその学問　記念講演」「特別展　ファウスト　伝説と作品　記念講演」（以上2006年）／「博物館セミナー　はじめて学ぶ古文書読み解き講座」（2007年）

【調査研究活動】
　京都市左京区久多地区『大般若経』調査（2004年～継続中）／「大本山相国寺所蔵文書調査（2007年）

【刊行物】
　『書香（大谷大学図書・博物館報）（毎年1回発行）／『特別展　京の文化人とその遺産』（2004年）／『特別展　ファウスト　伝説と作品　フランクフルト・ゲーテ博物館の名品』（2005年）／『特別展　鈴木大拙没後四十年記念展』（2006年）

　　・所在地　〒603-8143　京都府京都市北区小山上総町　大谷大学内
　　・TEL　075-411-8483
　　・FAX　075-411-8146
　　・URL　http://www.otani.ac.jp/kyo_kikan/museum/index.html
　　・交通　京都駅より京都市営地下鉄「北大路駅」下車、6番出口すぐ

- 開館時間　10:00 〜 17:00
- 観覧所要時間　約 30 分
- 入館料　200 円（一般・大学生），100 円（小中高生）　ただし特別展は別に定める
- 休館日　開館中の日・月曜日，祝日，および本学の定める休日
- 施設　地上 4 階，地下 2 階建ての 1 階に位置する。延床面積は約 2,640 ㎡、うち展示面積は約 290 ㎡
- 利用条件
  （1）利用を限定する場合の利用条件や資格　本学　図書・博物館課に利用申請が必要
  （2）調査研究目的で利用する場合の条件や資格　本学　図書・博物館課に利用申請が必要
- メッセージ　本館周辺で、徒歩でいける範囲では、すぐ東に賀茂川や京都府立植物園があり、市民の憩いの場となっているほか、西には紫式部と小野篁の墓と伝える史跡がある。また少し足を延ばせば、南に京の六地蔵巡りの一つ上善寺、そして京都御所があり、南西には茶道の表千家・裏千家、晴明神社・一条戻り橋などもある
- 高齢者，身障者等への配慮　バリアフリー
- 車イスの貸出　なし
- 身障者用トイレ　有り
- 無料ロッカー　有り
- 駐車場　なし
- 外国語のリーフレット，解説書　なし
- ミュージアムショップ / レストラン　博物館および大学で発行している図録・図書やオリジナルグッズの販売
- 今後 3 年間のリニューアル計画　なし
- 設立年月日　平成 15（2003）年 10 月 13 日
- 設置者　真宗大谷学園大谷大学
- 館種　私立大学，歴史，博物館相当施設
- 責任者　館長・礪波護（大谷大学特任教授）
- 組織　学芸員 3 名（教員 2、事務 1）
  研究員 9 名（教員 6、嘱託 3）
  調査員 2 名

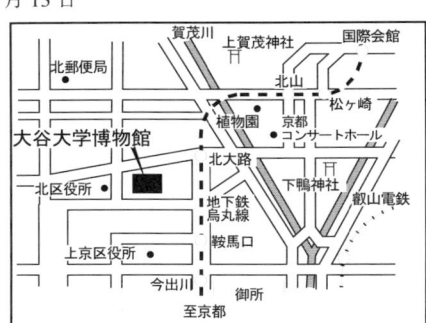

京都府

京都外国語大学　国際文化資料室

University Museum of the Cultures

〈設立の理念〉
　世界各地の民族・文化にかかわる資料を収集、研究、保存し、それらを展示・公開するとともに、学生の博物館教育に資することを目的とする。

〈設立の経緯〉
　1990年4月：それまで学内に別々に展示あるいは収蔵されていたイスラム圏、メキシコ、ブラジルなどの民族資料を2号館5階に集め、整理、分類し展示する事が計画され、準備室が設置される。
　1991年5月27日：展示作業が完了し、国際文化資料室の公開を始める。

忍 Tobita「忍 C」

【収蔵品・展示概要】
　イスラム世界の生活用品／グァテマラ・マヤの民俗資料（寄託品）／メキシコ考古資料（複製品）・民芸品・民俗資料／ブラジル・バイヤ州民族資料／中国の兵馬俑（複製品）／ポルトガルの大航海時代におけるアジア進出関係資料／ラテンアメリカ現代美術／忍 Tobitaの絵画・陶芸品／博物館学芸員資格課程　卒業展示

【収蔵分野・総点数】
　イスラム世界の生活用品　560点／グァテマラ・マヤの民俗資料（寄託品）246点／メキシコ考古資料（複製品）・民芸品・民俗資料　96点／ブラジル・バイヤ州民族資料　172点／中国の兵馬俑（複製品）5体／ポルトガルの大航海時代におけるアジア進出関係資料　27点／忍 Tobitaの絵画　199点、陶芸

品　60 点／博物館学芸員資格課程　卒業展示
　計 1365 点

【主な収蔵品 / コレクション】
　イスラム世界の生活用品：衣装、水差し・なべ・やかんなど用具、楽器、水タバコ用具など
　グァテマラ・マヤの民俗資料（寄託品）：すり鉢・乳鉢・メタテなどの石製品、染色された糸、豆・ヒカラ・カカオなど市で売られているもの、市の風景の写真など
　メキシコ考古資料（複製品）・民芸品・民俗資料：陶製女性像、多彩色陶製ろうそく立て、鞄、布、帽子、など
　ブラジル・バイヤ州民族資料：カンドンブレの祭事用具、土器、バイア州の風俗人形など
　中国の兵馬俑（複製品）：兵馬俑五体
　ポルトガルの大航海時代におけるアジア進出関係資料：天体観測器具、火縄銃など
　ラテンアメリカ現代美術：ブスタマンテ作の彫刻
　忍 Tobita コレクション：絵画、陶芸品
　博物館学芸員資格課程　卒業展示：資格課程最後の年に実践的な展示作業を学ぶため、1 年をかけ、テーマに沿って展示活動を行う

【展示テーマ】
　「メキシコの風景ゴメス・デル・パヤンの風景画」「メキシコ文化展」（以上 2003 年）／写真展「ティンガニオ―メキシコ、ミチョアカン州ティンガンバト村ティンガニオ遺跡の調査から―」（2004 年）／特別展「忍 Tobita 異型の宇宙展　el universo fantastico de shinobu tobita」／博物館学芸員資格課程卒業展示「万華京」（以上 2006 年）

【教育活動】
　国際文化資料室は収蔵品を保管展示するだけの施設としてだけでなく、研究調査活動の拠点として、博物館学芸員課程の実習の場として、あるいは学芸員を志す学生や卒業生に博物館活動の実践の場として活用されている。

【調査研究活動】
　1 号館新築に伴う発掘調査（2003 年）／メキシコのミチョアカン州ティンガ

京都府

ンバトとメキシコ州テナンゴにおける調査（2006 年）／「考古学と現代社会—メキシコにおける考古学調査の成果を活用した地域社会への歴史教育・社会教育に関する実践的研究—」

【刊行物】
『京都外大周辺の風景』（2004 年）／『MUC- 京都外大国際文化資料室紀要—創刊号』／『TINGANIO』（以上 2005 年）／『MUC- 京都外大国際文化資料室紀要— 2 号』／『特別展　忍 tobita の異型の宇宙』カタログ（以上 2006 年）／『MUC- 京都外大国際文化資料室紀要— 3 号』（2007 年）

- 所在地　〒 615-8558　京都府京都市右京区西院笠目町 6
- TEL　075-322-6212
- FAX　075-322-6212
- URL　http://www.kufs.ac.jp/kufs_new/
- E-mail　umc@kufs.ac.jp
- 交通　1）阪急電車「西院駅」から、西へ徒歩 15 分。または「西大路四条」（西院）から市バス 3・28・29・67・69・71 に乗車、「京都外大前」で下車（所要乗車時間約 5 分）　2）JR「京都駅」から、烏丸口より市バス 28、あるいは京都バス 81・83、八条口より市バス 71 に乗車、「京都外大前」で下車（ともに所用乗車時間約 30 分）　3）地下鉄烏丸線利用の場合は、地下鉄「四条駅」下車、四条烏丸から市バス 3・29 に乗車、「京都外大前」で下車（所要乗車時間約 15 分）
- 開館時間　月〜金曜日　10:00 〜 17:00，土曜日　9:00 〜 17:00（学休期間の開館時間については直接国際文化資料室にお問い合わせください）
- 観覧所要時間　30 分
- 入館料　無料
- 休館日　日曜日，祝祭日，その他大学の定める休業日
- 施設　京都外国語大学 2 号館 5 階のエレベーターを降りてすぐ前に国際文化資料室。総面積 230 ㎡
- 利用条件
  （1）利用を限定する場合の利用条件や資格　特に無し
  （2）調査研究目的で利用する場合の条件や資格　特に無し
- メッセージ　世界各地の民族・文化にかかわる資料を展示しており、本学生はいうまでもなく市民や受験生など、学内外を問わずたくさんの人が見学に訪れる。特に Tobita コレクションは幅広い年代に人気が高い。また周辺には、天神川、蚕ノ社、猿田彦神社、大酒神社、広隆寺、寺塚古墳などがある
- 高齢者，身障者等への配慮　バリアフリー
- 車イスの貸出　なし
- 身障者用トイレ　なし
- 無料ロッカー　なし

・駐車場　なし
・外国語のリーフレット，解説書　なし
・ミュージアムショップ / レストラン　無し
・今後3年間のリニューアル計画
　　　有り
・設立年月日　平成3（1991）年5月27日
・設置者　京都外国語大学
・館種　私立大学，民族・現代美術
・責任者　室長・大井邦明（教授）
・組織　国際文化資料室室長・大井邦明　国際文化資料室学芸員（非常勤）3名

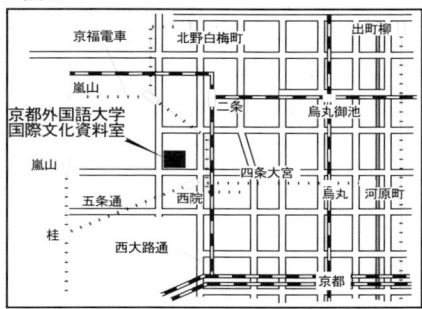

京都府

京都工芸繊維大学美術工芸資料館

Museum and Archives Kyoto Institute of Technology

　京都工芸繊維大学美術工芸資料館は、学内共同教育研究施設として1980年（昭和55年）に設立された。翌81年（昭和56年）6月に建物が竣工し、同年10月3日に開館され展示を行う一方、逐次収蔵品を搬入、本格的な整理・調査が開始された。

　本館の収蔵する美術工芸品は、そのほとんどが、本学の前身の一つである京都高等工芸学校の創立以来の収集品である。京都高等工芸学校は1902年（明治35年）に創立され、初代校長は中澤岩太博士、創設時の教授陣には浅井忠画伯、武田五一博士が加わった。ヨーロッパにおける新しいデザインの動向を展望し、本校においてはじめて本格的なデザイン教育が開始されることになった。これはW.グロピウスのバウハウスの開設より17年も早い発足であったことが注目される。浅井、武田はすでに滞欧中から教授就任が約束されており、デザイン教育の教材収集にも着手していたようである。

　収蔵品は約4,500件、約36,000点で分野は絵画、彫刻、金工、漆芸、染織品、考古品等多岐にわたっている。しかもこれらは何れも、デザイン教育の教材に役立てることを目的に収集されたもので、美術品、工芸品としての名品であることを条件としていなかった点に収集内容の特色がある。例えば意匠に見所のあるものは、多少傷があっても取り上げるという収集の姿勢が認められる。

【収蔵品・展示概要】
　〈常設展示〉京都高等工芸学校図案科教授であった浅井忠関係の絵画とアール・ヌーヴォーの大型ポスターを中心に展示している。

〈企画展示〉時代の風俗の証言者としての、またグラフィック作品として貴重な国内外のポスターを中心に、所蔵する多岐多種に及ぶ資料を、教育研究に活用できるよう逐次展示している。

【収蔵分野・総点数】

収蔵品の種類は、絵画、版画、彫刻、陶磁器、金工、漆芸、建築図面、染織品、考古資料、文献資料など多岐にわたり、その総数は約4,500件、約36,000点（2007年3月31日現在）を数える。これらの中には芸術的・学術的・歴史的価値が極めて高いものも多数含まれている。

特にポスターの収集に関しては、国内外ともに高い評価を得ている。とりわけ近年、日本におけるポスター収集基地として質・量ともに他の追随を許さない、中・長期的視点に立った収集活動を展開している。

最近の資料収集では、日本を代表する建築家村野藤吾が手掛けた建築設計図面が多数あり、これについても内外から熱いまなざしが注がれている。

【主な収蔵品／コレクション】

〈ポスター・コレクション〉19世紀末から20世紀初頭のアール・ヌーヴォー期、アール・デコ期ポスター、第一次世界大戦期の英・仏・独及び米国の戦時ポスター、戦前・戦後の日本のポスターなど

〈建築設計図面〉村野藤吾の戦前のドローイングを含めた建築設計図面

【展示テーマ】

「現代日本のポスター―戦後広告図像の一断面―」「第6回村野藤吾建築設計図展―村野藤吾と1940年代―」（以上2004年度）／「ルイジ・コラーニ―バック・イン・ジャパン―」「第7回村野藤吾建築設計図展―村野藤吾と公共建築―」（以上2005年度）／「日本のポスター1900～1945」「第8回村野藤吾建築設計図展―文化遺産としての村野藤吾作品―」（以上2006年度）

【教育活動】

〈シンポジウム〉「村野藤吾と1940年代」（2004年度）／「村野藤吾と公共建築」（2005年度）／「今なぜアスプルンドなのか」「文化遺産としての村野藤吾作品」（以上2006年度）

【刊行物】

『京都工芸繊維大学美術工芸資料館年報12』（2003年度）／『京都工芸繊維

京都府

『大学美術工芸資料館年報 13』（2004 年度）／『京都工芸繊維大学美術工芸資料館年報 14』（2005 年度）

- **所在地**　〒 606-8585　京都府京都市左京区松ケ崎御所海道町
- **TEL**　075-724-7924
- **FAX**　075-724-7920
- **URL**　http://www.kit.ac.jp/03/03_040401.html
- **E-mail**　siryokan@kit.ac.jp
- **交通**　京都市営地下鉄烏丸線「松ケ崎駅」下車，徒歩約 8 分
- **開館時間**　10:00 〜 17:00（入館は 16:30 まで）
- **観覧所要時間**　約 30 分
- **入館料**　一般 :200 円　学生 :150 円　高校生以下 : 無料
- **休館日**　日曜日，祝日，12 月 29 日〜 1 月 3 日，企画展の開催期間を除く土曜日，展示替えの期間
- **施設**　鉄筋コンクリート造 3 階建，建築面積　766 ㎡，延べ床面積　2,296 ㎡、展示面積　785 ㎡　その他に資料庫，演習展示室，演習室，資料整理室，教員研究室など
- **利用条件**
  - （1）利用を限定する場合の利用条件や資格　特になし
  - （2）調査研究目的で利用する場合の条件や資格　資料の閲覧は，教育・研究のため特に必要と認めた場合許可する。（事前予約制）
- **高齢者，身障者等への配慮**　バリアフリー
- **車イスの貸出**　なし
- **身障者用トイレ**　有り
- **無料ロッカー**　有り
- **駐車場**　有り
- **外国語のリーフレット，解説書**　なし
- **ミュージアムショップ / レストラン**　なし
- **今後 3 年間のリニューアル計画**　なし
- **設立年月日**　昭和 55（1980）年 4 月
- **設置者**　国立大学法人　京都工芸繊維大学
- **館種**　国立大学，美術
- **責任者**　館長・竹内次男（美術工芸資料館教授）
- **組織**　5 名（館長 1、事務係員 1、非常勤職員 3）館の運営に関する重要事項は，資料館運営委員会で策定し，各教育研究センターの連合組織である教育研究推進支援機構管理委員会において決定される

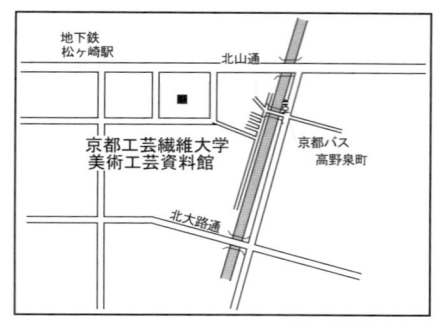

京都嵯峨芸術大学　附属博物館

The Museum of Kyoto Saga University of Arts

　京都嵯峨芸術大学は、2001年4月に、美しい自然環境、豊かな歴史環境にある嵯峨の地にふさわしい文化施設として、また、本学学生の学芸員養成の場を兼ねて、博物館を開設した。この博物館では、学生の創造意欲を刺激するため、造形の美しさ面白さを旨とする展示や、京都という風土が産み育てた文化の紹介、異文化の探求など、さまざまな角度からの企画展を開催している。またそれらの展示を、広く一般にも公開することにより、地域文化の発展をも願って活動を続けている。

【収蔵品・展示概要】

　自然と人間の共生に基づく文化的営為と文化・歴史遺産に関する資料を調査、収集、保管、展示し、教育・研究に資するとともに、教育的配慮の下に広く社会的利用に供することを目的としている。

　収蔵品には、日本全国から集められた2000点以上の郷土玩具（浅見素石氏・林司馬氏寄贈）、「貿易扇」（扇面／扇）約1400点、開学以来35年の歴史の中で収集された、本学教員・学生の作品があり、定期的に展示を行っている。

【展示テーマ】

　「観光芸術展―観光が育てた芸術作品―」（2005年，国立民族学博物館との共同主催）／「玩具プロデューサー『安斎レオ』フィギュア展」（2006年，本学卒業生で玩具プロデューサーの安斎レオさんの企画展）／「大覚寺展―障壁画模写を中心とした―」（2006年，大本山大覚寺の寺宝を展示）

京都府

- **所在地**　〒616-8362　京都府京都市右京区嵯峨五島町1番地
- **TEL**　075-864-7852
- **FAX**　075-882-7770
- **URL**　http://www.kyoto-saga.ac.jp/art_institution/index.php
- **交通**　1）阪急嵐山線「松尾」駅下車、徒歩15分（スクールバス運行約5分）　2）京福嵐山線「車折（くるまざき）神社」駅下車、徒歩約5分　3）JR嵯峨野線「嵯峨嵐山」駅下車、徒歩約15分　4）市バス・京都バス「車折（くるまざき）神社前」下車、徒歩約3分
- **開館時間**　10:00～18:00　最終日は17:00まで（原則）
- **入館料**　原則として無料。ただし、特別展示等で特に入場料等を徴収する場合がある
- **休館日**　毎週月曜日、展示替えおよび準備期間、夏期一斉休暇期間、年末年始（原則）
- **施設**　附属ギャラリー　アートスペース嵯峨
- **設立年月日**　平成13（2001）年
- **設置者**　学校法人　大覚寺学園
- **館種**　私立大学，文化・歴史
- **責任者**　館長・加藤明子（教授）

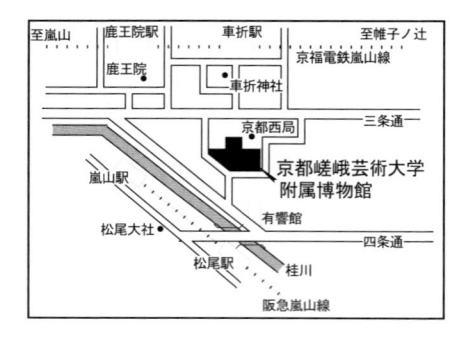

京都市立芸術大学芸術資料館

University Art Museum, Kyoto City University of Arts

"京都と本学の歴史に根差した調査研究活動を通じて、積極的に資料の収集を行い、貴重な資料の保存機関として、社会への還元をめざす。"

　本館は平成3年(1991)、京都市立芸術大学に設置された博物館相当施設である。明治13年(1880)に開設された京都府画学校以来の、百年を越す歴史を受け継ぐ。京都と大学の歴史に根差した調査研究活動を通じて、積極的に資料の収集を行い、貴重な資料の保存機関として、社会への還元をめざしている。

　明治13年(1880)　京都府画学校開設。絵画教育用に絵手本及び粉本類が用いられる。

　明治20年(1887)10月24日　田能村直入氏より絵画及び工芸品の寄贈を受け、以後教育的見地から芸術資料の収集が始まる。

　明治27年(1894)　この年から国庫補助金の交付により、参考品として絵画工芸など古美術資料を収集するようになる。また、図案科卒業作品が購入され、以後卒業作品の収集を開始。

　大正7年(1918)7月2日　学内において参考品陳列会を行う。

　昭和15年(1940)　大学創立60周年を記念して、京都市美術館で参考品の陳列を行う。

　昭和37年(1962)　附属図書館の所管施設として東山区今熊野校舎敷地内に陳列館が開設され、以後博物館業務を開始する。

　昭和56年(1981)4月1日　西京区大枝沓掛町に大学が移転した後は、附属図書館資料部門として業務が継承され、大学中央棟に陳列室が設置される。

　平成3年(1991)4月1日　大学の附属施設として「京都市立芸術大学芸術資料館」が設置され、附属図書館資料部門の業務を継承する。

京都府

　平成3年（1991）8月25日　『京都市立芸術大学芸術資料館年報』の刊行を開始。
　平成3年（1991）11月5日　京都府より博物館法に基づく相当施設の指定を受ける。
　平成5年（1993）4月1日　芸術資料館収蔵品管理事務のため、収蔵品データの機械可読形式への移行を開始。
　平成13年（2001）3月22日　芸術資料館のホームページを開設し、一般公開を開始する。

【収蔵品・展示概要】
〈収集方針〉
1. 博物館の所蔵資料として活用可能な有形資料であること。
2. 収集する資料は、制作された時代、国、及び種別を問わないが、既に所蔵する芸術資料と併せた活用を図るために、次のような資料とすること。（1）本学の教員（旧教員を含む）及び卒業生による作品及び関連資料　（2）既に収蔵しているコレクションをより充実させる作品及び関連資料　（3）近代芸術の継承発展ないしは現代芸術の展開のうえで重要な役割を果たしている作家の作品及び関連資料

〈展示概要〉
　陳列室は、大学中央棟の1階西側にあり、学年暦に応じて年間100日以上展示を行う。125㎡の会場に、収蔵品の一部を古美術・近現代美術・典籍・素描の各分野から40点程度展示。展示構成は、随時変更する。

【収蔵分野・総点数】
　絵画　8684点／版画　823点／写真　571点／映像　4点／彫塑　172点／工芸　2003点／意匠　797点／墨蹟　36点／拓本　22点／典籍　66点／文書　1088点／科学　14点
　合計　14280点

【主な収蔵品/コレクション】
〈1. 卒業作品〉
　卒業作品では、明治27年の京都市美術学校工芸図案科作品が最も古く、現在も受け入れを継続している。一時期全卒業生の作品を遺したこともあったが、基本的には選択して購入。
　学校が、地元産業界からの要請をうけたカリキュラムを持っていたことを受

けて、当初から日本画科と図案科の作品が収集された。中でも土田麦僊や小野竹喬など京都の近代美術に大きな足跡を遺した作家たちの作品には、歴史的な価値を見いだすことができる。戦後は新制大学となり、教育内容の変化に伴って新しい分野の作品が増え、多様性に富んでいる。

戦前期：京都市立美術工芸学校・同絵画専門学校の卒業作品、絵画科（日本画）と図案科のみ遺されている。

戦後期：京都市立美術専門学校・同美術大学・同芸術大学の卒業・修了作品で、カリキュラムの多様化に伴い、戦前から継続する日本画・デザインのほか、洋画・彫刻・版画・造形構想・陶磁器・染織・漆工の各分野が増加した。

〈2. 参考品〉

卒業作品以外の資料を参考品と呼ぶ。その収集は、明治20年田能村直入の寄贈にはじまる。明治後期から大正期にかけて、教育の現場で活用する参考資料として収集は増加し、内容も絵画・陶磁器・染織・漆工・民俗資料など幅広い分野にわたった。戦後は大学に陳列館が建設されたこともあって、教員の作品が収集されるようになり、以後、在京作家の作品を中心に、美術館としての性格を強く打ち出したコレクションが形成されるようになった。

田能村直入旧蔵資料：画学校の設立を陳情し、開校後初代摂理（校長）となった田能村直入が寄贈した文房具と中国絵画で、幕末明治期の文人趣味をうかがわせる。

美術工芸学校購入品：明治27年から数年間、国費による補助金を受け、尾形乾山や古清水などを含む陶磁器や漆器などの美術工芸品が多数購入された。

教員等寄贈作品：北村西望、池田遥邨、山口華楊、上村松篁、秋野不矩、黒田重太郎、須田国太郎、稲垣稔次郎、富本憲吉、藤本能道、近藤悠三ら旧教員や卒業生の作品群。

ニューギニア民族資料：昭和44年に行われたニューギニア未開美術調査隊の収集品で、現在では収集困難な、セピック川中流域の神像や仮面、土器のコレクション。

〈3. 教育活動と資料〉

参考品は、学校という環境の中で収集された。そのため、粉本や模本・下絵など、絵画教育に関連する資料も多く、近年はこうした歴史をふまえ、近現代作家の写生や下絵を積極的に収集している。

画学校粉本・絵手本：画学校や美術工芸学校で使用された粉本類で、幸野楳嶺・竹内栖鳳らが制作した絵手本のほか、近世諸流派のものを含む。

絵画模本：多数の現状模写を含む絵画模本群。明治後期から昭和初期にかけて田中親美や入江波光らによって制作された作品のほか、近世の貴重な写本も

京都府

含む。

土佐派絵画資料：中世から近代初頭まで継続した大和絵の流派として知られる土佐派に伝えられた粉本と文書類。中世の年紀を持つ資料を含む。

田村宗立旧蔵粉本：幕末期に六角堂能満院にあった画僧大願の仏画道場で使用された仏画粉本。垂迹画や肖像画も多く含む。

近現代作家絵画資料：鈴木百年・千種掃雲・今尾景年・石崎光瑶・奥村厚一・伊藤柏台・三輪晁勢・林司馬・猪原大華・足立源一郎・今井憲一・小合友之助らの写生や下絵類。

【展示テーマ】
「六角堂能満院仏画粉本―江戸時代の仏教図像」（2004年）／「模写と粉本」（2005年）／「仏画―祈りの図像」（2006年）

【調査研究活動】
京都六角堂能満院仏画粉本の研究／京都鈴木百年及び鈴木派の研究

【刊行物】
「京都市立芸術大学芸術資料館年報」

- 所在地　〒610-1197　京都府京都市西京区大枝沓掛町 13-6
- TEL　075-334-2232
- FAX　075-333-8533
- URL　http://www.kcua.ac.jp/muse/
- E-mail　muse@kcua.ac.jp
- 交通　1）JR 京都駅バスターミナル（烏丸中央口）から：C2 のりばで京阪京都交通バス 2・14・28 系統に乗車（約 45 分）、芸大前で下車。C5 のりばで市バス 73 番に乗車（約 45 分）、国道沓掛口で下車　2）阪急桂駅から：東口のりばで京阪京都交通バス 1・2・13・14・25・28 系統に乗車（約 20 分）、芸大前で下車。西口のりばで市バス西 5 に乗車（約 20 分）、国道沓掛口で下車　3）阪急洛西口駅から：ヤサカバス 1 号系統に乗車（約 15 分）、国道沓掛口で下車　4）JR 向日町駅から：ヤサカバス 1 号系統に乗車（約 20 分）、国道沓掛口で下車　※大学まで、芸大前から徒歩 2 分。国道沓掛口から徒歩 10 分。
- 開館時間　8:30～17:00（陳列室 9:00～16:30）
- 観覧所要時間　15 分
- 入館料　無料
- 休館日　土・日曜日、祝日、年末年始（展示室は会期中、土・日曜日、祝日も開室。ただし月曜日は休室。月曜日が休日の場合は翌火曜休室）
- 施設　本施設は、鉄骨鉄筋コンクリート造　大学本部棟内の 1 階及び地下 1 階

に位置する。施設の一部は本学附属図書館と共用。総面積　731.5 ㎡　1 階総面積　399.6 ㎡（専用 266.0 ㎡：陳列室 125.3 ㎡、実習室 42.1 ㎡、収蔵庫 37.4 ㎡ほか　共用 133.6 ㎡）　地下 1 階総面積　331.6 ㎡（専用：収蔵庫 201.3 ㎡、作業室 50.1 ㎡ほか）

・利用条件
　(1) 利用を限定する場合の利用条件や資格　陳列室での展示については誰でも見学できる。展示室での撮影については、著作権法の定める責任を負うことを前提として、禁止していない。ただし、特別閲覧・貸出・撮影など個別に資料を利用される場合は、許可を必要とする
　(2) 調査研究目的で利用する場合の条件や資格　事前に問い合わせのうえで、誰でもどなたでも申請できる。ただし学生の場合（大学院生を除く）指導教員の紹介状が必要。申請の調査研究目的が具体的かつ合理的であれば、許可される
・メッセージ　小さな展示会場ですが、美術系の博物館として、一般の美術館では見られない資料を展示することがあります。会期と展示内容をご確認のうえご来館ください
・高齢者，身障者等への配慮　バリアフリー
・車イスの貸出　有り
・身障者用トイレ　有り
・無料ロッカー　なし
・駐車場　有り
・外国語のリーフレット，解説書　なし
・ミュージアムショップ / レストラン　なし
・今後 3 年間のリニューアル計画　なし
・設立年月日　平成 3（1991）年 4 月 1 日
・設置者　京都市立芸術大学
・館種　公立大学，美術
・責任者　館長・渡邊眞（美術学部教授）
・組織　6 名（館長 1、事務長 1、係長 1、事務職員 1、学芸員 2。ただし学芸員以外の 4 名は附属図書館と兼務）。他に大学教員 6 名によって構成される運営委員会あり

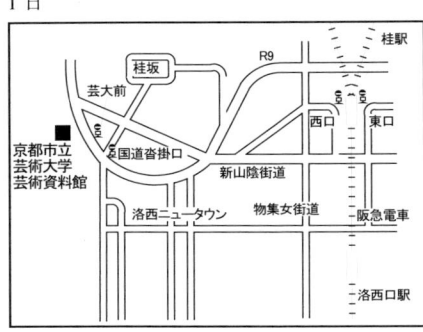

京都府

京都精華大学ギャラリーフロール

Kyoto Seika University Gallery Fleur

"様々な活動をとおして学内外の多くの方々に利用される、開かれたギャラリーとなることを目指しています。"

ギャラリーフロールは京都精華大学情報館の博物館部門が運営する大学ギャラリーである。1997年10月に開館し、1999年3月に博物館相当施設の指定を受けた。活動は資料の収集・保存、展覧会の開催、調査研究を中心とし、学芸員実習の受け入れなどの教育活動等、多岐にわたっている。

資料収集は、美術作品、民俗資料などを購入・寄贈により収集し、現在約12,000点の資料を所蔵している。展覧会は大学主催の企画展と、在学生・卒業生・教職員などの大学関係者による申請展とがあり、年平均12回の展覧会を開催し、広く一般に公開している。内容は美術展および、分野や学部をクロスした視点による展覧会がある。

様々な活動をとおして学内外の多くの方々に利用される、開かれたギャラリーとなることを目指している。

【収蔵品・展示概要】

ギャラリーフロールでは購入・寄贈により美術作品や民俗資料を収集してきた。現在約12,000点の資料を所蔵している。

展覧会は大学主催の企画展と、在学生・卒業生・教職員などの大学関係者による申請展とがあり、年平均12回の展覧会を開催し、広く一般に公開している。内容は美術展および、分野や学部をクロスした視点による展覧会がある。

京都府

【収蔵分野・総点数】
　所蔵品点数（2007年1月現在）
　絵画・素描:2,205点／版画:1,161点／立体造形:22点／工芸:68点／写真・映画・その他:30点／マンガ:176点／拓本:579点／書:81点／図書:18点／記録・資料他:23点／型紙:8,312点　所蔵作品合計:12,675点

【主な収蔵品/コレクション】
　〈絵画・素描〉油絵、日本画、スケッチ、デッサン、図案など。今井憲一コレクションや棟方志功の作品など。
　〈版画〉浮世絵、中国年画や、浅野竹二コレクションやジョセフ・アルバースなど近代・現代の作家の作品。
　〈立体造形〉造形作品、ブロンズなど。村岡三郎や岡崎和郎の作品などの作品。
　〈工芸〉陶磁器、染織、民具、民族工芸など。染の型紙コレクション、朽木コレクション（漆民具）など。
　〈写真・映画〉写真、映画、ポスターなど。塩田千春、ローリー・トビー・エディソン、ジョセフ・コーネルの作品など。
　〈マンガ〉武田秀雄、二階堂正宏、千葉督太郎、鮎川まことのマンガ原画。
　〈拓本〉中国画像石や書、マヤ遺跡のほか、台湾、日本、アンコールワットの拓本。
　〈書〉モンゴル、中国
　〈その他・資料〉北斎漫画などの画譜や、藤田嗣治の挿絵本など。覆刻地図、史料、所蔵作家資料。

【展示テーマ】
　京都精華大学主催の年2回開催される企画展としては、下記のものがあげられる。
　〈2004年度〉
　「ジョセフ・アルバース版画展」　ギャラリーフロール所蔵品の中からアメリカ抽象表現主義に多大な影響を及ぼした画家、ジョセフ・アルバースの「全版画ポートフォリオ」から厳選した作品を紹介した。
　「シュウゾウ・アヅチ・ガリバー展：体位」　日本とヨーロッパを拠点に活動するコンセプチュアルアーチスト、シュウゾウ・アヅチ・ガリバーの国内初の大規模展覧会。代表作「肉体契約」を含む、自身の肉体に関係した作品約20点により、作家の軌跡と現在を提示した。

京都府

〈2005年度〉
「塩田千春展— When Mind Become Form —」日本およびドイツを拠点に国際的に活躍する、本学出身の新鋭美術作家・塩田千春の国内初の大規模展覧会。インスタレーション、立体、映像作品など約10作品を展示し、作家のこれまでの歩みと現在を提示した。

「ドイツのアニメーション・フィルム展」主催：京都精華大学・京都ドイツ文化センター、企画／提供:ifa ドイツ対外文化交流研究所　ドイツで活躍する15名（組）の展覧会。制作のための原画、並びにパペットや映像を総合的に展示した。

〈2006年度〉
「西田潤展"絶"」　本学美術学部（現芸術学部）陶芸分野出身で現代陶芸のホープとして注目を集め、国内外のコンクールで受賞を重ねるなど活躍を続ける中、2005年に急逝した西田潤の回顧展を開催した。

「岡崎和郎展」　岡崎和郎が制作する彫刻＝オブジェ＝マルチプルの膨大な作品群のうちから、作家自らと主催者が共同で選択した作品によって構成した。

【調査研究活動】
岡崎和郎作家研究（展覧会開催）／塩田千春作家研究（展覧会開催）／シュウゾウ・アヅチ・ガリバー作家研究（展覧会開催）／所蔵品データベース作成（継続中）

【刊行物】
「THE ART OF SHUZO AZUCHI GULLIVER　体位」「金田辰弘展」「浅野竹二遺作展」「棟方志功肉筆画展　その宗教的な美」「残像　今井憲一　カタログ・レゾネ」

- ・所在地　〒606-8588　京都府京都市左京区岩倉木野町137
- ・TEL　075-702-5230
- ・FAX　075-705-4076
- ・URL　http://www.kyoto-seika.ac.jp/fleur/
- ・E-mail　fleur@kyoto-seika.ac.jp
- ・交通　叡山電車鞍馬線「京都精華大前」下車　地下鉄烏丸線「国際会館」よりスクールバス　※日曜日運休
- ・開館時間　10:30 〜 18:30
- ・観覧所要時間　約60分弱
- ・入館料　無料

- 休館日　水曜日
- 施設　明窓館　575㎡：ギャラリー 511㎡（1階常設展示室 55㎡、1階展示室 212㎡、2階展示室 172㎡ほか）、事務室 64㎡（文化情報課）　情報館　133㎡：収蔵庫 133㎡（収蔵庫 82㎡、学芸作業室 52㎡）　合計　708㎡
- 利用条件
  （1）利用を限定する場合の利用条件や資格　特に無し
  （2）調査研究目的で利用する場合の条件や資格　特に無し
- メッセージ　大学内にあるのでその他の併設施設などをご利用いただけます
- 高齢者，身障者等への配慮　段差有り
- 車イスの貸出　なし
- 身障者用トイレ　なし
- 無料ロッカー　なし
- 駐車場　なし
- 外国語のリーフレット，解説書　なし
- ミュージアムショップ/レストラン　無し
- 今後3年間のリニューアル計画　有り
- 設立年月日　平成9（1997）年10月
- 設置者　学校法人京都精華大学
- 館種　私立大学，美術
- 責任者　館長・長岡国人（芸術学部教授）
- 組織　館長1名　学芸員1名　スタッフ2名（学芸員有資格者含む）

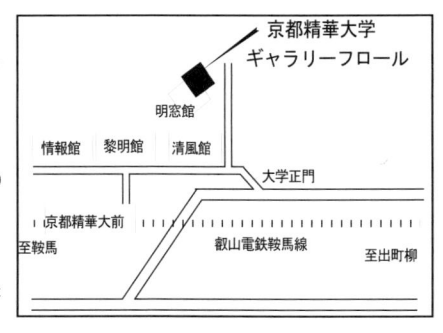

京都府

京都大学総合博物館

The Kyoto University Museum

"日本初の本格的「社会に開かれた大学の窓口＝ユニバーシティー・ミュージアム」"

京都大学は明治30年（1897）に創設されたが、大学が十全な研究・教育活動を行なうための拠点として、学術標本を収蔵・管理するための施設が必要であるとの考えから、創立当初から大学博物館の設置が構想され、一次資料の収集が開始された。明治40年（1907）、文科大学（のちの文学部）史学科の開設によって国史学・地理学・考古学の資料収集に拍車がかかり、大正3年（1914）には陳列館の最初の建物が竣工した。以後3次にわたる増築によって文学部陳列館（後の文学部博物館）全館が完成、史学科各講座と美学美術史学の文化史関係資料が収蔵された。

その後、他学部などでも学術標本資料が膨大な数量となり、その十分な管理と活用の必要性が叫ばれるようになった。機器・実験器具・資料の綿密な調査が行なわれ、本学が収蔵する250万点以上の学術標本資料の全貌が明らかとなったのである。これらの学術標本資料の保全・活用に対応するために、京都大学にとって最も望ましい総合博物館のあり方について活発な議論がなされた。

そして、平成9年度概算要求として京都大学総合博物館の新設を要求、承認され、平成9年度に教官9名・事務官4名の組織として京都大学総合博物館が発足した。旧文学部博物館を文化史系展示場とし、自然史系展示場として新館を新たに増設することになり、平成12年3月に着工、平成12年8月に竣成、平成13年6月に京都大学総合博物館として開館した。開館後は、文化史系・自然史系・技術史系の常設展示と年2回の企画展を中心に、適宜特別展を行う

京都府

とともに、標本の維持・管理の充実に努めているところである。また、社会貢献・教育活動の場として、公開講座等の企画・運営している。

【収蔵品・展示概要】
　常設展示は、文化史、自然史、技術史の3つの部門展示がある。
　〈文化史〉
　長持形・家形など石棺の様々な様式の代表例、京都大学の伝統的な史跡発掘調査・海外学術交流によってもたらされた土器や石器・金属製品など、学術史上重要な考古資料を展示。また、古文書・古記録などの歴史資料・古地図を中心とする地理資料、および各種美術資料を展示。
　〈自然史〉
　京都大学の研究成果を中心に温帯林の生態系の研究を紹介。昆虫と植物の共生関係、モグラと菌類の共生関係、植物の分布や四季を通じた変化、動物相などについて展示・解説。また、京都大学とマレーシアが世界に先駆けて行っている共同研究の最新成果を大規模なジオラマを交えて解説。故井上民二氏ら、研究中に殉職された研究者の業績も紹介。霊長類学のコーナーでは、知能測定実験装置を使って、チンパンジーと見学者の知恵比べもできる。
　〈技術史〉
　京都大学の前身でもある三高時代の物理実験機器や、創設期の京都大学で教材に使われていた機械メカニズム模型を展示。

【収蔵分野・総点数】
　京大総合博物館には、国宝・重要文化財を含む貴重な学術標本や資料が多数所蔵されている。文化史系資料では実物だけで30万点を越す膨大なコレクションがあり、国内はもちろんのこと、日本の歴史に影響を与えた中国や朝鮮半島のさまざまな時期の資料も蒐集されている。自然史系資料では魚類、植物、貝類、陸上動物を始め、菌類、化石・鉱石等の地質標本、技術史系では京都大学で所蔵されている3,000点以上の資料の中からその一部を保存している。海外との学術交流によってもたらされた資料も含め、260万点の資料が収蔵されている。

【主な収蔵品/コレクション】
　〈文化史〉石棺、土器や石器、金属製品、古文書、古地図など
　重要文化財：唐古遺跡出土品、宝塚市小浜北米谷出土品、城陽市久津川車塚古墳出土品
　〈自然史〉カキ（二枚貝）の進化についての標本、最古の多細胞動物アノマ

京都府

ロカリスやナウマン象の第一標本など
　〈技術史〉三高時代・京大の創設期に教材に使われた機械メカニズム模型、関門トンネルシールド工法模型、木製蒸気機関車模型など

【展示テーマ】
　春季企画展「考古学を愉しむ―新堂廃寺出土瓦の分析―」／秋季企画展「日本の動物はいつどこからきたのか―動物地理学の挑戦―」(以上 2005 年)／春季企画展「コンピュータに感覚を―京大情報学パターン情報処理の系譜―」／秋季企画展「湯川秀樹・朝永振一郎生誕百周年記念展―素粒子の世界を拓く―」(以上 2006 年)／春季企画展「地図出版の四百年」(2007 年)

【教育活動】
　〈公開講座〉「日本の動物はいつどこからきたのか」「考古学を愉しむ!?―考古学を読む―」(以上 2005 年度)／「湯川秀樹・朝永振一郎生誕百年記念―素粒子の世界を拓く―」「コンピュータに感覚を―京大情報学パターン情報処理の系譜―」(以上 2006 年度)／「出版地図の世界」(2007 年度)
　〈国際シンポジウム〉「博物館で学びが起こるとき」(2005 年度)

【刊行物】
　「地図出版の四百年」「コンピュータに感覚を―京大情報学パターン情報処理の系譜―」「日本の動物はいつどこからきたのか―動物地理学の挑戦―」「考古学を愉しむ―新堂廃寺出土瓦の分析―」

- 所在地　〒606-8501　京都府京都市左京区吉田本町
- TEL　075-753-3272
- FAX　075-753-3277
- URL　http://www.museum.kyoto-u.ac.jp/indexj.html
- E-mail　info@inet.museum.kyoto-u.ac.jp
- 交通　1) 京都市バス　3、17、31、201、203、206 系統　百万遍（ひゃくまんべん）停留所で下車　徒歩 2 分　2) 京阪電鉄　京阪本線　出町柳（でまちやなぎ）駅で下車　徒歩 15 分（今出川通を東進　百万遍交差点を南下）
- 開館時間　9:30～16:30（入館は 16:00 まで）
- 観覧所要時間　約 60 分
- 入館料　一般 400 円、大・高校生 300 円、中・小学生 200 円
- 休館日　月・火曜日、年末年始（12 月 28 日～1 月 4 日）
- 施設　地上 4 階・地下 2 階建ての建物で総面積は 13,350 ㎡、展示に使用されている 1・2 階の面積は 2,470 ㎡。展示面積以外には、エントランス、セミナー

室、各専門分野ごとの収蔵室、実験室、工作室、研究室など
・利用条件
　(1) 利用を限定する場合の利用条件や資格　学芸員を配置していない為、展示解説は行っていない。ただし、展示についてのパンフレットを受付にて配布している
　(2) 調査研究目的で利用する場合の条件や資格　常設展示外の収蔵資料は一般公開していない
・メッセージ　毎週土曜日には、学生や元教員による「週末こども博物館」が開催される。週によってテーマは様々だが、「不思議だな？」「ああ、なるほど！」といった学ぶ楽しさが体験できるはず。その学ぶ楽しさは、レクチャーシリーズ・学習教室(不定期に開催)にて大人も体験できる。博物館の前にあるスロープを登ると、京都大学の敷地内に入る。京都大学のシンボルともいえる時計台は大学の文書館となっている。博物館で知的好奇心を刺激されたら、京大の雰囲気を愉しむのも良いのでないだろうか。時計台内にフレンチレストラン、時計台前にはカフェがある
・高齢者，身障者等への配慮　バリアフリー
・車イスの貸出　有り
・身障者用トイレ　有り
・無料ロッカー　有り
・駐車場　なし
・外国語のリーフレット，解説書　有り
・ミュージアムショップ/レストラン　ミュージアムショップ「ミュゼップ（Tel:075-751-7300）」，レストラン　なし
・今後3年間のリニューアル計画　なし
・設立年月日　平成9（1997）年
・設置者　国立大学法人　京都大学
・館種　国立大学法人，総合（自然史・文化史・技術史）
・責任者　館長・山中一郎（教授）
・組織　24名（館長1、教員8（館長併任）、事務職6、受付2、監視員8）なお、運営には各研究科の教員で構成された協議委員会・運営委員会が関与している

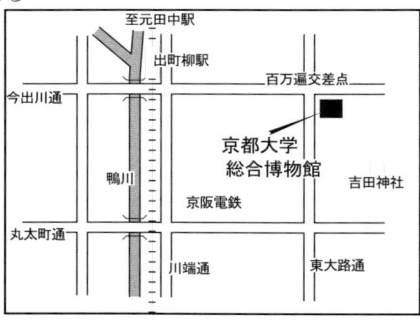

京都府

同志社大学歴史資料館

Doshisya University Historical Museum

"同志社の学術財に命を！ モノから探る先人の文化　京風文化を発掘する"

　同志社大学では、1973年に同志社校地とその周辺における自然的・歴史的変遷の研究を目的とする「校地学術調査委員会」の設置、校舎等の建設に伴う土木事業に先立つ地質・植生・埋蔵文化財等の学術調査を実施し、全国の大学における埋蔵文化財センターの先駆けとなった。本館は、同委員会の調査成果と、文学部考古学研究室が全国各地で蓄積してきた調査成果を核としつつ、考古・歴史・民俗・産業技術史などに関する博物館活動をとおして本学の教育に利するとともに、社会に還元する目的をもって、同委員会を改組して設置された。
　本学が歴史的遺産集中地域に立地するという条件から、埋蔵文化財の調査とその活用に活動の著しい特色があり、校地内の随所に遺跡を保存し、博物館活動に利用している点は大きな特色である。

【収蔵品・展示概要】
　展示室は一階（第一展示室）と（第二展示室）の2室からなる。
　第一展示室は、文学部考古学研究室創設以来の遺跡出土品のなかから、旧石器時代から古墳時代にいたる各時代の資料を展示。
　第二展示室では、キャンパス内の遺跡調査をはじめ、京都市内を中心とする中・近世の考古資料を展示。さらに考古学からみた産業史を、漁業・製塩・窯業・製鉄などの産業遺跡出土資料を展示。

【収蔵分野・総点数】
　〈考古〉国内を中心とする旧石器〜近代の考古資料（特に京都の中・近世資料は充実している）
　〈民俗〉世界各地の民俗
　〈歴史資料館〉京都を中心とする山城地域の古地図や近世の地誌類等
　〈美術〉浮世絵・錦絵

【主な収蔵品／コレクション】
　〈考古〉二上山麓の旧石器遺跡群（大阪）・和泉観音寺山遺跡（大阪）・井辺八幡山古墳（和歌山）・南蛮寺（京都）・上京公家屋敷跡（京都）など出土資料
　〈民俗〉アマゾン、ボルネオにおける 1960 年代の生活民俗資料、アイヌの生活民俗資料

【展示テーマ】
　常設展示「同志社の考古学」として第一・第二展示室を運営

【教育活動】
　公開講座〔各年度 6 回〕：「考古学に歴史を読む―古代と中世の都市をめぐって」（2004 年度）／「今問う、同志社考古学の成果」（2005 年度）／「山城の古代豪族」（2006 年度）／「淀川・木津川水系の古墳文化」（2007 年度）

【調査研究活動】
　第 1 期南山城総合学術調査（鷲峰山・金胎寺とその周辺地域）（1997 年度〜2001 年度）／第 2 期南山城総合学術調査（中世普賢寺谷の歴史的景観復原）（2002 年度〜2004 年度）／第 3 期南山城総合学術調査（南山城の古代寺院）（2005 年度〜2009 年度予定）／近衛殿桜御所跡（新町キャンパス）発掘調査（2004 年度）／岩倉忠在地遺跡（岩倉キャンパス）発掘調査（2004 年度）／相国寺境内遺跡（今出川キャンパス）発掘調査（2005 年度）

【刊行物】
　『第 1 期南山城総合学術調査報告書』『学生会館・寒梅館地点発掘調査報告書』『同志社大学校内遺跡発掘調査報告書』『岩倉忠在地遺跡』『同志社大学歴史資料館館報 9 号』

　・所在地　〒610-0394　京都府京田辺市多々羅都谷 1-3

京都府

- TEL　0774-65-7255
- FAX　0774-65-7257
- URL　http://hmuseum.doshisha.ac.jp
- E-mail　Jt-reksi@mail.doshisha.ac.jp
- 交通　1）近畿日本鉄道　新田辺・三山木駅からバス　2）近畿日本鉄道　興戸駅から徒歩20分　3）JR西日本　同志社前から徒歩15分
- 開館時間　月〜金曜日　10:00〜11:30　12:30〜16:00
- 観覧所要時間　30分
- 入館料　無料
- 休館日　祝日，大学の定める休業日
- 施設　展示室・事務室は京田辺キャンパス自然系実習棟の1・2階にあり，該部分のみの面積は270㎡である。別棟にて収蔵庫・書庫等640㎡。主な保存公開遺跡に，田辺天神山遺跡（京都府指定史跡）約2,000㎡，下司古墳群約2,275㎡，大御堂裏山古墳約225㎡がある
- 利用条件
　（1）利用を限定する場合の利用条件や資格　出版・テレビ放映等の営利目的での資料利用は有料。団体見学で展示解説の希望者は事前に連絡，予約制
　（2）調査研究目的で利用する場合の条件や資格　予約制。調査研究成果を公表する場合は事前に連絡
- メッセージ　今出川キャンパスには，寒梅館に出土遺物と保存遺構の展示がある。京田辺キャンパスでは，田辺天神山遺跡（弥生集落遺跡）や下司古墳群（横穴式石室4基を保存），大御堂裏山古墳（横穴式石室1基）を公開
- 高齢者，身障者等への配慮　バリアフリー
- 車イスの貸出　なし
- 身障者用トイレ　有り
- 無料ロッカー　なし
- 駐車場　有り
- 外国語のリーフレット，解説書　なし
- ミュージアムショップ/レストラン　なし
- 今後3年間のリニューアル計画　なし
- 設立年月日　平成8（1996）年2月
- 設置者　学校法人　同志社
- 館種　私立大学，歴史
- 責任者　館長・斉藤延喜（文学部長）
- 組織　7名（館長1〈兼〉、教授〔学芸員〕1、専任講師〔学芸員〕1、講師〔学芸員〕、事務長1〈兼〉、係長1〈兼〉、契約職員1）。運営には学内教職員で構成される歴史資料館運営委員会が関与している

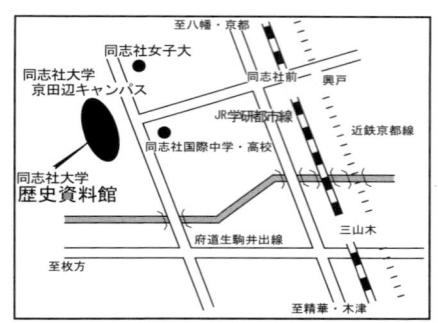

新島遺品庫

Repository of Neesima Memorabilia

"新島遺品庫に収蔵する資料約 6,000 点をデジタル化し、インターネットで一般に公開"

新島襄永眠 50 周年記念事業の一つとして建てられたもので、1942（昭和 17）年 2 月に完成。

同志社大学の今出川校地の東部（光塩館前）にあり、非公開。設計は建築家として有名な W.M. ヴォーリズ（近江八幡・一柳建築事務所）。大小 2 部屋からなり、当初は収蔵室および陳列室として使用してきたが、1995（平成 7）年に Neesima Room（展示室）が開設されたため、現在は、全体を収蔵庫として使用している。

書簡、日記、ノート類、説教・演説草稿、公務記録・文書、軸物、絵画など、新島襄や同志社関係資料、約 6,000 点を収蔵している。

【収蔵品・展示概要】
　書簡、日記、ノート類、説教・演説草稿、公務記録・文書、軸物、絵画など、新島襄や同志社関係資料、約 6,000 点を収蔵している。

【収蔵分野・総点数】
　新島襄関係（書簡、遺品、交遊関係など）、約 6,000 点

- **所在地**　（問合せ先）〒602-8580　京都府京都市上京区今出川通烏丸東入　同志社社史資料センター
- **TEL**　075-251-3042

京都府

- FAX　075-251-3055
- URL　http://joseph.doshisha.ac.jp/room/
- E-mail　ji-shasi@mail.doshisha.ac.jp
- 交通　地下鉄「今出川」駅から徒歩1分　京阪「出町柳」駅から徒歩15分
- 施設　コロニアル・スタイルの煉瓦造平屋建て、延べ面積は 80.99 ㎡
- 利用条件
　新島遺品庫は非公開で、収蔵する資料（約6,000点）は、デジタル化し、インターネットで一般に公開している（ホームページを参照）
- 設置者　同志社大学
- 館種　私立，歴史
- 設立年月日　昭和17（1942）年
- 責任者　同志社社史資料センター所長・露口卓也（文学部教授）
- 組織　9名（所長1、事務長1、室長待遇1、担当課長1、社史資料調査員2、アルバイト職員3）
　※2007年4月1日現在

Neesima Room

"新島襄、建学の精神についての啓蒙活動に資するため及び同志社社史資料の公開のための展示"

同志社大学の今出川校地には「新島遺品庫」(1942年竣工)があり、ハリス理化学館2階に「Neesima Room」(展示室)が開設(1995年)されるまでは、収蔵室および陳列室として使用してきた。

Neesima Roomでは、新島遺品庫や社史資料センターに保存されてきた、創立者新島襄やその後の同志社の発展に尽力してきた人物や歴史に関する資料をもとにテーマを設定し、年2回の企画展を開催している。またNeesima Roomに隣接してハリス理化学校記念展示室が設置されている。

新島襄の幼名は七五三太(しめた)と言う。彼は函館から密出国してアメリカへの渡航中、アメリカ人船長からジョー(Joe)と呼ばれ、渡米後は「養父」とも言うべきA. ハーディーからジョゼフ(Joseph)と呼ばれたので、アメリカではJoseph Neesimaと名乗った。その後、帰国するにあたって英語名をJoseph Hardy Neesimaと改称し、さらに日本では「新島襄」を使い始めた。この展示室の名称は新島の英語名にちなんでいる。

Neesima Roomは、本学の関係者だけでなく、広く学外の方々に対して、新島襄と同志社建学の精神を知る場として、大きな役割を果たしている。

【収蔵品・展示概要】

Neesima Roomでは、新島遺品庫や社史資料センターに保存されてきた、創立者新島襄に関する資料を常設展示。また、年2回、テーマを設定した企画展

を開催している。

　展示室のあるハリス理化学館は、工学部の前身・ハリス理化学校の校舎として建てられた（1890年竣工）建物だが、Neesima Room に隣接する「ハリス理化学校記念展示室」では、このハリス理化学校にかかわる資料を展示している。

【収蔵分野・総点数】

　書面、日記、ノート類、説教・演説草稿、公務記録・文書、軸物、絵画など、新島襄や同志社関係資料、約 6,000 点を収蔵している。

【展示テーマ】

〈企画展：年 2 回開催〉

　第 25 回「函館からボストンへ」／第 26 回「徳富蘇峰と熊本バンド」（以上 2004 年度）／第 27 回「同志社とアーモスト」（2005 年度）／第 28 回「新島襄と同志社」（会期中アーモスト大学特別展を併催）／第 29 回「躍動する同志社─京田辺開校 20 年─」／第 30 回「戦後の同志社　1946〜1986」（以上 2006 年度）／第 31 回「同志社と戦争 1930-1945」（2007 年度）　ほか

【教育活動】

〈公開講演会〉

　企画展のテーマの内容に沿った講演会を開催。「函館・ボストンそして同志社」／「熊本バンド、そして徳富蘇峰」（以上 2004 年度）／「私とアーモスト─アーモスト館建設前後─」／「同志社 130 年」／特別講演会「アーモスト大学アーカイヴズ所蔵新島襄関係資料について」（以上 2005 年度）／「京田辺キャンパスの 20 年」／「戦後の同志社の一段面─田畑忍先生と岡本清一先生を中心に─」（以上 2006 年度）／「戦時下の同志社─帝国日本の歴史の中で考える─」（2007 年度）

- **所在地**　（問合せ先）〒602-8580　京都府京都市上京区今出川通烏丸東入　同志社社史資料センター
- **TEL**　075-251-3042
- **FAX**　075-251-3055
- **URL**　http://joseph.doshisha.ac.jp/
- **E-mail**　ji-shasi@mail.doshisha.ac.jp
- **交通**　地下鉄「今出川」駅から徒歩 1 分、京阪「出町柳」駅から徒歩 15 分
- **開館時間**　春学期 4 月〜8 月，秋学期 10 月〜2 月のいずれも 10:00〜17:00（土・

日曜日と8月の平日は16:00まで)
- 観覧所要時間　約30分
- 入館料　無料
- 休館日　ホームページ，ポスター等で確認のこと
- 施設　煉瓦造2階建て（延べ床面積1,105.87㎡、重要文化財）のハリス理化学館2階にあり、Neesima Roomの占有延べ面積は162.2㎡。展示室は、Neesima Room（常設展示室、企画展示室）とハリス理化学校記念展示室（35.3㎡）
- 利用条件
　利用を限定する場合の利用条件や資格　出版物、テレビ放映等の営利目的での利用は許可が必要
- メッセージ　ハリス理化学館は、重要文化財である。建物の煉瓦積方式はイギリス・ゴシック（D.C.グリーンの設計による建物はアメリカン・ゴシック）
- 高齢者，身障者等への配慮　段差有り
- 車イスの貸出　なし
- 身障者用トイレ　なし
- 無料ロッカー　なし
- 駐車場　なし
- 外国語のリーフレット，解説書　有り
- 設置者　同志社大学
- 館種　私立，歴史
- 設立年月日　平成7（1995）年2月オープン
- 責任者　同志社社史資料センター所長・露口卓也（文学部教授）
- 組織　9名（所長1、事務長1、室長待遇1、担当課長1、社史資料調査員2、アルバイト職員3）
※2007年4月1日現在

京都府

花園大学歴史博物館
（別称：ZEN MUSEUM）

Hanazono University Historical Museum（ZEN MUSEUM）

　花園大学歴史博物館は2000年（平成12年）3月1日に開館し、同年5月16日に博物館相当施設として指定を受けた。当館は、本学の調査・研究活動によって蓄積された資料を広く公開し、大学教育および市民の皆さんの生涯学習に役立てることを目的としている。
　これからの大学の教育・研究活動は、広く社会に向かって貢献できるものでなくてはならない。花園大学歴史博物館は、こうした「開かれた大学」の中核施設として、今後もさまざまな事業を行っていきたいと考えている。

【収蔵品・展示概要】
　常設展示の内容
　〈考古学部門〉
　本学考古学研究室が実施してきた発掘調査の出土資料を収蔵している。京都市内最大の前方後円墳である伏見区黄金塚2号墳（4世紀末）の埴輪群、花園大学構内遺跡出土の平安京関係遺物、妙心寺境内遺跡出土の近世禅院関係遺物などが主要なものである。考古学資料によって古代から近世までの京都の文化を通覧できるのは、他にない特色となっている。
　〈民俗学部門〉
　奈良県大宇陀町の農村集落から収集した民俗資料を中心に収蔵。その内容は、服飾・食事・農耕・山樵・手工・染織・諸職・狩猟・漁労・交通運搬・交易・社会生活・年中行事・信仰といった多分野にわたり、生活文化の諸相をほぼ網羅している。

〈美術・禅文化部門〉
　近世を通じて禅林美術全体に強い影響力を持ち続けた、妙心寺派の傑僧白隠慧鶴の作品にはじまり、現代まで連なる禅画や墨跡を中心とした資料を展示し、豊かな禅文化の一端を紹介している。
〈歴史学・典籍部門〉
　本学文学部史学科が中心となって収集してきた多数の文献史料（古文書など）を収蔵。特に注目されるのは、中世の武家文書としてきわめて貴重な「俣賀家文書」である。また、「京都学コーナー」を設け、京都の歴史に関する史料を随時展示している。

【収蔵分野・総点数】
　考古学部門では、本学考古学研究室による発掘調査の出土資料を展示。中でも圧巻は、京都市内最大の前方後円墳である伏見区桃山町黄金塚2号墳（4世紀末）から出土した埴輪である。民俗学部門では、奈良県大宇陀町の農村集落などから収集した民俗資料を展示している。美術・禅文化部門では、禅林の絵画や墨跡などを展示している。歴史学・典籍部門では、石見国（島根県）の御家人であった俣賀家伝来の「俣賀家文書」などを展示している。常設展示ではこの4部門に関する収集資料を展示している。
　総点数、2028点

【主な収蔵品／コレクション】
〈古文書資料〉
　俣賀家文書　23点、和泉国泉郷国分村文書　353点、京都町触　2点、明治期教科書類資料　12点
〈民俗資料〉
　奈良県宇陀市大宇陀町より収集した民俗資料　49点
〈考古資料〉
　花園大学構内遺跡調査主要出土品　674点、花園高校校内遺跡調査主要出土品　281点、妙心寺金牛院境内遺跡主要出土品　449点、滋賀県野洲町下々塚遺跡主要出土品　145点
〈美術・工芸（墨跡）資料〉
　蔡山筆　十六羅漢図　16幀（元時代）、盤珪永琢筆　墨跡一行書　1幅（江戸時代）、白隠慧鶴筆　墨跡「親」字　1幅（江戸時代）、白隠慧鶴筆　文字絵渡唐天神図　1幅（江戸時代）、白隠慧鶴筆　文字絵柿本人麻呂図　1幅（江戸時代）、森徹山筆　鹿図　1幅（江戸〜明治時代）、森寛斎他筆　席画一時館図

京都府

1幅（明治時代）・竹内栖鳳書簡　1巻　ほか
その他、美術・工芸品を中心に寄託品約120件

【展示テーマ】
春季企画展「羽織裏の粋（おしゃれ）―山名邦和コレクション―」／秋期特別展「朼子菴（しょうしあん）の眼―日本画小品展―」（以上2005年度）／春期特別展「箔の美　野口康作品展―画材としての箔　光琳筆紅白梅図金箔・金泥問題に迫る―」（2006年度）／春季企画展「挿絵の世界―近世の出版文化―」（2007年度）

【教育活動】
展示に関係するシンポジウムや講演会を開催することがある。参加費は無料。過去平均参加人数は約200人。
博物館学芸員課程の館園実習を実施。
学内ボランティア制度（花園大学歴史博物館協力会）あり。

【刊行物】
〈図録〉『観る読む悟る　白隠―傑僧とその一門―』『森寛斎と森派の絵画―寛斎・祖仙・周峯・徹山・一鳳―』『白隠　禅画と墨蹟―新出：龍雲寺コレクション―』

- 所在地　〒604-8456　京都府京都市中京区西ノ京壺ノ内町8-1
- TEL　075-811-5181（代）
- FAX　075-811-9664（代）
- URL　http://www.hanazono.ac.jp/
- 交通　1）JR嵯峨野線（山陰本線）円町駅下車、徒歩8分　2）市バス「太子道」下車、徒歩5分　3）市バス・京都バス「西ノ京馬代町（花園大学前）」下車、徒歩2分
- 開館時間　10:00～16:00（土曜は14:00まで）
- 入館料　無料
- 休館日　日曜，祝日，全学休講日は休館
- 施設　土地面積1156㎡・施設の総面積は383㎡であるが、図書館と共有。施設の詳細は、第1展示室168㎡・第2展示室103㎡・収蔵庫47㎡・特別収蔵庫30㎡・学芸員室・展示準備室35㎡
- 利用条件
  (1) 利用を限定する場合の利用条件や資格　なし
  (2) 調査研究目的で利用する場合の条件や資格　事前に申請が必要

京都府

- **メッセージ** 付近には妙心寺、仁和寺、石庭で有名な龍安寺など多くの寺院や史蹟があります。また、嵐山や嵯峨野も近いので、観光も兼ねて当館へお立ち寄りください
- **高齢者，身障者等への配慮** バリアフリー
- **車イスの貸出** 有り
- **身障者用トイレ** 有り
- **無料ロッカー** なし
- **駐車場** なし
- **外国語のリーフレット，解説書** なし
- **ミュージアムショップ/レストラン** 無し 展示室にて特別展図録を販売している
- **今後3年間のリニューアル計画** なし
- **設立年月日** 平成12（2000）年
- **設置者** 花園大学
- **館種** 私立大学，歴史・美術
- **責任者** 館長・芳井敬郎（教授）
- **組織** 常勤職員7人、非常勤職員5人

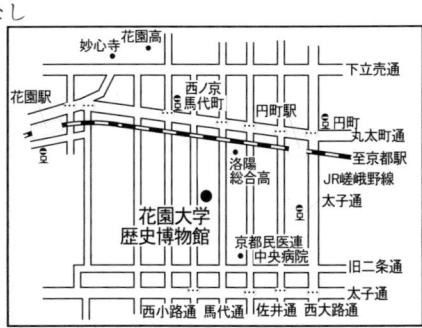

京都府

佛教大学アジア宗教文化情報研究所

Research and information center for Asian
Religioous Culture of Bukkyo University

アジア宗教文化情報研究所は、文部科学省オープン・リサーチ・センター整備事業研究補助金（平成15年度～平成19年度）を受け、日本と東アジア諸地域の宗教研究の拠点として2004年9月に佛教大学広沢校地に開設した。宗教文化研究の総合化、アジア地域の宗教文化の比較研究、宗教的伝統行事・祭具・芸能など有形・無形文化財の調査・資料収集および保存・公開、宗教文化情報の高度利用化などをおこなっている。さらに、宗教芸能を上演するための劇場「宗教文化シアター」と資料を公開する展示施設を備え、シンポジウム、講演会、出版活動を行い、研究成果をひろく市民に公開している。

【収蔵品・展示概要】
〈常設展　第一研究成果展示室〉
「祈りと祀り、そして暮らし―宗教文化情報研究への誘い―」
考古：ものからみた「こころ」
民俗：暮らしの中の祈りと祭り
文書：文字に残された人々の「思い」
仏教：祈りと思いの造型
〈第二研究成果展示室〉
「佛教大学の歴史」

京都府

【収蔵分野・総点数】
　考古遺物　約 300 点
　歴史資料　約 50 点（寄託資料）
　美術工芸品　約 20 点
　聖教類　約 300 点

【主な収蔵品／コレクション】
　京都府南丹市壺ノ谷窯跡群（須恵器）、岸カ前古墳群（甲冑・鉄剣・鉄刀・埴輪・玉類）、桑ノ内遺跡出土品（須恵器）
　〈寄託品〉京都市大本山清浄華院寄託仏像群、滋賀県・百済寺出土遺物

【展示テーマ】
　秋季特別企画「清凉寺の知られざる仏たち」／企画展示「浄土宗寺院の名宝（一）」（以上 2006 年）／国際シンポジウム関連特別展示「アジアを通った仏教のさまざまな姿」（2007 年）

【教育活動】
　第 20 回シアター公演　仏教と話芸「講演と実演　節談説教」／国際シンポジウム「アジアを通った仏教のさまざまな姿」／公開講演会「アジア地域の宗教文化」（以上 2007 年）

【調査研究活動】
　嵯峨清凉寺未指定文化財「美術工芸」調査／大本山清浄華院所蔵文化財「美術工芸」調査

【刊行物】
　『佛教大学アジア宗教文化情報研究所研究紀要』創刊号〜 3 号／『アジア宗教文化情報研究所報』創刊号〜 5 号／『佛教大学アジア宗教文化情報研究所資料集Ⅰ　月輪寺の仏たち』／佛大ひろさわ文庫 BIJA『法然絵伝を読む』『旅する考古学』その他

　　・所在地　〒616-8306　京都府京都市右京区嵯峨広沢西裏町 5-26
　　・TEL　075-873-3115
　　・FAX　075-873-3121
　　・URL　http://www.bukkyo-u.ac.jp/bu/guide/inst/asia/
　　・交通　1）JR 京都駅より：京都駅前（B4 のりば）より市バス（26 号系統）で「山越

京都府

　　　下車、西へ徒歩約 13 分　2）JR 山陰本線（嵯峨野線）花園駅下車、市バス（91・
　　　93 号系統）で「広沢御所ノ内町」下車、北へ徒歩約 8 分　3）京阪三条駅より：「三
　　　条京阪前」より市バス（10・59 号系統）でバス停「山越」下車、西へ徒歩約
　　　13 分
・開館時間　10:00 〜 16:30（入館は 16:00 まで）
・入館料　無料
・休館日　日曜日，祝日，年末年始，大学の定める休日　他（特別展・企画展示
　　　の開催期間の前後は休館。詳細は要問い合わせ）
・施設　第一研究成果展示室・第二研究成果展示室・宗教文化シアター
・利用条件
　　　調査研究目的で利用する場合の条件や資格　資料室・研究室・所蔵資料の使用・
　　　公開・調査に関しては特別観覧手続きによる申請を必要とする。資料室・
　　　研究室・所蔵資料に関しては原則として学生には利用を許可しない
・設立年月日　平成 15（2003）年 4 月 1 日
・設置者　浄土宗教育資団　佛教
　　　大学
・館種　私立大学

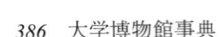

京都府

立命館大学国際平和ミュージアム

Kyoto Museum for World Peace, Ritsumeikan University

"みて かんじて かんがえて その一歩をふみだそう"

　世界で110館を越える平和博物館の約半数が日本にあるが、当館は、国内外の大学にさきがけて開設された「世界唯一の大学立の平和博物館」である。

　立命館大学は戦争の時代に多くの学生を戦場に送り、尊い命を失った。戦後、大学は「二度とペンを銃にもちかえない」決意をこめて「平和と民主主義」を教学理念にすえ、平和創造の面において大学が果たすべき社会的責任を自覚し、平和創造の主体者をはぐくむため、1992年にこの国際平和ミュージアムを開設した。

　開設以来、立命館学園の学生・生徒および一般入館者はもとより、全国3,000校を越える小学校・中学校・高等学校の平和学習の場として利用されている実績を持つ。

　2005年に大幅に改装したミュージアムは、3つのテーマ(「十五年戦争」、「現代の戦争」、「平和を求めて」)に基づく常設展示を設置した。過去の戦争の歴史から学ぶことに加えて、現代の戦争の実態、さらには、貧困・飢餓、人権抑圧、環境破壊、文化的暴力といった平和をめぐる今日的課題を盛り込んだ総合的平和ミュージアムとしてリニューアルして現在に至る。

【収蔵品・展示概要】

　2005年4月にリニューアルオープン。戦争の被害と加害の両面から過去の歴史に学び、平和をつくるために何ができるかを考える。実物資料の他に、戦時中の民家の復元やテーマ映像やシアター・音声も駆使した展示を行う。さら

京都府

に学びたい人のため、国際平和メディア資料室も併設。
　〈地階　平和をみつめて〉
　テーマ1「十五年戦争」1: 軍隊と兵士、2: 国民総動員、3: 植民地と占領地、4: 空襲・沖縄戦・原爆、5: 平和への努力、6: 戦争責任
　テーマ2「現代の戦争」1:2つの世界大戦と戦争をふせぐ努力、2: 植民地の独立と冷戦、3: 冷戦後の戦争、4: 兵器の開発、5: 現代の地域紛争
　〈2F　平和をもとめて〉
　テーマ3「平和をもとめて」平和創造展示室1: 暴力と平和を考える、平和創造展示室2: 平和をつくる市民の力、平和創造展示室3: 平和をはぐくむ京の人びと
　「無言館」／京都館―いのちの画室、ミニ企画展示室

【収蔵分野・総点数】
　〈歴史資料（実物・文書資料含む）〉十五年戦争を中心とした第二次世界大戦までの関連資料、現代の紛争や構造的暴力の資料など、総点数　約39,000点

【主な収蔵品/コレクション】
　〈常設展関連〉
　テーマ1　十五年戦争：戦時中の民家（町屋）の復元、広島・長崎被爆資料、山本宣治デスマスク、柳瀬正夢関連資料、世界の教科書展示、アウシュビッツ博物館寄贈資料
　テーマ2　現代の戦争：ベトナム戦争関連資料、模擬核爆弾
　テーマ3　平和をもとめて：ハーグ世界市民平和会議関連資料、12のNGO・フェアトレード関連資料、地球歴史年表、京都平和史跡めぐり、高木敏子氏関連資料、山口勇子氏関連資料、長野県上田市の無言館の協力による戦没画学生の絵画作品、本郷新氏彫刻作品

【展示テーマ】
　平和を築く―小野今絵画展―／漫画家たちの八月十五日展―百二十二名の絵手紙―／地球の上に生きる2006 DAYS JAPAN フォトジャーナリズム写真展／世界報道写真展2006 ― WORLD PRESS PHOTO 2006 ―／日本の子どもたちが見た「イラク戦争」／「人と戦の考古学―戦争の起源を求めて―」／「縄文時代からのメッセージ―立命館大学調査宮崎遺跡に見る縄文時代の平和―」（以上2006年度）

京都府

【教育活動】
　国際シンポジウム「アジアにおける平和博物館の交流と協力」(2004年　日本学術会議共催)／公開シンポジウム「平和をつくるNGOパワー」(2005年, 2006年)／学芸員(博物館)実習受入(2004・2005・2006年)／平和ミュージアムインターンシップ受入(2006・2007年)／夏休み親子企画「へいわ」ってなに？(2006年)／近隣中学校職場体験受入(2006年)／ボランティアガイド養成講座(2007年)

【調査研究活動】
　「Peace Archives　平和ミュージアム(DVD付)」2005年(発行:岩波書店　監修:立命館大学国際平和ミュージアム)

【刊行物】
　立命館平和研究ミュージアム紀要(vol.6　2005年／vol.7　2006年／vol.8　2007年)／国際平和ミュージアムだより(vol.32,33,34　2004年／vol.35,36,37　2005年／vol.38,39　2006年)／立命館大学国際平和ミュージアム資料目録第2集(CD-ROM付)(2004年)

- 所在地　〒603-8577　京都府京都市北区等持院北町56-1
- TEL　075-465-8151
- FAX　075-465-7899
- URL　http://www.ritsumei.ac.jp/mng/er/wp-museum/
- 交通　1) JR・近鉄　京都駅より　市バス50にて「立命館大学前」下車、徒歩5分　2) 阪急電車　西院駅より市バス205にて「わら天神前」下車、徒歩10分京阪電車　3) 三条駅より市バス15・59にて「立命館大学前」下車、徒歩5分
- 開館時間　9:30～16:30(入館は16:00まで)
- 観覧所要時間　約60～90分
- 入館料　個人料金:大人400円，中高生300円，小学生200円　団体料金(20名様以上):大人350円，中高生250円，小学生150円
- 休館日　月曜日(祝日の場合は翌日)、祝日の翌日、年末年始、夏期休暇中の大学が定める休館日
- 施設　地上4階地下1階建てのアカデメイア立命21のうち、1階(国際平和メディア資料室・事務室)・2階・地下1階を占める。ミュージアムの占有延べ面積は2,644.43 ㎡。常設展示部門のほか、エントランスホール、国際平和メディア資料室、収蔵庫、作業室、会議室、事務室など
- 利用条件
　(1) 利用を限定する場合の利用条件や資格　ガイド説明を希望される場合は、

京都府

　　　　見学当日の2週間前までに要予約
　　(2) 調査研究目的で利用する場合の条件や資格　文書等の収蔵資料の閲覧は要事前申請。資料の調査結果等を掲載発表する場合は要申請書
・メッセージ　地下展示室には、15年戦争を中心とした戦争の加害と被害の様相を伝える資料と現代の戦争についての資料、2階展示室には平和創出に向けた取り組みを展示。また、1階の国際平和メディア資料室は無料で一般に公開している。日本語をはじめ、英語・中国語・朝鮮語の4言語の音声ガイドの無料貸出もあり。ボランティアガイドによる案内（地下展示の案内、要予約）と学生スタッフによるナビ（2階展示の案内）や、子ども向けのきっかけ展示など、難しくて怖そうな戦争と平和の問題について一緒に考えてゆけるミュージアム。近くには、京都を代表する観光地である金閣寺をはじめ、竜安寺、仁和寺、等持院、府立堂本印象美術館（徒歩2分）がある。
・高齢者，身障者等への配慮　バリアフリー
・車イスの貸出　有り
・身障者用トイレ　有り
・無料ロッカー　有り
・駐車場　なし（団体バスの場合は事前に電話連絡すればスペース確保可能）
・外国語のリーフレット，解説書　有り
・ミュージアムショップ/レストラン　ミュージアムショップあり（オリジナルグッズ・刊行物などを販売）
・今後3年間のリニューアル計画　なし
・設立年月日　平成4（1992）年5月19日
・設置者　学校法人立命館
・館種　私立大学，歴史学・平和学
・責任者　館長・安斎育郎（国際関係学部特命教授）
・組織　18名（館長1、副館長1、専任職員3、契約職員10＝うち学芸員2含む、派遣職員4）

大阪府

追手門学院大学附属図書館
『宮本輝ミュージアム』

The Miyamoto Teru Museum

　2008年、学校法人追手門学院は創立120周年を迎える。『宮本輝ミュージアム』は、その記念事業の一環として、追手門学院大学附属図書館の改修と同時に併設した。

　広く一般へも公開するこのミュージアムは、本学文学部第一期卒業生であり、作家として活躍されている宮本輝氏の愛用品、直筆原稿など、数多くの資料を展示し、宮本輝氏の著作等を通して、図書館を利用される学生及び市民の方々に感動と共感の場を提供できることを願って開設した。そして宮本輝氏の活躍とともに成長し続けるミュージアムでありたいと願っている。

【収蔵品・展示概要】
　宮本輝年譜、直筆詩、宮本輝氏愛蔵品（万年筆、硯、筆、芥川賞副賞懐中時計、グラス等）、全刊行作品、直筆原稿（複製）、映画化された作品のポスターなど　年に2回、企画展を開催

【収蔵分野・総点数】
　約800点

【主な収蔵品／コレクション】
　宮本輝氏著書、初出雑誌、宮本輝氏関連記事、研究書、研究論文、直筆原稿、新聞連載挿絵（坂上楠生画）、映画化関係資料

大阪府

【展示テーマ】
「『青が散る』とおもいでの旅」展（2005〜2007年）／「泥の河」展（2006年）／「ひとたびはポプラに臥す」展（2006年）／「優駿」展（2007年）

【教育活動】
『宮本輝ミュージアム』開設記念宮本輝講演会（2005年）／公開対談「『泥の河』を語る」（作家宮本輝×映画監督小栗康平）（2006年）

【調査研究活動】
「作家宮本輝が語る」（学長、図書館長との対談）（ビデオ製作　2005年）／「宮本輝　作品を語る」（ビデオ製作　2005年）／「『泥の河』の舞台をたどる」（ビデオ製作　2006年）／「『優駿』を語る」（宮本輝インタビュー）（ビデオ製作　2007年）

【刊行物】
パンフレット　展示品リスト

- 所在地　〒567-8502　大阪府茨木市西安威2丁目1番15号
- TEL　072-641-9639
- FAX　072-643-9786
- URL　http://www.oullib.otemon.ac.jp/lib/
- E-mail　Teru-museum@jimu.otemon.ac.jp
- 交通　JR茨木駅、阪急茨木市駅より車で約20分　阪急バス「追手門学院大学」専用スクールバスを運行（JR茨木はマイカル茨木北側、阪急茨木は西側ロータリー）
- 開館時間　授業期間中　平日　9:25〜19:50，土曜日　9:25〜17:00（長期休暇期間中は開館時間に変更有り）
- 入館料　無料
- 休館日　日曜日，祝日，大学創立記念日（5月29日），入試日，定期休館日（毎月末の平日1日），蔵書点検期間，夏期・冬期休暇期間中の土曜日，8月12日〜8月16日
- 施設　地上4階地下2階『宮本輝ミュージアム』は、図書館エントランス部分に開設。ミュージアムの占有延べ面積は140㎡
- 利用条件
  （1）利用を限定する場合の利用条件や資格　なし
  （2）調査研究目的で利用する場合の条件や資格　本学図書館が貴重書（資料）と定めるものについては、利用条件等を検討中
- メッセージ　一般学外者の利用登録を受け付けています。登録された方は、図

大阪府

書の貸出が可能です。登録を希望される方は、公的な身分証明書と証明写真1枚（2.5 × 2cm）を持参の上、図書館カウンターでお申し込みください。詳細は図書館ホームページをご覧ください

・高齢者，身障者等への配慮　バリアフリー
・車イスの貸出　なし
・身障者用トイレ　有り
・無料ロッカー　有り
・駐車場　有り
・外国語のリーフレット，解説書　なし
・設立年月日　平成17（2005）年5月21日
・設置者　学校法人　追手門学院
・館種　私立大学，人文・社会
・責任者　図書館長・渡部重明（経済学部教授）
・組織　19名（館長1，事務長1，事務長補佐1，職員1，司書スタッフ15）

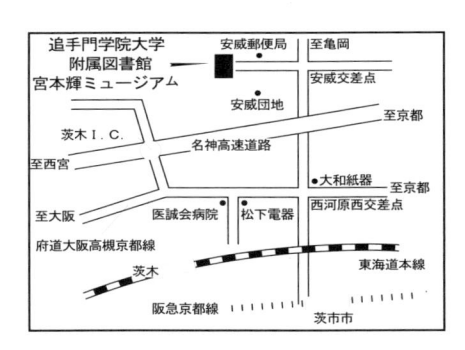

大阪府

大阪大谷大学博物館

　大阪大谷大学博物館は、教育及び学術研究並びに地域文化の発展に寄与することを目的に昭和53年に設立された。

　本学では昭和48年に学芸員課程を設置。当時は、大阪府下および奈良県下の諸施設に館務実習の受け入れを依頼していたが、学芸員課程履修生の増加とともに、学内で博物館実習を行うため資料館建設を行った。工事は昭和53年7月から開始し、同年12月に開館。同時に「資料館だより」第1号を発行するとともに、同年夏に実施した四天王寺境内の発掘調査報告書を「大谷女子大学資料館調査報告書」第1冊として刊行した。

　また昭和58年4月21日に博物館相当施設の認定を受け、その後は、毎年春・秋に特別展を実施するとともに、発掘調査や古文書調査の成果は「博物館（資料館）報告書」として、継続的に刊行されている。

　平成に入る頃になると、学芸員資格課程の受講希望者が年々増加するようになり、平成8年度には150名ほどに達した。このような状況のなかで、平成9年3月、大谷学園90周年記念施設として、新たに博物館を建設することが決定された。

　博物館は、平成11年9月に竣工。建物内には展示室をはじめ、教室や、平成12年度から設置された文化財学科の研究室が置かれ、講義、実習、研究活動などが館内で行われることとなった。開館後は、大谷学園が所蔵する各種文化財資料の展示・公開施設としてばかりではなく、河内飛鳥における地域文化研究の拠点として、あるいは文化財学科の教育・研究活動の拠点として、この博物館がひろく活用されることを目指して活動している。

なお、平成 18 年 4 月には大学名称を「大谷女子大学」から「大阪大谷大学」に変更したことに伴い、「大阪大谷大学博物館」と名称を変更し、現在に至る。

【収蔵品・展示概要】
　大学地元の南河内地域の歴史を知るための関連参考資料など、比較資料の収集および大学教育での研究参考資料の収集。例えば、女子大学であったことから化粧具や装身具にも力を入れて収集してきた。

【主な収蔵品／コレクション】
　〈考古資料〉縄文土器、弥生土器、須恵器、備前焼などの日本の各時代の土器、陶器。富田林市中野遺跡採集の弥生時代石器製作工程を示す資料。古墳時代から近世にわたる鏡類。中国の戦国時代から清代の鏡、漢から唐の陶俑、新石器時代から漢の土器、中南米では、マヤ文明から現代メキシコ・グアテマラで使用されているさまざまな土器。
　〈民俗資料〉近畿地方で近代まで使用されていた農具などの民具。木綿関係資料として、絣・型染裂のほか、刺子・帷子など。このほか、漆器、柄鏡などがある。
　〈文献資料〉近世文書では、大阪府橘家文書、堺市高野家文書、東大阪市岩崎家文書がある。また富田林市田中文書、仲村家文書、三嶋家文書、河内長野市観心寺文書、八尾市安田家文書、田中家文書がマイクロフィルム化されている。

【展示テーマ】
　漢代の文物　考古学の語る「中世の墓地物語」（2004 年度）／装いの脇役たち　埴輪の世界（2005 年度）／焼き物のかたち　南大阪の仏像—近年発見の小仏を中心に—（2006 年度）

【教育活動】
　〈講座〉民家集落博物館へのいざない／家形埴輪の製作技法について／器財埴輪の文様変遷（以上 2005 年度）／土器づくりの村—東南アジアを中心に—／やきものの話／快慶とその弟子行快／韓半島の仏像—中国と日本のかけはし—（以上 2006 年度）

【刊行物】
　〈調査報告書〉牛頸本堂（2004 年度）／牛頸本堂 III　第 5 次発掘調査報告

大阪府

書（2005 年度）／窯跡群発掘資料調査報告（2006 年度）

- 所在地　〒584-8540　大阪府富田林市錦織北 3-11-1
- TEL　0721-24-1039
- FAX　0721-24-9787
- URL　http://www.osaka-ohtani.ac.jp/museum/index.html
- E-mail　hakubutukan@osaka-ohtani.ac.jp
- 交通　近鉄長野線「滝谷不動」駅下車，徒歩 7 分　近鉄阿倍野駅から近鉄南大阪線（長野線）に乗り換え。南海難波駅から南海高野線河内長野駅で近鉄長野線に乗り換え
- 開館時間　10:00 〜 16:00（ただし，春秋の特別展期間中のみ一般公開）
- 観覧所要時間　30 分
- 入館料　無料
- 休館日　期間中の日曜日，祝日，大学が定める休日
- 施設　〈新館〉構造 :RC 造一部 S 造　地上 5 階建、延床面積 :2280.65 ㎡　展示室は 1 階にあり、面積は 374.50 ㎡　設備など：中教室および小教室各 2、大学院講義室、図書資料室、保管庫、文化財学科研究室ほか　〈旧館〉構造：鉄骨造　一部 2 階建　延床面積 :524.32 ㎡　設備など：文化財科学実験室、科学測定室、暗室、AV 編集室、実習室、収蔵庫ほか
- 利用条件
  - （1）利用を限定する場合の利用条件や資格　見学についての条件設定なし
  - （2）調査研究目的で利用する場合の条件や資格　学生の場合には、指導教授の紹介状を要す
- 高齢者，身障者等への配慮　段差有り
- 車イスの貸出　なし
- 身障者用トイレ　有り
- 無料ロッカー　なし
- 駐車場　なし
- 外国語のリーフレット，解説書　なし
- ミュージアムショップ / レストラン　なし
- 今後 3 年間のリニューアル計画　なし
- 設立年月日　昭和 53（1978）年 12 月
- 設置者　学校法人　大谷学園
- 館種　私立大学，歴史
- 責任者　館長・草場宗春
- 組織　館長 1 名　館長補佐 1 名　学芸員 3 名　事務職員 1 名

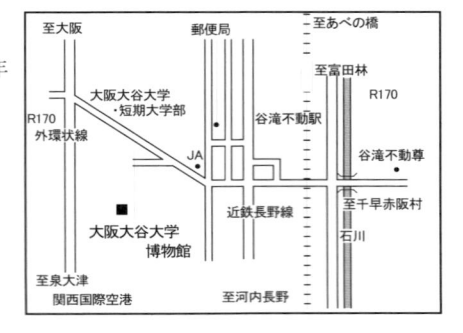

大阪経済大学 70 周年記念館ギャラリー

Osaka University of Economics 70'th Anniversary Gallery

　大阪経済大学は、1932 年浪華高商として発足して以来、経済・経営系の大学として発展してきた。2002 年に創立 70 周年を記念して人間科学部を新設し、70 周年記念館を創立した。人間科学部では学芸員資格取得のための実習の場として、かつ地域の文化的資質向上の施設として 70 周年記念館の 1 階にギャラリー（通称　KEIDAI ギャラリー）を設置した。現在は、「博物館実習」に使用するとともに、大学の所蔵する文化財の公開、学生のクラブ活動、近隣住民の文化活動の支援（書道展・写真展・邦楽の演奏等）に利用、また大学周辺の近世～近代の歴史・美術資料の収集・保存にも努めている。

【収蔵品・展示概要】
　〈収蔵品〉大学の所有する博物館資料は、1) 図書館、2) 日本経済史研究所、3) ギャラリーの 3 カ所で所蔵している。
　1) 図書館所管分：経済学に関する図書や古文書
　2) 日本経済史研究所所管分：日本経済史に関する史料
　3) ギャラリー所管分：近現代の大阪ゆかりの古美術
　〈展示〉常設展示はしていない。上記資料の展示は、テーマを設け企画展として展示。

【収蔵分野・総点数】
　1) 図書館所管分：西洋の経済に関する古典籍類、杉田家文書他

大阪府

2）日本経済史研究所所管分：江戸時代の経済に関する古文書類、井野口屋飛脚問屋記録他
3）ギャラリー保管分：2002年から収集を始め、資料は約30点。大塩平八郎筆「世海身船説」他
　総点数は、3カ所合計で、約2万点

【展示テーマ】
「人間科学部生の自主企画展―KIMONO LIFE―」（2004年度）／「図書館貴重図書の公開」（図書館主催　2004年度）／「黒正巌博士遺墨・遺品展」（日本経済史研究所主催　2004年度）／「美しいものへの憧れ～書より道を大切に～」（2006年度）／「博物館実習の教材―新作土器の展示―」（2007年度）ほか

【刊行物】
『黒正巌博士遺墨・遺品展』（日本経済史研究所　2004年）

- 所在地　〒533-0011　大阪府大阪市東淀川区大桐2-8-11　大阪経済大学70周年記念館　1F
- TEL　06-6328-2431（代表）
- FAX　06-6320-9600（A館事務室）
- 交通　1）阪急上新庄駅下車　徒歩15分、もしくは市バス約3分「大桐2丁目」下車　2）地下鉄今里筋線「瑞光4丁目」下車　徒歩7分
- 開館時間　9:00～17:00
- 観覧所要時間　約10分
- 入館料　無料
- 休館日　不定期
- 施設　地上5階、地下1階建ての70周年記念館（通称A館、延床面積9,194㎡）の1階の入り口部分にある。ギャラリー部分と展示作業室をあわせ107.23㎡、他に5階に収蔵庫（26.24㎡）と博物館実習室がある
- 利用条件
　　ギャラリーの利用に関しては、A館事務室へ（電話での問い合わせも可）
- 設立年月日　平成14（2002）年9月30日
- 設置者　学校法人　大阪経済大学
- 館種　私立大学，歴史・美術
- 責任者　ギャラリー運営委員長・長田寛康（人間科学部教授）
- 組織　専任教職員はいない。ギャ

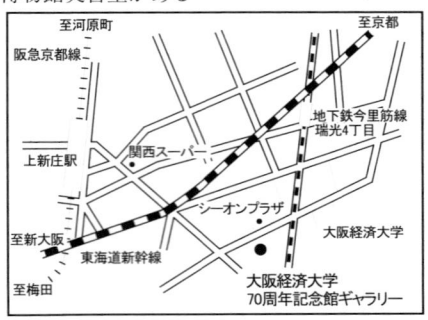

ラリー運営委員会を組織し、運営をおこなう。委員（8名）は各学部教員（経済学部・経営学部・経営情報学部・人間科学部）から各1名、教務部・学生部・図書館・日本経済史研究所の事務所属長から各1名により構成。運営委員長が館長を兼務。教務部に事務局を設置。他にA館事務室（2名）が受付業務等をおこなう。委員のなかで学芸員の有資格者は1名

大阪府

大阪芸術大学博物館

Osaka University of Arts Museum

　大阪芸術大学では、昭和56年に塚本英世記念館芸術情報センターを設置して以来、あらゆる芸術資料の収集に努めてきた。その総点数は4,000点を超え、そのなかには19世紀末の初期モデルから20世紀中葉までの変遷を概観できる蓄音機コレクションや、世界に4セットしかない作家自選によるアンリ・カルティエ＝ブレッソン写真コレクション、20世紀グラフィックデザインのひとつの大きな流れであるスイス派の作品などのほか、国内外の優れた美術作品や芸術資料が多く含まれる。
　「大阪芸術大学博物館」は、これらの芸術資料をはじめとする本学所蔵の作品を、学内での研究に役立てることはもとより、広く社会に公開することを目的として平成14年に開設された。

【収蔵品・展示概要】
　常設展示は行っていない。大学の教育・研究に則した作品・資料を収集、所蔵品展・特別展を開催し、学内外に公開している。
　展示施設だけではなく、学内のあらゆる場所を使った展示を行うこともある。

【収蔵分野・総点数】
　〈美術・デザイン〉
　写真、絵画、版画、ポスター、ガラス工芸など約3,000点
　〈メディア〉
　レコード、オーディオ機器、映画機器、写真機器　約41,500点

【主な収蔵品 / コレクション】

アンリ・カルティエ＝ブレッソン自選写真コレクション：作家自選による、世界で4セットしかないコレクション。

スイス派ヨーロッパ構成主義コレクション：スイス派の版画、ポスターなど。

蓄音機コレクション：初期の機械式蓄音機から1950年代半ばの電蓄まで、エジソン、ビクター、コロムビアなどのものが年代順に揃っている。また、SPレコードもあらゆるジャンルのものがあり、蓄音機での再生を行っている。

ライカコレクション：35mmカメラの開発メーカーであるライカ社の初期から1970年代までのカメラ本体とレンズを中心に、各種アタッチメント、スライドプロジェクターなどの周辺機器とオリジナルカタログやレポートなどの文献資料多数を含む。

【展示テーマ】

「リヒャルト・パウル・ローゼ」「アンリ・カルティエ＝ブレッソン」（以上2004年度）／「オーディオ機器の変遷100年」「ポーランド・ポスター」（以上2005年度）／「欧米のポスター100・1945－1990」展（2006年度）

【教育活動】

講演会：「リヒャルト・パウル・ローゼ　スライドレクチャー」／シンポジウム「決定的瞬間という罠―カルティエ＝ブレッソンとパリ写真―」／ワークショップ：「ピンホールカメラ」（以上2004年度）

【刊行物】

「アンリ・カルティエ＝ブレッソン自選コレクション作品集」

- 所在地　〒585-8555　大阪府南河内郡河南町東山469
- TEL　0721-93-3781（代表）
- FAX　0721-93-8564
- URL　http://www.osaka-geidai.ac.jp/geidai/museum
- E-mail　museum@osaka-geidai.ac.jp
- 交通　近鉄南大阪線「喜志」駅からスクールバスまたは金剛バス「東山（芸大前）」下車すぐ
- 開館時間　10:00～16:00　展覧会開催時のみ開館　展覧会により開館時間の変動あり
- 観覧所要時間　不定
- 入館料　無料
- 休館日　日曜日，祝日，大学が指定する休業日　※展覧会により変動あり

大阪府

- 施設　特に博物館としての建物は無く、学内既存の施設を利用。展示室は、塚本英世記念館芸術情報センター1階と地下1階、総合体育館1階、合わせて906㎡。収蔵庫は、塚本英世記念館芸術情報センター地下1階と地下3階、合わせて923㎡
- 利用条件
  （1）利用を限定する場合の利用条件や資格　資料利用については要事前相談
  （2）調査研究目的で利用する場合の条件や資格　資料利用については要事前相談
- メッセージ　学内の他の施設、図書館や各種売店も一般利用可能。博物館による展示以外にも、学生が行っている展示を見ることが可能
- 高齢者，身障者等への配慮　段差有り
- 車イスの貸出　なし
- 身障者用トイレ　有り
- 無料ロッカー　なし
- 駐車場　有り
- 外国語のリーフレット，解説書　なし
- ミュージアムショップ/レストラン　特に博物館用の施設はないが、学内の食堂、売店の利用が可能
- 設立年月日　平成14（2002）年6月
- 設置者　大阪芸術大学　学校法人塚本学院
- 館種　私立大学，美術
- 責任者　館長・平金有一（芸術学部教授）
- 組織　5名（館長1名、事務長・学芸員1名、主任・学芸員1名、アルバイト2名）他に、教職員で構成された博物館運営委員会がある

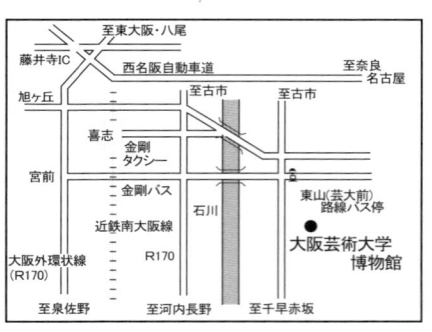

大阪商業大学商業史博物館

Museum of Commercial History, Osaka University of Commerce

　当館は本学の1号館である谷岡記念館を保存し、市民に開かれた大学の象徴的な施設として活用するために、昭和58年に館内に現在の商業史博物館にあたる商業史資料室、郷土史料室などを設置し、谷岡記念館として一般市民への公開をはかった。そして平成11年には、商業史資料室、郷土史料室の2つを合わせて商業史博物館として博物館相当施設の指定を受けた。また、翌12年には同館を設置している谷岡記念館(昭和10年建築)自体も国登録有形文化財となり、現在にいたっている。

【収蔵品・展示概要】
　商業史資料室では、「近世大阪の商業」をテーマに、庶民生活の場としての「大阪の町」、商業の中心地としての「商都大阪」、大阪の風俗を紹介する「大阪の商売と生活」について商家文書や商業用具(貨幣・天秤・千両箱等)の実物資料を用いて展示解説している。郷土史料室では「河内の稲作と民具」、「河内の木綿」をテーマに、木綿資料・庄屋文書・農具・民具を用いて展示解説している。

【収蔵分野・総点数】
　〈収蔵品〉近世の大阪に関する古文書・大阪の隣接農村の地方文書約25,000点、千両箱・貨幣・天秤などの商業史資料約500点、民具資料約1,500点、河内木綿約3,000点、新聞資料約100,000点。

大阪府

【主な収蔵品／コレクション】
　佐古慶三教授収集文書、中谷コレクション（新聞資料）、河内国若江郡御厨村加藤家文書、河内木綿

【展示テーマ】
　「懐かしのポスター展―昭和20～30年代の博覧会ポスター―」（2005年）／「富札展―江戸時代の宝くじ―」（2006年）

【教育活動】
　〈スライドカルチャー〉中国中原の仏（2004年）／中国中原の仏（その2）と韓国の仏（2005年）／概説・日本の世界文化遺産（2006年）
　〈ミュージアムセミナー〉近世古文書を語り読む（中級古文書解読講座II）（2004～2006年）／近代の歴史遺産・保存と活用の思想―ヨーロッパと日本―（2004年）
　〈シンポジウム〉紀伊山地の自然への祈り―世界遺産登録2周年を迎えて―（2005年）／紀伊山地の祈りと生活―世界遺産登録1周年を迎えて―（2006年）
　〈親しむ博物館づくり事業〉東大阪市意岐部小学校での「和綴じ本作り」と「拓本作り」の体験授業

【刊行物】
　『大阪商業大学商業史博物館紀要』第5・6・7号／『富札展―江戸時代の宝くじ―』『懐かしのポスター展　中谷コレクションから―昭和20～30年代の博覧会ポスター―』『大阪商業大学商業史博物館総合展示案内』『大阪商業大学商業史博物館資料目録』第9・10集／『鴻池屋I』（商業史博物館史料叢書第5巻）／『支配I』（商業史博物館史料叢書第10巻）

- 所在地　〒577-8505　大阪府東大阪市御厨栄町4-1-10
- TEL　06-6785-6139
- FAX　06-6785-6237
- URL　http://moch.daishodai.ac.jp
- E-mail　hiken@oucow.daishodai.ac.jp
- 交通　近鉄奈良線河内小阪駅（準急・区間準急停車駅）下車徒歩5分
- 開館時間　10:00～16:30
- 観覧所要時間　30分
- 入館料　無料
- 休館日　日曜日、祝日、創立記念日（2月15日）、年末年始、大学の休業期間

中
- 施設　構造：鉄筋コンクリート　面積：土地（4,233 ㎡）、建物（専用 708 ㎡・共用 1,252 ㎡）　施設設備：展示室、収蔵庫、古文書補修室、閲覧室、事務室、書庫、特別収蔵庫など
- 利用条件
  （1）利用を限定する場合の利用条件や資格　資料特別利用（貸出・掲載・撮影など）の場合の公共利用など
  （2）調査研究目的で利用する場合の条件や資格　特になし（研究利用一般）閲覧時の複写は不可。（コピー、撮影など）
- メッセージ　周辺には司馬遼太郎記念館がある（徒歩 15 分程度）
- 高齢者，身障者等への配慮　段差有り
- 車イスの貸出　なし
- 身障者用トイレ　なし
- 無料ロッカー　有り
- 駐車場　有り
- 外国語のリーフレット，解説書　有り
- ミュージアムショップ / レストラン　館内にはないが、大学の学食は利用可能
- 今後 3 年間のリニューアル計画　なし
- 設立年月日　昭和 58（1983）年開館、平成 11（1999）年博物館相当施設に登録
- 設置者　学校法人　谷岡学園
- 館種　私立大学，歴史
- 責任者　館長・中野安（大阪商業大学総合経営学部教授）
- 組織　館長 1 名　学芸員 2 名　事務職員 4 名

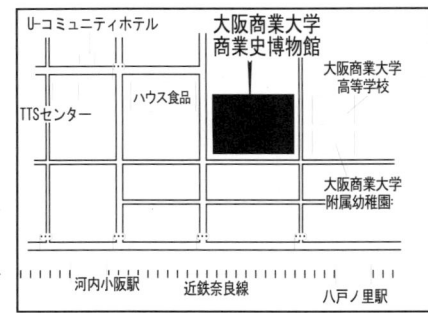

大阪府

大阪市立大学理学部附属植物園

Botanical Gardens, Faculty of Science, Osaka City University

　植物園は昭和25年に大阪市立大学理工学部附属の植物園として発足し、昭和34年理工学部分離に伴い理学部附属植物園となり現在に至っている。発足当初から持ち続けている設立理念として、人間生活向上のために無限の可能性を秘めている野生植物をはじめ、多くの園芸植物も合わせて遺伝子資源として、収集育成すること、また、それらを広く市民に公開することによって人類の共有財産である自然への認識をより深めてもらうことを目標としてきた。
　これらに加えて、近年の地球環境の悪化に伴って生じてきたさまざまな生物学的現象に対して植物園が果たしうる社会的貢献として、環境問題、植物多様性の保全、絶滅危惧種の保護などへ積極的に提言するとともに実施を目指す。
　これらの理念・目標の実現のために、野生植物は日本に自生するものばかりでなく、広く世界中から機会あるごとに導入するよう心がけている。さらに、他の植物園にない特徴として日本の代表的な樹種によって構成される樹林型を11型造成し、それらをより自然林に近い森林として完成させようとしている。
　また、植物園は大学附属の教育・研究機関としての機能を果たすにあたり、収集育成している植物についてのさまざまな生物学的諸現象についての教育・研究を進めている。

【収蔵品・展示概要】
　昭和25年の植物園発足以来、植物学の基礎研究の対象として多くの植物の収集と育成保存に努めてきた。なかでも、

1）日本産樹木の収集に力を注ぎ、野外で生育可能な約450種を植栽し、それらの樹木でわが国の代表的な11種類の樹林型を自然に近い形で復元展示している。こうした展示の方法は他に例を見ない独創的なものとなっている。
2）花木類のコレクションも充実している。
3）水生植物—生育環境の悪化等で多くの種が減少し絶滅の危機にさらされているが、植物園では大阪近郊の水生植物を中心に育成している。

【収蔵分野・総点数】
　約 6,700 種類　34,000 本

【主な収蔵品／コレクション】
　日本産樹木：約 450 種　15,200 本、ウメ：43 品種　約 100 本、ツバキ：360 品種　約 600 本、サクラ：78 品種　約 320 本、ムクゲ：82 品種　164 本、ハナハス：79 品種　82 点、ハイビスカス：350 変品種　約 700 点、カエデ：60 変品種　約 100 本、水生植物：約 80 種（絶滅危惧種多数）

【教育活動】
　ボルネオの植物多様性—分類学からみて／いま求められる植物園のすがた—英国の植物園に見るその役割／単子葉植物の進化と分類／ドングリのなぞ／森で見つかるさまざまな共生関係

【調査研究活動】
　枚方市穂谷地区における植物調査実施／絶滅危惧種保全活動予備調査

【刊行物】
　植物園の花ガイド／植物目録／植物園の花情報

- 所在地　〒576-0004　大阪府交野市私市 2000
- TEL　072-891-2059
- FAX　072-891-2101
- URL　http://www.sci.osaka-cu.ac.jp/biol/botan/
- E-mail　b-garden@sci.osaka-cu.ac.jp
- 交通　京阪交野線「私市（きさいち）駅」徒歩 6 分
- 開館時間　9:30 ～ 16:30（入園は 16:00 まで）
- 観覧所要時間　120 分程度
- 入館料　大人 350 円，団体（30 人以上）280 円，中学生以下無料

大阪府

- 休館日　月曜日，年末年始（12月28日～1月4日）
- 施設　園地面積　255,305 ㎡：研究棟（鉄筋コンクリート造2階建）延 993.20 ㎡　作業棟（鉄骨造2階建）延 862.11 ㎡　管理棟（鉄骨造平屋建）170.10 ㎡　温室（鉄骨造平屋建14室）計 1,219.96 ㎡　展示室（鉄骨プレハブ造平屋建）134.40 ㎡
- 利用条件
  （1）利用を限定する場合の利用条件や資格　10人以上の団体で見どころ案内の希望者は1週間前までに要予約
  （2）調査研究目的で利用する場合の条件や資格　特になし
- メッセージ　定期園内案内：3月から11月の毎月奇数週の土曜日、偶数週の水曜日季節の見どころ案内を実施、時間は午後1時30分から約1時間　団体案内（平日）：10名以上の団体で希望により見どころ案内を実施（1週間以上前までに要予約）　付近には府民の森（ほしだ園地、くろんど園地）がありハイキングの帰りなどにも気軽に立ち寄ることができる
- 高齢者，身障者等への配慮　斜面あり
- 車イスの貸出　有り
- 身障者用トイレ　有り
- 無料ロッカー　なし（無料荷物預かり有り）
- 駐車場　なし
- 外国語のリーフレット，解説書　有り
- ミュージアムショップ／レストラン　なし
- 今後3年間のリニューアル計画　有り
- 設立年月日　昭和25（1950）年4月1日
- 設置者　公立大学法人　大阪市立大学
- 館種　公立大学法人，植物
- 責任者　園長・岡田博（理学研究科教授）
- 組織　28名（園長1、准教授2、講師1、副園長1、事務1、技術2、技能18、非常勤2）

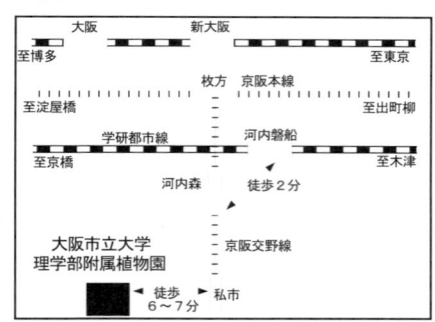

大阪大学総合学術博物館

Museum of Osaka University

"「地域に生き世界に伸びる」を体現する交流型ミュージアム"

大阪大学総合学術博物館は、2002年4月に大阪大学の学内共同教育研究施設として、図書資料を除くあらゆる分野の学術資料や標本を恒久的に保存し、それらを教育や研究に活用するために設立された。

そして、豊中キャンパスの共通教育本館（イ号館）（国の登録有形文化財）の1階で、大阪大学の敷地内から出土したマチカネワニの化石や土器、近畿圏で有数の規模を誇る鉱物・岩石などの常設展示の一般公開を開始した。

現在、大阪大学の各部局・研究所等に蓄積してきた資料、学術標本は166万点以上あり、これらの学術標本をデータベース化して、学外にも公開し、教育・研究活動に広く活用されるよう収集・整理を続けている。

また、大学で行われている教育研究の成果を一般の人々にわかりやすく紹介する窓口として、毎年企画展や特別展を開催し、大阪大学の研究成果を紹介するとともに、小学生を大学キャンパスに招いての科学体験教室を行うなど、積極的に社会貢献活動を展開している。

大学の学術的財産を未来に継承し、緑豊かな里山の自然環境や埋蔵文化財と共存し、地域に開かれた大学博物館を目指している。

2007年8月、同キャンパス内にある待兼山修学館で、新たな常設展示場がオープン。適塾・懐徳堂から現在に至るまで大阪大学で行われた教育研究活動の歴史の一端を展示し、大阪大学が社会に果してきた役割を中心に紹介する予定である。

大阪府

【収蔵品・展示概要】
〈常設展示（イ号館）〉
第1展示室『マチカネワニとキャンパスの博物誌』
「待兼山の自然・環境の変遷」、「発見！マチカネワニ」、「人々の暮らしの足跡」、「旧制浪速高等学校と待兼山」
第2展示室『鉱物岩石標本』
旧制高校時代に教育研究に利用された鉱物・岩石標本を中心に約2000点
本年8月からは同じキャンパス内にある待兼山修学館をリニューアルオープンして以下のような展示を行う予定である。
・阪大の初代総長の長岡半太郎や湯川秀樹の顕彰コーナー
・わが国初の真空管式電子計算機及び電子顕微鏡1号機
・タンパク質構造の日本初のX線結晶解析模型（還元型シトクロムCの結晶構造模型）
・マチカネワニの実物化石
・待兼山を中心にした地域の古環境や歴史を学べるコーナー
・懐徳堂、適塾に関する資料

【収蔵分野・総点数】
鉱物・化石標本、薬用植物標本／旧制高校時代の各種標本類／近代日本演劇史資料　総点数は、不明

【主な収蔵品／コレクション】
〈鉱物・化石標本〉
マチカネワニ化石標本、その他旧制大阪高等学校と浪速高等学校で教育用に利用された鉱物標本等
〈薬用植物標本〉
旧制高校時代の各種標本類、小鳥や小動物の剥製・骨格標本、液浸標本、考古学の模造標本、人形標本など
〈京都「くるみ座」の近代演劇史資料〉
その他の貴重標本や懐徳堂・適塾関係の資料等は、学内の各部局に分散保存されている。

【展示テーマ】
第3回企画展「疑問があなたを変えるんです─常識と非常識─」（2004年度）／第4回企画展「時空のなぞ─アインシュタイン・イヤーによせて─」（2005

年度）／第1回特別展「『みる科学』の歴史―懐徳堂・中井履軒から超高圧電子顕微鏡まで」（2006年度）

【教育活動】
〈ミュージアム・レクチャー〉第4回「大阪大学総合学術博物館所蔵の鉱物標本と学術研究への利用」（2005年度）／第5回「扇絵にみる室町時代の京都」（2005年度）／第6回「大阪大学のむかし、むかし…話」（2006年度）「小学校連携科学体験教室」／第5回企画展公開シンポジウム「マチカネワニのいた時代」（以上2006年度）

【調査研究活動】
マチカネワニの再研究／伝統薬物の有効利用を志向した基礎研究／文化財科学研究／総合学術博物館叢書No.1とNo.2の刊行／検索データベースシステムを構築

【刊行物】
『大阪大学総合学術博物館年報』『大阪大学総合学術博物館叢書1　扇のなかの中世都市』『大阪大学総合学術博物館叢書2　武家屋敷の春と秋』『マチカネワニ資料集2004』『「見る科学」の歴史―懐徳堂・中井履軒の目』『マチカネワニのいた時代　講演要旨集』

- 所在地　〒560-0043　大阪府豊中市待兼山町1-16
- TEL　06-6850-6715
- FAX　06-6850-6720
- URL　http://www.museum.osaka-u.ac.jp
- 交通　1）阪急宝塚線・石橋駅下車　徒歩5分　2）大阪モノレール・柴原駅下車　徒歩15分
- 開館時間　10:00～16:30
- 観覧所要時間　30分、新展示場の場合は60～90分
- 入館料　無料
- 休館日　土・日曜日，祝日，年末年始　※2007年8月にリニューアルオープンする待兼山修学館は土曜日も開館する予定
- 施設　地上5階建て、国の登録有形文化財である共通教育本館（イ号館）の1階に常設展示室（165㎡）がある。ほか同じ建物内に、図書資料室、事務室、会議室、特別展示室など。また、同キャンパス内にある待兼山修学館（地上3階建、延床面積2,100㎡）は、全館リニューアルを行い、平成19年8月から一般公開の予定

大阪府

- 利用条件
  (1) 利用を限定する場合の利用条件や資格　団体見学は、要事前連絡
  (2) 調査研究目的で利用する場合の条件や資格　具体的条件等は決めていないが、館長の許可が必要になる
- メッセージ　2007 年 8 月にリニューアルオープンする、待兼山修学館は、カフェやミュージアムショップも併設、バリアフリーで、身障者用トイレも設置する予定です
- 高齢者，身障者等への配慮　バリアフリー
- 車イスの貸出　なし
- 身障者用トイレ　有り
- 無料ロッカー　有り
- 駐車場　有り
- 外国語のリーフレット，解説書　なし
- ミュージアムショップ / レストラン　2007 年 8 月にリニューアルオープンする待兼山修学館は、カフェやミュージアムショップも併設します
- 今後 3 年間のリニューアル計画　有り
- 設立年月日　平成 14（2002）年 4 月
- 設置者　国立大学法人　大阪大学
- 館種　国立大学，総合
- 責任者　館長・江口太郎（理学研究科教授）
- 組織　12 名（館長兼教授 1、教授 1、准教授 3、助教 1、係長 1、主任 1、非常勤職員 4）

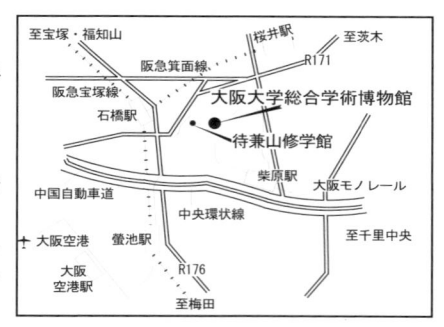

大阪府

関西大学博物館

Kansai University Museum

　関西大学博物館は、末永雅雄名誉教授が昭和33年に開設した「考古学資料室」、「関西大学文学部考古学等資料室」を前身としており、平成6年4月に博物館法の定める「博物館相当施設」としての指定を受け、「総合博物館」として開館した。博物館法上の「相当施設」として、学内だけでなく学外へも無料で一般公開している。
　博物館では、重要文化財16点を含む考古学・歴史学、民俗学、美術工芸関係資料、約1万5千点を所蔵しており、このうち考古学資料や工芸品を中心とした約800点を、簡文館2階の第1展示室と第2展示室で常設的に展示している。さらに、春には第2展示室において「企画展」を開催し、特定のテーマを掲げた展示を行っている。
　博物館の収蔵・展示資料は、考古学・歴史学上学会の注目度の高い資料が多く含まれ、各地の研究者から資料研究の要望があり、多くの閲覧・観察依頼がある。また、各地の博物館から収蔵・展示資料の貸出要請も多く、これに応えることによって、本学博物館資料が各地の期間限定の展示会で供覧され、対外的にも効果的に公開されている。
　また、こうした所蔵資料の公開だけでなく、大学博物館として教育研究活動にも活用されており、展示室では、「博物館実習」「考古学実習」その他の関連する授業科目において、博物館資料を利用しての実物教育が行われ、実習効果をあげている。
　出版物としては、『博物館紀要』年1回、彙報『阡陵』年2回を定期的に刊行し、博物館資料とその活動の教育・普及、研究成果の公開の役割を果たしている。

大阪府

博物館では年2回公開講座を開催している。1つは「博物館講座」として、春の博物館企画展に関連した講演会を開催し、企画展の内容を広く知らしめ、地域社会教育にも貢献している。また秋には、関西大学「ミュージアム講座」を開催し、第一線で活躍する研究者を講師に招いて最新の成果を発表している。

【収蔵品・展示概要】
第1展示室：考古資料の常設展示
第2展示室：美術工芸品等本館が所蔵する名品を中心に展示を行う。ただし、春季2ケ月間は、企画展を開催。また、11月中旬頃に「博物館実習」を履修する学生が主体的に行う「博物館実習展」を開催している。

【収蔵分野・総点数】
総点数は、約15,000点

【主な収蔵品/コレクション】
〈考古部門〉
本山コレクション：元大阪毎日新聞社社長本山彦一氏が収集した資料を譲り受けたものが主体で、考古学研究室の発掘資料などを含む。このなかには、元東京人類学会の初代会長であった神田孝平氏の学史的に著名な考古資料（神田コレクション）も含まれている。本山彦一らが大正年間に発掘した「けつ状耳飾」、縄文土器をはじめとする藤井寺市国府遺跡の各出土資料16点は重要文化財指定を受けている。

その他考古資料：奈良県天理市出土の重要文化財石枕、大阪府四条畷市出土の銅鐸など

末永先生復元古墳時代甲冑：古墳から出土する甲冑類は、埋蔵による錆と変形により、原形をとどめないものが多い。関西大学考古学研究の創始者である末永雅雄氏は、その厄介な出土資料をつぶさに観察し、原形を忠実に復元するといった、きわめて困難な作業をはたした。三角形鋲留庇付冑・胴丸式挂甲・小札製頸甲・肩甲・篠籠手を装備させた復元甲冑や、蒙古鉢形冑と補襠式挂甲など、今日の形式学的研究の基礎となる資料である。

〈民俗・美術工芸品部門〉
羽間コレクション：江戸時代の天文学者　間重冨の血筋である羽間平安氏からご寄贈いただいたもの。江戸時代の小袖、大名着用の具足、商家の帳場道具類や明治の貨幣など。

黒漆塗玳瑁螺鈿合子：平成11年に螺鈿技法により国から重要無形文化財保

大阪府

持者(いわゆる人間国宝)の認定を受けた、漆芸界屈指の牽引者である北村昭斎氏の作。
　その他:美術工芸品として、唐代の白磁壷や明期の五彩羅漢図皿など。

【展示テーマ】
「インカへの道―アンデスの秘宝―」「明日を古にまなぶ　博物館コレクション」(2006年度)／「小判とおかね―近世から近代の金銀貨幣―」(2007年度)

【教育活動】
「なんでも相談会」「ミュージアム講座」「新入生向けガイダンス」

【調査研究活動】
館蔵品の学術的調査／博物館に設置された「なにわ・大阪文化遺産学研究センター」による活動

【刊行物】
『関西大学博物館紀要』『阡陵』『関西大学博物館の名品』『インカへの道―アンデスの秘宝―』『羽間コレクション』

- ・所在地　〒564-8680　大阪府吹田市山手町3-3-35
- ・TEL　06-6368-1171
- ・FAX　06-6388-9328
- ・URL　http://www.kansai-u.ac.jp/Museum/museum.htm
- ・E-mail　hakubutsukan@jm.kansai-u.ac.jp
- ・交通　阪急千里線関大前下車、徒歩7分
- ・開館時間　10:00 〜 16:00(入館は15:30まで)
- ・観覧所要時間　60分
- ・入館料　無料
- ・休館日　土・日曜日,夏季・冬季休業中,その他大学の定めた休館日
- ・施設　鉄骨鉄筋コンクリート造陸屋根建物「簡文館」の2階・中2階部分にあり、博物館の専有延べ面積は1,124.51㎡。展示部門(615.36㎡)のほか、図書室、実習室、事務部門など。簡文館は、昭和3年に建設されたのち、昭和30年と平成18年に増築。昭和3年と昭和30年建築部分は、平成19年3月に文化庁から登録有形文化財(建造物)として選定を受けている
- ・利用条件
　(1) 利用を限定する場合の利用条件や資格　団体見学などで展示解説を希望する場合は、要予約
　(2) 調査研究目的で利用する場合の条件や資格　館内資料の調査、撮影および

大阪府

　　　　　その掲載は要申請。ネガ・ポジ、デジタル画像データの借用・利用、掲載は、要申請。調査・研究成果を講評する際は、事前に連絡が必要

- **メッセージ**　大阪市内から阪急千里線で20分ほどの関大前駅で下車、歩いて10分の関西大学千里山キャンパスにあります。桜並木を抜けて、校舎と楠の巨木に囲まれた円形建物が印象的な博物館です。昭和初期のネオクラシック建築、30年代の村野藤吾設計の円形建物の雰囲気と、考古学の常設展示、名品展示をお楽しみ下さい
- **高齢者，身障者等への配慮**　段差有り
- **車イスの貸出**　有り
- **身障者用トイレ**　有り
- **無料ロッカー**　有り
- **駐車場**　なし（高齢者・身障者の場合要連絡）
- **外国語のリーフレット，解説書**　なし
- **ミュージアムショップ/レストラン**　博物館受付に小コーナー有り。絵はがき、図録等を販売
- **今後3年間のリニューアル計画**　平成19年4月に第1展示室を全面リニューアル
- **設立年月日**　平成6（1994）年4月
- **設置者**　関西大学
- **館種**　私立大学，総合，博物館相当施設
- **責任者**　館長・髙橋隆博（文学部教授）
- **組織**　館長1名　事務長1名　学芸員3名　事務1名　学芸補助3名　事務補助1名　博物館運営委員会、博物館自己点検評価委員会

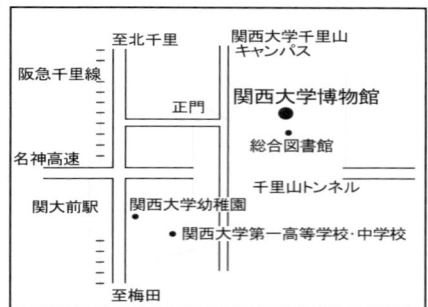

大阪青山歴史文学博物館

Osaka Aoyama Museum of History and Literature

"「本物に触れて学ぶ」（本学の教育理念）。文化財の調査・研究・所蔵・展示。北摂の文化発信拠点。"

　大阪青山短期大学は、昭和42年の開学以来、「本物に触れて学ぶ」という教育理念に基づき、さまざまな文化財の収集と公開に努めてきた。平成11年4月に大阪青山歴史文学博物館を開館し、爾来文化財の調査・研究・収蔵・公開に力を注いでいる。平成13年9月には博物館相当施設に指定された。国宝『土佐日記』をはじめとする古典籍、絵巻・絵本、古文書、工芸品等の所蔵資料は5,000点を超え、「歴史文学博物館」として独自の資料所蔵大系を構築するとともに、国内有数のコレクションの展示・出版は教育文化や学術研究の向上に役立っている。
　また、地域の文化発信拠点として、施設の開放、公開講座など、生涯教育の場としての活用も図っている。短期大学としては、比較的早くから博物館教育に着手し、博物館学芸員講座を開講してきたが、平成16年度からこの講座を社会人にも開放している。

【収蔵品・展示概要】
　「本物に触れて学ぶ」という本学の教育理念に基づき、本学学生を対象とした教育・学術活動を行うとともに、文化財の保護と活用を主目的として資料の収集を行っている。
　古典籍、絵巻・絵本、古文書、工芸品等が収蔵品の主要をなしているため、常設展示は行わず、年に2～3回、テーマを決めて特別展を実施しているが、毎年、「雛人形展」を開催して、日本文化や幼児の遊びについて学生に学ばせ

兵庫県

るとともに、地域の幼稚園にもこの催しを開放し、生涯教育実践の場とする試みにも取り組んでいる。

【収蔵分野・総点数】
〈古典籍部門〉
中古和歌文学関係の古典籍を中心に、古筆切、宸翰、経典・仏書等
〈絵巻・絵本部門〉
奈良絵本を中心に室町〜江戸時代までの絵巻・絵本類
〈古文書部門〉
藤原定家の日記『明月記』・『後醍醐天皇宸翰書状』他、古文書、古記記録
〈工芸品〉
蒔芸品、御所人形他
その他屏風、地図等を含め総点数は約 5,200 点（国宝 1、重文 13、重美 42 点を含む）

【主な収蔵品 / コレクション】
〈古典籍部門〉
国宝『土佐日記』、国指定重要文化財『成尋阿闍梨母集』・『拾遺和歌集』・『松浦宮物語』、『観弥勒経賛下巻残巻』他、重文 9 点を含め 1,796 点
〈絵巻・絵本部門〉
『源氏物語絵巻』（文禄 3 年龍女筆）、『浄瑠璃草子』（室町末）、『朝顔の露』（室町）他、637 点
〈古文書部門〉
国指定重要文化財『明月記』・『後醍醐天皇宸翰書状』、称名寺文書他、796 点
〈工芸品部門〉
蒔絵十種香道具、南蛮蒔絵洋櫃他、865 点。

【展示テーマ】
夏季特別展「考古学から見た摂津」／秋季特別展「源義経―その時代と文化―」「勅撰和歌集の世界―古今集から新古今集へ―」（以上 2005 年度）／春季特別展「四条派　呉春・文麟・栖鳳たち」／秋季特別展「雅びの宴―有栖川宮家・高松宮家　明治・大正・昭和のボンボニエールと食器―」（以上 2006 年度）／春季特別展「旧高松宮家のお人形―春を寿ぐほほ笑み―」（2007 年度）

【教育活動】
　春季特別講演会「料紙の美について」／秋季特別講演会「榎本武揚と戊辰戦争」（以上 2004 年度）／新春特別展講演会「女性皇族と雛まつり」（2005 年度）／市民大学講座「北摂における中世の城郭」「かな文字の世界—変体仮名入門—」「眠りと睡眠」（2005 年度）

【刊行物】
『大阪青山歴史文学博物館年報』第 4 号・第 5 号

- 所在地　〒666-0113　兵庫県川西市長尾町 10-1
- TEL　072-790-3535
- FAX　072-790-3525
- URL　http://www1.osaka-aoyama.ac.jp/oa/museum/index.html
- 交通　阪急電鉄宝塚線「川西能勢口」駅のりかえ、能勢電鉄「一の鳥居」駅下車、すぐ
- 開館時間　10:00 〜 17:00（入場は 16:30 まで）
- 観覧所要時間　60 分
- 入館料　一般 700 円（500 円），大学生 500 円（350 円），高校生 400 円（250 円），小・中学生 250 円（150 円）　*（　）は 20 名以上の団体料金
- 休館日　特別展開催時は月曜日（月曜日が祭日と重なる時は火曜日）　特別展開催時以外は休館
- 施設　地上 6 階、地下 2 階、塔屋 1 階、ポンプ室 1 階の城郭建築で、敷地面積 9,493.8 ㎡、建築面積 922.8 ㎡、延べ床面積 2,791.7 ㎡。展示室（456.4 ㎡）、特別展示室、展望室の他、ロッカー室、図書閲覧室、実習室、講義室、学芸員室、調査研究室、収蔵庫、荷解き・梱包室、撮影場など
- 利用条件
  （1）利用を限定する場合の利用条件や資格　出版・テレビ放映等の営利目的での利用は有料。団体見学で展示解説の希望者は、見学日の 2 週間前までに要連絡（都合によっては引き受けられない場合もある）
  （2）調査研究目的で利用する場合の条件や資格　資料の閲覧、調査については、要問い合わせ。資料の調査研究成果を公表する場合、要事前連絡、手続き
- メッセージ　本館の外観は、4 層の城郭形式を採用し、施設自体も将来残すべき遺産となりうることを期している。北摂キャンパスの入り口から、本館前までの坂道には、日本の桜守・佐野藤右衛門氏の手によって、さまざまな桜が植えられ、桜の季節にはこの庭園も一般公開している。館の周辺は、清和源氏発祥の地。清和源氏ゆかりの多田神社、多田銅山、能勢妙見山などがある
- 高齢者，身障者等への配慮　バリアフリー
- 車イスの貸出　有り
- 身障者用トイレ　有り

兵庫県

- **無料ロッカー**　有り
- **駐車場**　有り
- **外国語のリーフレット，解説書**　有り
- **ミュージアムショップ/レストラン**　ミュージアムショップ、レストランともになし。館受付でミュージアムグッズの販売を行っている
- **今後3年間のリニューアル計画**　なし
- **設立年月日**　平成11（1999）年4月
- **設置者**　大阪青山短期大学
- **館種**　私立短期大学，歴史・文学
- **責任者**　館長・塩川和子（大阪青山学園理事長・大阪青山大学学長・大阪青山短期大学学長）
- **組織**　4名（館長1、学芸員2、事務職員1）。運営・企画には教職員で構成された参与や、各種の部、委員会が関与している

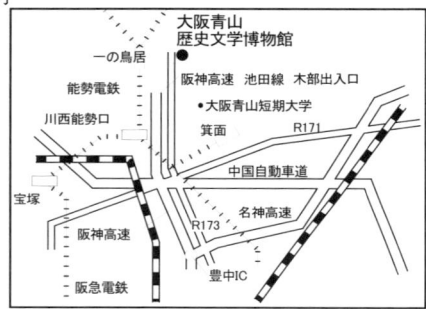

兵庫県

神戸大学　海事博物館

Maritime Museum of Kobe University

"海と船の過去、今、夢ある未来が詰まった博物館"

　博物館のある神戸大学海事科学部キャンパスは、1917年、現在の地に設立された川崎商船学校に始まり、神戸高等商船学校、神戸商船大学と約90年の時を経ている。昭和33年からは「海事参考館」が発足と同時に、海事関係の資料を集めて展示し、海事思想の普及に努めてきた。同時に、社会的変化のため散逸しつつあった資料の蒐集に努力し始めた。所蔵品は海運に関連する大小合わせると約3万点におよぶ。
　現在の海事博物館は、神戸商船大学50周年記念事業として昭和42年に完成したのを機会に「海事資料館」と名称を変更し、更に平成15年10月、神戸大学との統合を契機に、平成16年10月に「海事博物館」になって今日に至る。
　展示資料は江戸、明治時代の資料をはじめとして、常時400点ちかくが展示されている。所蔵品の多くがインターネットで検索できようになっている。インターネットで検索できない面白い資料としては、
　・和船や江戸、明治の海運・航海資料
　・世界の海運界の盛衰資料と言われる仲島忠次郎コレクション
　・日本商船建造資料と戦没状況資料の山田早苗コレクション、などがある。

【収蔵品・展示概要】
　展示資料は江戸、明治時代の資料をはじめとして、常時400点ちかくが展示されている。
　展示の分類として、1. 江戸時代の北前船を中心とした社寺に奉納されていた和船の模型、2. 江戸時代の航海図、絵巻、屏風の航海資料、3. 航海記、航海に

兵庫県

関する和漢書類、4. 江戸、明治初期の奉納絵馬、5. 望遠鏡、逆磁針（和式マグネットコンパス）、六分儀等の航海計器、6. 和船建造用の船大工道具類、7. 帆船から電磁誘導推進船までの近代船舶までの模型（籾山作次郎製作の模型3隻を含む）、8. 高等商船学校時代の機関と船舶模型教材、9. 丸木船を含む実物小型船、10. 明治期の海運引札、錦絵、浮世絵類、11. 世界の海運界の盛衰資料と言われる仲島忠次郎コレクションと日本商船建造資料、12. 戦没状況資料と104隻の船舶モデルを含む山田早苗コレクション等で構成されている。所蔵品の多くがインターネットで海事博物館ホームページを介して検索できる。特色的な資料としては、浪速—江戸間航海図、堺—薩摩南海航海絵巻、江戸—長崎屏風絵図、開成丸三陸沖航海図、北前船とタンカーの三次元展開写真等がある。

【収蔵分野・総点数】
　所蔵品は海運に関連する大小合わせると約3万点。

【展示テーマ】
　客船の旅、今昔（2006年）／江戸、明治期の引札展（2007年）

【教育活動】
　海事科学部と共催で、市民や学生を対象とした「海の記念日」シンポジウムを毎年7月15、6日に開催している。

【調査研究活動】
　韓国釜山市を中心とした海事調査（2005年）／中国上海、杭州地区の海事調査（2006年）

【刊行物】
　「海事博物館年報」を1973年（昭和48年）から毎年発行

- 所在地　〒658-0022　兵庫県神戸市東灘区深江南町 5-1-1　神戸大学海事科学部
- TEL　078-431-3564（不在の場合は 078-431-6200）
- FAX　078-431-3564
- URL　http://www.museum.maritime.kobe-u.ac.jp/index.html
- E-mail　siryokan@maritime.kobe-u.ac.jp
- 交通　阪神電車で大阪方面から特急または直通特急　西宮で普通車に乗り換え「深江」下車（22分）、三宮方面から特急または直通特急　御影で普通車に乗り換え「深江」下車（17分）　徒歩5分

- **開館時間** 月・水・金曜日 13:30 ～ 16:00 上記以外は事前に要予約
- **観覧所要時間** 約 60 分
- **入館料** 無料
- **休館日** 土・日曜日，祝祭日，お盆，年末年始
- **施設** 海事科学部講堂 1 階部分 632 ㎡
- **利用条件**
  （1）利用を限定する場合の利用条件や資格 博物館利用規程に則り実施している
  （2）調査研究目的で利用する場合の条件や資格 同上
- **高齢者，身障者等への配慮** バリアフリー
- **車イスの貸出** なし
- **身障者用トイレ** なし
- **無料ロッカー** なし
- **駐車場** 有り
- **外国語のリーフレット，解説書** 有り
- **ミュージアムショップ / レストラン** なし
- **今後 3 年間のリニューアル計画** なし
- **設立年月日** 昭和 33（1958）年「海事参考館」、昭和 42（1967）年「海事資料館」、平成 16（2004）年 10 月「海事博物館」
- **設置者** 国立大学法人 神戸大学
- **館種** 国立大学，海事科学
- **責任者** 館長・石田憲治（海事科学研究科教授）
- **組織** 館長 1 名、海事博物館専門委員 13 名、博物館顧問 6 名、パート職員 1 名、ボランティア 7 名 館長と委員は教員が兼務

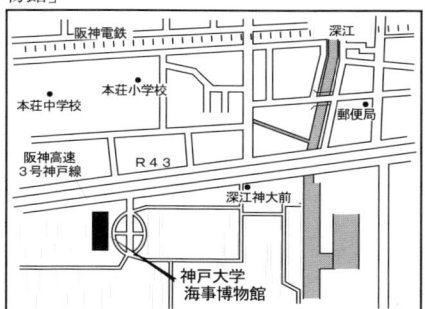

兵庫県

神戸薬科大学　薬用植物園

Medicinal Plant Garden of Kobe Pharmaceutical University

〈沿革〉
昭和5年　本学の前身にあたる神戸女子薬学校創立
昭和8年　御影仮校舎に実習用の薬草を栽培
昭和10年　現在の場所（神戸市東灘区本山北町4-19-1）に本校舎移転、薬草園が設立
昭和15年　附近の土地を借り校外薬草園として戦後まで利用
昭和40年　衛生薬学科の増設と共に現在の場所を造成しひな壇状の薬草園となる
昭和44年　温室新設（94.88 ㎡）
昭和48年　薬用植物園運営委員会が発足、薬草園より薬用植物園と改名
昭和53年　最初の本園薬用植物目録発行
昭和56年　園内に拡幅舗装道路を敷設
昭和61年　新学生寮建設にともない管理棟、種苗園を現在地に移転
平成4年　温室を現在の位置に改築移転（163.6 ㎡）
平成8年　薬用植物園の植物目録を改訂発行

ウコン

〈概況〉本園は校地の西北部を占め、山の斜面を利用し、ひな壇状に配置している、総面積は 2,776 ㎡で海抜約 100m である。園内は日本薬局方収載植物見本園を主とし、薬用植物見本園・栽培園・薬用樹木園と区分けされ、その北側の斜面にはキハダ・トチュウなどの薬用樹木を自然林のように植え付け、遊歩道を配し散策をしながら見学が出来る。平成4年には園に隣接し、冷室を付設した温室が建てられ、熱帯の薬用植物のみならず、寒冷地や高山などでしか

生育が困難な植物を集め研究および教育に役立てている。
　〈趣旨〉本園は薬学関係学部設置基準要項（付属施設として薬用植物園をおくものとする）に基づき設置され、学生に対し薬用植物の実物による教育と、研究材料の提供を行い、さらに貴重な薬用植物資源、野生植物の保護を目的としてその運営にあたっている。
　〈利用の状況〉学生の生きた教材として授業や実習で利用されるほか、各研究室への研究・実験材料の提供、学外の各方面への資料の提供などと園の利用は幅広く、また学生や職員の憩いの場としても利用されている。学外者に対しても見学の申し込みがあれば積極的に受け入れており、また他機関との種苗交換も盛んに行っている。

【収蔵品・展示概要】
　温室、圃場での栽培

【収蔵分野・総点数】
　約1,200種

【主な収蔵品/コレクション】
　日本薬局方収載植物を中心に収集栽培

- 所在地　〒658-8558　兵庫県神戸市東灘区本山北町4-19-1
- TEL　078-441-7514
- FAX　078-441-7514
- URL　http://www.kobepharma-u.ac.jp/~yakusyok/
- E-mail　yakusyok@kobepharma-u.ac.jp
- 交通　JR摂津本山駅・阪急岡本駅下車、徒歩15分
- 開館時間　9:00～17:00
- 観覧所要時間　60～120分
- 入館料　無料
- 休館日　大学の休日とする日（年末年始・盆など）
- 施設　温室:163.6㎡　栽培見本園：学内　2776㎡、学外　16,479㎡
- 利用条件
  (1) 利用を限定する場合の利用条件や資格　特になし
  (2) 調査研究目的で利用する場合の条件や資格　特に定めていない
- メッセージ　個別に案内
- 高齢者，身障者等への配慮　段差有り
- 車イスの貸出　なし
- 身障者用トイレ　なし

兵庫県

- ・無料ロッカー　なし
- ・駐車場　なし
- ・外国語のリーフレット，解説書
　なし
- ・ミュージアムショップ/レストラン　学生食堂あり
- ・今後3年間のリニューアル計画
　なし
- ・設立年月日　昭和10（1935）年
- ・設置者　神戸薬科大学
- ・館種　私立大学，薬用植物園
- ・責任者　園長・和田昭盛（教授）
- ・組織　専任教員1名　技術者1名

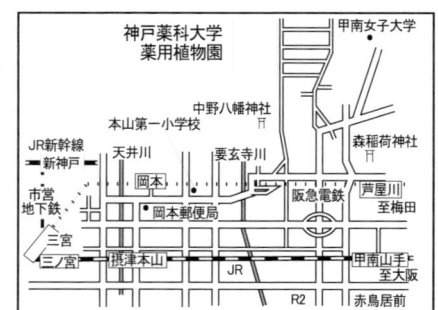

兵庫県

中内㓛記念館（分館－流通資料館）

Isao Nakauchi Hall
（分館－ Marketing and Distribution Sciences Archives）

"古きをたずねて、新しきを知る。温故知新。"

1997 年　中内㓛記念館　開設
2006 年　中内㓛記念館　リニューアル、流通資料館　開設

〈中内㓛記念館〉流通科学大学の創設者であり、流通革命の旗手でもあった中内㓛の全生涯を、語録や年表、映像等で学ぶことのできる施設。

〈流通資料館〉生産と消費を結ぶ流通が担ってきた役割を実物資料（50 年前の主婦の店、100 年前のキャッシュレジスター等）を通じて歴史的に理解し、体験的に学習することのできる施設。

【収蔵品・展示概要】
〈中内㓛記念館〉
1 階には、中内㓛が少年時代を過ごしたサカエ薬局を復元してある。サカエ薬局は、中内㓛の父秀雄が大正 15 年（1926 年）に神戸市兵庫区東出町に開業したものである。この建物は、阪神大水害、神戸大空襲、阪神淡路大震災を乗り越え開業当初の姿をそのまま保ってきた。大学への移築を機に、店舗内部を戦前の薬局に近い形に復元した。従って、この建物は昭和初期の小売業を考える上で貴重な建造物である。内部は店舗部分と住居部分から成り立っている。
地下 1 階は、
1. 中内㓛に関する年表や語録を展示したコーナー
2. 経済人・教育人としての中内㓛の足跡をパネルや映像でたどるコーナー
3. 中内㓛が晩年を過ごした執務室を再現したコーナー

で構成されている。
〈流通資料館〉
館内には、
1. 流通近代化を年代別に整理した年表（1900年～2006年）
2. 流通革命の起源ともいえる「主婦の店」（昭和32年）の店頭
3. 流通業に関する昭和30年代以降の新聞スクラップやチラシなどの資料
4. 中内㓛が収集した20世紀初頭のアンティークなキャッシュレジスター（77台）
5. レジスターの試し打ちコーナー
などを展示しており、流通近代化100年の歴史が体感できるようになっている。

【収蔵分野・総点数】
　流通資料館には、株式会社ダイエー社史編纂室から寄贈された総合スーパーに関するチラシ、新聞スクラップ、店舗写真など保管されている。
　チラシ（昭和35年より），新聞スクラップ（昭和37年より），ビデオテープ（昭和51年より），カセットテープ（昭和46年より）

【主な収蔵品 / コレクション】
〈Nakauchi Collection〉
　コレクションは、19世紀末～20世紀初頭の米国製のレジスターを中心に77台。
　中内氏がレジを収集し始めたのは1960年代後半以降。
　「レジスターの音はスーパーの原点を忘れないための大事な音楽だ」と、中内氏はレジ収集の動機を語っている。
　高額なアンティーク商品とは違い、手に入れやすいということもあって、海外で買い集めたり、友人に譲り受けたりしながら、台数が増えていった。
　最も古いレジは1887年に製造されたものでキャビネットは木製。他に、銅製、真鍮製、鉄製ものもある。装飾も凝ったものが多く、デザイン性の高いものが多数。中には、稀少価値の高いものも含まれる。
　1950年代のダイエーの創業時に使われたスエダ、NCRのレジもある。
　国産ではテックより「電子レジ百万台達成記念」として寄贈されたものもある。

【教育活動】
オープンカレッジ「記念館・資料館見学ツアー」

【刊行物】
「ネアカ、のびのび、へこたれず」（中内㓛学園葬・記念小冊子）／中内㓛回想録

- ・所在地　〒651-2188　兵庫県神戸市西区学園西町3-1
- ・TEL　078-794-3555（代表）
- ・FAX　078-794-1084
- ・交通　神戸市市営地下鉄　学園都市駅下車　徒歩5分
- ・開館時間　予約制（見学時間は平日の10:00～17:00）
- ・観覧所要時間　60分
- ・入館料　無料
- ・休館日　土・日・祝日
- ・施設　中内㓛記念館　延床面積　481㎡（内訳　2階　40㎡　1階　68㎡　地下1階　373㎡）
- ・駐車場　有り
- ・ミュージアムショップ／レストラン　なし
- ・今後3年間のリニューアル計画　なし
- ・設置者　学校法人中内学園　流通科学大学
- ・館種　私立
- ・設立年月日　平成18（2006）年9月19日
- ・責任者　総合プロデューサー・元岡俊一

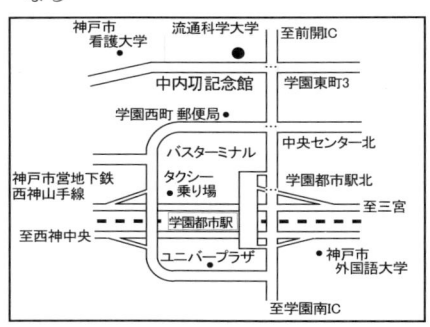

兵庫県

山口誓子記念館，誓子・波津女俳句俳諧文庫

Yamaguchi Seishi Memorial House, Seishi Hatsujo Haiku Haikai Library

"山口誓子と近代俳句研究の拠点をめざす"

山口誓子記念館は、神戸大学百年記念館東側、大阪湾を一望できる絶好の位置にある数寄屋造りの建物である。また、誓子・波津女俳句俳諧文庫は百年記念館1階にある。

近代俳句に大きな足跡を残した山口誓子（本名・新比古）（1901年11月3日生、1994年3月26日没）の関連資料及び蔵書等を保管、展示し、かつ俳句関係資料を収集して、俳句俳諧文学を中心とする国文学研究の振興、日本文化の継承発展及び海外との学術交流に広く寄与することを目的としている。

山口誓子は、旧制三高、東京帝大出身であり、神戸大学とは直接の縁はない。しかし夫人縁者に神戸大学出身者が多く、また自身も西宮市在住であること、かつ神戸大学が優れた俳句文学研究の場になりうることを見込んで、預金、居宅敷地、著作権など遺産全てが神戸大学に寄附された。また、誓子を生涯支えた妻波津女（旧姓・浅井、本名・梅子）も俳人であり、その遺産も併せて神戸大学に寄附され、誓子の遺産と併せて施設を支える基金となっている。

山口誓子記念館は、寄附された遺産を元に2001年1月に完成。1995年1月の阪神淡路大震災で倒壊した旧誓子邸母屋の面影をほぼ忠実に復元したもので、文学博物館的施設であり、かつ留学生や外国からの客人が日本文化を体験できる場としての性格を持つ。茶の湯の施設などは、もとの誓子邸にはなかったが、そのような目的にそって付加されたものである。句会や茶会などに利用することもできる。

誓子・波津女俳句俳諧文庫は、誓子資料の保存とともに俳句研究図書館としての性格を持つ。誓子、波津女の遺品、遺稿、旧蔵書も保存されている。開架フロアには俳句俳諧関係図書、誓子が主催した「天狼」などの雑誌が備えられており、開架図書は自由に閲覧出来る。

この文庫と同じフロアに、展示ホールがあり、ここでは公開講演会にあわせて開催される特別展示のほか、常設展示も行っている。

【収蔵品・展示概要】
山口誓子の作家活動を跡づける資料、近代俳句研究資料、日本文化研究資料の充実を目指し、その研究成果を踏まえた展示を行う。

【収蔵分野・総点数】
山口誓子及び山口波津女を中心とする近代俳句関係資料多数

【主な収蔵品/コレクション】
1. 山口誓子の草稿句帳450冊、日記、ノート、原稿、短冊、色紙、掛軸、裏打ち、その他文具などの遺品を含む関係資料多数
2. 山口誓子・波津女宛書翰：2373通
3. 山口波津女関係資料（短冊、色紙ほか多数）
4. 山口誓子蔵書（書き込み等有り）約2万冊
5. 俳句・俳諧研究書、雑誌など（誓子・波津女俳句俳諧文庫／開架）約1万冊

【展示テーマ】
〈特別展示会〉「山口誓子の交友圏―来翰に見る文学者との交流―」（2004年）／「句碑に刻まれた名句―昭和50年代建立の句碑―」（2005年）／「誓子俳句と海外体験」（2006年）

【教育活動】
〈公開講演会（一般市民対象）〉川崎展宏（俳人）「俳句と出会う―実作者として―」（2004年）／野山嘉正（放送大学教授）「近代詩歌のなかの俳句―子規に学ぶ―」（2005年）／矢島渚男（俳人）「芭蕉句の新解釈二・三―蕉風とは何か―」（2006年）

兵庫県

【調査研究活動】

　科学研究費補助金報告書「神戸大学蔵山口誓子資料の基礎的研究―データベース作成と俳壇史的意義の解明―」（研究代表者　木下資一（神戸大学国際文化学部教授），2007 年）

【刊行物】

　山口誓子記念館誓子・波津女俳句俳諧文庫の解説（パンフレット）／〈特別展示会解説書〉「山口誓子の交友圏―来翰に見る文学者との交流―」（2004 年）／「句碑に刻まれた名句―昭和 50 年代建立の句碑―」（2005 年）／「誓子俳句と海外体験」（2006 年）

- 所在地　〒657-8501　兵庫県神戸市灘区六甲台町 1-1
- TEL　078-803-5298（記念館・文庫の利用受付），078-803-5393（総合窓口　研究推進課総務係）
- FAX　078-803-5049
- URL　http://www.kobe-u.ac.jp/
- 交通　1）JR 神戸線「六甲道駅」、阪急神戸線「六甲駅」、阪神本線「御影駅」から、神戸市バス 36 系統「鶴甲団地」行きに乗車、「神大文・理・農学部前」又は「神大本部・工学部前」で下車し、徒歩 3 分（JR 六甲道駅から約 15 分、阪急六甲駅から約 10 分、阪神御影駅から約 20 分）　2）新幹線「新神戸駅」から、タクシー 15 分
- 開館時間　〈山口誓子記念館〉火・木曜日（ただし，祝日及び大学の休業期間中は閉館）10:00 〜 16:00　〈誓子・波津女俳句俳諧文庫〉月・火・木曜日（ただし，祝日及び大学の休業期間中は閉館）10:00 〜 16:00
- 観覧所要時間　60 分程度
- 入館料　無料
- 休館日　上記の開館日以外の日
- 施設　〈山口誓子記念館〉（数寄屋風木造平屋建）：六畳、八畳、四畳半和室のほか、旧誓子邸にはなかった展示室、茶会用水屋等を備える。庭あり。〈誓子・波津女俳句俳諧文庫〉（神戸大学百年記念館 1 階）：収蔵庫、閉架書庫、開架閲覧室（椅子 12 脚）〈展示ホール〉（神戸大学百年記念館 1 階）：神戸大学百年史関係資料展示と共用
- 利用条件
  (1) 利用を限定する場合の利用条件や資格　〈山口誓子記念館〉開館日の見学には特に利用制限なし。〈誓子・波津女俳句俳諧文庫〉1. 開架資料の閲覧に特に利用条件なし。2. 閲覧は、館内のみ。貸出し及びコピーサービスは不可。3. 収蔵庫及び書庫内の資料の閲覧については原則として研究者に限る
  (2) 調査研究目的で利用する場合の条件や資格　研究目的及び研究組織等を明

記した申請書を事前に提出のこと
- **メッセージ**　1. 記念館は、句会、茶会などにも利用することができます。　2. 開館日が限られていますので、御注意願います
- **高齢者，身障者等への配慮**　段差有り
- **車イスの貸出**　なし
- **身障者用トイレ**　なし
- **無料ロッカー**　なし
- **駐車場**　有り
- **外国語のリーフレット，解説書**　なし
- **ミュージアムショップ／レストラン**　ミュージアムショップ：なし／レストラン：大学内の一般用食堂を利用できる
- **今後3年間のリニューアル計画**　なし
- **設立年月日**　平成13（2001）年1月27日
- **設置者**　国立大学法人　神戸大学
- **館種**　国立大学法人，文学（俳句）
- **責任者**　館長・野上智行（学長）
- **組織**　教育研究補佐員　3名（研究推進部研究推進課総務係所属）

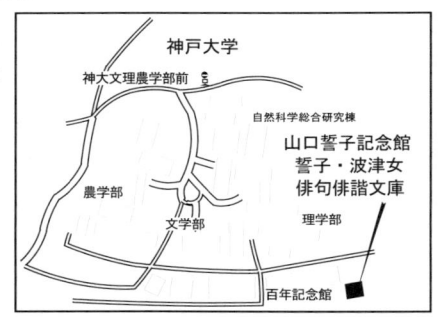

奈良県

帝塚山大学附属博物館

The Museum of Tezukayama university

　開かれた大学として地域貢献を目標とし、合わせて学生の文化財に対する理解度を高めることを目的として設立。
　従来の施設である帝塚山大学考古学研究室の展示室を活用、各種施設の改修を進め、また展示ケースの取替え、資料台帳の再確認などを行い奈良県教育委員会生涯学習課に申請の手続きをとり、平成16年1月30日をもって博物館相当施設として登録された。

【収蔵品・展示概要】
　購入・寄贈　学生の教育に寄与するよう配慮している

【収蔵分野・総点数】
　考古資料：2,876点／美術資料：48点／民俗資料：177点

【主な収蔵品/コレクション】
　朝鮮半島出土古代瓦（高句麗、百済、新羅、高麗の各時代）

【展示テーマ】
　「火の民俗」「金箔瓦」「大正・昭和の絵葉書」「鏡の文様の世界―中国の古鏡―」「近世大和の風景―寛政三年の旅―」

奈良県

【教育活動】
　学生の学芸員資格取得のための博物館実習／市民大学講座（約20回）／シンポジウム「造瓦体制の変革」「天武・持統朝の寺院造営」

【刊行物】
『帝塚山大学附属博物館報』Ⅰ，Ⅱ

- 所在地　〒631-8501　奈良県奈良市帝塚山7-1-1
- TEL　0742-48-9700
- FAX　0742-48-8783
- URL　http://museum.tezukayama-u.ac.jp/
- E-mail　arch@tezukayama-u.ac.jp
- 交通　近鉄奈良線「東生駒」駅下車　奈良交通バス「帝塚山大学」行きバスで約5分、徒歩なら約15分
- 開館時間　9:30〜16:30
- 入館料　無料
- 休館日　大学閉講日
- 施設　軽量鉄骨建築　858.10㎡　展示室、講座室、事務室、実習室、館長室
- 利用条件
　（1）利用を限定する場合の利用条件や資格　なし
　（2）調査研究目的で利用する場合の条件や資格　なし
- 高齢者，身障者等への配慮　バリアフリー
- 車イスの貸出　なし
- 身障者用トイレ　有り
- 無料ロッカー　なし
- 駐車場　有り
- 外国語のリーフレット，解説書　なし
- ミュージアムショップ／レストラン　なし
- 今後3年間のリニューアル計画　なし
- 設立年月日　平成16（2004）年1月30日
- 設置者　学校法人帝塚山学園　帝塚山大学
- 館種　私立大学，歴史
- 責任者　館長・森郁夫（教授）

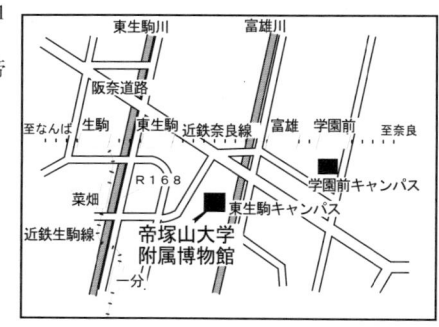

近畿

大学博物館事典　*435*

奈良県

天理大学附属天理参考館

Tenri University Sankokan Museum

"世界の生活文化と考古美術の博物館"

　大正14(1925)年、天理教二代真柱中山正善の発意により、天理教の海外布教者養成を目的とした天理外国語学校が開設されたのに伴い、海外諸国諸地域の生活習慣・信仰習俗などを知る一方法として、まず近隣諸国の民俗資料の収集を始めた。昭和5(1930)年4月、収集資料の収蔵、研究施設として海外事情参考品室が設けられ、これをもって当館の創設とする。昭和25(1950)年4月に天理大学附属天理参考館と改称し、昭和31(1956)年10月18日に博物館相当施設の指定を受けた。平成13(2001)年現在の場所に移転。

【収蔵品・展示概要】

　当館では、1階の展示室1、2階の展示室2、3階の展示室3・ロビーを常設展示スペースとして公開している。常設展示室へのプロローグとして、1階エントランスホール中央の床面に陶板製の拡大した世界図(円球図)を填めている。これはオランダの地理・天文学者ブラウが17世紀中頃に作成した世界図の第4版を寛政年間(18世紀末)に北山寒巌(1767〜1801)が書写した『和蘭考成万国地理全図照写』(天理図書館蔵)を原図としている。また、常設展示室入口横に当館創設の趣旨をパネルで掲示し、「天理参考館のあゆみ」をモニターテレビで放映している。

　常設展示は2つの大きなテーマにより構成されている。「世界の生活文化」を展示室1・2、「世界の考古美術」を展示室3・3階ロビーにおいて、立体的構造・復元・美術展示仕様の展示を行っている。

　他に、年に数回の企画展・特別展、スポット展示を行い、また、東京神田の

奈良県

天理ギャラリーで年3回開催されている天理ギャラリー展のうちの年2回を担当している。(残りの1回は天理大学附属天理図書館の担当)

【収蔵分野・総点数】
　世界各地の民族（民俗）資料、交通文化資料、考古美術資料など未整理分も含め、約30万点を所蔵する。登録済み収蔵点数は、海外民族資料　約3万2千点、日本民俗資料　約2万5千点、交通文化資料　約20万点、考古美術資料　約2万6千点、合計　約28万3千点

【主な収蔵品/コレクション】
〈生活文化（海外民族、日本民俗、交通文化）資料〉
　「チャンスン―韓国農村の守り神―」　20世紀初頭、韓国のあちこちの農村の入口にチャンスン（長柱）が立つ風景は朝鮮半島の風物詩でもあった。
　「日本各所の絵図・刷物」　参詣や遊山（観光）の人々の利便をはかって、江戸時代から名所案内用の図会や刷物が盛んに刊行された。
　「鉄道創業当時の切符」　鉄道創業当時、全面的にイギリスの援助・指導を受けていたため、用紙や印刷機等も輸入品が使用され、イギリスのトーマス・エドモンソン考案の様式が採用された。始めは「手形」「切手」「乗車切手」「乗車札」などと呼ばれていた。
〈考古美術資料〉
　「グデア頭像（閃緑岩製）」　イラク（テロー）出土　紀元前22世紀　高25.1cm　グデアは実在した古代都市ラガシュの支配者。グデア像はルーブル美術館が所蔵しているものをはじめ、世界で30点余りしか知られていない。
　「鍍金方格規矩四神鏡」　正方形の区画（方格）内外に、定規やコンパス（規矩）で施したようなT・L・V字形の文様と四神などの動物文様が並ぶ。金メッキをした鏡の中で、ほかに例を見ない優品である。

【展示テーマ】
　第51回企画展「東国の古墳文化」／第52回企画展「こけし五彩―みちのくの手わざ―」／第53回企画展「憧れの食堂車と全国駅弁めぐり―メニューやラベルあれこれ―」（以上2005年）／特別展「火のめぐみ」／特別展「正倉院宝物のルーツと展開―参考館撰―」（以上2006年）／第54回企画展「遣隋使・遣唐使が出会った人びと―中国隋唐陶製人形の美―」／第55回企画展「キップの世界―収集趣味と乗車券印刷機―」（以上2007年）

奈良県

【教育活動】

　公開講演会のトーク・サンコーカンは、広く一般の人に当館の資料を紹介し、諸文化の理解を深めて頂くことを目的に月1回（8月と12月を除く）開催。主なテーマ：「大和の火祭り―東坊城ほうらんや―」「正倉院とシルクロード」「黄金の都市ミケーネ―シュリーマンの発掘物語―」「幻の天理軽便鉄道」など

　また、わかりやすい博物館、親しみやすい博物館を目指し、利用者に展示以外の学習機会を準備し、体験学習を通して新たな博物館活動の場を提供するためワークショップを実施している。主なテーマ：「織物教室―原始機でベルトを織ってみましょう―」「バリ・ガムラン体験講座」「天理参考館周辺の遺跡めぐり」「火をおこしてみよう」など

【調査研究活動】

　韓国に於ける天理教伝道資料の現況調査／総合地球環境学研究所主催研究プロジェクトでの共同研究として、ラオス・ビエンチャン周辺での地域生態史調査、及び天理よろづ相談所病院海外医療科が実施した巡回医療活動の足跡を辿る調査、資料収集活動／京都・東寺灌頂院の「朱馬絵馬」奉掛行事の現地取材／東大阪市・往生院民具供養館の施設・展示方法等の現地取材／天理軽便鉄道について廃線跡の調査、遺構の撮影（以上2005年度の主な実績）など

【刊行物】

　『天理参考館報』『天理参考館常設展示図録』『資料案内シリーズ』『特別展・企画展図録』『ひと　もの　こころ―天理参考館所蔵品写真集』など

- 所在地　〒632-8540　奈良県天理市守目堂町250
- TEL　0743-63-8414
- FAX　0743-63-7721
- URL　http://www.sankokan.jp/
- 交通　JR桜井線・近鉄天理線天理駅　徒歩30分
- 開館時間　9:30～16:30（入館は16:00まで）
- 観覧所要時間　約90分
- 入館料　大人　400円（20名以上の団体の場合　300円），小・中学生　200円
- 休館日　火曜日（祝日の場合は翌日）4月28日、8月13日～17日、12月27日～1月4日（毎月25・26・27日は火曜日でも開館）
- 施設　構造：鉄筋コンクリート造・本瓦葺屋根入母屋造千鳥破風付　規模：地下2階・地上5階・塔屋1階（延床面積　15,369.42㎡）　付帯施設：おやさとやかた東左第四棟5階（収蔵庫）680㎡、天理教嘉幡倉庫第5号棟（収蔵庫）773㎡、台湾先住民風住居

奈良県

- 利用条件
 (1) 利用を限定する場合の利用条件や資格　なし
 (2) 調査研究目的で利用する場合の条件や資格　熟覧利用の場合は「熟覧規程・細則」を遵守する条件で願書を提出。審査を経て，許可書の発行により利用可能となる
- メッセージ　天理大学附属天理参考館は世界各地の生活文化資料・考古美術資料を収集・調査研究・展示する博物館で，これらの資料を通して，それぞれの地域に住む人々の生活や歴史を知り，お互いのこころを理解することを目的としている。そのために，収蔵資料の中から約3千点を「世界の生活文化」・「世界の考古美術」の2部門に分けて展示している。また，情報検索コーナーや図書コーナーを設けるほか，企画展や公開講座「トーク・サンコーカン」など，さまざまな活動を通して，展示品を間近に見学・鑑賞していただく機会を提供している。一人でも多くの方がこれらの活動に参加し，"世界"を身近に感じて頂ければと願っている。参考館は奈良盆地の東山裾を南北に，桜井市から奈良市へ通じる古道・山の辺の道に近接し，周辺には多くの古代遺跡が点在する。全国から訪れる人が多く，近年，三角縁神獣鏡33面が出土した黒塚古墳と同展示館もある
- 高齢者，身障者等への配慮　バリアフリー
- 車イスの貸出　有り
- 身障者用トイレ　有り
- 無料ロッカー　有り
- 駐車場　有り
- 外国語のリーフレット，解説書　案内リーフレット有り
- ミュージアムショップ／レストラン　なし
- 設置者　学校法人　天理大学
- 館種　私立，歴史
- 設立年月日　昭和5（1930）年4月28日
- 責任者　館長・岩井孝雄
- 組織　36名（館長1，副館長1，顧問1，事務長1，学芸員15，事務員10，用務員4，嘱託1，外部派遣職員2名）（平成19年4月現在）

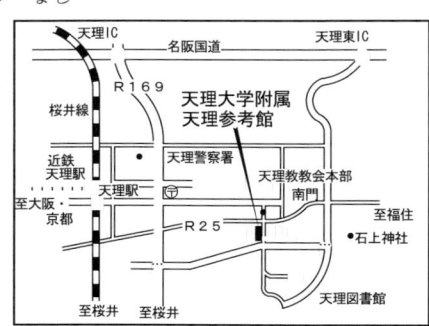

奈良県

奈良教育大学　学術情報研究センター教育資料館

〈理念〉わが国近代の学制発足以降における奈良県下の初等・中等教育に関する資料を中心として江戸期の庶民教育に関する歴史資料や、アジア、ヨーロッパなど国際的な教育資料の収集と整理、体系化を積極的に行うとともに、その成果を展示、公開することによって、学校教育はもとより、広く生涯学習の実践と研究に資する。

〈経緯〉昭和50（1975）年から教科書の本格的収集がなされ、翌年昭和51年に「教科書展示会」を開催して以後、文献をはじめ教材や実験器具などの収集がおこなわれた。それらの有効活用を図るために教育資料館設置構想が浮上し、平成2（1990）年に設置が決定され、平成4（1992）年4月16日に設立された。

※平成18（2006）年3月24日に従来の附属図書館、情報処理センター及び教育資料館が再編統合され、学術情報研究センターが設置された。それに伴い教育資料館は、同センターの図書館部門の一施設となった。

【収蔵品・展示概要】
　第1展示室は、本学の元教官からの寄贈による絵画・彫刻・書の作品の展示、図録の閲覧コーナーがある。
　第2展示室は、学習ノートや昭和7（1932）年に創刊された児童の作文や詩集『学びの園』の雑誌が展示されている。
　第3展示室は、奈良県下で使用された明治から戦後改革期までの国定教科書を含む各時代の教科書や教師の授業の指導書が展示されている。

他に特別展を実施することがある。

【収蔵分野・総点数】
教育関係資料資料総数　22,569点（平成19年4月18日現在）

【主な収蔵品／コレクション】
　教科書、奈良県下の市町村史と学校史誌類、教材・教具、学級日誌・文集などの学校関係資料、教育研究会報告書や規則、通知などの学校制度資料、学校施設や設備に関する資料、本学教員養成資料や大学史資料
　本学の元教官の美術工芸品
　近世庶民教育の教科書である往来物
　美術館・博物館の展覧会図録

【展示テーマ】
〈特別展〉「日中小学生書法展」（2004年）／「高等学校の書道教科書展」（2005年）／「図録展―印刷された展覧会―」（2006年）

【教育活動】
〈特別講演会〉「中国の書法教育について」（2004年）／「高校の書法教科書について」（2005年）

【刊行物】
奈良教育大学教育資料館だより　第11号（2004年），第12号（2005年）：ホームページ掲載

- 所在地　〒630-8528　奈良県奈良市高畑町
- TEL　0742-27-9297
- FAX　0742-27-9147
- URL　http://www.nara-edu.ac.jp/LIB/kyriyo.htm
- E-mail　lib-service@nara-edu.ac.jp
- 交通　JR・近鉄奈良駅より市内循環バスで高畑町（奈良教育大学前）下車
- 開館時間　月～金曜日 13:00～17:00
- 入館料　無料
- 休館日　土・日曜日, 国民の祝日及び振替休日, 年末年始（12月28日～1月4日）
- 施設　煉瓦造平屋建　建物面積360㎡　展示室：第1展示室　45㎡、第2展示室　82㎡、第3展示室　82㎡、他に貴重品等収蔵庫、受入整理収蔵倉庫、事務室等

奈良県

- ・利用条件
  - (1) 利用を限定する場合の利用条件や資格　資料は館内及び資料館が指定した場所で閲覧するものとする。資料の帯出は原則として認めない。ただし、センター長が必要と認めた場合はこの限りでない
  - (2) 調査研究目的で利用する場合の条件や資格　同上
- ・メッセージ　入館は無料ですので、ご自由にお越しください
- ・高齢者，身障者等への配慮　バリアフリー
- ・車イスの貸出　なし
- ・身障者用トイレ　なし
- ・無料ロッカー　なし
- ・駐車場　なし
- ・外国語のリーフレット，解説書　なし
- ・ミュージアムショップ/レストラン　なし
- ・設立年月日　平成4（1992）年4月16日
- ・設置者　国立大学法人　奈良教育大学
- ・館種　国立大学
- ・責任者　学術情報研究センター長・長友恒人（教授・副学長）
- ・組織　事務補佐員1名

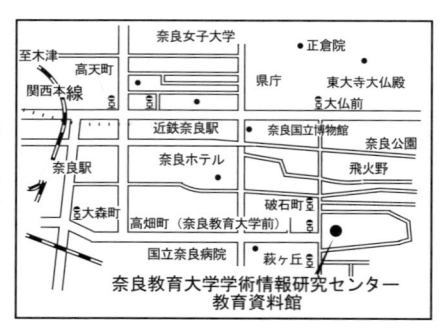

奈良女子大学記念館

Nara Women's University Memorial Hall

　奈良女子大学は、明治41年（1908）3月に設置された奈良女子高等師範学校を前身とする。奈良女子大学記念館は、明治41年（1908）2月に着工、翌年10月に竣工し、奈良女子高等師範学校本館として、創設当初から一階は事務室、二階は講堂として利用されていた。昭和24年（1949）に国立奈良女子大学として生まれ変わった後も、大学本部や講堂として使用されていたが、昭和55年（1980）に本部管理棟が、昭和58年（1983）に講堂が、別に新築されたため、平成2年（1990）に「記念館」と名称を改め、保存することとなった。

　平成6年（1994）2月26日から12月25日にかけて改修工事を行い、同年12月27日に守衛室（附正門）とともに国の重要文化財に指定され、一階は展示室、二階は講堂として活用している。

【収蔵品・展示概要】
　〈記念館〉
　記念館は木造、総2階建てである。屋根の中央に頂塔（ランタン）を設けたり、正面では軒先の中央部を三角形に一段上げ、また屋根に明かり取り窓を6個所に設けるなど、屋根の形に変化をもたせている。

　外観はハーフティンバーというヨーロッパ北部に見られる、木部を外に表す壁構造のデザインである。外壁は2階の腰までを板壁、その上を漆喰壁とするが、板の張り方を一部竪板張り、他は横板張りと変化させている。縦長の上げ下げ窓の上下に、曲線形の木材を漆喰表面にとりつけ模様をつくっている。

奈良県

　平面は、1階では中央の車寄せのある玄関から入り、中廊下をはさんで、左右に大小7室の部屋が並ぶ。1階両端の階段より2階へ昇ると、2階全体は講堂となっていて、講堂の前後にホールがある。講堂には当初からの長椅子が今も残る。

　南面には、後から増築した平屋建の旧事務局長室が取り付く。

　屋根を支える構造は木造トラスで約16mの長さに渡って中間に柱なしで、屋根を支えている。講堂中央部では天井を折り上げ、天井の高い大きな空間をつくり、シャンデリアを吊り下げている。

　建物は竣工以来、改変される箇所はほとんどなく、当時の姿をよく残している。

　記念館の魅力は、外観と2階講堂である。外観は、単調になりやすい屋根に変化を与えたり、壁もべったりする感じを避けるため、木部をデザインして見せる。講堂では広い一面的な天井にならないように、中央部を一段上げて、広さに見合った高さを確保して、堂々とした講堂としている。

〈常設展示〉

　歴史標本、地理標本、被服標本、動物標本、植物標本など、主に本学の学部等の研究と関連した収蔵品を展示している。また、本学の前身である奈良女子高等師範学校の創立当時（明治42（1909）年授業開始）に購入し、戦後永らく倉庫に眠っていたものを近年修復した、国産最古級のグランドピアノ（通称・百年ピアノ）も展示している。

【収蔵分野・総点数】

　歴史標本、地理標本、被服標本、動物標本、植物標本、百年ピアノなど

【主な収蔵品/コレクション】

　〈記念館〉重要文化財
　〈収蔵品〉
　歴史標本：正倉院御物複製、公家衣装、冠・烏帽子、櫛、簪、石器、埴輪、縄文土器など
　　地理標本：火成岩標本、堆積岩標本、変成岩標本、鉱物標本、化石標本など
　　被服標本：正倉院御物複製、織物標本、染色標本など
　　動物標本：解剖標本、ホライモリ、ナメクジウオ、アマミノクロウサギ、ツシマヤマネコなど
　　植物標本：スギ材（春日山・樹齢350年）、有用材木標本、さく葉標本
　　百年ピアノ：国産最古級のグランドピアノ

【展示テーマ】
〈特別展示〉
「『持続可能な暮らしと社会』ドイツ環境保全展—地球の未来を次世代に伝えるために—」（2005 年度）／「奈良きたまちと奈良女子大学」／「『描いて学ぶ』—奈良女子大学教員による建物についての作品展—」（以上 2006 年度）／「奈良女子大学百年ピアノ展—修復の軌跡—」／「奈良女子大学所蔵正倉院模造宝物展」（以上 2007 年度）

- 所在地　〒630-8506　奈良県奈良市北魚屋西町
- TEL　0742-20-3220
- FAX　0742-20-3205
- URL　http://koto.nara-wu.ac.jp/kinenkan/
- E-mail　somu02@jimu.nara-wu.ac.jp
- 交通　1）近鉄奈良駅徒歩 5 分　2）JR 奈良駅より市内循環バス近鉄奈良駅下車
- 開館時間　常時開館はしていない。ただし、一般公開時は 9:00 〜 16:00
- 入館料　見学は無料
- 休館日　土・日曜日，祝日，その他大学が定める休業日
- 施設　木造寄棟造総 2 階建（桟瓦葺）　建築面積　495 ㎡　建築延面積　952 ㎡
    講堂、展示室（1）（2）（3）、生涯学習研究室、事務室など
- 利用条件
    （1）利用を限定する場合の利用条件や資格　要事前連絡、営利目的での利用は不可
    （2）調査研究目的で利用する場合の条件や資格　要事前連絡
- メッセージ　毎年春と秋に一般公開し、常設展示の他、特別展示を実施している。定期的に毎月、記念館 2 階講堂にて、百年ピアノによるランチタイムコンサートを開催している。記念館は奈良女子大学を象徴する建物であり、中に入ると旧奈良女子高等師範学校創設当時の厳粛な雰囲気が味わえる大学の貴重な財産である。記念館とともに、正門、守衛室も国の重要文化財に指定されており、現在も使用されている。記念館は駅からも近く、周辺には世界遺産である東大寺、興福寺、春日大社や、奈良公園などがある
- 高齢者，身障者等への配慮　段差有り
- 車イスの貸出　なし
- 身障者用トイレ　有り
- 無料ロッカー　なし
- 駐車場　なし
- 外国語のリーフレット，解説書　有り
- ミュージアムショップ / レストラン　なし
- 今後 3 年間のリニューアル計画　なし
- 設立年月日　明治 42（1909）年 10 月
- 設置者　国立大学法人　奈良女子大学

奈良県

- **館種**　国立大学，歴史
- **責任者**　館長・坂本信幸（大学院人間文化研究科教授）
- **組織**　運営は教職員で構成された記念館運営委員会が携わっている

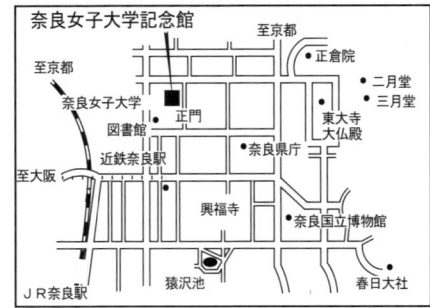

和歌山県

京都大学白浜水族館

Shirahama Aquarium, Kyoto University

　京都大学白浜水族館は、1930年、昭和天皇臨幸1周年を記念し、京都帝国大学理学部附属瀬戸臨海研究所の水槽室を一般公開したことに始まる。その後、経営を民間に委託したり、軍に接収されて閉館に追い込まれたりした時期もあったが、2005年6月1日で開設75周年を迎え、現在営業している日本の水族館の中では三番目に古い歴史をもっている。2003年4月1日より、瀬戸臨海実験所は改組されて、京都大学フィールド科学教育研究センター海域ステーション瀬戸臨海実験所となり、水族館はその一組織に位置づけられている。

　当水族館は、京都大学の研究・教育に貢献することを第一の使命とする。海洋生物学者に研究材料と実験の場を提供し、臨海実習にきた学生に、容易に観察できない多様な海洋生物の実物を自らの目で観察する機会を提供している。そのため、娯楽性に富む水族館とは趣を異としている。特に、背骨のない無脊椎動物は海洋生物の多様性の重要な部分を占めており、普段一般の方にはなかなか目に付かないものであるが、その多様な形態と生態は、魚類よりはるかに興味深いものであると自負している。

【収蔵品・展示概要】

　南紀沿岸の海洋生物の展示。特に魚以外の海産動物である海産無脊椎動物の展示に力を入れている。常時約500種の海産生物を展示しており、南紀沿岸の海の生き物の多様性を、間近に観察することが出来る。

和歌山県

【収蔵分野・総点数】
　海洋生物（2005年実績）
　無脊椎動物　357種　6,510点、脊椎動物　255種　4,227点、藻類　17種　59点
　総計　629種　10,796点

【主な収蔵品/コレクション】
　第1水槽室（1,240t）：中・大型回遊魚とサメ・エイ類
　第2水槽室（33,110t）：無脊椎動物（分類別展示）と小型群れ魚、走査電子顕微鏡
　第3水槽室（65t）：無脊椎動物・魚類・爬虫類・標本・模型（実験展示、特集展示）
　第4水槽室（18,112t）：無脊椎動物・魚類・海藻（すみ場所別展示、分類別展示）

【教育活動】
　「冬休み解説ツアー」「春休み解説ツアー」「水族館開設75周年記念歴史写真展　75年の歩み」「夏休み解説ツアー」（以上2005年）／「冬休み解説ツアー」「春休み解説ツアー」「夏休み解説ツアー」「バックヤード体験学習」（以上2006年）／「冬休み解説ツアー」「無脊椎動物解説ツアー」「水族館の裏側ツアー」（2007年）

【調査研究活動】
　水族館が所属する瀬戸臨海実験所は、海産無脊椎動物の分類・系統学を伝統的に研究の主軸としてきた。特に刺胞・有櫛・軟体・節足・毛顎・原索動物などについては、この分野の発展の中心的な役割を果たしてきた。これと同時に、底生動物（Benthos）・浮遊動物（Plankton）各種の分布、生活史、種間関係、行動などに関する生態学的研究も展開してきた。現在も各教員が恵まれたフィールドを活かして研究を行い、さらに、京都大学理学研究科の海洋生物学分科として、海産無脊椎動物の自然史に関する研究を志す大学院生の教育も行っている。

【刊行物】
　（瀬戸臨海実験所発行の刊行物）瀬戸臨海実験所年報／Publications of the Seto Marine Biological Laboratory

和歌山県

- 所在地　〒649-2211　和歌山県西牟婁郡白浜町459番地
- TEL　0739-42-3515
- FAX　0739-42-4518
- URL　http://www.seto.kais.kyoto-u.ac.jp/aquarium/（白浜水族館）　http://www.seto.kais.kyoto-u.ac.jp/（瀬戸臨海実験所）
- E-mail　aquarium@seto.kyoto-u.ac.jp
- 交通　JR白浜駅及び南紀白浜空港から明光バス「白浜バスセンター」経由「臨海」下車、徒歩3分
- 開館時間　9:00 ～ 17:30（入館は17:00まで）
- 観覧所要時間　約30分
- 入館料　大人500円、小人（小・中学生）110円　団体（20名以上）：大人450円、小人60円
- 休館日　なし（年中無休）
- 施設　延べ床面積　2,572 ㎡
- 利用条件
  (1) 利用を限定する場合の利用条件や資格　特になし
  (2) 調査研究目的で利用する場合の条件や資格　所定の様式の利用申込書を、京都大学瀬戸臨海実験所に利用2週間前までに提出し、利用許可を受ける必要がある
- メッセージ　展示生物のニュースやイベント情報、飼育の裏話などのタイムリーな話題を提供するために、2007年2月から「京都大学白浜水族館メールニュース」を配信している
- 高齢者，身障者等への配慮　バリアフリー
- 車イスの貸出　有り
- 身障者用トイレ　有り
- 無料ロッカー　有り
- 駐車場　有り
- 外国語のリーフレット，解説書　なし
- ミュージアムショップ/レストラン　なし
- 今後3年間のリニューアル計画　なし
- 設立年月日　昭和5（1930）年6月1日
- 設置者　国立大学法人　京都大学
- 館種　国立大学，水族館
- 責任者　館長・白山義久（フィールド科学教育研究センター教授・瀬戸臨海実験所所長）
- 組織　飼育関係3名、事務関係2名、売改札2名、その他1名　計8名

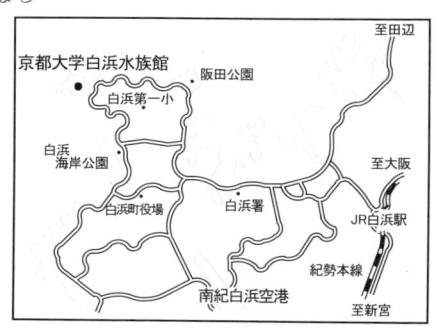

近畿

鳥取県

鳥取短期大学　絣美術館

　倉吉の伝統技術である「倉吉絣」の保存と後継者育成を目的として、本学内に昭和63年開設された絣研究室がまる10年経過したのを期に平成10年4月開館。更に開かれた大学として地元との連携を強め「倉吉絣」の集中展示を図ることを目的とする。2階が美術館展示室、1階が絣研究室工房となっている。

【収蔵品・展示概要】
　倉吉の伝統工芸である「倉吉絣」に特化した収集。明治から昭和初頭にかけ倉吉とその周辺で織られた絣、外国の絣、絣研究室修了生の修了作品等を展示。

【収蔵分野・総点数】
　民俗工芸　90点

【主な収蔵品/コレクション】
　倉吉絣の古布

【教育活動】
　小学校、中学校等の総合学習

・所在地　〒682-8555　鳥取県倉吉市福庭854
・TEL　0858-26-1811（代）

- FAX　0858-26-1813
- E-mail　kasurim@ns.cygnus.ac.jp
- 交通　倉吉駅よりスクールバス有り　タクシーで5分
- 開館時間　10:00～16:00
- 観覧所要時間　30分
- 入館料　無料
- 休館日　土・日曜曜日，祝日および大学の休日
- 施設　鉄骨造り二階建て　延べ約218㎡
- 利用条件
　（1）利用を限定する場合の利用条件や資格　なし
　（2）調査研究目的で利用する場合の条件や資格　なし
- メッセージ　市街地には白壁土蔵群、倉吉博物館、梨博物館など有り
- 高齢者，身障者等への配慮　段差有り
- 車イスの貸出　なし
- 身障者用トイレ　なし（館外にあり）
- 無料ロッカー　なし
- 駐車場　有り
- 外国語のリーフレット，解説書　なし
- ミュージアムショップ/レストラン　なし
- 今後3年間のリニューアル計画　なし
- 設立年月日　平成10（1998）年4月9日
- 設置者　鳥取短期大学
- 館種　私立短期大学
- 責任者　館長・吉田公之介
- 組織　館長1名、事務職1名（本学事務職兼務）

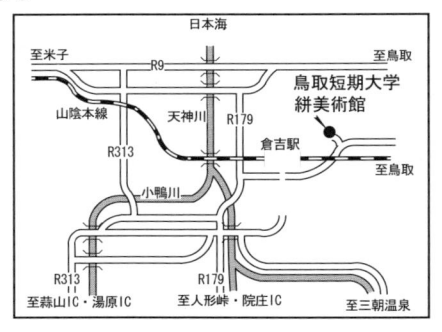

島根県

島根大学ミュージアム
Shimane University Museum

"学ぼう！活かそう！伝えよう！しまだいのDNA"

　島根大学は、環日本海地域・山陰地域に位置し、豊かで個性的な自然・歴史資源に恵まれたフィールドにおいて、多くの標本資料類等が収集されてきた。

　また、本学独自の調査組織による大学構内遺跡の発掘調査研究によって、本学松江キャンパスが、はるか7000年以上前の縄文時代から近世松江藩・近代島根県の時代まで、人類の営みの痕跡を刻んできたことが分かってきた。さらに、出雲キャンパスの周辺には、荒神谷遺跡・西谷墳墓群など全国的にも著名な弥生遺跡・古墳、「出雲国風土記」にも記載がある奈良時代の遺跡等が豊富に残されている。

　本学では、そうした自然・歴史・文化環境のなかに育まれながら永年にわたって高等教育・研究が実践され、数多くの実績があげられてきた。そこで蓄積されてきた標本資料類等は、いわば大学の歴史とも相即不離の関係にある。

　本ミュージアムは、こうして蓄積されてきた標本資料類等を有形知的財産として保護・活用し、学生・地域市民・同窓生・教職員等の本学への愛着の醸成を助け、「開かれた大学」・「地域社会とともに歩む大学」の構築や本学の未来への躍進に寄与するために設置したものである。

【収蔵品・展示概要】
〈ミュージアム本館〉
　島根大学キャンパス内は、大学ミュージアム（平成6〜17年度は埋蔵文化財調査研究センター）によって、永年にわたり発掘調査がおこなわれてきた。ミュージアム本館展示室では、主に、こうした島大キャンパスから出土した貴重な考古資料をはじめ、各部局から移管を受けた標本類などが展示されている。

〈山陰地域・汽水域資料展示室〉
　動物標本、化石・岩石標本，考古資料など、島根大学の各研究室が永年にわたって収集してきた山陰地域・汽水域に関わる様々な分野の資料が総合的に展示してある。
〈古代出雲文化資料調査室〉
　法文学部考古学研究室が所蔵する考古資料の一部を展示している。膨大な量の収蔵資料は、故山本清名誉教授によって収集されたものや旧制松江高等学校に保管されていたものなどからなり、日本の考古学を研究するうえで大変貴重なものが多く含まれている。

【収蔵分野・総点数】
〈ミュージアム本館〉
　島根大学キャンパス内から出土した考古資料など約200点
〈山陰地域・汽水域資料展示室〉
　主に山陰地域で収集された動物標本、化石・岩石標本、考古資料、伝統工芸品など約1,000点
〈古代出雲文化資料調査室〉
　山陰地域の遺跡から出土した考古資料など約700点
　このほか、数万点にのぼる様々な分野の資料が収蔵されている。

【主な収蔵品／コレクション】
〈ミュージアム本館〉
　松江キャンパス出土の櫂・ヤス柄・縄文土器・石器などの考古資料、アオウミガメ骨格標本、チョウザメ剥製標本、オオミズナギドリ剥製標本、南極の岩石
〈山陰地域・汽水域資料展示室〉
　ニホンアシカ剥製標本、隠岐馬骨格標本、パレオパラドキシア全身骨格復元模型、第三紀を中心とした化石標本、西谷3号墓出土弥生土器、サルガ鼻洞窟遺跡出土の縄文土器
〈古代出雲文化資料調査室〉
　鍵尾遺跡出土弥生土器、薬師山古墳出土遺物、金崎古墳出土遺物、教昊寺跡出土瓦、高田山寺ノ峯経塚出土陶製四耳壺

【展示テーマ】
　ミュージアム本館常設展示「発掘でわかった島大キャンパスの歴史」（2006

島根県

年度）

【教育活動】
　公開授業「島大ミュージアム学」／公開講座「島根まるごとミュージアム体験ツアー」／文部科学省委託事業「夏休み・しまだい探検」（以上 2006 年度）

【調査研究活動】
　島根大学構内遺跡の発掘調査／島根大学出雲キャンパス構内遺跡の発掘調査／旧制松江高等学校外国人宿舎の総合的調査（以上 2006 年度）

【刊行物】
　『学舎の履歴書～島根大学（松江キャンパス）と周辺の歴史～』『島根大学コレクション 2007』『SHIMADAI MUSE』『島根大学ミュージアム年報』

- ・所在地　〒690-8504　島根県松江市西川津町 1060　島根大学(松江キャンパス)
- ・TEL　0852-32-6496
- ・FAX　0852-32-6496
- ・URL　http://museum.shimane-u.ac.jp/
- ・E-mail　museum@riko.shimane-u.ac.jp
- ・交通　JR 松江駅バス 15 分
- ・開館時間　ミュージアム本館　9:00 ～ 17:00, 山陰地域・汽水域史料展示室　9:00 ～ 16:00
- ・観覧所要時間　ミュージアム本館　20 分, 山陰地域・汽水域史料展示室　20 分
- ・入館料　無料
- ・休館日　土・日曜日, 祝日, 12 月 29 日～ 1 月 4 日, その他大学が定める休業日
- ・施設　ミュージアム本館（延床面積 130 ㎡）のほか、山陰地域・汽水域資料展示室、古代出雲文化資料調査室、附属図書館展示コーナー、ミニ学術植物園などキャンパス内の様々な展示施設からなる
- ・利用条件
  - （1）利用を限定する場合の利用条件や資格　団体見学での展示解説希望者は、事前予約がのぞましい
  - （2）調査研究目的で利用する場合の条件や資格　資料の調査研究成果を公表する場合、要事前連絡
- ・メッセージ　ミュージアム本館には、職員が常駐し、展示解説をおこなっている。ミュージアム本館がある松江キャンパスには駐車スペースがあるので、自動車での来訪も可能。松江キャンパスは、周辺に国指定史跡の金崎古墳群・菅田庵があるほか、松江城・武家屋敷・堀川遊覧船乗り場・宍道湖などの観光地も近い

- ・高齢者，身障者等への配慮　段差有り
- ・車イスの貸出　なし
- ・身障者用トイレ　なし
- ・無料ロッカー　なし
- ・駐車場　有り
- ・外国語のリーフレット，解説書　なし
- ・ミュージアムショップ / レストラン　なし
- ・今後3年間のリニューアル計画　有り
- ・設立年月日　平成18（2006）年4月1日
- ・設置者　国立大学法人　島根大学
- ・館種　国立大学，総合
- ・責任者　館長・高安克己（学術国際担当副学長）
- ・組織　4名（館長1、副館長1、専任教員1、非常勤職員1）。このほか、学内兼任研究員が十数名。経営企画には、教員で構成された管理運営委員会や各種の専門委員会がある

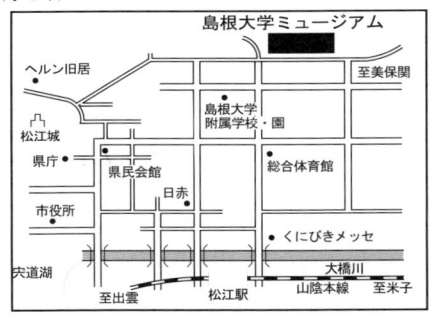

岡山県

岡山大学埋蔵文化財調査研究センター

Archaeological Research Center, Okayama University

"岡山大学構内遺跡の調査研究成果に関する展示"

　岡山大学構内遺跡の調査研究を目的に、岡山大学埋蔵文化財調査研究センターは1987年11月に設立された。前身は、岡山大学埋蔵文化財調査室（1983〜1987年）である。

　岡山大学構内には、岡山市津島岡大遺跡（津島地区）、鹿田遺跡（鹿田地区）、鳥取県福呂遺跡（三朝地区）が存在する。これらの大学構内遺跡に関する調査研究と、その成果に基づく展示・公開活動を行っている。

　1990年には、埋蔵文化財調査研究センター収蔵庫2階に常設展示室を設置し、調査研究成果を日常的に公開している。また、1989年より現在まで、企画展「岡山大学キャンパス発掘成果展」や、岡山大学附属病院内における出張展示会を開催している。

棒火矢出土状況

【収蔵品・展示概要】
　〈収蔵品〉岡山大学埋蔵文化財調査研究センター及び前身の埋蔵文化財調査室では、1983年より岡山大学構内遺跡（津島岡大遺跡、鹿田遺跡、福呂遺跡）に関する調査研究を行っている。発掘調査によって出土した、縄文時代、弥生時代、古墳時代、古代、中世の考古資料を収蔵している。

　〈展示概要〉企画展は、毎年秋ごろを中心に、一定の開催期間を設けて実施している。開催場所は、常設展示室を中心に、企画展のテーマにあわせた岡山大学構内の施設となる。大学構内遺跡の調査研究成果について、特定のテーマ

から紹介している。展示においては、1.「実物体感」をコンセプトとした実物にさわることのできる展示、2. 見学者との対話、3. 体験学習の充実を心がけている。

常設展示室は、休館日を除いて、常時見学可能。大学構内遺跡の発掘調査の実施状況や、企画展の開催にあわせて、展示内容を新たにしている。

【収蔵分野・総点数】

〈収蔵分野〉岡山大学構内遺跡（津島岡大遺跡、鹿田遺跡、福呂遺跡）から出土した、縄文時代、弥生時代、古墳時代、古代、中世の考古資料（遺跡出土種子を含む）を収蔵。

〈収蔵量〉箱数で約2,800箱の考古資料を収蔵。

【主な収蔵品／コレクション】

岡山大学構内遺跡から出土した資料を収蔵している。主な収蔵品は以下となる。

〈岡山県津島岡大遺跡出土資料〉

縄文時代：中期・後期・晩期の土器、石器、土製品、木製品、装身具（指輪・櫛等）、貯蔵穴出土の種子

弥生時代：土器、石器、土製品（分銅形土製品等）、木製品（農具等）

古代：土器（黒色土器等）、木製品（人形木製品等）

中世：土器（瓦器等）、輸入陶磁器、木製品

〈岡山県鹿田遺跡出土資料〉

弥生時代・古墳時代：土器、石器、土製品、木製品（木製短甲等）、人面線刻土器

古代：土器（墨書土器、黒色土器等）、緑釉陶器、木製品（井戸枠等）

中世：土器（墨書土器、瓦器等）、輸入陶磁器、木製品（猿形木製品、井戸枠等）、木簡

〈鳥取県福呂遺跡出土資料〉

縄文時代：早期末〜前期初頭の土器、石器

弥生時代：土器、石器

【展示テーマ】

企画展第8回岡山大学キャンパス発掘成果展「土・技・心」（2004年度）／岡山大学鹿田キャンパス発掘成果展「鹿田遺跡と鹿田庄」／第9回岡山大学キャンパス発掘成果展「行き交う人ともの」（以上2005年度）／第10回岡山大学キャ

岡山県

ンパス発掘成果展「兵どもが夢の跡」（2006年度）

【教育活動】
　中学生職場体験／博物館実習（以上2004～2006年度）

【調査研究活動】
　津島岡大遺跡の調査研究／鹿田遺跡の調査研究（以上2004～2006年度）

【刊行物】
〈発掘調査報告書〉『津島岡大遺跡』20～22／『鹿田遺跡』5
〈紀要〉『岡山大学埋蔵文化財調査研究センター紀要』2003～2005
〈センター報〉『岡山大学埋蔵文化財調査研究センター報』第32～37号

- 所在地　〒700-8530　岡山県岡山市津島中3-1-1
- TEL　086-251-7290
- FAX　086-251-7290
- URL　http://www.okayama-u.ac.jp/user/arc/archome.html
- 交通　1）岡山駅前から岡電バス「岡山大学・妙善寺」行に乗車、「岡大西門」で下車、徒歩約5分　2）岡山駅西口から「岡山大学・岡山理科大学」行に乗車、「岡大西門」で下車、徒歩約5分　3）JR津山線「法界院」駅で下車、徒歩約10分
- 開館時間　常設展示室　10:00～16:00
- 観覧所要時間　常設展示室　30分
- 入館料　無料
- 休館日　常設展示室　土・日曜日，祝祭日，12月28日～1月3日
- 施設　埋蔵文化財調査研究センターの施設は、管理棟（1階建て）、収蔵庫（2階建て）、木器保存処理室（1階建て）からなる。常設展示室は、収蔵庫2階に設置している（面積約18㎡）。企画展の際には、常設展示室以外にも施設内に展示スペースを設けたり、大学構内の他の施設を利用したりするなど、適宜工夫を行っている
- 利用条件
  （1）利用を限定する場合の利用条件や資格　なし
  （2）調査研究目的で利用する場合の条件や資格　閲覧は要事前予約。資料の調査研究成果を公表する場合、要事前連絡
- 車イスの貸出　なし
- 身障者用トイレ　なし
- 無料ロッカー　なし
- 駐車場　有り
- 外国語のリーフレット，解説書　なし

岡山県

- ミュージアムショップ / レストラン　なし
- 今後 3 年間のリニューアル計画　なし
- 設立年月日　昭和 62（1987）年 11 月
- 設置者　国立大学法人　岡山大学
- 館種　国立大学，歴史
- 責任者　センター長・梶原憲次（理事・事務局長）
- 組織　13 名（センター長 1、副センター長 1、調査研究室長 1、助教 4、非常勤職員 6）組織の運営においては、大学内の教員によって構成される運営委員会があたっている

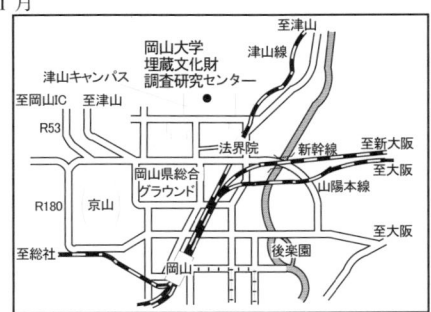

岡山県

川崎医科大学　現代医学教育博物館
Medical Museum Kawasaki Medical School

"「第2の実物図書館」「動きを見る図書館」"

　川崎医科大学は「人間をつくる」「体をつくる」「医学をきわめる」の3つの建学の理念をもって1970年に創立した。その10年後の1980年に大学創立十周年記念事業として現代医学教育博物館を建設し、翌年の1981年5月に開館した。

　現代医学教育博物館では、「百聞は一見に如かず」、「百読は一見に如かず」という言葉の通り、医学教育の基本とも言える見学・実習の重要性を認識し、医学を学ぶ人のための自学・学習の場として本学の学生のみならず、他大学の医学生や医療人はもとより地域一般の人まで広く開放している。そして、最新の医学、即ち現代医学の教育を行うことを目的としている。また、現代の若者は幼少の頃からテレビや漫画などに馴染んで育ちその影響を受けていることを踏まえ、豊富な実物標本と視聴覚教材を備えた「第2の実物図書館」「動きを見る図書館」とも言うべき博物館を目指している。そのため、単に見るだけの展示ではなく「触る展示」「動かす展示」など体験的・経験的に学習できる見学者参加型の展示を行っている。

【収蔵品・展示概要】
　常設展示は2階・3階・4階と3つのフロアーに分けて展示を行っている。
　〈2階展示室〉
　2階展示室は、別名「健康教育博物館」と呼び、生活習慣病をテーマとして心臓・血管、腎臓などの臓器毎の展示や、がん、糖尿病など様々な疾患など10の部門に分けて展示を行っている。

〈3階展示室〉

3階展示室は、約1,600点におよぶ病理肉眼標本を中心とした展示を行っている。また、ビデオルーム、コンピュータルーム、シミュレーションルームなどがあり自学・自習の場として自由に利用できるようになっている。

〈4階展示室〉

4階展示室は、30のブースを使って本学の各教室が行っている研究・教育関係の展示を行っている。また、救急医学の心肺蘇生訓練を行うためのブースもある。

【収蔵分野・総点数】

15,000点

標本:4,800点　模型:210点　図書:100冊　写真:3,500点　ビデオ教材:1,220本　その他:1,200点

【教育活動】

医学講演会「脳卒中急性期医療の新たな展開―脳卒中センターの挑戦―」／医学展「性感染症（STD）」（以上2004年度）／医学講演会「川崎医大救急部・高度救命救急センターってどんなところ？」／医学展「喫煙・ハンセン病」（以上2005年度）／医学講演会「―目からうろこ「医学入門」―」（咳について―意外な咳の原因―）（ウイルスと人類との闘い）／医学展「メタボリックシンドローム」（以上2006年度）

【刊行物】

「川崎医科大学　現代医学教育博物館20周年記念誌」

- ・所在地　〒701-0192　岡山県倉敷市松島577
- ・TEL　086-462-1111
- ・FAX　086-464-1014
- ・URL　http://www.kawasaki-m.ac.jp/mm/OPEN.HTML
- ・E-mail　museum@med.kawasaki-m.ac.jp
- ・交通　1）JR山陽本線、伯備線で中庄駅下車、徒歩15分、タクシー3分　2）山陽自動車道　倉敷インターより車で10分
- ・開館時間　9:00～17:00
- ・観覧所要時間　2階:90分　全館:4時間
- ・入館料　無料
- ・休館日　日曜日，祝日，年末年始，学園創立記念日（6月1日），その他館長が定める日

岡山県

- **施設** 時計塔付きの5階建てビルディング　建築面積:1673㎡　延べ床面積:7679㎡　展示室面積:3,510㎡(2、3、4、5階展示室)　倉庫面積:380㎡(1階倉庫)　事務室面積:133㎡(2階管理室、館長室、3階管理室、他)　荷捌き室:47㎡
- **利用条件**
  利用を限定する場合の利用条件や資格　2階「健康教育博物館」:条件無し，3・4階展示室:医療関係者のみ，団体見学の場合:要事前連絡
- **メッセージ**　博物館前には大型バス専用の駐車スペースがある。団体での見学は、事前に電話にて予約が必要である
- **ミュージアムショップ/レストラン**　なし
- **今後3年間のリニューアル計画**　なし
- **設立年月日**　昭和56(1981)年5月
- **設置者**　川崎医科大学
- **館種**　私立大学，医学
- **責任者**　館長・植木宏明(学長)
- **組織**　12名:館長1、学芸員7(課長1，主任技術員1、副主任技術員1、他4)、技術補助員4

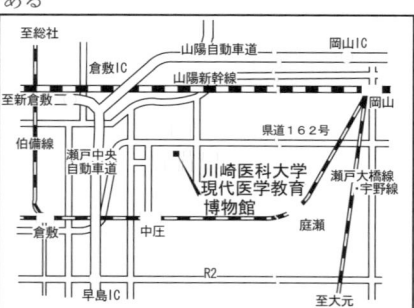

広島県

広島女学院歴史資料館

Hiroshima Jogakuin Archives

　広島女学院歴史資料館は創立100周年記念事業として1988年に建てられた。原爆の被害をまぬがれた学院所蔵の歴史的資料は、資料委員会がさらに調査収集した新資料とともに、広島における女子教育の変遷を知るうえでかけがえのないものである。これらの収集と展示が、広島女学院関係者をはじめ、地域の人々にとって、わが国の女子教育の歴史を理解するうえで役に立つことを願うものである。

【収蔵品・展示概要】
　原爆の被害をまぬがれた学院所蔵の歴史的記念物件と100周年記念資料委員会が調査収集した資料、卒業生からの寄贈の資料などを永久保存している。展示品を含む資料が広島女学院関係者をはじめ、女子教育の歴史を理解するうえでも役立つことを願っている。

【収蔵分野・総点数】
　約5,000点のうち、87点とパネル38点を展示している。

【主な収蔵品/コレクション】
　被爆前の広島女学院キャンパスの模型や戦前・戦中・戦後の各制服、N.B.ゲーンズ初代校長愛用の聖書、被爆した生徒の遺品など。

広島県

【展示テーマ】
　広島女学院　創設期の人々（写真展）／戦前の広島女学院の教育（写真展）／校母ゲーンズ先生　来任120周年（写真展）

- 所在地　〒732-0063　広島県広島市東区牛田東4丁目13-1
- TEL　082-228-0386
- FAX　082-227-4502
- 交通　広島駅から、バスで「広島女学院大学前」下車約20分、タクシーで約10分
- 開館時間　月・水・金曜日　10:00～16:00
- 入館料　無料
- 休館日　日・火・木・土曜日，その他学院行事のある日
- 施設　2階建、324.403㎡
- 利用条件
　　調査研究目的で利用する場合の条件や資格　事前に調査・研究目的を提出し，許可を得る必要がある。当館目的の趣旨にそぐわない場合は許可されない
- 車イスの貸出　なし
- 身障者用トイレ　なし（近くの校舎にあり）
- 駐車場　有り
- 外国語のリーフレット，解説書　なし
- 今後3年間のリニューアル計画　なし
- 設立年月日　昭和63（1988）年10月1日
- 設置者　学校法人広島女学院
- 館種　私立，歴史
- 責任者　館長・岩内一郎（教授）

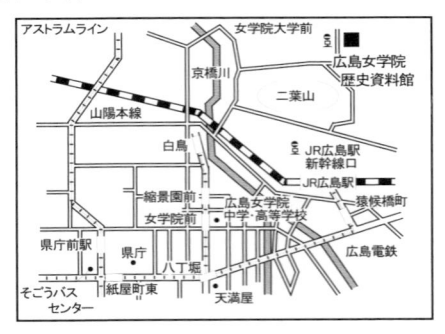

広島県

広島市立大学芸術資料館

Hiroshima City University Museum of Art

　広島市立大学芸術資料館は、「科学と芸術を軸に世界平和と地域に貢献する国際的な大学」を建学理念とする本学の開設とともに1994年に開館した。国内外の絵画、彫刻、デザイン、工芸作品など、収集してきた芸術資料を展示し、また企画展、卒業制作展などを開催し、市民に親しまれるミュージアム活動を目指している。

【収蔵品・展示概要】
　収集方針：芸術の教育・研究の進展に資することを目的とする。

【収蔵分野・総点数】
　絵画　283点、彫刻　19点、工芸　191点、古書　44点、インダストリアルデザイン　148点、テキスタイル　16点、ランドスケープ模型　1点、卒業制作買い上げ　61点、寄贈　152点、移管　78点

【主な収蔵品/コレクション】
　平山郁夫「カルナック神殿　ルクソール　エジプト」、宮崎進「生きるもの」「黒い大地（泥土）」、奥村土牛「大下図　軍鶏」「大下図　蓮」、小林古径「下図　清姫―川に清姫」「下図　清姫―僧の寝室」「下図　清姫―山・社」、淀井敏夫「聖マントヒヒ」「画家の像」、イサム・ノグチ「図面　平和大橋・西大橋」

広島県

【展示テーマ】
　退任記念　野田弘志展（2004年）／「光の肖像」展―被爆者たち、それを受け継ぐ者たちの眼差し―（2005年，2006年）／斉藤典彦展― Shaman Moon から in her garden へ―（2005年）／時を越えて―受け継ぐ心と技―模写による県内文化財の保存継承（2006年）

【教育活動】
〈市民講座「展覧会をつくる」〉―手の中の日本の美―武士のオシャレ金工展 SAMURAI'S DANDYISUM（2004年）／白と黒の展覧会　子供の眼差し　作家の眼差し（2005年）／銅版画　夢・人・愛　瑛九展（2006年）

- 所在地　〒731-3194　広島県広島市安佐南区大塚東三丁目4番1号
- TEL　082-830-1507
- FAX　082-830-1658
- URL　http://www.hiroshima-cu.ac.jp/inst/museum.html
- E-mail　gakubu@office.hiroshima-cu.ac.jp
- 交通　広島バスセンターからバスくすのき台行き広島市立大学前下車、徒歩1分
- 開館時間　企画展会期中の10:00～17:00　土・日曜日，祭日は午後4時まで
- 観覧所要時間　15分
- 入館料　無料
- 休館日　常設展示はなく、企画展示がある場合のみ開館
- 施設　芸術学部棟と合築　展示室:287.6㎡　写真室:68㎡　演習室:285㎡　収蔵庫:288㎡　暗室:35㎡
- 利用条件
  （1）利用を限定する場合の利用条件や資格　施設の使用は本学関係者に限定しているが、展覧会会期中の見学については、一般に公開している
  （2）調査研究目的で利用する場合の条件や資格　なし
- メッセージ　「新収蔵作品展」や「教員作品展」、各専攻の研究成果発表展などを1会期7日程度、年6～7回開催しています。また市民講座やボランティア参加による地域との連携にも力を入れています。大学周辺は自然に囲まれた環境で、近くには和・洋レストランや、学生食堂もあります
- 高齢者，身障者等への配慮　バリアフリー
- 車イスの貸出　なし
- 身障者用トイレ　有り
- 無料ロッカー　なし
- 駐車場　有り
- 外国語のリーフレット，解説書　なし
- ミュージアムショップ/レストラン　ミュージアムショップはなし。レストラ

ンは学生食堂を利用可
・**今後3年間のリニューアル計画**　なし
・**設立年月日**　平成6（1994）年4月1日
・**設置者**　広島市
・**館種**　公立大学，美術
・**責任者**　館長・植草正勝（芸術学部教授）
・**組織**　非常勤嘱託員（学芸員）1名

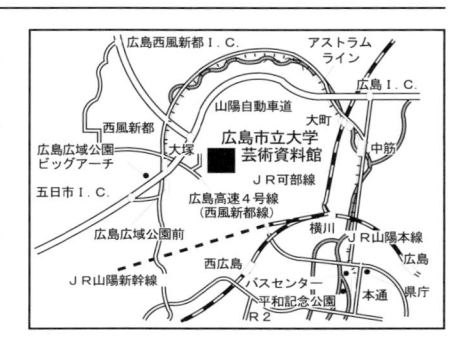

広島県

中国・四国

広島県

広島大学医学部医学資料館

Hiroshima University Institute of History of Medicine

　医学の教育や研究は、長い間に人類が生み出してきた学問や文化の背景のもとに現在の医学があるという歴史的基盤と、そこに受け継がれている医の倫理を自覚したうえで行われなければならないと確信する。広島大学医学部医学資料館は、昭和53年（1978年）11月2日に国立大学医学部最初の資料館として設置された。

　本学医学部は昭和32年9月に呉市より霞キャンパスに移転、明治大正時代に建てられた陸軍兵器補給廠の赤煉瓦造り2階建ての建物を校舎として使ってきた。その後、近代的な校舎や病院の建築のために次々に取り壊されるに至り、懐かしい赤煉瓦の学舎を残したいとの声が澎湃として起こったことから、昭和53年、医学部創立30周年記念事業の一環として、11号館（大正4年建造）を改装して医学資料館を設置した。しかし平成10年（1998年）、附属病院病棟の建替えのため医学資料館は新築移転を決定。旧資料館は設立の経緯からも、建築学的にも、原爆被爆建物であり被災者の臨時救護所となった歴史的意義からも、由緒ある建物であることから、新築にあたっては旧資料館の外観を尊重し、痛みの少ない東外壁を中心にできるだけ被爆煉瓦や石材を再利用して建替えることになった。そして平成11年10月に本医学資料館が竣工された。

　ここに、世界、日本、広島、広島大学の医学の歴史を示す種々の資料を収集、展示し、医師、医学研究者のみならず一般の観覧に供し、医学の発展に関する認識を高め、その教育や研究に資することを念願する。

【収蔵品・展示概要】
　世界、日本、広島、広島大学の医学の歴史を示す資料

【主な収蔵品/コレクション】
　・「身幹儀（星野木骨）」
　寛政4年（1792年）広島・堺町の医師、星野良悦が工人、原田孝次に依頼して作った等身大の成人男子骨格模型で、平成16年、国の重要文化財に指定
　・「傷寒六書」（1630年）
　・宇田川玄真の「医範提綱」（1808年）
　・杉田玄白らの「解體新書」（1774年）
　・マルピギーの「顕微鏡図譜」（1686年）
　・エウスタキオの「解剖図譜」（1798年）

【教育活動】
　重要文化財指定記念「身幹儀（星野木骨）」公開シンポジウム―ハイテク日本の原点を江戸の心意気と技に見る―（2004年）／日本医史学会広島支部総会・研究発表会及び公開講演会（2005年）

- 所在地　〒734-8551　広島県広島市南区霞1-2-3
- TEL　082-257-5099
- FAX　082-257-5099
- URL　http://home.hiroshima-u.ac.jp/ihistmed/index.html
- 交通　JR広島駅より「大学病院」行きのバスを利用し終点で下車（約20分）
- 開館時間　10:00～16:00
- 入館料　無料
- 休館日　日・月曜日，祝日，年末・年始（12月29日～1月3日），その他臨時休館あり
- 施設　建物面積　985㎡（1階515㎡　2階470㎡）第一展示室、第二展示室、図書資料室、保管室、研修室、事務室などを備える
- 設立年月日　昭和53（1978）年11月2日
- 設置者　国立大学法人　広島大学
- 館種　国立大学，医学
- 責任者　館長・碓井亞（医学部教授）

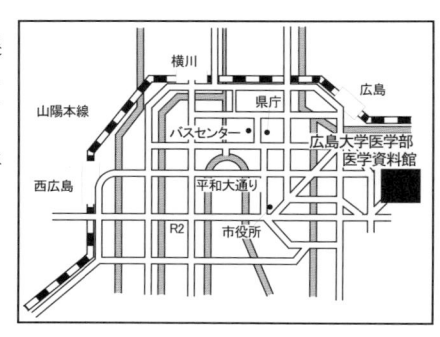

山口県

梅光学院大学博物館

　大学に蓄積されてきた地域の文学、歴史、民俗、考古学など様々な学術・教育に関する資料を保存し、展示公開を行なうとともに、これらを調査・研究し、大学教育・研究への再活用をはかっている。また、資料収集、調査・研究活動は、本学附属研究機関「地域文化研究所」(1984年設置)と連携して行い、その成果を展示や講演会を通して地域に広く公開している。

　1986年　博物館学課程実習室として「博物館学資料室」創設
　1994年　「梅光女学院大学附属資料館」開館
　1994年4月　博物館相当施設に指定
　2001年4月　「梅光学院大学博物館」に改称　第6回企画展「近世女流文人・田上菊舎尼―こころの旅―」開催
　2002年　第7回企画展「関門・北浦のやきもの―藩窯と民窯―」開催
　2003年6月　大学移転により、リニューアル開館　オープン企画「建物をみる」開催
　2003年　第8回企画展「赤間関硯―歴史・硯司の視点から―」開催
　2004年　第9回企画展「くらしのなかの造形美」開催
　2005年　第10回企画展「國分直一の世界」開催　常設部に「郷土」「学習」「学院史」コーナー展示を設置
　2006年　第11回企画展「梅光女学院と藤山一雄―その人と生涯をみつめて―」開催
　2006年　常設・郷土コーナー「関門民芸「ふく笛」を読む」通年4回展示

替開催
2007 年　常設・郷土コーナー「藤山一雄の『農山村文化』『新生運動』を読む」開催　現在に至る

【収蔵品・展示概要】

　主要資料には、高島北海をはじめとする絵画や幕末・明治期の書跡資料（井上文庫）、キリスト教関係資料（広津コレクション）、日本および台湾の考古、民俗資料（国分コレクション）、和紙（財津コレクション）などがある。この4つのコレクションを柱に、関連資料の収集、かかわる周辺調査・研究を行い、常設部・館蔵品コーナーにおいて、定期的な資料紹介を実施。

【教育活動】

〈特別講演会〉「東アジアの中の地域文化」（2004 年）／「國分直一の世界」（2005 年）／「80 年後に読む藤山一雄「五十年後の九州」―グランド・デザインのなかの博物館―」（2006 年）

- 所在地　〒750-8511　山口県下関市向洋町 1-1-1
- TEL　0832-27-1070
- FAX　0832-27-1071
- URL　http://www.baiko.ac.jp/university/museum.htm
- E-mail　museum@baiko.ac.jp
- 交通　JR 下関駅よりサンデン交通バス　東駅バス停下車（約 15 分）徒歩約 2 分
- 開館時間　9:00 ～ 17:00（入館は 16:30 まで）
- 観覧所要時間　30 分
- 入館料　無料
- 休館日　日・水曜日，祝日
- 高齢者，身障者等への配慮　バリアフリー
- 車イスの貸出　有り
- 身障者用トイレ　有り
- 無料ロッカー　有り
- 駐車場　有り
- 外国語のリーフレット，解説書　なし
- ミュージアムショップ/レストラン　なし
- 今後 3 年間のリニューアル計画　なし

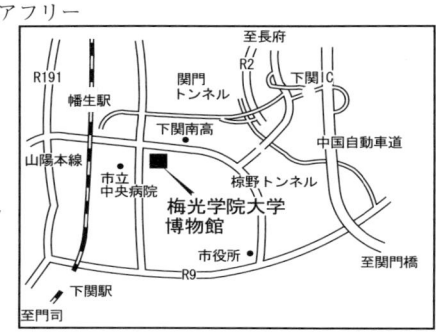

山口県

山口大学埋蔵文化財資料館

Yamaguchi University Archaeological Museum

1977年3月竣工
1979年より、以下の3点を目的として業務を開始
1. 構内（キャンパス内）の埋蔵文化財の考古学的な調査・研究
2. 発掘調査で出土した遺物の収蔵と展示
3. 埋蔵文化財に関わる様々な学問分野との学術交流の場の提供

【収蔵品・展示概要】
　当館が発掘調査を行っている山口大学構内遺跡（吉田遺跡、白石遺跡、山口大学医学部構内遺跡、山口大学工学部構内遺跡、御手洗遺跡・月待山遺跡）と本学名誉教授　小野忠凞氏が関わった山口県内の考古資料を収蔵している。

【収蔵分野・総点数】
　長さ60×幅40×高さ15cmの収納箱に換算して約800箱

【主な収蔵品/コレクション】
　山口大学構内遺跡出土考古資料／山口大学島田川学術調査団関係考古資料／そのほか、山口県内遺跡出土の考古資料

【展示テーマ】
　第21回企画展　古墳の世界—山口県の古墳を探る（2005年）／第22回企画展　吉田遺跡発掘調査速報展2006（2006年）／第23回企画展　山口大学埋蔵文化財資料館創立30周年記念特別展　稲作到来—弥生人つくった　とった

たべた―（2007年）

【教育活動】
　第5回公開授業「古代人の知恵に挑戦！―弥生土器をつくってみよう2―」（2005年度）／第6回公開授業「古代人の知恵に挑戦！―古代のお米をつくってみよう―」（2006年度）／第7回公開授業「古代人の知恵に挑戦！―古代のお米をつくってみよう2―」（2007年度）

【調査研究活動】
　山口大学構内遺跡の発掘調査・研究

【刊行物】
　山口大学埋蔵文化財資料館年報―平成15年度―／山口大学埋蔵文化財資料館年報―平成16年度―

- 所在地　〒753-8511　山口県山口市吉田1677-1
- TEL　083-933-5035
- FAX　083-933-5035
- URL　http://ds.cc.yamaguchi-u.ac.jp/~yuam-w/Shiryoukan.home/
- E-mail　yuam@yamaguchi-u.ac.jp
- 交通　JR山陽新幹線・山陽本線は新山口駅、山陰本線は益田駅で山口線に乗り換え。山口線湯田温泉駅下車。徒歩20分（約2km）
- 開館時間　月〜金曜日　9:00〜17:00（業務の都合により臨時閉館あり）
- 観覧所要時間　30分程度
- 入館料　無料
- 休館日　土・日曜日，祝日，12月28日〜1月4日
- 施設　平屋建　約130㎡
- 利用条件
  （1）利用を限定する場合の利用条件や資格　なし
  （2）調査研究目的で利用する場合の条件や資格　なし
- メッセージ　山口大学埋蔵文化財資料館は、山口大学敷地内の地下に埋もれる遺跡の発掘調査を担当する組織である。発掘調査で得られた様々な情報（古代の景観や人類の生活風習、精神文化）を、ホームページや書籍、常設・企画展示、公開授業などにより、本学の学生や教職員のみならず市民の皆様に埋蔵文化財の重要性や面白さを発信することを目標としている。興味のある方は是非一度足をお運びいただきたい
- 高齢者，身障者等への配慮　段差有り
- 車イスの貸出　なし

山口県

- ・身障者用トイレ　なし
- ・無料ロッカー　なし
- ・駐車場　有り（学内駐車場）
- ・外国語のリーフレット，解説書　なし
- ・ミュージアムショップ/レストラン　なし
- ・今後3年間のリニューアル計画　なし
- ・設立年月日　昭和52（1977）年3月30日
- ・設置者　国立大学法人　山口大学
- ・館種　国立大学
- ・責任者　館長・糸長雅弘（教育学部教授）
- ・組織　館長（併任）、副館長（併任）、助教2名、教務補佐員1名、事務補佐員1名

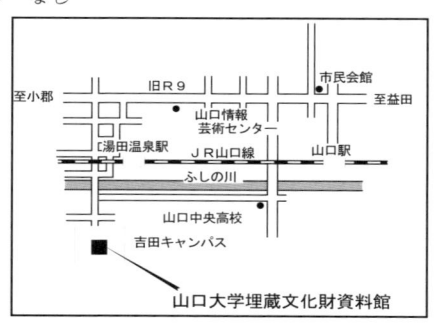

福岡県

九州産業大学美術館

Museum of Kyushu Sangyo University

"つながる！大学・アート・地域—大学が有する「ひと、もの、こと」を活かした美術館—"

　九州産業大学では、平成18年度で40周年を迎えた芸術学部を中心に美術、工芸、デザイン、写真の作品を収集してきた。

　九州産業大学美術館は、それらのコレクションを活かして本学の芸術教育研究に役立てると共に、学外にもその成果を公開し、さらに地域の方々の楽しみと学習のための活動を行う芸術拠点として、平成14年4月1日に開館した。

　平成14年4月26日には福岡県教育委員会から博物館相当施設に指定されている。

【収蔵品・展示概要】
　常設展示はなく、年8〜9回程度の企画展を実施する。

【収蔵分野・総点数】
　絵画、版画、彫刻、陶芸、染織工芸、金属工芸、デザイン、写真など約700点

【主な収蔵品/コレクション】
　〈絵画〉藤田嗣治、古賀春江、野見山暁治、山口長男、坂本善三、林武など
　〈版画〉ピカソ、ルオー、熊谷守一、池田満寿夫、浜田知明など

福岡県

〈彫刻〉高田博厚、豊福知徳、西常雄、原田新八郎など
〈陶芸〉十四代酒井田柿右衛門（人間国宝）、井上萬二（人間国宝）など
〈染織工芸〉小川規三郎（人間国宝）、鈴田滋人、熊井恭子など
〈金属工芸〉齋藤明（人間国宝）、角谷一圭（人間国宝）、平松保城など
〈デザイン〉ウェグナー、マッキントッシュなど
〈写真〉奈良原一高、江成常夫、細江英公、三木淳、マン・レイ、アーノルド・ニューマンなど

【展示テーマ】
　第7回九州産業大学美術館所蔵品展「歴史にすわる」part.2／キヤノン・デジタル・クリエーターズ・コンテスト2003受賞作品展（キヤノン共催）／第19回アジア国際美術展、マルコス・ツィマーマン写真展（以上2004年度）／奈良原一高写真展／「なんで？科学のクイズ展」（国立科学博物館共催）／ジョルジア・フィオリオ写真展（以上2005年度）／江成常夫写真展／「!!」っとなるユニバーサルデザイン展／上野彦馬賞九州産業大学展（以上2006年度）

【教育活動】
　文部科学省委託事業「九州産業大学美術館子ども教室」（2004～2006年度）／福岡県委託事業「ふくおか高齢者大学：九州産業大学シニア・アート・アカデミア」（2003～2006年度）／「小さな芸術家になろう」「障がい者のための写真教室」
　〈アウトリーチ活動〉幼稚園「キッズ・アート教室／老人ホーム「芸術教室」／社会教育施設「子ども体験カーニバル」など

【調査研究活動】
　所蔵作品調査／全国ユニバーシティ・ミュージアム調査（笹川研究助成）／博物館実習調査（全国大学博物館協議会西日本部会研究助成）など

【刊行物】
　九州産業大学美術館調査研究報告／九州産業大学美術館年度報告書／九州産業大額美術館寄り道のしおり／九州産業大学美術館所蔵品目録など

　　・所在地　〒813-8503　福岡県福岡市東区松香台2-3-1
　　・TEL　092-673-5160
　　・FAX　092-673-5757

- URL　http://www.ip.kyusan-u.ac.jp/ksumuseum/
- E-mail　ksumuseum@ip.kyusan-u.ac.jp
- 交通　1）JR鹿児島本線「九産大前」駅下車徒歩約5分　2）西鉄バス「唐の原」バス停下車徒歩約5分
- 開館時間　10:00 〜 17:30
- 観覧所要時間　45分
- 入館料　大人200円，大学生100円，高校生以下無料，団体割引有り，減免措置有り
- 休館日　毎週月曜日，大学学則に定める夏季休業，冬季休業期間の内，別に定める日，館長が定める日
- 施設　展示室:1階212㎡、2階241㎡　オープンスペース:3階404㎡　収蔵庫、管理作業室、倉庫、館長・学芸員室、博物館実習室など
- 利用条件
  （1）利用を限定する場合の利用条件や資格　特になし
  （2）調査研究目的で利用する場合の条件や資格　館長が認めた者、事前申請
- メッセージ　芸術学部がある大学美術館らしいユニークな展覧会を企業と連携しながら企画しています。また、教育プログラムは臨床アートの視点に立ち、「癒し」の効果があふれる内容です。さらに、ユニバーシティ・ミュージアム研究を推進して、約150館以上とリンクを結んで、九州産業大学美術館HP上に「全国ユニバーシティ・ミュージアム」リンク集を公開しています
- 高齢者，身障者等への配慮　バリアフリー
- 車イスの貸出　有り
- 身障者用トイレ　有り
- 無料ロッカー　有り
- 駐車場　有り
- 外国語のリーフレット，解説書　なし
- ミュージアムショップ/レストラン　1階ピロティに「カフェ・ボザール」がある
- 今後3年間のリニューアル計画　なし
- 設立年月日　平成14（2002）年4月1日
- 設置者　学校法人　中村産業学園
- 館種　私立，美術
- 責任者　館長・吉武弘喜（九州造形短期大学長）
- 組織　10名（館長1、学芸室長1、学芸員1、臨時職員7）

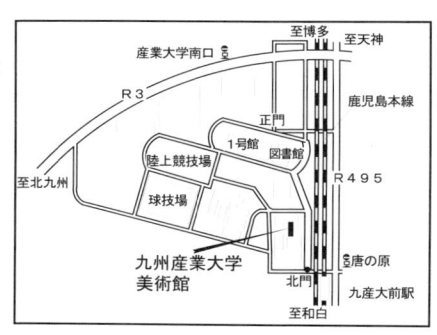

福岡県

九州大学総合研究博物館

Kyushu University Museum

〈経緯〉九州大学には、1911年の創設以来、研究と教育を通じて大量の学術標本・資料が蓄積されてきた。しかし、整理・保管のための十分なスペースがなく、それらを効率良く利用し、新しい研究を効果的に再生産する理想には程遠かった。そこで、1971年に九州大学総合研究資料館設置準備委員会を設け、保管・研究・展示の3部門からなる研究資料館新設構想の検討を始めた。1995年に学術審議会情報資料分科会の学術部会が出した報告「ユニバーシティ・ミュージアム設置について」を契機に、主要な国立大学に総合研究博物館が設置され始めた。これを受けて九州大学では、1996年にユニバーシティ・ミュージアム設置準備委員会を設置し、1998年度の概算要求へ向けての構想作りを始め、専門委員会を設けた。2000年度概算要求書において、3系からなる総合研究博物館の新設要求が認められ、2000年4月1日、館長、一次資料研究系、分析技術開発系、開示研究系、専門職員、事務補佐員の陣容で、九州大学総合研究博物館が発足した。

〈理念〉九州大学には開学以来の研究と海外調査等によって集めた700万点を越える学術標本があり、各学部・大学院研究科・研究施設で保存している。近年、分析技術の向上に伴い、実証的研究を行う上で学術標本の利用要請が高まり、分野横断的な研究での学術標本の重要性が認識されてきている。また「理科離れ」や「モノ離れ」対策として、学術標本を用いて学生に知的刺激を与える実物教育が必要となってきている。当館は、統一したシステムのもとで標本及びデータの提供を行い、学部教育・大学院教育・研究への学術標本の多角的・効率的活用を図る大学組織としての機能を持つ。当館はまた、大学と社会の接

点となる施設であり、大学で行われている教育・研究を社会へ紹介し、社会の大学への要望を受け取る窓口としての機能を持つ。高齢化社会の中で、学術標本や情報の一般公開を通じて、地域の行政や他の博物館と密接に連携しながら、地域住民の生涯学習を支援し、社会に貢献する博物館であることも理念とする。

【収蔵品・展示概要】

〈展示概要〉常設展示室（50周年記念講堂）では、学内各部局が収蔵する標本・資料を少しずつ紹介し、半年に一回展示替えを行っている。骨格標本室では、脊椎動物骨格標本200体・古人骨資料70体を、期間を定めて公開している。そのほか、年に1回ずつの公開展示・特別展示で、九州大学の教育・研究の成果を、一般向きに紹介している。

〈収蔵品概要〉九州大学は新キャンパスへの移転事業を進めている。そのため、当館は設立以来、旧キャンパス内に館独自の建物を十分には持てない状態が続いてきた。特に収蔵施設が狭小なために、各部局が収蔵してきた標本・資料の当館への移管や寄贈希望標本の受け入れが遅れている。しかし、工学部の移転にともない、2006年度から旧キャンパス内にある程度まとまった面積の確保が可能となっており、少しずつ移管を進めている状況である。

【収蔵分野・総点数】

九州大学は、大学全体で約750万点もの学術標本を所蔵し、わが国有数の内容を誇る。館蔵品は「主な収蔵品」の項に記したので、ここでは九州大学全体の所蔵資料のうち、代表例の収蔵部局・名称・点数を概観する（2000年7月調査）。

人文科学研究院：考古学資料、2,870点

比較社会文化研究院：地質学標本　9,381点／中世・近世・近代史料400,000点

法学研究院：近世・明治初期古文書類等　10,000点

理学研究院：植物標本　14,500点／九州地域及び雲仙火山の地震データ32,000点／アフリカ及びチベット学術調査資料　2,500点／海洋生物標本5,680点／地質標本　27,300点／岩石標本　23,100点／鉱物標本　41,100点／化石標本　85,100点／夾炭層標本　22,520点／鉱石標本　41,700点

医学研究院：人体病理標本　100,200点

歯学研究院：日本人及び台湾人一般集団歯列模型　1,450点

工学研究院：資源工学及び材料工学関連標本　5,433点

農学研究院：昆虫標本　4,041,215点／南洋植物さく葉標本　17,048点／さく葉植物標本　8,300点／魚類標本　1,450,000点／海草類さく葉標本　10,000

福岡県

点／イネ遺伝子資源　5,000 点／植物標本　13,000 点／天敵昆虫標本、25,000 点

【主な収蔵品／コレクション】
　館蔵品の主要なものを紹介する。
　〈脊椎動物骨格標本〉比較社会文化研究院から移管。魚類・両生類・爬虫類・哺乳類の交連骨格が多く、絶滅危惧種ヒクイドリや、各種霊長類、ゾウやサイの化石を含む点が貴重。約 200 体。
　〈古人骨資料〉比較社会文化研究院から移管。医学部解剖学教室の金関丈夫博士・永井昌文博士を中心とする教員が西日本各地で発掘調査した資料で、日本人起源論の渡来説提唱の根拠となった重要な資料であり、渡来的形質の通時的拡散状況を示す資料でもある。約 3,000 体。
　〈福岡植物研究会コレクション〉福岡植物研究会寄贈。福岡県のシダ植物・種子植物、50,000 点。
　〈佐々治コレクション〉佐々治寛之氏寄贈。甲虫類の国内を代表するコレクション、60,000 点。
　〈宮川コレクション〉宮川百合子氏寄贈。日本及び周辺地域のゾウムシ上科甲虫類 35,000 点。
　〈木船コレクション〉木船悌嗣氏寄贈。翼手類寄生虫、60,000 点。
　〈大分県城南地質同好会標本〉野田雅之氏寄贈。白亜紀イノセラムス化石標本、954 点。

【展示テーマ】
　〈公開展示〉『倭人伝の道と北部九州の古代文化』―九州大学所蔵考古資料展―（2004 年度）／『自然界のなかまたち』―九州大学所蔵標本・資料展 I ―（2005 年度）／『海ののりもの展』（2006 年度）
　〈特別展示〉『九州大学教育・研究の最前線』―第 3 回 P&P 研究成果一般公開―／『大学博物館西東』（以上 2004 年度）／『九州大学教育・研究の最前線』―第 4 回 P&P 研究成果一般公開―／『ひとあし先に行ってきました』―伊都キャンパスの植物たち―（以上 2005 年度）／『九州大学教育・研究の最前線』―第 5 回 P&P 研究成果一般公開―（2006 年度）

【教育活動】
　〈公開講演会〉『日本の動植物相はどうやってできたか』（2004 年度）／『シーボルトが集めたニッポン』（2005 年度）／『よみがえる標本』―骨・動物・ヒ

ト―（2006 年度）

〈地域資源再発見塾〉『南極生活おしえます』―南極の自然と観測隊体験講演会―／『林冠の昆虫を調べる』―体験！昆虫研究者の仕事―／『キノコのおはなし』―キノコを知ろう、キノコと暮らそう―（以上 2004 年度）／『可也山シンポジウム - 歴史に学び、魅力と未来を語ろう』（2005 年度）

〈博物館セミナー〉『標本歴史学：金平コレクション』『マメゾウムシの自然史』―系統とマメの共進化―（以上 2004 年度）

【調査研究活動】

　日本の大学博物館の動向調査／九州大学所蔵標本・資料の特徴、収集経緯、学術的価値など各コレクションの情報調査（以上 2004 年度）／九州大学所蔵標本・資料の整理の推進とデータベース化の方法の研究及び成果品の公表。（2003 年度以降継続中）

【刊行物】

『九州大学総合研究博物館研究報告』第 3 号／『倭人伝の道と北部九州の古代文化―九州大学所蔵考古資料展』『九州大学所蔵標本・資料』（以上 2004 年度）／『九州大学総合研究博物館研究報告』第 4 号（2005 年度）／『九州大学総合研究博物館研究報告』第 5 号（2006 年度）

- 所在地　〒812-8581　福岡県福岡市東区箱崎 6-10-1
- TEL　092-642-4252
- FAX　092-642-4299
- URL　http://www.museum.kyushu-u.ac.jp
- E-mail　office@museum.kyushu-u.ac.jp
- 交通　福岡市営地下鉄箱崎九大前駅下車、骨格標本室は徒歩 2 分、教員室は徒歩 4 分、常設展示室は徒歩 4 分、事務室は徒歩 6 分
- 開館時間　記念講堂展示室：平日に開室し、開室時間は 11:00 ～ 14:00。展示室へは、記念講堂正面入り口からではなく、ファカルティークラブから入る。特別展示など博物館が行う行事に際しては、期間・時間を別に定めて開室する。骨格標本室は、博物館が行う行事などに際して、期間・時間を別に定めて開室する
- 観覧所要時間　記念講堂展示室　30 分，骨格標本室　30 分
- 入館料　無料
- 休館日　土・日曜日，祝日，ほか大学が定める休業日
- 施設　九州大学全体の新キャンパスへの移転を控え、現在は独自建物を持たず、旧キャンパス内で幾つかの建物に分散して仮住まいしている状況である
- 施設　1. 常設展示室：50 周年記念講堂の一郭、1967 年建設、鉄筋コンクリー

福岡県

　　　ト、300 ㎡　2. 骨格標本室：旧機械工場を転用、1960 年建設、鉄筋コンクリート 1000 ㎡＋鉄骨スレート葺き 1000 ㎡　3. 教員研究室：旧保存図書館の一郭、1930 年建設、鉄筋コンクリート 120 ㎡　4. 実験室：旧応力研建物の一郭、1925 年建設、鉄筋コンクリート 50 ㎡　5. 事務室：理学部等事務部の一郭、1953 年建設、鉄筋コンクリート 20 ㎡
- 利用条件
  （1）利用を限定する場合の利用条件や資格　団体見学で展示解説の希望者は、要事前連絡
  （2）調査研究目的で利用する場合の条件や資格　館蔵品の閲覧は予約制。資料の調査研究成果を公表する場合、要事前連絡
- メッセージ　現在は、独自の建物が無く、別施設建物に仮住まいの状態だが、将来、福岡市元岡地区の新キャンパス内に大規模な建物を建設し、九大所蔵の学術標本 750 万点の大半を収蔵・保管し、さまざまな形で展示公開する予定である。乞うご期待。当館は九州大学箱崎キャンパス内にある。教員研究室周辺は、帝国大学時代の 1925 ～ 30 年に建設された重厚な建物が並び、植栽も整備され、創設期の雰囲気を残す一郭である。常設展示室（記念講堂）前は、毎年の合格発表でテレビ等に登場する場所。大学周辺には、箱崎宮・米一丸石塔・名島城址・香椎宮などがあり、歴史的遺産の散策にも便利
- **高齢者，身障者等への配慮**　段差有り
- 車イスの貸出　なし
- 身障者用トイレ　なし
- 無料ロッカー　なし
- 駐車場　有り
- 外国語のリーフレット，**解説書**　有り
- ミュージアムショップ／レストラン　無し
- 今後 3 年間のリニューアル計画　有り
- 設立年月日　平成 12（2000）年 4 月 1 日
- 設置者　国立大学法人　九州大学
- 館種　国立大学，総合
- 責任者　館長・多田内修（大学院農学研究院教授）
- 組織　館長 1、専任教員 7（教授 2、准教授 3、助教 2）、専門職員 1、事務補佐員 1、研究支援推進員 1。このほか各分野から任命された兼任教員が約 70 名おり、専任教員とともに資料部・フィールドミュージアム部を構成している

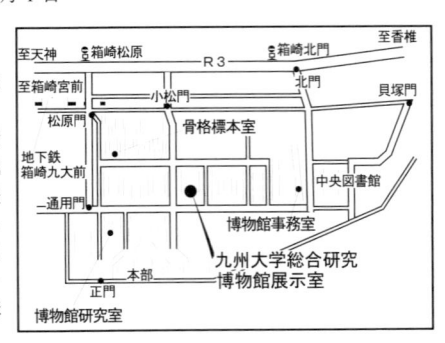

福岡県

九州大学大学院薬学府附属薬用植物園
Medicinal Plant Station of Kyushu University

　九州大学大学院薬学府附属薬用植物園は、昭和49年4月11日文部省令第13号（国立学校設置法施行規則改正）により薬学部附属教育研究施設として設置され、専任教官（助手）一名の定員が認められた。昭和53年4月専任教官として助教授一名が助手の振替定員として認められた。平成11年4月の重点化に伴い大学院薬学研究科附属と変更になり、さらに平成12年大学院薬学府附属薬用植物園となった。なお、本園は社団法人日本植物園協会（第四部会）に加盟している。

【収蔵品・展示概要】
　本学薬用植物園は、福岡市の近郊糟屋郡篠栗町にある九州大学演習林の一角を借り受け、その敷地内に設置されている。薬学研究院の本部がある福岡市内のキャンパスから薬用植物園までは公的交通手段を使って40分程度かかり、交通の便に恵まれているとは言えない。反面、豊かな自然に恵まれ、小鳥の囀りが聞こえる森の中にあり、時として野生動物に出くわす事もある。
　本園の特徴は、自然環境にマッチした状態で各種の薬用植物を植栽し環境を整備することによって、植物のみならず微生物、昆虫、鳥類等全ての生物にとって調和がとれた生態系を維持することが可能なエコロジカルパーク的な施設であることが挙げられる。田園風景が広がる郊外に位置していることから、薬用植物を栽培する上では絶好の立地条件であり、現在主要な生薬、医薬品の原料植物を含め約1000種の薬用植物を園内の見本園、温室、栽培圃場で栽培、管理している。また、本園は小高い山の中に設置されていることも大きな特徴と言える。この特徴を生かし、園内の山際にもニンジン、オウレン等日陰を好む

福岡県

薬用植物を栽培している。

【収蔵分野・総点数】
　薬用植物約 1,000 点を植栽

【主な収蔵品／コレクション】
　カンゾウ、ミシマサイコ、シャクヤク、ジギタリス等代表的な薬用植物

【教育活動】
　九州大学大学院薬学府附属薬用植物園公開講座／（財）日本薬剤師研修センター生薬・漢方認定薬剤師実地研修／九州大学薬学部分析・解析薬学実習／薬用植物園見学／「園芸療法」実習／短期留学生に対する「フィールドスタディ」
　大学院博士後期、前期課程の学生をはじめ学部学生も配属され前述の研究を遂行しつつ、学生の教育を行っている。また、3年生を対象とした学生実習の一環として薬用植物園見学を取り入れている。該当する実習を履修する全ての学生にとって、薬用植物園に植栽されている生きた植物に接する貴重な機会となっている。本実習は、将来薬剤師、薬学研究者となる学生が薬の原点である薬用植物に関して十分な知識を習得することを目指した必修の講義であり、本園のスタッフ並びに薬用資源制御学分野（旧生薬学講座）のスタッフが教育に当たっている。
　また、本園は薬学教育のみならず、一般にも公開している。薬剤師として活躍されている方々に対する卒後教育の場としては勿論のこと、最近の健康志向の高まりと共に薬用植物に興味を持たれ、本園の見学を希望される多くの一般市民の方にも開放している。本園の職員は、時間の許すかぎり希望される方々に対して本園並びに植栽している薬用植物に対する説明を行っている。
　平成 15 年度からは 5 月と 10 月の年 2 回、薬学府附属薬用植物園公開講座を開講し、積極的な啓蒙活動も行っている。本講座は、薬学研究院の教員或いは薬用植物に精通した専門家を外部から招き、一般市民向けの薬用植物、生薬に関連した講義を行っている。講義の後には、薬用植物園の見学を行い、貴重な薬用資源に直に接することが出来る機会を設けている。

【調査研究活動】
　ここ 10 年間の研究テーマは、薬用成分高含有品種作出に関して重点的に取り組んでいる。薬用植物は、極めて多種類の有効成分を含んでおり、これらが生体に複合的に作用することにより種々の疾患に奏功するが、特に薬用植物の

福岡県

　生理作用が含有されるある特定の成分に起因することが明白な場合、その有効成分を通常より多量に含有する品種を作出することは、植物由来医薬品の生産力の向上に繋がる社会的要請の高い育種目標となる。この目標を達成するためには、まず品種ゲノム内部に存在する遺伝子構成を変化させ、突然変異を誘発し望ましい特性を付与した多数の個体を作り出し、続いて得られた極めて多数の個体の中から薬用成分高含量株を選抜する育種操作を行う。
　我々はその段階で必要となる分析手法として簡便・高感度で再現性があり且つ多検体同時分析可能な免疫化学的手法を選択し、本分析法の確立にこれまで取り組んできた。具体的には主要な薬用成分に対するモノクローナル抗体（MAb）を作製し、作製したMAbを用いた酵素標識免疫測定法を確立している。これまでに、モルヒネ（阿片）、ジンセノシド（人参）、グリチルリチン（甘草）、サイコサポニン（柴胡）、バイカリン（黄芩）、ベルベリン（黄連）、センノシド（大黄）等代表的な薬用植物由来有用成分に対するMAbを作出し、作製したMAbを活用した高感度分析手法を開発している。
　我々が確立した手法は、様々な角度から検討した結果、選抜育種に十分耐え得る精度を持つ信頼性の高い多検体同時定量法であることを確認しており、本手法を活用した付加価値の高い新品種を選抜育種することを当面の目標にして研究を遂行している。

【刊行物】

Morinaga O, Tanaka H, Shoyama Y, Enzyme-linked immunosorbent assay for the determination of total ginsenosides in ginseng, ANALYTICAL LETTERS 39（2）: 287-296（2006）

Zhu S, Shimokawa S, Shoyama Y, Tanaka H, A novel analytical ELISA-based methodology for pharmacologically active saikosaponins, FITOTERAPIA 77（2）: 100-108（2006）

Putalun W., Pimmeuangkao S., De-Eknamkul W., Tanaka H. Shoyama Y. Sennosides A and B Production by hairy roots of Senna alata（L.）Roxb. Z. Naturforsch. C. 61（C）, 5-6: 367-372（2006）

Kim JS, Masaki T, Sirikantaramas S, Tanaka H, Shoyama Y. Activation of a refolded, berberine-specific, single-chain Fv fragment by addition of free berberine, Biotechnology Letters 28（13）: 999-1006（2006）

Morinaga O, Zhu SH, Tanaka H, Shoyama Y. Visual detection of saikosaponins by on-membrane immunoassay and estimation of traditional Chinese medicines containing Bupleuri radix. Biochemical and Biophysical

福岡県

Research Communications, 346（3）: 687-692（2006）

- 所在地　〒811-2415　福岡県糟屋郡篠栗町大字津波黒字大浦 394　九州大学附属演習林（福岡演習林）内
- TEL　092-642-6668
- FAX　092-642-6668
- URL　http://210.233.60.66/~ikushu/yakuyouen.html
- E-mail　htanaka@phar.kyushu-u.ac.jp
- 交通　JR九州篠栗駅下車　西鉄バス大浦下車　徒歩10分
- 開館時間　要見学申込
- 入館料　無料
- 休館日　土・日曜日，祝日
- 施設　面積:2.68ha　管理室:154.94㎡　温室:21.50㎡　作業農具舎:58.00㎡　機械室:12.05㎡
- 利用条件
  (1) 利用を限定する場合の利用条件や資格　事前に専任教員に連絡し、入園許可を得ること。〈薬用植物園入園者の方々へのお願い〉1. むやみに植栽木に触れたり、試験地に侵入しないこと　2. 演習林の植物・動物（昆虫を含む）など・土・石は、教育研究用に使用するため、見学者の方は取らないこと　3. 樹木や木の実・山菜などを持ち帰らないこと　4. 山火事防止のため、焚き火やタバコは禁止　5. ゴミ、空き缶などは持ち帰ること
  (2) 調査研究目的で利用する場合の条件や資格　事前に、担当者に申し込みが必要
- メッセージ　セルフメディケーションの重要性が指摘されている現代において、多くの方々が生薬、健康食品に関心を持ち、それらに関する正確な情報の提供を切望されているように実感しています。健康を願う多くの方々に対して、生薬、健康食品の原料である薬用植物に関する情報提供を積極的に行っていくことが、薬用植物の専門施設である本園の重要な役割であり使命であると認識しておりますが、現在本薬用植物園は一般に自由開放しておりません。見学希望の方は、事前に担当者にお申し込みをお願いいたします。演習林の適切な維持管理にご協力お願いいたします。
- 高齢者，身障者等への配慮　段差有り
- 車イスの貸出　なし
- 身障者用トイレ　なし
- 無料ロッカー　なし
- 駐車場　なし
- 外国語のリーフレット，解説書　なし
- ミュージアムショップ/レストラン　なし
- 今後3年間のリニューアル計画　なし
- 設立年月日　昭和49（1974）年4月11日

福岡県

・**設置者**　国立大学法人　九州大学
・**館種**　国立大学，薬用植物園
・**責任者**　園長・樋口隆一（教授）
・**組織**　職員：園長（兼任）1名（2年任期）、専任職員1名

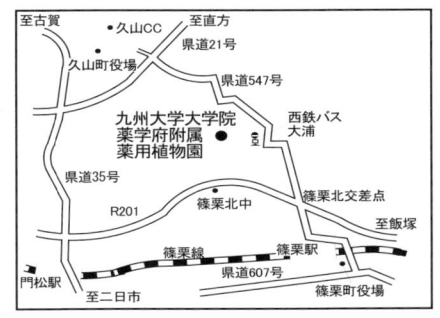

福岡県

西南学院大学博物館（ドージャー記念館）

Seinan Gakuin University Museum

"キリスト教の歴史と西南学院の歴史を概観できる場所"

　西南学院大学博物館の建物は、1921（大正10）年3月、西南学院大学の前身である旧制西南学院中学部、高等学部の本館・講堂として建設されたものである。

　2003（平成15）年3月、それまで西南学院中学校・高等学校の講堂及び事務棟として使われていたものを、同中学校・高等学校の校地移転を機に、保存、有効活用することになった。そこで長らく使われている間に周辺校舎との連結などによって形状が変わってしまっていたものを、設計図や竣工当時の写真を基に本来の雰囲気を壊さないように竣工当時の姿に復元改修し、キリスト教文化、教育文化、地域文化、西南学院史等に関する博物館資料の収集、整理、保管、閲覧、展示及び調査研究を目的として、2006（平成18）年5月、新たに博物館として開館した。

　西南学院大学は、キリスト教主義に基づく教育を建学の基盤としていることもあり、これまでに大学神学部や大学図書館が収集したキリスト教とその母胎となったユダヤ教の歴史・文化を伝える資料や創立者C.K.ドージャー所縁の品などの学院史資料を展示し、生涯教育の場として広く一般の方々に来館いただくことを目指している。

　また、当博物館の建物は、現存する西南学院最古の建物であり、アメリカ人建築家W.M.ヴォーリズの設計によるレンガ造りの木造3階建て建築物ということもあり、歴史的建造物として福岡市有形文化財にも指定されている。

福岡県

【収蔵品・展示概要】

〈収集方針〉キリスト教主義に基づく教育を基盤とする大学として相応しいキリスト教及びその関連資料で、主にヨーロッパ以外のキリスト教圏の資料を収集。日本・アジア・その他（北アフリカ、中近東、東欧等）を中心にして収集。また、ユダヤ教資料も収集対象。

〈展示コンセプト〉聖書や教科書で学んだキリスト教関係の事項について、実際に物の形や色、大きさを確認し、理解を深めていただく。

【収蔵分野・総点数】

キリスト教歴史関係：約100点　学院史（創立者所縁の品）関係：約50点

【主な収蔵品／コレクション】

〈キリスト教歴史関係〉聖書の写本、聖書外関連資料（メシャ碑文・ロゼッタストーン等複製品、パレスティナの植物種、陶製ランプなど）、日本のキリスト教関連資料（制札、初期和訳聖書、魔鏡等）ユダヤ教の典礼用具、年表

〈学院史関係（創立者所縁の品）〉自筆の日記、愛用聖書、愛用賛美歌、愛用のピアノ

〈建物〉W.M. ヴォーリズ設計によるレンガ造りの木造3階建：福岡市指定有形文化財

【教育活動】

第55回埋蔵文化財研究集会「弥生集落の成立と展開」／西南学院中学校・高校夏期教員研修会「学院100周年に向かって―課題と展望」／日本ミュージアム・マネジメント学会九州支部研修会「博物館と地域社会」／第1回博物館主催公開講演会「江戸時代工芸技術の粋―魔鏡―」／第2回博物館主催公開講演会「かくれキリシタン信仰の成立過程」（以上2006年度）

- ・所在地　〒814-8511　福岡県福岡市早良区西新3丁目13-1
- ・TEL　092-823-4785
- ・FAX　092-823-4786
- ・URL　http://www.seinan-gu.ac.jp/museum/
- ・E-mail　museum@seinan-gu.ac.jp
- ・交通　1）福岡市営地下鉄：空港線西新駅下車　徒歩5分　2）西鉄バス：修猷館高校前下車　徒歩5分
- ・開館時間　10:00 ～ 18:00（入館受付は17:30まで）
- ・観覧所要時間　30 ～ 60分

福岡県

- 入館料　無料
- 休館日　日曜日，夏季:8月10日～8月16日，キリスト降誕祭:12月25日，年末年始:12月28日～1月5日
- 施設　構造:レンガ造（各階床及び小屋組みは木造）3階建寄棟造り　敷地面積:39,802㎡　延べ床面積:981.04㎡　建築面積:381.92㎡　展示室面積:163.40㎡　収蔵室面積:209.87㎡（別ビルに設置）
- 利用条件
  （1）利用を限定する場合の利用条件や資格　なし
  （2）調査研究目的で利用する場合の条件や資格　事前連絡の上、利用申請書を提出のこと
- メッセージ　2007年5月中旬には、企画展示室を増設し、以後年間2回（春・秋）程度企画展を開催する予定です。大学構内に元寇防塁遺跡が復元されているほか、当博物館から1km圏内に福岡タワー、福岡市博物館、福岡ヤフードームがあり、また、5km圏内には大濠公園、福岡市美術館、福岡城址があります。
- 高齢者，身障者等への配慮　段差有り
- 車イスの貸出　有り
- 身障者用トイレ　なし
- 無料ロッカー　なし
- 駐車場　なし
- 外国語のリーフレット，解説書　有り
- ミュージアムショップ／レストラン　なし（ただし、レストランは隣接の学生食堂を利用可:祝日を除く）
- 今後3年間のリニューアル計画　有り
- 設立年月日　平成18（2006）年4月1日
- 設置者　西南学院大学
- 館種　私立，歴史（宗教美術等を含む）
- 責任者　館長・髙倉洋彰（国際文化学部教授）
- 組織　5名（館長1、学芸員1、事務長1（兼務）、事務職員1、臨時職員1）管理運営について、協議、検討するために、学内教職員および学外からの博物館関係者による博物館協議会や学内教職員による博物館管理運営委員会を置いている

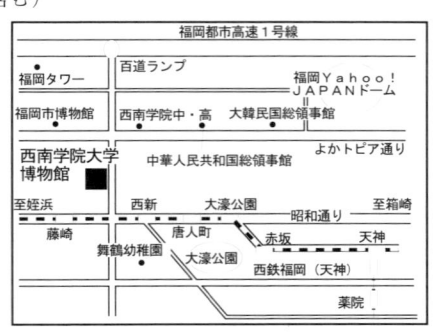

長崎純心大学博物館

Nagasaki Junshin Catholic University Museum

"長崎の地にあるカトリック大学としてのキリシタン、郷土資料を展示"

本学では純心女子短期大学時代（1982年）より「長崎地方文化史研究所」として開設し、資料の一般公開を始め、1992年には短期大学付属歴史資料館として、本格的に展示を開始。2年後（1994年）に長崎純心大学開設に伴い、付属博物館となり、「長崎地方史研究所」は「長崎学研究所」として改組された。1996年に博物館法による博物館相当施設に認められる。2004年には一般の方を対象とした、「長崎学研究所友の会」が発足。

公開講座等はキリシタン文化研究会をはじめ博物館講座、長崎学講座を開催。長崎学講座では講義にあわせた現地研修などを毎年開催。講座の会場については地理的に便利な純心女子学園の高校の敷地にあるサテライト教室（江角記念内）を使用することもある。

長崎版画

【収蔵品・展示概要】

1570年に開港された長崎の町は鎖国時代にも唯一外国に開かれた窓として発展を遂げてきた。キリシタン文化、唐蘭文化など異国文化の接触により特色ある文化を形成し、明治期に入ると欧米諸国の圧力で横浜、函館なども開港されるが長崎の持つ役割は持続される。第二次世界大戦時には広島に続いて世界で二番目の被爆県となるがやがて再生し現在に至っている。このような長崎県にあるカトリック大学として下記のものを保存、収集している。

・キリシタン関係資料、浦上四番崩れ資料、カトリックの行事に関するもの（これらはキリシタン研究家であった方々の旧蔵品が大半を占めている。）

長崎県

　・長崎関係資料（年中行事、風俗、美術工芸品、考古資料）、本学・長崎にゆかりのある作者・題材の近代美術（長崎学研究家の旧蔵、長崎の旧家からの寄贈品によるもの）
　・唐関係資料、唐船によって舶載された資料
　・オランダ関係資料、オランダ船によって舶載された資料
　・磯村平和文庫や被爆した永井隆博士を中心とした長崎原爆関係資料

【収蔵分野・総点数】
　キリシタン関係古文書・キリシタン文庫、キリシタン・かくれキリシタン関係資料、プチジャン版・ドロ版などを含む復活キリシタン関係資料、長崎県下で発掘された考古資料、長崎ゆかりの近代美術などであるが、現在整理中につき 6,000 点程度を把握している。

【主な収蔵品/コレクション】
　キリシタン禁制と踏絵帳などの禁制資料
　マリア観音・オラショ本など、かくれキリシタン関係資料
　幕末から明治期のキリシタン関係資料
　聖教初学要理など復活キリシタン関係資料
　自らも被爆者であった永井隆博士の書画など
　長崎の原爆を扱った絵画作品など
　近代美術・陶磁器を主とした清島文庫
　長崎学関係資料を主とした越中文庫（唐本含む）

【展示テーマ】
　「長崎純心大学開学 10 周年記念展　長崎地方文化史研究所から長崎純心大学博物館へ―出版にみる―」(2004 年度)／「微笑みのマリア展」「没後 290 年ジュスト高山右近展」（以上 2005 年度）／特別展「純心女子学園創立 70 周年・被爆 60 年記念平和造形展」（長崎県美術館にて）／「島原の乱とキリシタン禁制展」（以上 2006 年）ほか

【教育活動】
　「長崎純心大学開学 10 周年記念講演会　西洋の中の日本、日本の中の西洋 1 ～ 8」「平成 16 年度長崎学講座―長崎学事始め　キリシタン文化入門―」（以上 2004 年度）／「平成 17 年度長崎学講座―唐船と長崎文化―」「能による被爆 60 年慰霊の夕べ『長崎の聖母』上演」（以上 2005 年度）／「平成 18 年度長

崎学講座―江戸幕府と長崎奉行―」（以上2006年度）ほか

【調査研究活動】
　中国語の図入りの聖書「道原精萃図」調査、翻刻（2002～2006年度）／被爆60年を期に本学所蔵の永井隆博士の書画、著作を調査（2004年度）／禁制資料、対外交渉関連資料などの状態を調査、修復（1998年度～現在）／美術品の調査、専門家に修復依頼（1998年度～現在）

【刊行物】
　〈長崎純心大学博物館研究〉『永井隆関連写真集』（2004年度）／『長崎学の人々』（2005年度）／『長崎開港とその発展の道』（2006年度）
　〈長崎純心大学長崎学研究〉『道原精萃図』（2002年・2004年・2006年度）／『薬師寺文書・嶋原實録並び長崎表黒船一巻』（2005年度）

- 所在地　〒852-8558　長崎県長崎市三ツ山町235
- TEL　095-846-0084
- FAX　095-849-1894
- URL　http://www.n-junshin.ac.jp/
- E-mail　hakubutu@n-junshin.ac.jp
- 交通　長崎バス「恵の丘」行き終点　長崎駅よりバスで35分
- 開館時間　平日　10:00～16:00、土曜日　10:00～12:00
- 観覧所要時間　博物館のみ20分
- 入館料　無料
- 休館日　日曜日，祝祭日，学校の定める休日
- 施設　地上8階建てのうち6階5階の1部，延べ床面積596㎡　展示室259㎡。保管庫、研究室、工作室、会議室、事務室など337㎡
- 利用条件
  （1）利用を限定する場合の利用条件や資格　出版、テレビ等の利用の場合は、所定の申請書又は同様の書式で申し込む。出版物1冊。ビデオなど1本を寄贈とする
  （2）調査研究目的で利用する場合の条件や資格　研究者は事前に申し込む。図書館内で閲覧する。貴重書はコピー不可。写真版にする場合はネガは本館に寄贈
- 高齢者，身障者等への配慮　バリアフリー
- 車イスの貸出　なし
- 身障者用トイレ　有り
- 無料ロッカー　なし
- 駐車場　有り
- 外国語のリーフレット，解説書　なし

長崎県

- ミュージアムショップ / レストラン　刊行物の販売は大学生協に依頼
- 今後3年間のリニューアル計画　有り（今年度中）
- 設立年月日　昭和57（1982）年4月
- 設置者　長崎純心大学
- 館種　私立大学，歴史
- 責任者　館長・片岡瑠美子（比較文化学科教授）
- 組織　4名（館長1、主事1、学芸員1、事務1すべて兼務）3名（顧問、キリシタン関係、長崎関係の専門家）2～3名（資料整理のための臨時職員、嘱託員）

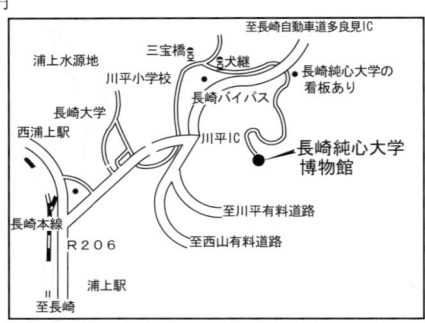

熱帯医学館

Museum of Tropical Medicine

"日本で唯一の熱帯医学博物館"

　長崎大学熱帯医学研究所は、1964（昭和39）年以来、アフリカ、アジア、中南米等の各地で熱帯病の調査、研究を続けてきた。これらの研究活動を通じて熱帯現地で得られた資料がかなりの量に達したので、それら資料の整理、保存、研究成果の展示等を課題とし、さらに国内外の熱帯医学の資料、情報の収集、活用を目的として、1974（昭和49）年度に設置された付属施設が熱帯医学館の前身、熱帯医学資料室である。当初は研究所前の別棟に当てられていたが、老朽化していたので1985（昭和60）年増築した研究所の本館3階に移転した。
　2006（平成18）年の本館改築に伴い、1階に移転し熱帯医学館としてリニューアルオープンした。展示してある資料は単に所内の教官、大学院生、当研究所を訪れる国内外の研究者に活用されるだけではなく、熱帯医学に関する知識の普及をはかるため、一般にも公開しており、訪問者からも好評を得ている。

【収蔵品・展示概要】

　現在までに収集された資料は、当研究所から派遣された学術調査隊等によって収集された熱帯病に関する寄生虫、危険動物、媒介昆虫の標本、印刷物、カラースライドやビデオテープなど約1万8千点に達している。これらを一般の人たちにも理解しやすいよう展示パネルを作成して公開している。
　現在、熱帯医学の歴史と哲学、研究所が進めている海外拠点プロジェクトと今後の展望を示し、感染症に対するリスクコミュニケーションや市民科学の発展にも寄与する体制を整備中である。本館は研究所と市民の間のリエゾン窓口

長崎県

として、熱帯病に関する研究や学校教育、社会教育に活用されるよう、近い将来に「熱帯医学博物館」に発展させることを目指している。

【教育活動】
　高校生を対象に、要望があれば随時講義を行っている。

- 所在地　〒852-8523　長崎県長崎市坂本1-12-4
- TEL　095-849-7868
- FAX　095-849-7868
- URL　http://www.tm.nagasaki-u.ac.jp/newrect/
- 交通　1) 長崎駅前から　長崎バス8番（医大経由または江平経由　下大橋行）に乗り、医学部前下車、徒歩5分　2) 市内電車（赤迫方面行1,3番）に乗り、浜口町下車、徒歩10分
- 開館時間　9:00～17:00
- 観覧所要時間　60～120分
- 入館料　無し
- 休館日　土・日曜日，祭日，年末年始
- 高齢者，身障者等への配慮　バリアフリー
- 車イスの貸出　なし
- 身障者用トイレ　有り
- 無料ロッカー　なし
- 駐車場　有り
- 外国語のリーフレット，解説書　有り
- ミュージアムショップ/レストラン　無し
- 設立年月日　昭和39（1964）年
- 設置者　国立大学法人　長崎大学・熱帯医学研究所
- 館種　国立大学，医学
- 責任者　館長・堀尾政博（教授）
- 組織　2名

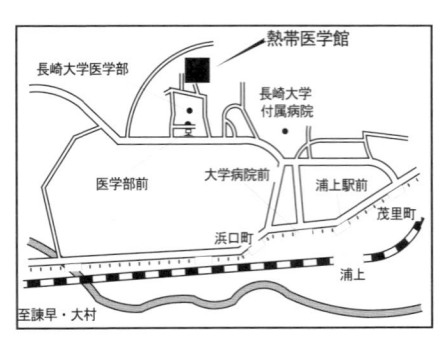

熊本県

熊本学園大学　産業資料館

Kumamoto Gakuen University Industrial Museum

　産業資料館は、明治27（1894）年に建てられた熊本紡績（株）の赤れんが工場の一部（電気室）を移築したものである。この赤れんが工場は、その後、九州紡績（株）熊本工場→鐘淵紡績（株）熊本工場→日華護謨工業（株）熊本工場→月星化成（株）熊本工場として、100年以上にわたり、熊本駅の近くにあって現役工場として活用されてきた。
　熊本では明治22（1889）年の旧五高本館・化学実験室に次ぐ古い赤れんが建築物で、妻側は正面性を意識したデザインとなっており、軒の部分やコーナーのレンガ積みに独自のデザインが施されている。
　全国的に見ても、明治20年代の紡績工場建物はほとんど残っていないため、貴重な産業遺産となっている。平成15（2003）年月星化成熊本工場の閉鎖に伴い解体されることになった際、譲り受け移築復元を行った。

【収蔵品・展示概要】
　地元熊本を中心とした産業史ならびに産業遺産に関する資料収集・展示をしている。

【収蔵分野・総点数】
　〈歴史資料〉
　明治20年代の建物の壁面:2面（建物の一部）
　明治・昭和に製造された工作機械:3点

熊本県

　明治期の鬼瓦、蒸気ベル、蒸気メータ：3点
　図書は本学産業経営研究所所蔵のものを展示している。

【主な収蔵品/コレクション】

　登録有形文化財（第43-0072号）：明治27（1894）年に建てられた赤煉瓦の電気室の壁面2面
　上記工場の鬼瓦、蒸気ベル、蒸気メータ
　旧日本セメント八代工場で使用されていた平削盤（明治28年製造）
　旧日本セメント八代工場で使用されていたボール盤（明治38年製造）
　旧日本セメント八代工場で使用されていた旋盤（昭和17年製造）

- 所在地　〒862-8680　熊本県熊本市大江2丁目5番1号
- TEL　096-364-5161
- FAX　096-363-1289
- URL　http://www3.kumagaku.ac.jp/institute/hmi/
- E-mail　soumu@kumagaku.ac.jp
- 交通　1）JR熊本駅、バス約20分程度　2）JR水前寺駅、徒歩約10分　3）熊本交通センター、バス約15分
- 開館時間　月～金曜日　10:00～17:00，土曜日　10:00～12:00
- 入館料　無料
- 休館日　日曜日，祝日，その他（創立記念日・入試日）
- 施設　鉄筋コンクリート造瓦葺平家建　118.48 ㎡、展示室および研修室
- メッセージ　産業資料館は、明治27（1894）年に建てられた熊本紡績（株）の赤れんが工場の一部（電気室）を移築したものです。この赤れんが工場は、100年以上にわたり、熊本駅の近くにあって現役工場として活用されてきました。熊本では明治22（1889）年の旧五高本館・化学実験室に次いで古い赤れんが建物で、妻側は正面性を意識したデザインとなっており、軒の部分やコーナーのレンガ積みに独自のデザインが施されています。全国的に見ても、明治20年代の紡績工場建物はほとんど残っていないため貴重な産業遺産です。旧日本セメント八代工場で使用されていた工作機械（明治28・38年、昭和17年製造）も展示しています。地元熊本を中心とした社史等の図書もあります
- 高齢者，身障者等への配慮　バリアフリー
- 車イスの貸出　なし
- 身障者用トイレ　有り
- 無料ロッカー　なし
- 駐車場　なし
- 外国語のリーフレット，解説書　なし
- ミュージアムショップ/レストラン　なし

熊本県

・今後3年間のリニューアル計画
　　なし
・**設立年月日**　平成16（2004）年1月15日
・**設置者**　熊本学園大学（学校法人熊本学園）
・**館種**　私立大学，歴史

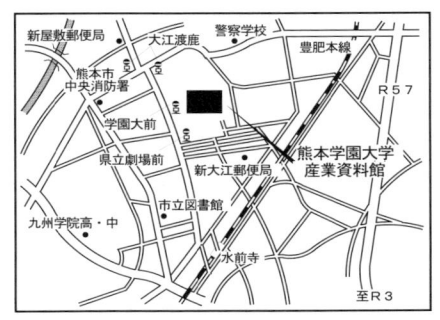

熊本県

熊本大学熊薬100周年記念ホール史料室（熊薬ミュージアム）

The Kumayaku Museum

"くすりの専門博物館と野外植物園が一体化した参加型博物館"

【沿革・概要】

平成18年4月1日、熊本大学薬学部の歴史や近況を広く知ってもらうことを目的として、熊薬100周年記念ホール史料室（熊薬ミュージアム）が開設された。開設にあたり、内藤記念くすり博物館の指導・助言をうけ、運営面においても多大の協力をしてもらっている。薬学部の学生有志も設立・運営に参画し、学生のフレッシュな視点で常に新しい話題を提供してくれている。

スペースの関係で館内に展示できない資料は、本学ホームページのバーチャルミュージアムの中で紹介していくとともに、閲覧用パソコンおよびビデオスペースでは、熊本大学薬学部の歴史やくすりに関する映像資料を自由に閲覧できるようにしている。

一方、熊本大学では「熊本大学ユニバーシティ・ミュージアム構想」にそって、五高記念館を中心とした大学博物館の整備を進めている。今後は、熊薬ミュージアムが大学博物館の一翼をになう専門博物館としての資料・施設整備や人員配置、及びそれにともなう予算措置が課題である。

【主な収蔵品/コレクション】

開学100年以上の歴史をもつ熊本大学薬学部に関する貴重な資料や珍しい実験器具を展示するとともに、くすりの一般知識などを紹介するくすり博物館としての機能を持てるような展示構成をとっている。展示室は、熊大のエリア、くすりの歴史と文化のエリア、薬学教育と薬剤師のエリア、年中行事のエリア、

薬草のエリア、情報コーナーの6つのエリアからなっている。

　熊大のエリアでは、熊本大学初代薬学部長藤田穆博士が昭和初期に発表した「有機概念図」等を展示している。

　くすりの歴史と文化のエリアでは、内藤記念くすり博物館の協力を得て、くすり看板、はしか絵（複製）、病草紙、解体約図、正倉院関連の資料等を展示している。

　薬学教育と薬剤師のエリアでは、熊本大学薬学部の2学科（創薬生命薬科学科〔4年制〕と薬学科〔6年制〕）の特徴について示すパネルや薬剤師の新しい活躍の場に関するパネルを設置。江戸時代から昭和初期の資料や写真も展示している。

　年中行事のエリアでは、民間薬の立場から、ハレの日の食物および依代として用いられる植物の薬用効果等について、模型とパネルで解説している。

　薬草のエリアでは、薬用植物の使い方と、薬用植物を用いた薬の種類を紹介している。

　情報コーナーでは、古い機器（顕微鏡、天秤、成丸機など）を展示するとともに、コンピューターおよびビデオにより熊薬ミュージアムの未開示資料の詳細をみることができる。明治・大正時代の卒業証書や薬局開業許可書なども展示している。

【収蔵分野・総点数】
　器具類、古典籍類、その他くすりに関する資料、約500点。

【主な収蔵品/コレクション】
　〈器具類〉有機概念図、ガラス製洗浄瓶、コルクキラー、コルクボーラー、比重天秤、ライツ顕微鏡、化学天秤、裁丸器、成丸器、生薬ざ切器（片手盤）、鉄製乳鉢・乳棒、ミクロ天秤、ねじり天秤、銅製湯煎、酒精定量器、水剤瓶、蒙氏（Mors）硬度計、RIKEN ph METER、2πガスフローカウンタなど。
　〈古典籍類〉本草綱目、救荒本草、本草目録、本草薬名備考和訓鈔、大和本草、本草図譜、観聚方、薬徴、建殊録、古方薬品考、薬性提要、宋板傷寒論、傷寒論国字解、本草項目啓蒙、金匱玉函要略、植物名実図考、回春発揮、内経素問、格致序論、庖厨和名本草、素問入式運気論奥、傷寒雑病論集、明堂灸経、温疫論、傷寒六書など。

【展示テーマ】
　オープンキャンパスの折に、最近の熊薬の研究内容を紹介する「研究室紹介

熊本県

コーナー」を宮本記念館コンベンションホールに設け、日本最大の薬学教育組織を持つ熊薬各講座の研究内容をパネル展示している。

- **所在地** 〒862-0973 熊本県熊本市大江本町 5-1
- **TEL** 096-371-4637（熊本大学生命科学系事務部薬学系事務室教育部長室）
- **URL** http://www.pharm.kumamoto-u.ac.jp/museum/index.html
- **交通** 1）JR 熊本駅から市電・バス（健軍行）乗車、「味噌天神」下車、徒歩 5 分 2）JR 新水前寺駅から徒歩 10 分 3）熊本空港からバス東西線（県庁前経由）乗車、「味噌天神」下車、徒歩 5 分
- **開館時間** とくに開館時間を設けていないが、通常の大学業務時間内での対応となる。ただし、事前に申請があれば業務時間外でも対応できる場合がある
- **観覧所要時間** 約 30 分
- **入館料** 無料
- **休館日** とくに定めていないが、大学業務が休みとなる土曜・日曜・祝日は通常閉館している。ただし、事前に申請があれば休館日も対応できる場合がある
- **施設** 熊薬ミュージアムは、熊薬 100 周年記念ホール内に設置された博物館であるが、同ホールは施設間の有効利用を促進させる目的で、同窓会館「宮本記念館」（多目的施設、平成 16 年 12 月竣工）との一体化をはかっており、エントランスを共有した複合施設となっている。熊薬ミュージアムには展示室のほか情報コーナーや資料整理室を設け、宮本記念館は 1 階に国際学術交流の場としてのコンベンションホールと研修室、2 階には畳敷きの大集会室を備えている
- **利用条件**
  （1）利用を限定する場合の利用条件や資格 とくにない。館内での飲食は禁止。建物外観及び展示風景等の撮影は可。資料撮影は要申請
  （2）調査研究目的で利用する場合の条件や資格 とくにないが、事前に問合せが必要
- **メッセージ** 事前に問合せをしてもらえれば、できるかぎりの対応は可能。熊本大学薬学部が位置する大江本町は熊本市の中心部に位置し、いたって交通の便のよいところである。薬学部は市電の通りから少し入ったところにあり、表通りの喧騒とはうってかわって閑静な住宅街に囲まれている。近くには電停・バス停の名称にもなっている味噌天神（神御衣を織る巫女のいる神聖なところ、あるいは国分寺の味噌倉の神を祀ったものなどといわれている）があり、おまいりをすませてから熊薬ミュージアム及び薬用植物園を見学し、市電・バスを利用すれば熊本城や水前寺成趣園（水前寺公園）にも 10 分程度で行くことができる
- **高齢者, 身障者への配慮** バリアフリー
- **車イスの貸出** なし
- **身障者用トイレ** 有り
- **無料ロッカー** なし

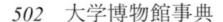

- 駐車場　なし（学内の駐車所の利用可）
- 外国語のリーフレット，解説書　なし
- ミュージアムショップ/レストラン　ミュージアムショップなし。食事は学生食堂を利用することができる
- 今後3年間のリニューアル計画　なし
- 設立年月日　平成18（2006）年4月1日
- 設置者　国立大学法人　熊本大学
- 館種　国立大学
- 責任者　甲斐広文（大学院医学薬学研究部教授）
- 組織　専任の職員はいないが、展示部門は内藤記念くすり博物館から資料・技術面での協力を得て、関連研究部・教育部の教員および薬学部の学生らが担当している。通常の管理は宮本記念館の職員が対応している

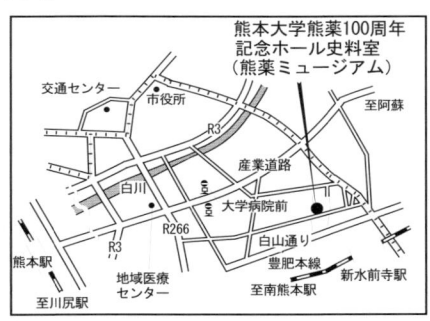

熊本県

熊本大学工学部研究資料館

Museum of Engineering Faculty

"ロマネスク教会のような雰囲気をもつ赤煉瓦の建物の中に、工業国日本を支えてきた貴重な工学教育資料及び動態保存された工作機械を展示している博物館"

　明治41（1908）年に竣工した熊本高等工業学校の機会実験工場は、戦後熊本大学工学部中央工場と改称され、昭和45（1970）年に新中央工場が竣工するまで60年あまりにわたって研究教育に使用されてきた。新工場の完成後はしばらく遊休施設となっていたが、同52（1977）年工学部の創立80周年記念事業の一貫で改修が行われ、同年10月に工学部研究資料館として再スタートした。
　平成6（1994）年12月、「熊本大学工学部（旧熊本高等工業学校）旧機械実験工場」の名称で国の重要文化財指定を受け、附けたり指定の工作機械11台が稼動できない状態だったので、文化庁の許可を得てメインシャフトと油受け皿を含め、平成8（1996）年から11年にかけて動態化修復を行った。修復後は工作機械の維持管理のため、月に1回程度稼動させている。
　日本機械学会の調査によると、明治45年以前に実用され、現存する工作機械は29台であり、そのうちの5台が本館に動態保存・展示されている。そうしたことから平成9（1997）年6月に同学会から、15尺・10尺・6尺旋盤、ボール盤、平削盤の5台の保存に対する感謝状と個々の工作機械に対する認定証の盾が授与された。平成19（2007）年には、同学会より建物及び重要文化財指定の工作機械11台が機会遺産に認定された。
　現在、熊本大学工学部の歴史、わが国の工業技術史・高等教育史に関する資料を総合的に収集・整理・保存し、教育・研究に供するための施設として活用

されている。一方、熊本大学では「熊本大学ユニバーシティ・ミュージアム構想」にそって五高記念館を中心とした大学博物館の整備が進められており、本資料館もその構想の流れの中に位置づけられている。今後は、学内施設から学内共同教育研究施設（センター）への格上げをはかるとともに、大学博物館の一翼をになう資料館としての整備が課題である。

【収蔵品・展示概要】
　建物の外観は建築当初の形態を忠実に保存しており、内部も可能なかぎり当初の面影を残しつつ、工学部内の各教室から厳選された機械類、諸資料、卒業生あるいは遺族から寄贈された各種資料等、わが国の技術史、教育史上貴重な資料を展示している。
　展示室は、機械工学関係、資源開発関係、電気工学関係、金属工学関係、化学工学関係、土木工学関係、岩石・鉱物標本類、熊本大学工学部の歩み、未来へ飛翔発展する工学部などのコーナーを設けている。

【収蔵分野・総点数】
　機械・模型等60点、鉱物標本等2,900点、その他600点、総計3,560点。

【主な収蔵品／コレクション】
　〈建物〉熊本大学工学部（旧熊本高等工業学校）旧機械実験場（国指定重要文化財）
　〈機械工学関係〉
　15尺旋盤：米国セリッグソン・ネルタール社製、明治39年（1906）製造、国指定重要文化財。
　10尺旋盤：米国テンプスタームアー社製、明治39年製造、国指定重要文化財。
　ボール盤：米国ロックフォード社製、明治39年製造、国指定重要文化財。
　平削盤：米国アメリカンツールワークス社製、明治39年製造、国指定重要文化財。
　6尺旋盤：米国ノルトン社製、明治40年製造、国指定重要文化財。
　ターレット旋盤：独国シッカルト・シュッテ社製、大正2年（1913）製造、国指定重要文化財。
　8尺旋盤：米国アメリカンツールワークス社製、大正3年製造、国指定重要文化財。
　曲がり歯傘歯車歯切盤：米国グリーソン社製、大正15年製造、国指定重要文化財。

熊本県

マーグ歯車研削盤：独国マーグ社製、昭和5年（1930）製造、国指定重要文化財。
立削盤：足立製作所製、昭和6年製造、国指定重要文化財。
実習用旋盤：熊本高等工業学校製、昭和10～14年製造、国指定重要文化財。

【展示テーマ】
常設展のみ。

【刊行物】
「熊本大学工学部研究資料館リーフレット」『熊本大学工学部研究資料館内国指定重要文化財工作機械の動態保存化』（安井平司、2002年）を希望者に無償配布している。

- 所在地　〒860-8555　熊本県熊本市黒髪2丁目39番1号
- TEL　096-342-3521（熊本大学工学部総務課）
- URL　http://www.mech.kumamoto-u.ac.jp/m-shop/index.html
- E-mail　szk-somu@jimu.kumamoto-u.ac.jp
- 交通　1）JR熊本駅から市電（健軍行）乗車、「辛島町」下車、交通センターまで徒歩2分、交通センターから市営バスもしくは産交バス「熊本大学前」下車　2）JR上熊本駅から市営バス「子飼橋」下車、徒歩10分
- 開館時間　とくに開館時間を設けていないが、通常の大学業務時間内での対応となる
- 観覧所要時間　約45分
- 入館料　無料
- 休館日　大学祭、工学部内行事などの機会を利用して不定期に開館しているため、とくに定まった休館日は設定していない
- 施設　明治41年（1908）竣工。煉瓦造平屋建（一部中2階）、建築面積508.62㎡。構造：外壁及び間仕切壁は煉瓦によるオランダ積の2枚積。外壁に控壁付き。屋根構造は木造トラスで、中央部は瓦棒葺の換気用越屋根付き。下屋部分は瓦葺。窓及び出入口上部はアーチで作られている。内部：内部両側に木造の列柱を立て、中央を吹き抜けとし、両側上部を中2階としている。かつて、東側約3／4を機械実験室とし、西寄りにボイラー室と蒸気機関室を設けていた。現在、機械実験室及び中2階を展示室とし、ボイラー室は1階を展示室、2階を収蔵室、蒸気機関室は1階を会議室、2階を収蔵室としている。床仕上げは、木煉瓦で舗装されている。
- 利用条件
  （1）利用を限定する場合の利用条件や資格　とくにない。通常は閉館しているので、見学希望者は熊本大学工学部総務課へ要事前連絡。館内での飲食は禁止。建物外観及び展示風景等の撮影は可。資料の撮影は要申請
  （2）調査研究目的で利用する場合の条件や資格　とくにないが、事前に問合せ

が必要
・メッセージ　工作機械の維持管理のため、月に1回程度稼動させているので、問い合わせてもらうと稼働日に見学も可能。熊本大学のキャンパス内には、旧第五高等中学校本館（五高記念館本館）、同化学実験場（五高記念館化学実験場）、同表門、熊本大学工学部旧機械実験工場（工学部研究資料館）といった4棟の重要文化財指定の建造物があり、登録有形文化財に登録された建造物も2棟ある。また、小泉八雲や夏目漱石、嘉納治五郎などの石碑もあって歴史散策に格好の雰囲気を有している。熊本大学から歩いて行けるところに、旧熊本藩士族の反乱「神風連の乱」に関した資料を展示する神風連資料館、ハンセン病患者の救済施設である回春病院を設立したハンナ・リデル、その姪エダ・ハンナ・ライトゆかりのリデル、ライト両女史記念館、細川家菩提寺泰勝寺跡の立田自然公園（細川藤孝・細川忠興夫妻の廟所や茶室仰松軒等）などがある。交通機関を利用すれば周辺には、熊本城や旧細川形部邸、加藤清正の菩提寺本妙寺、阿蘇の伏流水が湧き出る桃山式の回遊庭園としてしられる水前寺成趣園、夏目漱石内坪井旧居や小泉八雲熊本旧居など、近世から近代の歴史遺産がたくさん残っている
・高齢者，身障者への配慮　段差有り
・車イスの貸出　なし
・身障者用トイレ　なし（学内の身障者用トイレの利用可）
・無料ロッカー　なし
・駐車場　なし（学内の駐車所の利用可）
・外国語のリーフレット，解説書　なし（日本語版リーフレットに一部英文を併記）
・ミュージアムショップ/レストラン　館が付設するミュージアムショップはないが、学内の生協ショップで熊本大学オリジナルグッズや五高関係グッズを購入することができる。館が付設するレストランはないが、学生食堂及びくすのき会館内のレストラン「ニューナポリ」を利用することができる
・今後3年間のリニューアル計画　なし
・設立年月日　昭和52（1977）年10月
・設置者　国立大学法人　熊本大学
・館種　国立大学
・責任者　館長・伊藤重剛（大学院自然科学研究科教授）
・組織　館長1（併任）。国の重要文化財指定を受けている工作機械の動態保存のため、工学部技術部機器製作技術系の技術職員8人が維持管理を担当している。運営には、工学部の教員で構成された工学部研究資料館運営委員会が関与している

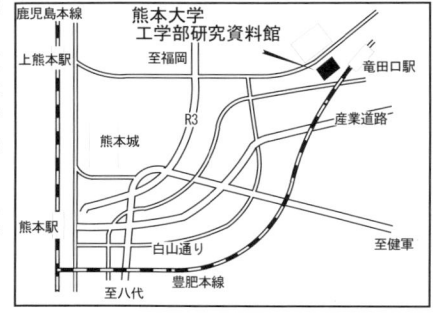

熊本県

熊本大学五高記念館

The Memorial Museum of The Fifth High School

"旧制高等学校の教育制度や五高生の校風「剛毅木訥」の精神を現代に伝える高等教育史博物館"

　平成5 (1993) 年10月、旧制第五高等学校本館の西側半分が旧制第五高等中学校及び同第五高等学校の関係資料を展示する「五高記念館」として公開された。平成12 (2000) 年4月、「熊本大学五高記念館」に名称を改め、残る東側半分の利用計画を策定して全館を公開するなど、五高記念館を熊本大学の教育・研究、地域連携の拠点と位置づけ、収蔵資料調査や公開講座、友の会設立等の活動を展開してきた。またその間、平成10 (1998) 年3月には『熊本大学資料館に関する検討委員会報告』を、翌年には『熊本大学ユニバーシティ・ミュージアム』をまとめ、大学博物館設置の検討を行なった。そして、平成18 (2006) 年2月、熊本大学の歴史的遺産を地域資源として総合的に活用し、教育・研究に資するとともに、地域文化の発展・向上に寄与することを目的に『熊本大学ユニバーシティ・ミュージアム構想　第1期五カ年計画（案）』を策定した。そこでは、4期20カ年の計画を想定し、第1期5カ年計画として五高記念館の整備が提案された。平成18年3月から同計画案にそった整備事業に着手し、同年12月1日には五高記念館を学内共同教育研究施設（センター）として位置づけ、専任教員が配置された。平成19 (2007) 年4月からは、五高記念館を拠点とした学芸員養成課程が稼動している。さらに、各学部等に分散している学術研究資料を収集・整理・保管し、一般に展示・公開するため、五高記念館、工学部研究資料館、山崎記念館、肥後医育記念館、熊薬ミュージアム等を有機的に結びつけた熊本大学総合研究博物館（仮称）の早期実現を目指している。

【収蔵品・展示概要】

　五高記念館本館の常設展示は6つの展示室からなっている。

　第1室は明治20（1887）年の旧制第五高等中学校の開校から、昭和25（1950）年の旧制第五高等学校の閉校にいたる五高60有余年の歴史を物語る第一級の高等教育資料を展示している。

　第2室は五高の建造物を復元模型や古写真、図面類で紹介している。明治22（1889）年に完成した旧制第五高等中学校本館は、明治時代の熊本を代表する洋風建築である。本館・化学実験場・表門は昭和44年8月、設計図40枚とともに国の重要文化財に指定された。

　第3室は五高の歴史とともに語り継がれる著名教授や名物教授を、エピソードや業績とともに紹介している。ここでは夏目漱石の声をモンタージュヴォイスで聞くことができる。

　第4室は五高の卒業生を紹介している。物理学者で漱石門下の随筆家としてしられる寺田寅彦、政治家では池田勇人に佐藤栄作、作家では梅崎春生に木下順二など多彩な顔ぶれがそろっている。

　第5室は五高の試験問題や生徒が筆記したノート類、授業風景や学内外での行事を撮影した写真などを展示し、五高生の学校生活を紹介している。

　第6室では五高生の寮生活を紹介している。五高は全寮制だったので、寮生活の写真がたくさん残っている。自室で一心不乱に勉強する姿、仲間とのコンパやストームなど、古写真からバンカラな校風が伝わってくる。ここでは五高の寮歌を聞くことができる。

　そのほか、五高生が実際に使っていた机と椅子をならべ、五高当時の教室を再現した復原教室や休憩室がある。

【収蔵分野・総点数】

　旧制第五高等中学校及び同第五高等学校に関した高等教育資料を約6,000点収蔵している。

【主な収蔵品/コレクション】

　旧第五高等中学校本館（附指定：設計図24枚）、同化学実験場（附指定：設計図10枚）、同表門（附設計図:6枚）はいずれも国指定重要文化財。

　歴代校長の肖像画、校旗、学校長の公印、学則・規則等、旧制第五高等学校図面類及び復元模型（縮尺600分の1）、教授会議事録等、式典関係、試験問題等、教科書及びノート類、事務書類等、小泉八雲・夏目漱石関係資料、「生徒募集木札」、「銃架」、池田勇人寄贈「大太鼓」、制帽など。

熊本県

　有栖川宮熾仁親王筆　横一行「瑞邦」、勝海舟筆　横一行「入神致用」、嘉納治五郎筆「順道制勝行不害人」など。

【展示テーマ】
　企画展「創業140年　冨重写真所の古写真にみる熊本と五高」（2005年度）／旧制第五高等学校オリジナル設計図面展「赤煉瓦―明治の夢と情熱」／熊本大学埋蔵文化財調査室企画展「熊本大学を発掘する」／夏目漱石『草枕・二百十日』発表100年記念展「五高時代の漱石先生」／写真展「空想散歩―絵葉書にみる古き熊本の街かど」（以上2006年度）

【教育活動】
　冨重写真所開業140周年記念シンポジウム「日本における写真の源流―その伝統と継承」／夏目漱石『草枕・二百十日』発表100年記念「出久根達郎氏講演会」／講演会「熊本大学を発掘する」／体験学習「縄文時代の勾玉（まがたま）を造ろう」／週日開館記念コンサート「モーツァルトコンサート」／第2回ラフカディオ・ハーン生誕記念コンサート「ハーンの愛した日本の音色」（以上2006年度）ほか

【調査研究活動】
　五高記念館所蔵資料調査、第五高等学校『龍南会雑誌』目次のデータベース化及び書誌学的研究にともなう調査など。

【刊行物】
　『熊本大学五高記念館所蔵　五高関係史料目録』『熊本大学ユニバーシティ・ミュージアム構想　第1期五カ年計画（案）』『熊本大学五高記念館総合案内図録　武夫原頭に草萌えて』『熊本大学五高記念館ニュースレター　龍南』『赤煉瓦通信』など

- ・所在地　〒860-8555　熊本県熊本市黒髪2丁目40番1号
- ・TEL　096-342-2050
- ・FAX　096-342-2051
- ・URL　http://www.goko.kumamoto-u.ac.jp
- ・E-mail　goko@kumamoto-u.ac.jp
- ・交通　1）JR熊本駅から市電（健軍行）乗車、「辛島町」下車、交通センターまで徒歩2分、交通センターから市営バスもしくは産交バス「熊本大学前」下車　2）JR上熊本駅から市営バス「子飼橋」下車、徒歩10分

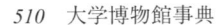

- **開館時間** 10:00 〜 16:00（ただし入館は 15:30 まで）
- **観覧所要時間** 約 60 分
- **入館料** 無料
- **休館日** 毎週火曜日，年末年始（熊本大学の行事等の都合で、臨時に休館する場合がある）
- **施設** 〈本館〉地上 2 階建ての煉瓦造で、建築面積は 921.6 ㎡、建物面積は 1,806 ㎡。桟瓦葺、背面木造裏玄関付で、「旧第五高等中学校本館」として国の重要文化財の指定を受けている（附指定として設計図 24 枚）。内部は、常設展示室 6 室、企画展示室 5 室、復原教室 1 室、教育普及用の教室 2 室、休憩室 1 室のほか資料室、事務室からなっている。〈化学実験場〉地上 1 階建ての煉瓦造で、建築面積は 427.6 ㎡、建物面積は 419 ㎡。桟瓦葺で、「旧第五高等中学校化学実験場」として国の重要文化財の指定を受けている（附指定として設計図 10 枚）。内部は 6 室からなり、西側に階段教室が設けられている。通常は閉館しているが、申請があれば公開する。
- **利用条件**
  (1) 利用を限定する場合の利用条件や資格　とくにない。展示解説等の希望は要連絡。館内での飲食及び資料撮影は禁止。建物外観及び展示風景等の撮影は可
  (2) 調査研究目的で利用する場合の条件や資格　とくにないが、事前に問合せが必要
- **メッセージ** 休館日であっても職員がいる場合は開館に応じることがある。また展示解説等は、当日の申込みであっても可能な限り対応する。熊本大学のキャンパス内には、旧第五高等中学校本館（五高記念館本館）、同化学実験場（五高記念館化学実験場）、同表門、熊本大学工学部旧機械実験工場（工学部研究資料館）といった 4 棟の重要文化財指定の建造物があり、登録有形文化財に登録された建造物も 2 棟ある。また、小泉八雲や夏目漱石、嘉納治五郎などの石碑もあって歴史散策に格好の雰囲気を有している。熊本大学から歩いて行けるところに、旧熊本藩士族の反乱「神風連の乱」に関した資料を展示する神風連資料館、ハンセン病患者の救済施設である回春病院を設立したハンナ・リデル、その姪エダ・ハンナ・ライトゆかりのリデル、ライト両女史記念館、細川家菩提寺泰勝寺跡の立田自然公園（細川藤孝・細川忠興夫妻の廟所や茶室仰松軒等）などがある。交通機関を利用すれば周辺には、熊本城や旧細川形部邸、加藤清正の菩提寺本妙寺、阿蘇の伏流水が湧き出る桃山式の回遊庭園としてしられる水前寺成趣園、夏目漱石内坪井旧居や小泉八雲熊本旧居など、近世から近代の歴史遺産がたくさん残っている
- **高齢者，身障者への配慮** 段差有り
- **車イスの貸出** なし
- **身障者用トイレ** なし（学内の身障者用トイレの利用可）
- **無料ロッカー** なし
- **駐車場** なし（学内の駐車場の利用可）
- **外国語のリーフレット，解説書** 有り

熊本県

- **ミュージアムショップ／レストラン**　館が付設するミュージアムショップはないが、学内の生協ショップで熊本大学オリジナルグッズや五高関係グッズを購入することができる。館が付設するレストランはないが、学生食堂及びくすのき会館内のレストラン「ニューナポリ」を利用することができる
- **今後3年間のリニューアル計画**　有り
- **設立年月日**　平成5（1993）年10月9日
- **設置者**　国立大学法人　熊本大学
- **館種**　国立大学，歴史
- **責任者**　館長・伊藤重剛（大学院自然科学研究科教授）
- **組織**　5名。内訳は館長1（併任）、准教授1（専任）、特定事業研究員2（非常勤）、事務補佐員1（非常勤）である。運営には、教職員で構成された五高記念館等運営委員会が関与している

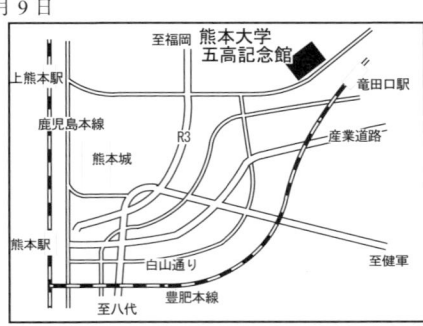

熊本大学大学院薬学教育部附属薬用植物園

Medicinal Plant Garden of Kumamoto University

"くすりの専門博物館と野外植物園が一体化した参加型博物館"

熊本大学大学院薬学教育部附属薬用植物園は、熊本薬学専門学校の薬草園(熊薬薬草園)として昭和2(1927)年に開園し、昭和49(1974)年4月に熊本大学薬学部附属薬用植物園と改称され、平成15(2003)年4月に現在の名称となった。

熊薬ミュージアムと連携した特別展の開催や、非常にユニークな調査・研究、教育・普及活動を積極的に展開している野外博物館として知られている。

アイラトビカズラ

一方、熊本大学では「熊本大学ユニバーシティ・ミュージアム構想」にそって、五高記念館を中心とした大学博物館の整備を進めている。今後は、薬用植物園が大学博物館の一翼をになう専門博物館としての資料・施設整備や人員配置、及びそれにともなう予算措置が課題である。

【収蔵品・展示概要】

約7,000㎡の面積をもつ園内は、標本園、樹木園、栽培園からなっており、標本園では薬用資源の見本として薬局方掲載の薬用植物および九州の自生種と亜熱帯性の薬用植物を栽植している。また、各種薬用植物には名称を記したプレートを付けており、学生や一般利用者の便宜をはかっている。

栽培植物の中で歴史的に由緒ある薬木類としてモクゲンジ、テンダイウヤク、サンシュユ、サンザシ、ニンジンボク等があげられる。これらは、熊本細川藩の薬園であった蕃滋園(宝暦6〔1756〕年開園)で栽培されていた薬木で、明治23(1890)年に第五高等中学校が寄贈をうけ、そののち移植した貴重な資

料である。

なお、本園で栽培している薬用植物は「今月の薬用植物」としてホームページ上で毎月更新公開している。

【収蔵分野・総点数】
現在、標本園および樹木園で管理している植物は約1,000種にのぼっている。

【主な収蔵品/コレクション】
本園の特徴的な植物として、ヒゴタイ・ヤツシロソウ・ヨロイグサ（大陸性植物）、アイラトビカズラ（熊本県指定の天然記念物より株分け）、ヒゴイカリソウ・アソノコギリソウ・ハナシノブ（熊本県固有種）、ルリタマアザミ、チョウセンアザミ、タンナトリカブト、ジギタリス、ラウオルフィア、ハアザミ、セイヨウエビラハギ、シャクヤク、ボタン、ヒロハセネガ、コガネバナ、マオウ、アカヤジオウ、ノウゼンカズラ、キキョウ、ミシマサイコ、セリバオウレン、モクゲンジ・テンダイウヤク・サンシュユ・サンザシ・ニンジンボク（蕃滋園由来の植物）、トキワマンサク、トチュウ、ヒゴツバキ（熊本県固有種）、クスノキ、イチョウ、キハダ、クスノキ、セイロンケイヒ、ニッケイ、バニラ等がある。

【展示テーマ】
特別展「絶滅危惧植物　阿蘇の野の花展」（2007年度）

【教育活動】
薬用植物観察会（月1回）、中医学勉強会（月1回）、傷寒論を読む会（月1回）、初級漢方とハーブ（月1回）を定期的に開催。

講演会「阿蘇の草原再生と花野」（2007年度）／講演会・実地踏査「薬用植物を知ろう in 熊本（阿蘇）」（毎年開催）

【調査研究活動】
「生物多様性条約を基本とした阿蘇の薬用植物、植物の調査、保護、育種、有効利用」「ヒマラヤ地域の薬用植物の有効利用（調査、保護、育種、機能性の解明）」「炭酸ガス固定有用植物の有効利用法の開発」「有用植物の機能性の解明と育種」「沖縄・奄美の食物、薬用植物の有効利用」「Panax属植物の成分研究とその機能性の解明」など

- 所在地　〒862-0973　熊本県熊本市大江本町5-1
- TEL　096-371-4381
- FAX　096-371-4381
- URL　http://www.pharm.kumamoto-u.ac.jp/yakusoen/garden.html　http://www.pharm.kumamoto-u.ac.jp/flower/index.html（今月の薬用植物）
- E-mail　Yaharas1@gpo.kumamoto-u.ac.jp
- 交通　1）JR熊本駅から市電・バス（健軍行）乗車、「味噌天神」下車、徒歩5分　2）JR新水前寺駅から徒歩10分　3）熊本空港からバス東西線（県庁前経由）乗車、「味噌天神」下車、徒歩5分
- 開館時間　とくに開園時間を設けていないが、通常の大学業務時間内での対応となる。ただし、事前に申請があれば業務時間外でも対応できる場合がある。園内の散策は24時間可能
- 観覧所要時間　約60分
- 入館料　無料
- 休館日　とくに定めていない。ただし、案内は事前申請が必要
- 施設　総合計約7,000㎡の敷地をもつ野外博物館。園内を自由に散策でき、地域住民にとっては憩いの場ともなっている。園内に薬用植物管理棟がある
- 利用条件
  - （1）利用を限定する場合の利用条件や資格　とくにない。植物や樹木を大切にし、折ったり伐ったりしないこと。見学通路を歩くこと。むやみに植物の植えているところに入らないこと
  - （2）調査研究目的で利用する場合の条件や資格　とくにないが、事前に問合せが必要
- メッセージ　事前に問合せをしてもらえれば、できるかぎりの対応は可能。熊本大学薬学部が位置する大江本町は熊本市の中心部に位置し、いたって交通の便のよいところである。薬学部は市電の通りから少し入ったところにあり、表通りの喧騒とはうってかわって閑静な住宅街に囲まれている。近くには電停・バス停の名称にもなっている味噌天神（神御衣を織る巫女のいる神聖なところ、あるいは国分寺の味噌倉の神を祀ったものなどといわれている）があり、おまいりをすませてから薬用植物園及び熊薬ミュージアムを見学し、市電・バスを利用すれば熊本城や水前寺成趣園（水前寺公園）にも10分程度で行くことができる
- 身障者用トイレ　有り
- 駐車場　なし（学内の駐車所の利用可）
- ミュージアムショップ/レストラン　ミュージアムショップなし。食事は学生食堂を利用することができる
- 今後3年間のリニューアル計画　なし
- 設立年月日　昭和2（1927）年
- 設置者　国立大学法人　熊本大学
- 館種　国立大学
- 責任者　園長・矢原正治（大学院医学薬学研究部准教授）

熊本県

・組織　3名。内訳は園長1名(併任)、技術職員2名

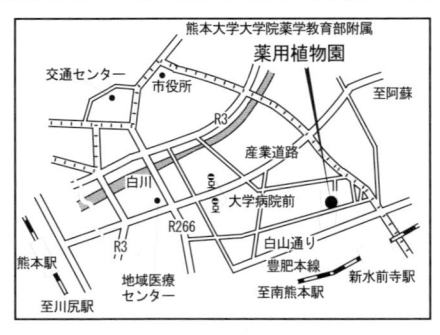

大分県

NBU 旧宣教師館「キャラハン邸」

NBU Missionary Museum

　キャラハン邸は、明治時代にキリスト教布教のため来日したアメリカ人宣教師ウィリアム・ジャクソン・キャラハンが大分県中津市に建てた洋風住宅を移築復元したものである。キャラハンが中津に赴任したのは 1894（明治 27）年で、1904（明治 37）年から山口・大分・愛媛など西瀬戸全域を回って、1935（昭和 10）年に帰国するまで 40 数年間を日本での伝道活動に捧げた。その後も宣教師の住居として使用され、1943（昭和 18）年から日本人の所有となり、1985（昭和 60）年までは学生の下宿として使用されてきた。建物の存続が危ぶまれるようになると、地元の人々を中心に保存運動が展開され、その文化財的価値を高く評価する文理学園が、日本文理大学構内に移築することでこれに応えることとなった。建物は 1992（平成 4）年より解体工事が進められ、翌 1993（平成 5）年に移築竣工した。

　キャラハン邸の正確な建築年代は不明だが、1903（明治 36）年 5 月 13 日以前に建てられたのは確実で、これは現存する全国 15 の明治の外国人宣教師館でも古い部類に入るもので、建築学的にも高く評価されている。

【収蔵品・展示概要】
　米国本国よりキャラハン宣教師に宛てられた結婚証明書
　エモリー大学の卒業証明書
　キャラハン宣教師が使用していた聖書
　YMCA 時代の教え子や同僚から離日記念に贈られた壺
　日本での愛用の杖　　など

九州・沖縄

大分県

- ・所在地　〒870-0397　大分県大分市一木1727
- ・TEL　097-592-1600（代）
- ・交通　1）JR日豊本線大分駅より大分バス「日本文理大学行」乗車、約40分　2）日豊本線大在駅より徒歩約25分
- ・開館時間　10:00～16:00
- ・入館料　300円
- ・休館日　月曜日
- ・施設　キャラハン邸は当時の典型的アメリカ式住宅で、木造2階建て、延面積311.75㎡。瓦ぶき寄せ棟屋根、レンガ造りの3本の煙突、下見板張りに白のペンキを塗った外壁、鎧戸付きの上げ下げガラス窓、各部屋には暖炉がおかれるなどの特徴がある。内部は、1階に応接間や居間、食堂、台所、浴室などが配され、2階は寝室や子供部屋であったが、復元では1階を展示室、2階をホール・会議室とした
- ・設立年月日　平成5（1993）年移築竣工
- ・設置者　学校法人文理学園　日本文理大学
- ・館種　私立大学

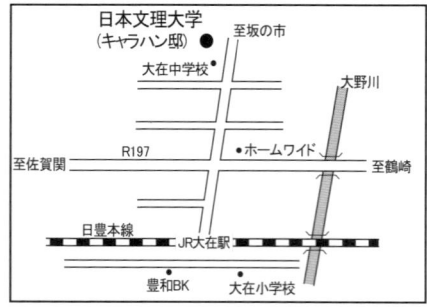

大分県

別府大学附属博物館

Beppu University Museum

〈理念〉

　別府大学附属博物館は、本学における教育・研究活動のための中核施設として設置されたもので、学芸員課程や史学科の考古学研究室及び附属博物館独自の学術調査による発掘資料等、多くの資料を収集・展示し、学会でも高い評価を得ている。

　また、毎年、発掘調査などの学術調査や学術シンポジウム等を実施するとともに、学術研究成果の出版などの活動をおこなっており、本学及び地域の教育研究に大きく貢献している。

　なお、本館は、小中学校等の社会科授業のために、また地域の人々の生涯学習施設として、常に開放されており、地域社会からも大きな関心が寄せられている。

〈沿革〉

　明治41（1908）年、大分町（現大分市）に創設された豊州女学校は、その後、幾多の歴史を経て、昭和21（1946）年春、別府市に別府女学院として生まれ変わった。翌22（1947）年には、別府女子専門学校に改編し、さらに23（1948）年には別府女子大学が誕生した。昭和29（1954）年、この女子大は、男女共学制を布き別府大学と改称された。

　別府女子大学には、古代文化を研究する目的から、「上代文化研究所」が設置されていたが、昭和29年春、共学化に合わせて上人ケ浜に研究所附属施設として「附属上代文化博物館」が開設された。

　附属博物館（上代文化博物館）は、昭和26（1951）年に制定された博物館法の規定にしたがって設立時に指定申請をおこない、当初より「博物館相当施

大分県

設」となっていたため、昭和38（1963）年に新規発足した史学科は、学芸員課程を設置し、卒業時に学芸員資格が取得できるようになった。昭和52（1977）年5月には、石垣キャンパス創立三十周年記念館が建設され、別府大学18番目の建物として、附属博物館（現本館）が付設された。

平成11（1999）年には、文化財学科が新設されると同時に、歴史文化総合研究センター（33号館）が建設された。その建物の内2階部分を附属博物館新館として充実させ、IPMなど一貫した博物館マネージメントを学ぶ場として、活用されている。

〈附属博物館運営の基本方針〉

（1）博物館の事業として資料の収集保管、調査研究、展示公開等の事業を計画的に進める。

（2）本学の中核的附属施設として、学内各学科と連繋しつつ、シンポジウム、共同研究などの事業を計画的かつ継続的に行い、大学の教育・研究活動の普及啓発に資するとともに地域社会の教育・文化の向上に資する。

（3）この施設を、本学の教育・研究のための貴重な共同利用施設として位置づけ、博物館学芸員課程、史学科関連科目等の実習授業等の場として、積極的利用を図る。

【収蔵品・展示概要】

〈新館〉基本的に、過去、別府大学考古学研究室がおこなった発掘調査資料
旧石器・縄文・弥生・古墳時代・古代等、先史時代を中心とした考古研究・展示資料、学芸員課程において作成したレプリカ等、考古資料コンテナ:1,235箱

〈本館〉古文書及びアーカイブス史料、学芸員課程において作成した民具レプリカ、旧石器・縄文・古代・中世・近世等、歴史時代を中心とした考古資料等、古文書及び絵図資料:65,000点　考古資料コンテナ:2,115箱

【収蔵分野・総点数】

〈新館〉考古資料コンテナ　1,235箱
〈本館〉古文書及び絵図資料　65,000点、考古資料コンテナ　2,115箱

【主な収蔵品／コレクション】

〈旧石器時代〉中期：早水台遺跡（日出町）／後期：松山遺跡（犬飼町）、上下田遺跡（三重町）、宮地前遺跡（大野町）、駒方津室迫遺跡（大野町）、駒方古屋遺跡（大野町）、牟礼越遺跡（三重町）

大分県

〈縄文時代〉草創期：政所馬渡遺跡（荻町）／早期：庄ノ原遺跡・竜宮洞穴・小六洞穴（荻町）、田村遺跡（朝地町）、へぎ洞穴（耶馬溪町）、早水台遺跡（日出町）、稲荷山遺跡（杵築市）、川原田遺跡（山香町）／前期：野鹿洞穴（荻町）／中期後期：植野貝塚（中津市）、小池原貝塚（大分市）、六所権現遺跡（国見町）／晩期：大石遺跡（緒方町）／
〈弥生時代〉前期：丹生川遺跡（大分市）／中期：下城遺跡（佐伯市）／後期終末：台ノ原遺跡（宇佐市）、円通寺遺跡（別府市）／
〈古墳時代〉二日市横穴（九重町）、木ノ上横穴（大分市）、中ノ原古墳（日田市）、天満古墳（日田市）、世利門古墳（大分市）、御陵古墳（大分市）〉
〈古代〉向野廃寺（山香町）、弥勒寺跡（宇佐市）、伊藤田踊ケ迫窯（中津市）

【展示テーマ】
「東アジアの《箸と匙》の歴史と文化　つかむ・すくう・たべる」展（2004年度）／「弥勒寺の世界」展（2005年度）／「東アジアのかさ《傘・蓋・笠》の歴史と文化　さす・ふせぐ・かぶる」展（2006年度）

【教育活動】
「東アジアの《箸と匙》の歴史と文化　つかむ・すくう・たべる」展ワークショップ「My　お箸を作ろう」「まめに豆をつかもう会」（2004〜2005年）／「東アジアのかさ《傘・蓋・笠》の歴史と文化　さす・ふせぐ・かぶる」展公開講座「傘を持つ人、持たぬ人―絵に読む英国ヴィクトリア朝の傘事情―」、ワークショップ「かさにおえかき」（2006〜2007年）

【調査研究活動】
博物館新館特別収蔵庫及び収蔵庫における IPM 調査（2004年〜継続中）

【刊行物】
『東アジアの《箸と匙》の歴史と文化　つかむ・すくう・たべる』『東アジアのかさ《傘・蓋・笠》の歴史と文化　さす・ふせぐ・かぶる』

- 所在地　新館：〒874-0915　大分県別府市桜ケ丘5-2　本館：〒874-8501　大分県別府市北石垣82
- TEL　新館:0977-27-6116　本館:0977-67-0101
- FAX　新館:0977-27-6117　本館:0977-66-9696
- URL　http://www.beppu-u.ac.jp/annai/hakubutsukan.html
- 交通　JR日豊本線別府大学駅下車、徒歩10分

大分県

- 開館時間　9:00 〜 16:30
- 観覧所要時間　新館:40 分　本館:30 分
- 入館料　無料
- 休館日　土・日曜日，祭日，大学の定める休日
- 施設　新館:別府大学歴史文化総合研究センター（通称名 33 号館）内 2F（新館 1,778 ㎡）、収蔵庫・特別収蔵庫　本館:別府大学記念館（通称 18 号館）内 4F（本館 958 ㎡）、収蔵庫
- 高齢者，身障者等への配慮　バリアフリー
- 車イスの貸出　なし
- 身障者用トイレ　なし
- 無料ロッカー　なし
- 駐車場　有り
- 外国語のリーフレット，解説書　なし
- ミュージアムショップ/レストラン　なし
- 今後 3 年間のリニューアル計画　なし
- 設立年月日　昭和 29（1954）年
- 設置者　学校法人　西村学園
- 館種　私立大学，歴史
- 責任者　館長・段上達雄（文化財学科教授）
- 組織　館長:1 名　専任学芸員:1 名　兼務学芸員:5 名

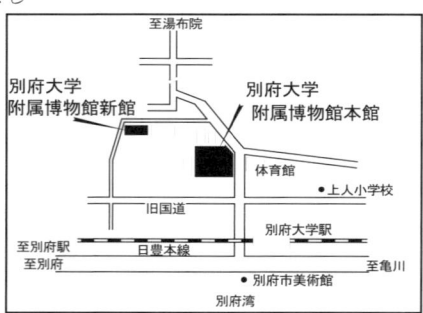

宮崎大学農学部附属農業博物館

Agricultural Museum, University of Miyazaki, Faculty of Agriculture

"農業をテーマとした全国でも珍しい博物館"

　農業博物館は昭和10年、宮崎大学の前身である宮崎高等農林学校の開校10周年記念事業として設置された。昭和54年に博物館相当施設の指定を受けている。

　その後、昭和61年に、大学の統合移転にともなって、新館が現在地に竣工され、平成10年には大学博物館（ユニバーシティミュージアム）として文部科学省の省令施設となった。また、法人化初年度にあたる平成16年には引き続き、博物館相当施設の再指定を受けている。

　当館は、その設立当初から、全国でも数少ない農業をテーマとした博物館として、農・林・畜・水産業ならびに宮崎の自然に関する標本を幅広く収集してきた。収集された標本は、一般に公開するとともに、学内の教育研究に活用されてきた。

　平成10年の省令化による専任職員の配置以降は、大学に地域貢献の窓口の一つとして、小中高等学校の理科教育支援、環境学習の推進などにも力を入れて活動を展開している。また、就学児童・生徒の農業に対する理解と関心を醸成するための出前講義や出前実験なども行っている。

　大学の教育研究活動を広く国民に理解してもらうための活動としては、学内の研究活動を紹介した企画展示や大学行事と連携した参加体験型の講座や展示などを実施している。

宮崎県

【収蔵品・展示概要】
　館内展示は、以下の6つの常設展示と、企画展示コーナーによって構成されている。
〈本館1階展示について〉
　(1) 宮崎の土壌：宮崎県に分布する日本の主要土壌である黄褐色森林土、黒ボク土および水田土壌のモノリス（土壌断面を合成樹脂で固定したもの）を展示している。
　(2) 稲作の起源をさぐる：宮崎大学農学部で開発されたプラント・オパール分析法についての解説とともに、この方法を用いた古代水田の探査法とその成果を紹介している。また、宮崎県椎葉村の焼畑を紹介した展示や木製鋤等の農具の展示もある。
　(3) 身近な動物の骨格標本とはく製：食肉類・偶蹄類・奇蹄類・鳥類など各種の動物骨格標本が、人体骨格模型とともに展示されている。また、天然記念物に指定されている日本在来馬である御崎馬の骨格標本の展示がある。
〈本館2階展示について〉
　(4) 森のめぐみ：世界、日本および宮崎の代表的な森を写真パネルで紹介している。また、木材資源の利用、菌類の利用、さまざまな木材、竹類のセクションを設けている。
　(5) 宮崎の農業：田野町の漬物用大根やヒュウガナツの生産方法、宮崎牛やハマユウポークなどの農畜産物についての展示および宮崎大学農学部での水田雑草防除に関する研究成果や、産学共同研究の成果等も紹介している。
　(6) 宮崎の魚類：宮崎県に分布している魚類を「淡水魚」、「移入淡水魚」、「汽水魚」、「海水魚」に分類・紹介するとともに、それぞれの代表的な標本を展示している。

【収蔵分野・総点数】
　当館の収蔵資料は、自然科学系を主としており、動物、植物、地学分野の標本がある。
〈動物標本について〉食肉類、偶蹄類、奇蹄類、鳥類などの剥製や骨格等、ならびに昆虫や貝殻、魚類の標本など（液浸標本含む）
〈植物標本について〉さく葉標本、菌類（病理含む）標本、木材（広葉樹、針葉樹、竹類）標本など
〈地学標本について〉鉱物、岩石類ならびに土壌断面モノリスの標本など
〈その他〉犁、鋤、鍬等の農具や復元木製農具など、日本の稲作に関する主要な遺跡の土壌など
　総点数は、各ジャンル合計で約7万点である。

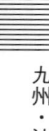

宮崎県

【主な収蔵品/コレクション】
〈自然科学部門〉大型哺乳動物の骨格標本、御崎馬（天然記念物）の骨格標本、ニホンカモシカの剥製、植物病理標本、屋久杉の大型円盤、飫肥杉の大型円盤、南九州の土壌の大型モノリス、日本全国の主な稲作遺跡の土壌ほか

【展示テーマ】
〈特別展示〉農学部創立 80 周年記念展示「農学部のあゆみとこれから展より─写真でつづる農学部のあゆみ─」（2004 年度）／平成 17 年度企画展示「農学部のあゆみとこれから展─器具・装置に見る科学実験の移り変わり─」（2005 年）／「日向の豊かな環境とマリンバイオマスを考える」（2006 年）／「お腹が減ったことを脳に知らせるホルモン」（2007 年）など

【教育活動】
文部科学省委託講座「サイエンスパートナーシップ・プログラム」教育連携講座─細胞から生物のしくみを学ぶ（2004〜2006 年度）／（財）日本科学技術振興財団委託事業「青少年のための科学の祭典」（2004〜2006 年度）／文部科学省委託事業「宮崎大学地域子ども教室」（2005〜2006 年度）ほか

【調査研究活動】
宮崎県内の大学および博物館等と学校との教育連携・支援に関する調査（2003 年度）／土砂資料からの地域特定に関する研究（2004 年度）／中国山東省における新石器時代の稲作に関する調査研究（2005 年度）ほか

【刊行物】
「宮崎大学農学部附属農業博物館年報」「宮崎大学地域子ども教室実施報告書」「青少年のための科学の祭典 2005 宮崎大会」「宮崎大学農学部附属農業博物館ニュース」「宮崎県内の大学および博物館等と学校との教育連携・支援に関する調査報告書」ほか

- 所在地　〒889-2192　宮崎県宮崎市学園木花台西 1-1　宮崎大学木花キャンパス内
- TEL　0985-58-2898
- FAX　0985-58-2898
- URL　http://www.agr.miyazaki-u.ac.jp/~museum/index.html
- E-mail　a-museum@cc.miyazaki-u.ac.jp
- 交通　1）宮崎交通バス 652 番線（木花経由）、651 番線（まなび野経由）、650 番

宮崎県

　　　線（清武経由）より宮崎大学下車　2）タクシー利用：南宮崎駅から約11km、
　　　約25分　清武駅から約6km、約15分　宮崎空港から約8km、約15分
・開館時間　9:00～17:00
・観覧所要時間　60分
・入館料　無料
・休館日　土・日曜日，祝日，年末年始（※大学祭、大学開放日には開館している）
・施設　本館は、鉄筋2階建で総面積758㎡、外装が渋い赤褐色、内装は淡クリー
　　　ム色で、展示室の天井は間伐スギ材を利用している。内訳は第1展示室117㎡、
　　　第2展示室64㎡、特別展示室80㎡、視聴覚室40㎡、図書文献同定室40㎡、
　　　作業収蔵室38㎡、倉庫その他41㎡など。隣接して分館（鉄筋2階建340㎡）
　　　があり、研修室や電子顕微鏡を設置した実験室、標本収蔵室などがある
・利用条件
　（1）利用を限定する場合の利用条件や資格　団体見学で展示解説の希望者は、
　　　見学予定日の3日前までに要連絡。写真撮影、印刷物等へは、要相談
　（2）調査研究目的で利用する場合の条件や資格　蔵書や収蔵資料の閲覧は、要
　　　連絡（基本的に館内のみでの閲覧に限定）
・メッセージ　当館は、農業をテーマにした数少ない博物館である。事前に連絡
　　　があれば、学芸員による解説も行っている。展示を簡単に紹介したパンフレッ
　　　ト（日本語、英語、中国語）を用意している。玄関前には、駐車・駐輪スペー
　　　スがあり、大型バスの駐車もできる（大学内の他の駐車場や駐輪場も利用可
　　　能）。当館は宮崎空港からも車で15分ほどに位置している。また、周辺には、
　　　車で20分圏内にサンマリンスタジアム、青島神社、子どものくに、日南海
　　　岸など、宮崎の観光名所が数多く所在する
・高齢者，身障者等への配慮　バリアフリー
・車イスの貸出　なし
・身障者用トイレ　なし
・無料ロッカー　なし
・駐車場　有り
・外国語のリーフレット，解説書　有り
・ミュージアムショップ / レストラン　なし
・今後3年間のリニューアル計画
　　　なし
・設立年月日　昭和10（1935）年
・設置者　国立大学法人　宮崎大学
・館種　国立大学，農業
・責任者　館長・植松秀男（農学部
　　　教授）
・組織　6人（館長（併）1、専任教
　　　員（学芸員）1、研究部員（併）2、
　　　事業部員（併）1、非常勤職員1）

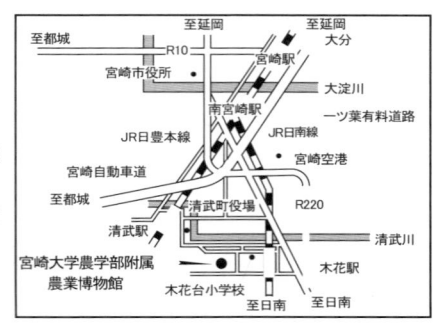

鹿児島国際大学国際文化学部
博物館実習施設（考古学ミュージアム）
Archaeological Museum, The International University of Kagoshima

　鹿児島国際大学では、2002年から博物館学芸員資格課程を設立したが、学芸員に求められる高度な実践教育を行うための実習施設として、2002年4月に開設。2004年3月には、博物館相当施設の認可を受け、大学の中にある博物館として本格的活動を開始した。

　当施設は、博物館実習施設として毎年30名前後の博物館学芸員資格課程の受講生を受け入れ、学芸員教育を充実させるだけでなく、企画展や各種イベントなどを通じて、一般市民への情報発信や教育普及活動につとめてきた。考古学の最新の研究成果を発信することに重点を置き、教員や大学院生の研究成果を積極的に取り込んだ展示を行っていることが最大の特徴である。これまでの特別企画展では、多くの一般市民の来館を得ている。またオープンキャンパスなどでは当施設を利用して高校生などを対象に体験学習を実施しており、好評を博している。

【収蔵品・展示概要】

　考古資料を中心とし、東南アジアのタイや南太平洋のフィジーでの民族考古学的調査によって収集された土器や土器製作工具、民族資料、および鹿児島県外・県内の遺物、学術発掘による出土品などによって構成される。展示は学生たちで行なう「手作り」をモットーとしつつ、高度かつ先進的な展示の実践を目指している。

　本学では、これまで民族考古学的調査や自然科学の分析手法などを駆使し、

鹿児島県

土器の生産と流通のシステムや土器製作技術、大型甕棺の葬送プロセスなどに対する研究をすすめてきた。本施設でも、そのような研究成果を一般の人々に紹介し、その意義を理解していただくことができるよう展示を構成している。

【収蔵分野・総点数】
　考古資料を中心とし、民族学・人類学資料や地学資料、および図書・写真・記録類などが含まれる。総点数は、1万点にのぼる。

【主な収蔵品/コレクション】
　タイの村で作られた現代の陶工による土器、土器製作工具
　フィジーの村で作られた土器、民族資料
　県内外の遺跡で出土した土器、石器類

【展示テーマ】
　〈特別企画展〉「過去と現在のかけはし―土器つくりの民族考古学―」（2005年度）／「考古科学の最前線―X線分析による新しい考古学への挑戦―」（2006年度）／「世界の意外な土器作り」（2007年度）

【教育活動】
　「いぶすき発　学びのふるさと講座」で講演・当施設見学／「弥生時代はいつはじまったか―科学と考古学がさぐる縄文・弥生」（2005年）／「須恵器から読み解く古代の社会」「先史・古代の男と女―ジェンダー考古学の現在―」（以上2006年度）

【調査研究活動】
　鹿児島国際大学周辺での遺跡の分布調査（2004～2006年度）

【刊行物】
　「鹿児島国際大学考古学ミュージアム調査研究報告」第2集『屋久島横峯遺跡』、第3集、第4集

　　・所在地　〒891-0191　鹿児島県鹿児島市下福元町8850
　　・TEL　099-261-3211
　　・FAX　099-261-3299
　　・URL　http://www.iuk.ac.jp/museum/index.html
　　・E-mail　museum@ofc.iuk.ac.jp

鹿児島県

- 交通　1）JR指宿枕崎線　坂之上駅下車（徒歩20分）、スクールバスで5分　2）鹿児島交通バス「平川動物園行」「指宿・枕崎行」坂之上南バス停下車、スクールバスで5分　3）鹿児島交通バス「慈眼寺団地行」国際大前バス停下車
- 開館時間　9:30～16:00
- 観覧所要時間　約20分
- 入館料　無料
- 休館日　毎週水・土・日曜日，国民の休日，大学が定める休業日
- 施設　建物の敷地面積　1,190 ㎡　延べ床面積4,266 ㎡のうち、当該施設部分の延べ床面積は205.3 ㎡。展示室、整理作業室、収蔵室および事務室より構成される
- 利用条件
  （1）利用を限定する場合の利用条件や資格　なし
  （2）調査研究目的で利用する場合の条件や資格　収蔵資料を調査研究目的で閲覧・撮影・記録等行う際は、要申請
- メッセージ　来館の際には、教員、学芸員や専攻の学生による丁寧な展示解説が受けられます。創意、工夫のあふれた学生による「手作りの展示」にご注目ください
- 高齢者，身障者等への配慮　バリアフリー
- 車イスの貸出　なし
- 身障者用トイレ　有り
- 無料ロッカー　なし
- 駐車場　有り
- 外国語のリーフレット，解説書　なし
- ミュージアムショップ/レストラン　なし
- 今後3年間のリニューアル計画　なし
- 設立年月日　平成14（2002）年4月
- 設置者　鹿児島国際大学
- 館種　私立大学，歴史
- 責任者　施設長・中園聡（教授）
- 組織　施設長1、常勤職員2（学芸員1・事務職員1）

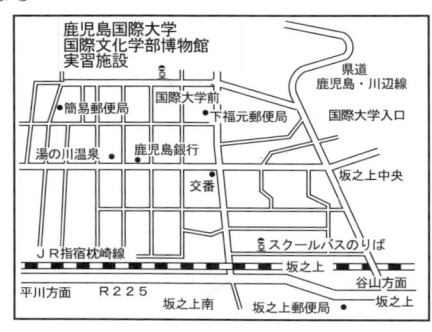

九州・沖縄

大学博物館事典　529

鹿児島県

鹿児島大学総合研究博物館

The Kagoshima University Museum

"時空を超えた奇跡との出会い　鹿児島大学総合研究博物館は標本や資料を通じた教育研究活動により「奇跡との出逢い」を提供いたします。"

　鹿児島大学総合研究博物館は2001（平成13）年4月、省令に基づく7番目の国立大学博物館として発足した。鹿児島大学の各学部の研究室には、総計130万点を超える学術標本類や資料が所蔵されている。鹿児島大学総合研究博物館は、活動の重要な目標の1つに「学術資料を使っての実証的教育の実現のため及び学内外の研究者から学術標本の利用要請に応えるために、これらの整理・維持・管理、情報提供等を一元的に行う」ことを掲げた。

　このような資料の数々を公開し、研究の成果をわかりやすく伝えるため、常設展示室を2004（平成16）年5月に開設した。その特徴は、中身だけではなく、建物そのものも鹿児島大学の歴史を語る大切な資料となっていることである。1928（昭和3）年に建設された鹿児島高等農林学校時代の建物を、できるだけ当時の雰囲気を残しながら改装し、展示のためのスペースとした。（登録有形文化財　登録　平成18年10月18日）

　鹿児島大学総合研究博物館は、暖温帯の照葉樹林帯南部に位置する南九州から、亜熱帯・暖流「黒潮域」である琉球列島周辺の陸海域を経て、熱帯の東南アジアに至る太平洋西部の陸海域を研究の対象地域としている。この地域における学術標本資料の収集・保存と、それらの研究教育資料としての活用を基本とする博物館を目指している。

【収蔵品・展示概要】

　西南日本から琉球列島、さらに東南アジア熱帯圏に広がる地域を研究対象とする。鹿児島大学には西南日本から琉球列島地域、さらに東南アジア熱帯や太平洋海域から収集された標本が膨大に集積されている。これらの標本を中核に据え、西南日本から琉球列島の自然の特性を明らかにするとともに、熱帯アジアとの関連を解明することのできる標本収集を進めている。また、対象地域における人間生活の展開を歴史的に明らかにし、それに対比して現在の生活の変転を解析するための標本資料を発掘・収集し、整理に努めている。

　鹿児島大学でおこなわれてきたさまざまな分野の研究を学術資料を通して研究の成果をわかりやすく伝えるため、常設展示室を 2004 年 5 月 21 日に開設した。「古代からのおくりもの―鹿大に眠る遺跡―」「機器でたどる鹿大の教育研究史」「地球のめぐみ」「鹿児島の海と生命の歴史」をテーマに展示公開を行っている。

【収蔵分野・総点数】

　〈標本と資料〉地学 :23,914 点　化石 :117,000 点　動物 :656,120 点　植物 :221,000 点　考古 :167,490 点　人類 :1,000 点　民俗 :15 点　建築 :1 点　鹿児島大学教育研究史資料 :8,624 点

　総計　1,195,164 点

【主な収蔵品/コレクション】

　地学：鉱物岩石、地層コア、土壌、地層剥離標本、海底表層堆積物／化石：有孔虫、貝類、脊椎動物／動物：哺乳類、魚類、甲殻類、多毛類、エビのなかま、昆虫、動物剥製／植物：種子植物、裸子植物、シダ類、コケ類／考古学：石器、土器など／人類学：歯列標本／民俗学：衣装など／建築学：奄美大島の高倉／鹿児島大学の教育研究史：実験機器、実験資料、卒論・レポートなど、映像、音響資料、地形図、地図など

【展示テーマ】

　〈特別展〉第 1 回「古代からのおくりもの―鹿大に眠る遺跡」(2001 年)／第 2 回「地球からのめぐみ―金」(2002 年)／第 3 回「海と生命の歴史―化石は語る」(2003 年)／第 4 回「機器は語る―教育と研究の百年史」(2004 年)／第 5 回「鹿児島のビーズ―おしゃれ！ジュズダマ」(2005 年)／第 6 回「発掘！鹿児島の古墳時代」(2006 年)

鹿児島県

【教育活動】
　第6回自然体験ツアー「鹿児島湾海藻ウォッチング—水の中のゆたかな森へ」／第6回公開講座「作ってみよう！海藻おしば」／第10回市民講座「貝化石からみた日本列島の縄文の海」／第11回市民講座「活火山　霧島」（以上2006年）

【調査研究活動】
　鹿児島県におけるフィールドミュージアム構築の現地調査／鹿児島における古墳発掘調査／鹿児島における魚類の多様性調査

【刊行物】
　「鹿児島大学総合研究博物館研究報告」No.1「九州植物目録」（2004年），No.2「鹿児島シラス百景」（2006年）／「大隅串良　岡崎古墳群—発掘調査概報」（2005年）／「鹿児島大学総合研究博物館年報」No.4（2005年），No.5（2006年）

- 所在地　〒890-0065　鹿児島県鹿児島市郡元1-21-30
- TEL　総合研究博物館:099-285-8141　常設展示室:099-285-7259
- FAX　099-285-7267
- URL　http://www.museum.kagoshima-u.ac.jp/
- E-mail　展示室　info@kaum.kagoshima-u.ac.jp
- 交通　鹿児島中央駅から市電「郡元行き」で「工学部前」下車、常設展示室まで徒歩10分
- 開館時間　10:00〜17:00（入館は16:30まで）
- 入館料　無料
- 休館日　毎週日・月曜日、祝日、年末年始
- 施設　総合研究博物館：鉄骨造り平屋、328㎡　常設展示室：鉄筋コンクリート造り2階建て、140㎡　常設展示室玄関前に身障者用駐車場（一台分）あり。駐車場より展示室までのスロープあり。昇降エレベーターあり。ユニバーサルトイレ（展示フロア1階）あり
- 利用条件
  (1) 利用を限定する場合の利用条件や資格　標本の利用にあたっては、「学術標本利用許可書」の申請を行うこと。申請書記載の目的以外には使用しないこと。利用に際して標本の損傷が生じた場合は、申請者がその責任を負うこと。研究目的以外の写真撮影等は、利用目的を果たした後に撮影原本等を納めること
  (2) 調査研究目的で利用する場合の条件や資格　出版物・論文等に掲載する場合には、「鹿児島大学総合研究博物館（英名:The Kagoshima University Museum）所蔵の標本資料を利用した旨を明記すること。出版物掲載の場合には、刊行物1部を寄贈すること
- メッセージ　昭和3年（1928年）に建設された建物をできるだけ当時の雰囲気

鹿児島県

を残しながら改装し、展示のためのスペースとしました。鹿児島大学で教育・研究に使用された、或は教育・研究の為に収集された資料や標本を観ることができます。常設展示室のまわりには、奄美の高倉、植物園などもあります。あわせてご覧下さい。団体でのご見学については、事前に電話でご連絡いただくかHPの予約フォームより連絡下さい

- 高齢者，身障者等への配慮　バリアフリー
- 車イスの貸出　なし
- 身障者用トイレ　有り
- 無料ロッカー　なし
- 駐車場　有り
- 外国語のリーフレット，解説書　なし
- ミュージアムショップ / レストラン　なし
- 今後3年間のリニューアル計画　未定
- 設立年月日　平成13（2001）年4月1日
- 設置者　国立大学法人　鹿児島大学
- 館種　国立大学
- 責任者　館長・大木公彦（教授）
- 組織　専任教員5名　事務系職員3名（すべて時間雇用職員　内訳／展示室担当1、一般事務1、資料整理1）

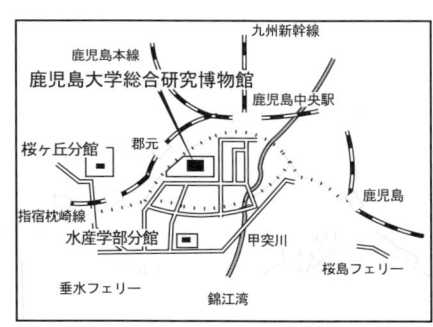

九州・沖縄

鹿児島県

こども文化研究センター
日本郷土玩具館

　1994（平成6）年4月に鹿児島純心女子大学が開学し、同時に同大附属図書館内の1階1室に「日本郷土玩具展示室」として設置された。これらの資料は全て東京都青梅市の伊藤好男氏より寄贈されたものである。当初資料点数は約1,500点。
　1997（平成9）年3月「日本郷土玩具図録」（非売品）を発行。
　2002（平成14）年4月に教育研究の充実を図り「こども文化研究センター日本郷土玩具館」としてリニューアルオープンした。研究センターとしての機能を果たすべく規程が制定され、寄贈者の伊藤氏は名誉館長として就任した。展示室も増設し、都道府県別展示室と特別展示室とした。資料点数は約2,000点となりいずれも伊藤氏寄贈によるものである。学外への公開も行い、団体での見学客も増えた。同年9月に入手が困難であった鹿児島の伝統工芸品「金助まり」を制作者の西村郁子氏より1対寄贈された。
　2003（平成15）年に鹿児島県博物館協会へ加盟した。学外への公開も行い、学生の博物館実習も同施設で行うことが可能となった。
　2006（平成18）年11月鹿児島の伝統工芸品「金助まり」の制作者西村郁子氏より制作過程のモデルが寄贈され、同館へ展示した。
　さらなる充実を図るため2008（平成20）年4月には展示室、実習室、収蔵庫、事務室などが完備された新施設へ移転予定である。

【収蔵品・展示概要】
　常設展示は2室

鹿児島県

　1. 都道府県別展示室：北海道から沖縄まで47都道府県別に区分し、各県の郷土玩具を展示。
　2. 特別展示室：点数が多い郷土玩具、「だるま」「虎」「牛」「天神人形」を種類別に展示。そのほか大型の資料を数点展示。

【収蔵分野・総点数】
　都道府県別展示室：総点数　約1,500点
　特別展示室：総点数　約500点

【展示テーマ】
　常設展のみで特別展はなし

【教育活動】
　学芸員養成課程での学内実習の場として展示、資料取扱の実習を行っている。

- 所在地　〒895-0011　鹿児島県薩摩川内市天辰町2365番地　鹿児島純心女子大学附属図書館内
- TEL　0996-23-5311
- FAX　0996-23-5030
- URL　http://www.k-junshin.ac.jp/jundai/gangu-kan/index.html
- E-mail　gangu-kan@jundai.k-junshin.ac.jp
- 交通　JR川内駅前から鹿児島純心女子大学行きバス利用で10分
- 開館時間　月～金曜日　8:40～19:00，土曜日　10:00～17:00
- 入館料　無料
- 休館日　日曜日，祝日，大学の創立記念日（12月8日），その他大学の定める休業日
- 施設　鹿児島純心女子大学附属図書館1階に位置している。展示スペースは100㎡
- 利用条件
  （1）利用を限定する場合の利用条件や資格　特に定めていないが、場合に応じ館長の判断の元に利用条件を定める
  （2）調査研究目的で利用する場合の条件や資格　特に定めていないが、場合に応じ館長の判断の元に利用条件を定める
- 高齢者，身障者等への配慮　バリアフリー
- 車イスの貸出　なし
- 身障者用トイレ　有り
- 無料ロッカー　有り
- 駐車場　有り

九州・沖縄

鹿児島県

- 外国語のリーフレット，解説書　なし
- ミュージアムショップ/レストラン　なし
- 今後3年間のリニューアル計画　有り
- 設立年月日　平成6（1994）年4月
- 設置者　鹿児島純心女子大学
- 館種　私立大学，日本の郷土玩具
- 責任者　館長・犬塚孝明（国際人間学部教授）
- 組織　2名（館長1、副館長1）

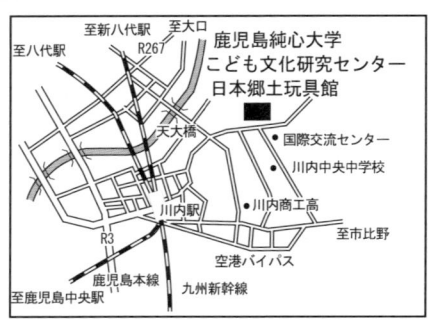

沖縄県

琉球大学資料館（風樹館）

University Museum, University of The Ryukyus（Fujukan）

　沖縄独自の文化を背景にした学術的、歴史的、芸術的価値の高い標本、資料を収集、保存、展示し、本学内外の研究者及び学生の教育研究に資することを目的とする。

　琉球大学資料館（通称：風樹館）は、首里に学舎のあった昭和42年3月に那覇市在住の金城キク女史が、御尊父故金城三郎氏（植物研究家）の記念事業として教育と研究に役立てるべく、琉球大学へ建物及び標本類を寄贈されたのが始まりである。その後、本学の移転に伴い、新たに規模を拡大し昭和60年9月に現在の資料館が学内共同施設として設置された。

【収蔵品・展示概要】

　琉球大学資料館（風樹館）には、学内の研究者が教育や研究活動の一環として、主に琉球列島で収集した約4万点あまりの標本や資料が収蔵されている。

　当資料館の建物は、沖縄県の著名な建築家であった金城信吉氏の最後の設計によるもので、沖縄の城跡などに見られる石積み建築をイメージした外観となっている。内部は、一般に公開している1階展示室と研究目的のみで利用可能な2階収蔵室からなる。一階の常設展示室では、イリオモテヤマネコやヤンバルクイナなどの希少生物の標本をはじめ、首里城関連の考古資料、沖縄の伝統工芸資料、民具や琉球玩具などの民俗資料が展示されている。また、当館には子供たちが自然学習の場として利用できる「学校ビオトープ見本園」が併設されており、昆虫類やメダカ、カエルなどが観察できるほか、チョウ類の食草や資源植物などが植栽されている。見本園内で見られる生物は、館内に標本や

沖縄県

資料が展示されており、総合学習などでも利用することができる。

【収蔵分野・総点数】
　資料・標本総数：約 43,000 点
　民俗資料：古農具類を中心に、約 150 点
　美術工芸資料：陶器類を中心に、約 880 点
　考古資料：首里城関連の資料を中心に、約 2,100 点
　動物資料：琉球列島に生息する動物類、約 28,000 点
　植物菌類標本：琉球列島に生育する高等植物及び菌類、約 8,000 点
　地学標本：琉球列島に産出する岩石を中心に、約 2,800 点
　文献資料：約 1,000 点

【主な収蔵品／コレクション】
　イリオモテヤマネコやヤンバルクイナ、ジュゴン、ヤンバルテナガコガネなどの、琉球列島の天然記念物や RDB に指定されている貴重な動植物の標本
　サンゴ標本
　琉球列島に産出するほとんどの岩石類
　首里城復元の差異にも参考にされた瓦類、大竜柱の破片、日時計の破片、石碑片等の首里城関連の考古資料
　沖縄独自の民具である藁算の復元資料
　琉球張り子等の沖縄の伝統玩具

【教育活動】
　小中高学校への出前授業の実施／教職員の研修会の実施／総合学習への支援／各種講演会活動

【調査研究活動】
　小学校等学校博物館支援事業（浦添市立浦添小学校に子ども博物館開設）／学校ビオトープ支援事業（那覇市立若狭小学校に学校ビオトープ設置）

　　・所在地　〒 903-0129　沖縄県中頭郡西原町字千原 1　琉球大学内
　　・TEL　098-895-8841
　　・FAX　098-895-8841
　　・URL　http://fujukan.lib.u-ryukyu.ac.jp
　　・E-mail　fujukan@agr.u-ryukyu.ac.jp
　　・交通　1）那覇バスターミナルから 97 番（那覇交通）か 98 番（琉球バス）で「琉

球大学北口」下車（所要時間約1時間）　2）那覇空港からは高速バスで「琉球大学北口」下車（所要時間34分）　農学部ビル正面玄関向かい、いずれのバス停からも徒歩6〜10分
- 開館時間　10:00〜17:00（12:00〜13:00は閉館）
- 観覧所要時間　約60分
- 入館料　無料
- 休館日　土・日曜日，祝日，12月28日〜1月4日（その他、展示改修等により臨時に休館する場合があるので、事前に電話により開館を確認すること）
- 施設　敷地面積：約2,000㎡　建物延べ面積：1,498㎡　一般展示室：340㎡　収蔵室：340㎡　倉庫：200㎡　研究室：60㎡　事務室：20㎡　ゼミ室：30㎡
- 利用条件
利用を限定する場合の利用条件や資格　2階収蔵庫の利用については、研究目的に限る
- 高齢者，身障者等への配慮　バリアフリー
- 車イスの貸出　なし
- 身障者用トイレ　なし
- 無料ロッカー　なし
- 駐車場　有（農学部駐車場）
- 外国語のリーフレット，解説書　なし（英語HP有り）
- ミュージアムショップ/レストラン　無し
- 今後3年間のリニューアル計画　なし
- 設立年月日　昭和60（1985）年
- 設置者　国立大学法人　琉球大学
- 館種　国立大学
- 責任者　館長・砂川勝徳（農学部教授）
- 組織　館長1名（併任）、学芸員1名

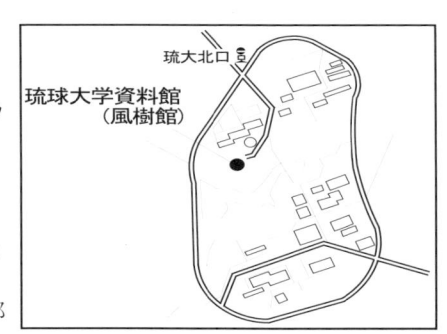

設置者名索引

設置者名索引

【あ行】

愛知県立芸術大学
　愛知県立芸術大学芸術資料館 …315
　愛知県立芸術大学法隆寺金堂壁画模
　　写展示館 ………………………319
愛知大学
　愛知大学記念館 ………………322
秋田大学
　秋田大学工学資源学部附属鉱業博物
　　館 ……………………………… 66
足利工業大学
　風と光のミニミニ博物館 ……… 86
跡見学園女子大学
　跡見学園女子大学花蹊記念資料館
　　………………………………… 88
茨城大学
　茨城大学五浦美術文化研究所　天心
　　遺跡 …………………………… 77
岩手大学
　岩手大学農学部附属農業教育資料館
　　………………………………… 33
　岩手大学ミュージアム ………… 35
　動物の病気標本室 ……………… 39
上野学園
　上野学園大学日本音楽史研究所 …
　　………………………………116
宇都宮文星短期大学
　上野記念館 …………………… 83
追手門学院大学

追手門学院大学附属図書館『宮本輝
　ミュージアム』 ………………391
大阪青山短期大学
　大阪青山歴史文学博物館 ………417
大阪経済大学
　大阪経済大学70周年記念館ギャラ
　　リー …………………………397
大阪芸術大学
　大阪芸術大学博物館 …………400
大阪商業大学
　大阪商業大学商業史博物館 …403
大阪市立大学
　大阪市立大学理学部附属植物園 …
　　………………………………406
大阪大学
　大阪大学総合学術博物館 ………409
大谷女子大学
　大阪大谷大学博物館 …………394
大谷大学
　大谷大学博物館 ………………347
岡山大学
　岡山大学埋蔵文化財調査研究セン
　　ター …………………………456

【か行】

学習院大学
　学習院大学史料館 ……………120
鹿児島国際大学

大学博物館事典　543

設置者名索引

鹿児島国際大学国際文化学部博物館
　　実習施設 ……………………… 527
鹿児島純心女子大学
　　こども文化研究センター　日本郷土
　　玩具館 …………………………… 534
鹿児島大学
　　鹿児島大学総合研究博物館 …… 530
金沢大学
　　金沢大学資料館 ………………… 285
川崎医科大学
　　川崎医科大学　現代医学教育博物館
　　…………………………………… 460
関西大学
　　関西大学博物館 ………………… 413
岐阜薬科大学
　　岐阜薬科大学薬草園 …………… 297
九州産業大学
　　九州産業大学美術館 …………… 475
九州大学
　　九州大学総合研究博物館 ……… 478
　　九州大学大学院薬学府附属薬用植物
　　園 ………………………………… 483
京都外国語大学
　　京都外国語大学　国際文化資料室
　　…………………………………… 350
京都工芸繊維大学
　　京都工芸繊維大学美術工芸資料館
　　…………………………………… 354
京都嵯峨芸術大学
　　京都嵯峨芸術大学　附属博物館 …
　　…………………………………… 357
京都市立芸術大学
　　京都市立芸術大学芸術資料館 … 359
京都精華大学

京都精華大学ギャラリーフロール
　　…………………………………… 364
京都大学
　　京都大学総合博物館 …………… 368
　　京都大学白浜水族館 …………… 447
国立音楽大学
　　国立音楽大学楽器学資料館 …… 124
熊本学園大学
　　熊本学園大学　産業資料館 …… 497
熊本大学
　　熊本大学熊薬100周年記念ホール史
　　料室 ……………………………… 500
　　熊本大学工学部研究資料館 …… 504
　　熊本大学五高記念館 …………… 508
　　熊本大学大学院薬学教育部附属薬用
　　植物園 …………………………… 513
慶應義塾大学
　　慶應義塾大学アート・センター …
　　…………………………………… 128
皇學館大学
　　皇學館大学　佐川記念神道博物館
　　…………………………………… 340
神戸大学
　　神戸大学　海事博物館 ………… 421
　　山口誓子記念館，誓子・波津女俳句
　　俳諧文庫 ………………………… 430
神戸薬科大学
　　神戸薬科大学　薬用植物園 …… 424
國學院大學
　　國學院大學考古学資料館 ……… 132
国際基督教大学
　　国際基督教大学博物館湯浅八郎記念
　　館 ………………………………… 135
駒澤大学
　　駒澤大学禅文化歴史博物館 …… 139

544　大学博物館事典

設置者名索引

【さ行】

札幌国際大学
    札幌国際大学博物館 3

札幌大学
    札幌大学埋蔵文化財展示室 6

滋賀大学
    滋賀大学経済学部附属史料館 ... 343

静岡県立大学
    静岡県立大学薬用植物園 300

静岡大学
    静岡大学キャンパスミュージアム
    302

実践女子学園
    実践女子学園香雪記念資料館 ... 143

島根大学
    島根大学ミュージアム 452

首都大学東京
    首都大学東京　牧野標本館 149

城西国際大学
    城西国際大学水田美術館 101
    城西国際大学　薬草園 105

昭和女子大学
    昭和女子大学光葉博物館 153

女子美術大学
    女子美アートミュージアム 266

杉野学園
    杉野学園衣裳博物館 156

成蹊学園
    成蹊学園史料館 158

西南学院大学
    西南学院大学博物館 488

【た行】

玉川大学
    玉川大学小原國芳記念教育博物館
    161

多摩美術大学
    多摩美術大学美術館 165

千葉大学
    千葉大学海洋バイオシステム研究セ
    ンター 107

中京大学
    中京大学アートギャラリー　C・ス
    クエア 327

中部大学
    中部大学民俗資料室 330

朝鮮大学校
    朝鮮大学校付属朝鮮歴史・自然博物
    館 171

津田塾大学
    津田梅子資料室 173

帝塚山大学
    帝塚山大学附属博物館 434

電気通信大学
    電気通信大学歴史資料館 175

天理大学
    天理大学附属天理参考館 436

東海大学
    東海大学海洋科学博物館 306
    東海大学自然史博物館 309

東京海洋大学
    東京海洋大学海洋科学部附属水産資
    料館 180

東京家政学院
    東京家政学院生活文化博物館 ... 184

東京藝術大学

設置者名索引

東京藝術大学大学美術館 ……… 187
東京工業大学
　地球史資料館 ……………… 169
　東京工業大学百年記念館 …… 191
東京工芸大学
　写大ギャラリー ……………… 146
東京純心女子大学
　東京純心女子大学　純心ギャラリー
　　……………………………… 196
東京女子医科大学
　東京女子医科大学史料室　吉岡彌生
　記念室 ……………………… 199
東京造形大学
　東京造形大学美術館 ……… 202
東京大学
　東京大学大学院人文社会系研究科附
　属北海文化研究常呂資料陳列館
　……………………………………… 9
　東京大学史料編纂所 ……… 205
　東京大学総合研究博物館 … 208
　東京大学大学院総合文化研究科・教
　養学部　自然科学博物館 … 213
　東京大学大学院総合文化研究科・教
　養学部　美術博物館 ……… 216
　東京大学大学院理学系研究科附属植
　物園 ………………………… 220
東京農業大学
　東京農業大学「食と農」の博物館
　……………………………… 222
東京理科大学
　東京理科大学近代科学資料館 … 225
同志社大学
　同志社大学歴史資料館 …… 372
　新島遺品庫 ………………… 375
　Neesima Room …………… 377

東北学院
　東北学院資料室 …………… 42
東北大学
　東北大学植物園 …………… 45
　東北大学史料館 …………… 48
　東北大学総合学術博物館 … 51
　東北大学大学院薬学研究科附属薬用
　植物園 ……………………… 55
　東北大学理学部自然史標本館 … 57
東北福祉大学
　東北福祉大学芹沢銈介美術工芸館
　……………………………… 60
東北薬科大学
　東北薬科大学附属薬用植物園 … 64
常葉学園
　常葉美術館 ………………… 312
鳥取短期大学
　鳥取短期大学　絣美術館 …… 450
富山大学
　富山大学薬学部附属薬用植物園 …
　……………………………… 282

【な行】

長崎純心大学
　長崎純心大学博物館 ……… 491
長崎大学
　熱帯医学館 ………………… 495
名古屋大学
　名古屋大学博物館 ………… 332
奈良教育大学
　奈良教育大学　学術情報研究セン
　ター　教育資料館 ………… 440
奈良女子大学
　奈良女子大学記念館 ……… 443

設置者名索引

南山大学
　　南山大学人類学博物館　………336
新潟大学
　　新潟大学旭町学術資料展示館　…273
新潟薬科大学
　　新潟薬科大学薬学部附属薬用植物園
　　　………………………………277
日本工業大学
　　日本工業大学工業技術博物館　…91
日本歯科大学
　　日本歯科大学新潟生命歯学部　医の博物館　………………………279
日本女子大学
　　日本女子大学成瀬記念館　………229
日本大学
　　日本大学松戸歯学部歯学史資料室
　　　………………………………110
　　日本大学芸術学部　芸術資料館　…
　　　………………………………233
　　日本大学生物資源科学部　博物館
　　　………………………………269
日本文理大学
　　NBU 旧宣教師館「キャラハン邸」
　　　………………………………517
ノースアジア大学
　　雪国民俗館　…………………70

【は行】

梅光学院大学
　　梅光学院大学博物館　……………470
花園大学
　　花園大学歴史博物館　……………380
広島女学院
　　広島女学院歴史資料館　…………463

広島市立大学
　　広島市立大学芸術資料館　………465
広島大学
　　広島大学医学部医学資料館　……468
佛教大学
　　佛教大学アジア宗教文化情報研究所
　　　………………………………384
文化学園
　　文化学園服飾博物館　……………241
　　文化学園北竜湖資料館　…………295
別府大学
　　別府大学附属博物館　……………519
法政大学
　　野上記念　法政大学能楽研究所　…
　　　………………………………238
北陸大学
　　北陸大学薬学部付属薬用植物園　…
　　　………………………………289
北海道医療大学
　　北海道医療大学薬学部付属薬用植物園・北方系生態観察園　………11
北海道大学
　　北海道大学総合博物館　…………15
　　北海道大学総合博物館　水産科学館
　　　………………………………21
　　北海道大学北方生物圏フィールド科学センター厚岸臨海実験所附属アイカップ自然史博物館　………24
　　北海道大学北方生物圏フィールド科学センター植物園　…………27
北海道薬科大学
　　北海道薬科大学薬用植物園　……31

設置者名索引

【ま行】

宮崎大学
　宮崎大学農学部附属農業博物館 …
　　……………………………………523
武蔵野音楽大学
　武蔵野音楽大学入間キャンパス楽器
　博物館 ………………………… 95
　武蔵野音楽大学江古田キャンパス楽
　器博物館 ………………………245
　武蔵野音楽大学パルナソス多摩楽器
　展示室 …………………………247
武蔵野美術大学
　武蔵野美術大学美術資料図書館 …
　　……………………………………249
明治大学
　明治大学博物館 ………………253

【や行】

山形大学
　山形大学附属博物館 ……………73
山口大学
　山口大学埋蔵文化財資料館 ……472
山梨大学
　山梨大学水晶展示室 ……………292

【ら行】

立正大学
　立正大学博物館 ………………97
立命館大学
　立命館大学国際平和ミュージアム
　　……………………………………387
琉球大学
　琉球大学資料館 …………………537

流通科学大学
　中内㓛記念館 ……………………427
流通経済大学
　流通経済大学三宅雪嶺記念資料館
　　………………………………………80

【わ行】

早稲田大学
　早稲田大学會津八一記念博物館 …
　　……………………………………258
　早稲田大学坪内博士記念演劇博物館
　　……………………………………261
和洋女子大学
　和洋女子大学文化資料館 ………112

事項名索引

事項名索引

【あ行】

アイコノスコープ
　静岡大学キャンパスミュージアム
　　……………………… 303
会田安明自筆コレクション
　東京理科大学近代科学資料館 … 227
會津八一
　早稲田大学會津八一記念博物館 …
　　……………………… 258
會津八一コレクション
　早稲田大学會津八一記念博物館 …
　　……………………… 258
アイヌ文化
　札幌国際大学博物館 ……………… 4
　東京大学大学院人文社会系研究科附
　　属北海文化研究常呂資料陳列館
　　…………………………… 9
　北海道大学北方生物圏フィールド科
　　学センター植物園　　29
　東北福祉大学芹沢銈介美術工芸館
　　…………………………… 61
　早稲田大学會津八一記念博物館 258
　同志社大学歴史資料館 ………… 373
アイラトビカズラ
　熊本大学大学院薬学教育部附属薬用
　　植物園　　514
アウシュビッツ博物館
　立命館大学国際平和ミュージアム
　　……………………… 388

青葉山
　東北大学植物園 ……………… 45
赤瀬川原平
　慶應義塾大学アート・センター …
　　……………………… 129
アカマンボウ
　北海道大学総合博物館　水産科学
　　館　　21
「秋草図屏風」
　跡見学園女子大学花蹊記念資料館
　　……………………… 89
秋野不矩
　京都市立芸術大学芸術資料館 … 361
秋山茂雄スゲ属標本
　北海道大学総合博物館 ………… 17
秋山庄太郎
　日本大学芸術学部　芸術資料館 …
　　……………………… 235
芥川賞
　追手門学院大学附属図書館『宮本輝
　　ミュージアム』 ……………… 391
暁烏敏陶磁器コレクション
　金沢大学資料館 ……………… 286
浅井忠
　東京藝術大学大学美術館 ……… 188
　京都工芸繊維大学美術工芸資料館
　　……………………… 354
浅野竹二コレクション
　京都精華大学ギャラリーフロール
　　……………………… 365

大学博物館事典　551

事項名索引

浅見アジア民俗資料コレクション
　　名古屋大学博物館 ……………… 334
アザラシ型癒しロボット「パロ」
　　名古屋大学博物館 ……………… 333
『アザリア』
　　岩手大学農学部附属農業教育資料館
　　　……………………………… 34
アジェ，ウジェーヌ
　　日本大学芸術学部　芸術資料館 …
　　　……………………………… 235
東敦子
　　玉川大学小原國芳記念教育博物館
　　　……………………………… 162
アソノコギリソウ
　　熊本大学大学院薬学教育部附属薬用
　　植物園 ………………………… 514
熱川バナナ・ワニ園
　　北陸大学薬学部付属薬用植物園 …
　　　……………………………… 289
足立源一郎
　　京都市立芸術大学芸術資料館 … 362
アダムス，アンセル
　　写大ギャラリー ……………… 147
　　日本大学芸術学部　芸術資料館 …
　　　……………………………… 235
跡見花蹊
　　跡見学園女子大学花蹊記念資料館
　　　……………………………… 88
跡見玉枝
　　跡見学園女子大学花蹊記念資料館
　　　……………………………… 88
跡見純弘コレクション
　　跡見学園女子大学花蹊記念資料館
　　　……………………………… 89
跡見李子

跡見学園女子大学花蹊記念資料館
　　　……………………………… 88
跡見泰
　　跡見学園女子大学花蹊記念資料館
　　　……………………………… 88
「アトリエの裸婦」
　　新潟大学旭町学術資料展示館 … 274
アノマロカリス
　　京都大学総合博物館 ………… 369
アマゾン
　　同志社大学歴史資料館 ………… 373
『雨ニモ負ケズ』
　　岩手大学農学部附属農業教育資料館
　　　……………………………… 34
雨畑硯
　　山梨大学水晶展示室 ………… 293
鮎川まこと
　　京都精華大学ギャラリーフロール
　　　……………………………… 365
新井勝利
　　多摩美術大学美術館 ………… 166
荒川豊蔵
　　茨城大学五浦美術文化研究所　天心
　　遺跡 …………………………… 78
嵐龍蔵の金貸石部金吉
　　城西国際大学水田美術館 ……… 102
アール・デコ
　　京都工芸繊維大学美術工芸資料館
　　　……………………………… 355
アール・ヌーボー
　　多摩美術大学美術館 ………… 166
　　京都工芸繊維大学美術工芸資料館
　　　……………………………… 355
アルバース，ジョゼフ

552　大学博物館事典

事項名索引

アルベルス，ヨゼフ
　　多摩美術大学美術館 ……………166
安藤広重
　　千葉大学海洋バイオシステム研究センター ……………………………107
アンリ・カルティエ＝ブレッソン自選写真コレクション
　　大阪芸術大学博物館 ……………401
井伊家
　　文化学園服飾博物館 ……………242
「イオカステの死」
　　東京造形大学美術館 ……………203
イカットコレクション
　　女子美アートミュージアム ……266
「生きるもの」
　　広島市立大学芸術資料館 ………465
池田勇人
　　熊本大学五高記念館 ……………509
池田満寿夫
　　九州産業大学美術館 ……………475
池田美智子
　　和洋女子大学文化資料館 ………113
池田遥邨
　　京都市立芸術大学芸術資料館 …361
石川豊信
　　城西国際大学水田美術館 ………102
石川昌魚類コレクション
　　東京大学総合研究博物館 ………210
石川昌頭足類コレクション
　　東京大学総合研究博物館 ………210
石川門
　　金沢大学資料館 …………………285
京都精華大学ギャラリーフロール
　　…………………………………365
石崎光瑶
　　京都市立芸術大学芸術資料館 …362
石枕
　　國學院大學考古学資料館 ………133
　　関西大学博物館 …………………414
椅子コレクション
　　日本大学芸術学部　芸術資料館 …
　　…………………………………234
イスラム世界の生活用品
　　京都外国語大学　国際文化資料室
　　…………………………………350
伊勢歌舞伎関係資料（千束屋資料）
　　皇學館大学　佐川記念神道博物館
　　…………………………………341
磯村平和文庫
　　長崎純心大学博物館 ……………492
板谷波山
　　東京工業大学百年記念館 ………192
市川右太衛門
　　早稲田大学坪内博士記念演劇博物館
　　…………………………………263
一筆斎文調
　　城西国際大学水田美術館 ………102
「五浦釣人」
　　茨城大学五浦美術文化研究所　天心遺跡 ………………………………78
伊東深水
　　城西国際大学水田美術館 ………102
伊藤柏台
　　京都市立芸術大学芸術資料館 …362
伊藤好男
　　こども文化研究センター　日本郷土玩具館 ……………………………534
稲垣稔次郎

大学博物館事典　553

事項名索引

京都市立芸術大学芸術資料館 … 361
稲作
　宮崎大学農学部附属農業博物館 …
　　………………………………… 524
稲葉与八旧蔵楽書類
　上野学園大学日本音楽史研究所 …
　　………………………………… 118
犬養毅
　愛知大学記念館 ……………… 323
伊能中図
　東京大学総合研究博物館 …… 210
井上文庫
　梅光学院大学博物館 ………… 471
井上萬二
　九州産業大学美術館 ………… 476
井野口屋飛脚問屋記録
　大阪経済大学70周年記念館ギャラ
　リー …………………………… 398
イノセラムス
　九州大学総合研究博物館 …… 480
猪原大華
　京都市立芸術大学芸術資料館 … 362
『医範提綱』
　広島大学医学部医学資料館 … 469
イブニングドレス
　杉野学園衣裳博物館 ………… 156
今井憲一
　京都市立芸術大学芸術資料館 … 362
今井憲一コレクション
　京都精華大学ギャラリーフロール
　　………………………………… 365
今尾景年
　京都市立芸術大学芸術資料館 … 362
今堀宏三

首都大学東京　牧野標本館 …… 150
今堀コレクション
　首都大学東京　牧野標本館 …… 150
今堀日吉神社文書
　滋賀大学経済学部附属史料館 … 344
今村紫紅
　茨城大学五浦美術文化研究所　天心
　遺跡 ……………………………… 78
入江波光
　京都市立芸術大学芸術資料館 … 361
イリオモテヤマネコ
　琉球大学資料館 ……………… 538
イワシクジラ
　東北大学理学部自然史標本館 … 58
「インゲの胸像」
　東京造形大学美術館 ………… 203
インターネット検索
　神戸大学　海事博物館 ……… 422
インドネシア王族の婚礼衣裳
　中部大学民俗資料室 ………… 330
ヴァザルリ
　多摩美術大学美術館 ………… 166
ヴァン・デル・エルスケン
　写大ギャラリー ……………… 147
ヴェサリウス
　日本歯科大学新潟生命歯学部医の博
　物館 …………………………… 280
ウェストン，エドワード
　写大ギャラリー ……………… 147
　日本大学芸術学部　芸術資料館 …
　　………………………………… 235
上野泰郎
　多摩美術大学美術館 ………… 166
上野安紹

554　大学博物館事典

事項名索引

上野記念館 ・・・・・・・・・・・・・・ 83
上村松園
　東京藝術大学大学美術館 ・・・・・・・・ 188
上村松篁
　京都市立芸術大学芸術資料館 ・・・ 361
植村直己
　名古屋大学博物館 ・・・・・・・・・・・・・・ 334
「ウォーナー像」
　茨城大学五浦美術文化研究所　天心遺跡 ・・・・・・・・・・・・・・・・・・・・・・ 77
ヴォーリズ，W.M.
　新島遺品庫 ・・・・・・・・・・・・・・・・・・・ 375
　西南学院大学博物館 ・・・・・・・・・・・ 488
ウォルト，シャルル・フレデリック
　杉野学園衣裳博物館 ・・・・・・・・・・・ 156
浮田克躬
　日本女子大学成瀬記念館 ・・・・・・・ 230
浮世絵
　城西国際大学水田美術館 ・・・・・・・ 102
　日本歯科大学新潟生命歯学部医の博物館 ・・・・・・・・・・・・・・・・・・・・・・ 279
　京都精華大学ギャラリーフロール ・・・・・・・・・・・・・・・・・・・・・・・・・・ 365
　同志社大学歴史資料館 ・・・・・・・・・ 373
「牛」
　こども文化研究センター　日本郷土玩具館 ・・・・・・・・・・・・・・・・・・・・ 535
宇田川玄真
　広島大学医学部医学資料館 ・・・・・ 469
歌川広重
　城西国際大学水田美術館 ・・・・・・・ 102
ウタツギョリュウ
　東北大学総合学術博物館 ・・・・・・・ 53
打掛

和洋女子大学文化資料館 ・・・・・・・・ 113
馬の伝染性貧血
　動物の病気標本室 ・・・・・・・・・・・・・ 40
馬の鼻疽
　動物の病気標本室 ・・・・・・・・・・・・・ 40
梅崎春生
　熊本大学五高記念館 ・・・・・・・・・・・ 509
ウラルカンゾウ
　北海道医療大学薬学部付属薬用植物園・北方系生態観察園 ・・・・・・・ 12
雲鷹丸
　東京海洋大学海洋科学部附属水産資料館 ・・・・・・・・・・・・・・・・・・・・・・ 180
映画資料
　日本大学芸術学部　芸術資料館 ・・・・・・・・・・・・・・・・・・・・・・・・・・・・ 235
『英和対訳袖珍辞書』
　東京理科大学近代科学資料館 ・・・ 227
「絵因果経」
　東京藝術大学大学美術館 ・・・・・・・ 188
エウスタキオ
　広島大学医学部医学資料館 ・・・・・ 469
『易断面相図幕　肋膜判断』
　慶應義塾大学アート・センター　129
エジソン
　武蔵野音楽大学入間キャンパス楽器博物館 ・・・・・・・・・・・・・・・・・・・ 95
　東京理科大学近代科学資料館 ・・・ 226
　武蔵野音楽大学江古田キャンパス楽器博物館 ・・・・・・・・・・・・・・・・・ 245
　武蔵野音楽大学パルナソス多摩楽器展示室 ・・・・・・・・・・・・・・・・・・・ 247
　大阪芸術大学博物館 ・・・・・・・・・・・ 401
江島伊兵衛
　野上記念　法政大学能楽研究所 ・・・

大学博物館事典　555

事項名索引

………………………………… 239
エゾオオカミ
　北海道大学北方生物圏フィールド科
　学センター植物園 …………… 29
エディソン，ローリー・トビー
　京都精華大学ギャラリーフロール
　…………………………………… 365
江成常夫
　九州産業大学美術館 ………… 476
慧日院旧蔵真言声明史料
　上野学園大学日本音楽史研究所 …
　…………………………………… 118
海老名謙一
　東京海洋大学海洋科学部附属水産資
　料館 ……………………………… 182
海老名コレクション
　東京海洋大学海洋科学部附属水産資
　料館 ……………………………… 181
絵本コレクション
　武蔵野美術大学美術資料図書館 …
　…………………………………… 250
「絵本舞台扇」
　城西国際大学水田美術館 …… 102
円鍔勝三
　多摩美術大学美術館 ………… 166
円満院門跡旧蔵楽書類
　上野学園大学日本音楽史研究所 …
　…………………………………… 118
「オイデプスの顔」
　東京造形大学美術館 ………… 203
近江商人関係史料
　滋賀大学経済学部附属史料館 … 344
大石芳野
　日本大学芸術学部　芸術資料館 …

………………………………… 235
大分県城南地質同好会標本
　九州大学総合研究博物館 ……… 480
大内田圭弥
　慶應義塾大学アート・センター …
　…………………………………… 129
大江スミ
　東京家政学院生活文化博物館 … 184
大型動物骨格標本
　日本大学生物資源科学部博物館 …
　…………………………………… 269
「大ガラス」
　東京大学大学院総合文化研究科・教
　養学部　美術博物館 ………… 217
大久保婦久子
　女子美アートミュージアム …… 266
大阪府橘家文書
　大阪大谷大学博物館 ………… 395
大塩平八郎
　大阪経済大学70周年記念館ギャラ
　リー ……………………………… 398
「大下図　軍鶏」
　広島市立大学芸術資料館 …… 465
「大下図　蓮」
　広島市立大学芸術資料館 …… 465
大嶋神社・奥津嶋神社文書
　滋賀大学経済学部附属史料館 … 344
大橋了介
　日本女子大学成瀬記念館 ……… 230
大浜家文書
　滋賀大学経済学部附属史料館 … 344
大宮政郎
　多摩美術大学美術館 ………… 166
岡倉天心

556　大学博物館事典

事項名索引

茨城大学五浦美術文化研究所　天心遺跡 …………… 77
岡崎和郎
　京都精華大学ギャラリーフロール ………………… 365
「岡崎和郎宛　リバティ・パスポート」
　慶應義塾大学アート・センター … …………………… 129
小片保古人骨コレクション
　新潟大学旭町学術資料展示館 … 274
岡村吉右衛門
　多摩美術大学美術館 ……… 166
岡山大学構内遺跡
　岡山大学埋蔵文化財調査研究センター ……………… 456
小川規三郎
　九州産業大学美術館 ……… 476
小川コレクション
　文化学園服飾博物館 ……… 242
小川安朗
　文化学園服飾博物館 ……… 242
隠岐馬
　島根大学ミュージアム ……… 453
荻太郎
　日本女子大学成瀬記念館 ……… 230
奥村厚一
　京都市立芸術大学芸術資料館 … 362
奥村土牛
　広島市立大学芸術資料館 …… 465
小合友之助
　京都市立芸術大学芸術資料館 … 362
押川方義
　東北学院資料室 ……………… 42
オジロワシ

北海道大学北方生物圏フィールド科学センター厚岸臨海実験所附属アイカップ自然史博物館 ……… 25
オストラコーダ
　静岡大学キャンパスミュージアム ………………… 303
オーストラリア産植物
　東北大学植物園 …………… 46
オタネニンジン
　北海道医療大学薬学部付属薬用植物園・北方系生態観察園 ……… 12
「おっぱいから焦」
　東京純心女子大学　純心ギャラリー ………………… 197
「オデッセイアの壁」
　東京造形大学美術館 ……… 203
小野竹喬
　京都市立芸術大学芸術資料館 … 361
小野良弘コレクション
　國學院大學考古学資料館 …… 133
小幡英之助
　日本大学松戸歯学部歯学史資料室 ……………………… 110
小原國芳
　玉川大学小原國芳記念教育博物館 ………………………… 161
オホーツク文化
　北海道大学総合博物館 ……… 18
オランダ関係資料
　長崎純心大学博物館 ……… 492
オールドノリタケ
　日本女子大学成瀬記念館 ……… 230
「オルフェの舞踏」
　東京造形大学美術館 ……… 203

大学博物館事典　557

事項名索引

【か行】

海運・航海資料
　神戸大学　海事博物館 ………… 421
外国人宣教師
　NBU 旧宣教師館「キャラハン邸」
　 …………………………………… 517
海産無脊椎動物
　京都大学白浜水族館 …………… 447
海藻標本コレクション
　北海道大学総合博物館 ………… 16
『解体新書』
　日本歯科大学新潟生命歯学部医の博
　　物館 …………………………… 280
　広島大学医学部医学資料館 …… 469
外邦図
　東北大学総合学術博物館 ……… 53
『解剖図譜』
　日本歯科大学新潟生命歯学部医の博
　　物館 …………………………… 280
　広島大学医学部医学資料館 …… 469
「画家とモデル」
　東京造形大学美術館 …………… 203
「画家の像」
　広島市立大学芸術資料館 ……… 465
加賀藩
　金沢大学資料館 ………………… 285
各務鉱三
　東京工業大学百年記念館 ……… 192
学芸員課程
　札幌国際大学博物館 …………… 3
　札幌大学埋蔵文化財展示室 …… 6
　跡見学園女子大学花蹊記念資料館
　 ……………………………………… 88
　和洋女子大学文化資料館 ……… 112

国際基督教大学博物館湯浅八郎記念
　館 ………………………………… 135
実践女子学園香雪記念資料館 … 143
昭和女子大学光葉博物館 ……… 153
東京純心女子大学　純心ギャラリー
　 …………………………………… 196
皇學館大学　佐川記念神道博物館
　 …………………………………… 341
京都外国語大学　国際文化資料室
　 …………………………………… 351
大阪大谷大学博物館 …………… 394
熊本大学五高記念館 …………… 508
別府大学附属博物館 …………… 520
鹿児島国際大学国際文化学部博物館
　実習施設 ………………………… 527
こども文化研究センター　日本郷土
　玩具館 …………………………… 535
角谷一圭
　九州産業大学美術館 …………… 476
楽譜
　上野学園大学日本音楽史研究所 …
　 …………………………………… 117
隠れキリシタン
　山形大学附属博物館 …………… 74
「掛物三幅対　現の遊」
　城西国際大学水田美術館 ……… 102
笠置季男
　多摩美術大学美術館 …………… 166
加崎コレクション
　首都大学東京　牧野標本館 …… 150
カサド，ガスパール
　玉川大学小原國芳記念教育博物館
　 …………………………………… 162
カザリシロチョウコレクション
　日本大学生物資源科学部博物館 …
　 …………………………………… 270

558　大学博物館事典

事項名索引

「夏山霽靄図」
　　上野記念館 …………………… 84
「果実」
　　愛知県立芸術大学芸術資料館 … 316
絣
　　鳥取短期大学　絣美術館 ……… 450
華族
　　学習院大学史料館 ……………… 120
片岡球子
　　女子美アートミュージアム …… 266
　　愛知県立芸術大学芸術資料館 … 316
勝川春章
　　城西国際大学水田美術館 ……… 102
楽器
　　武蔵野音楽大学入間キャンパス楽器博物館 ……………… 95
　　国立音楽大学楽器学資料館 …… 124
　　武蔵野音楽大学江古田キャンパス楽器博物館 ……………… 245
　　武蔵野音楽大学パルナソス多摩楽器展示室 ………………… 247
学校関係資料
　　奈良教育大学　学術情報研究センター　教育資料館 ……… 441
葛飾北斎
　　城西国際大学水田美術館 ……… 102
「活人箭」
　　茨城大学五浦美術文化研究所　天心遺跡 …………………… 78
『活動写真界』
　　日本大学芸術学部　芸術資料館 …
　　……………………………… 235
加藤釟
　　東京工業大学百年記念館 ……… 192
角田コレクション
　　名古屋大学博物館 ……………… 333
金丸重嶺
　　日本大学芸術学部　芸術資料館 …
　　……………………………… 235
鐘淵紡績
　　熊本学園大学　産業資料館 …… 497
狩野芳崖
　　東京藝術大学大学美術館 ……… 188
カノコソウ
　　東北大学大学院薬学研究科附属薬用植物園 ………………… 56
「彼女の独身者たちによって裸にされた花嫁、さえも」
　　東京大学大学院総合文化研究科・教養学部　美術博物館 …… 217
椛島隆コレクション
　　國學院大學考古学資料館 ……… 133
歌舞伎
　　早稲田大学坪内博士記念演劇博物館 ………………………… 263
歌舞伎衣装
　　日本大学芸術学部　芸術資料館 …
　　……………………………… 234
花木類コレクション
　　大阪市立大学理学部附属植物園 …
　　……………………………… 407
亀本信子
　　日本女子大学成瀬記念館 ……… 230
加山又造
　　多摩美術大学美術館 …………… 167
ガラスコレクション
　　多摩美術大学美術館 …………… 166
カルティエ＝ブレッソン，アンリ
　　大阪芸術大学博物館 …………… 401

大学博物館事典　559

事項名索引

「カルナック神殿　ルクソール　エジプト」
　　広島市立大学芸術資料館 ……… 465
河井寛次郎
　　東京工業大学百年記念館 ……… 192
河口慧海収集チベット関係資料
　　東北大学総合学術博物館 ……… 53
川田喜久治
　　多摩美術大学美術館 …………… 166
河内国若江郡御厨村加藤家文書
　　大阪商業大学商業史博物館 …… 404
河内木綿
　　大阪商業大学商業史博物館 …… 404
川端玉章
　　上野記念館 ……………………… 84
川端実
　　多摩美術大学美術館 …………… 166
カワールコレクション
　　文化学園服飾博物館 …………… 242
岩石・鉱物・鉱石標本コレクション
　　北海道大学総合博物館 ………… 16
観世新九郎文庫
　　野上記念　法政大学能楽研究所 …
　　　　　　　　　　　　　　　　239
観世新九郎流小鼓史料
　　上野学園大学日本音楽史研究所 …
　　　　　　　　　　　　　　　　118
カンゾウ
　　東北大学大学院薬学研究科附属薬用
　　植物園 …………………………… 56
　　九州大学大学院薬学府附属薬用植物
　　園 ………………………………… 484
神田孝平
　　関西大学博物館 ………………… 414

神田コレクション
　　関西大学博物館 ………………… 414
『観弥勒経賛下巻残巻』
　　大阪青山歴史文学博物館 ……… 418
寒冷地植物
　　神戸薬科大学　薬用植物園 …… 424
『偽悪醜日本人』
　　流通経済大学三宅雪嶺記念資料館
　　　　　　　　　　　　　　　　　81
機械式計算機コレクション
　　東京理科大学近代科学資料館 … 226
『危機の舞踊』
　　慶應義塾大学アート・センター …
　　　　　　　　　　　　　　　　129
義歯
　　日本大学松戸歯学部歯学史資料室
　　　　　　　　　　　　　　　　110
　　新潟大学旭町学術資料展示館 … 274
　　日本歯科大学新潟生命歯学部医の博
　　物館 ……………………………… 280
希少生物
　　琉球大学資料館 ………………… 537
寄生虫
　　熱帯医学館 ……………………… 495
「黄瀬戸花入」
　　茨城大学五浦美術文化研究所　天心
　　遺跡 ……………………………… 78
木曽馬
　　名古屋大学博物館 ……………… 333
喜多川歌麿
　　城西国際大学水田美術館 ……… 102
北川民次
　　常葉美術館 ……………………… 312
北前船

560　大学博物館事典

事項名索引

神戸大学　海事博物館 ………… 421
北村昭斎
　　関西大学博物館 ……………… 415
北村西望
　　京都市立芸術大学芸術資料館 … 361
鬼頭鍋三郎
　　愛知県立芸術大学芸術資料館 … 316
木下順二
　　熊本大学五高記念館 ………… 509
キハダ
　　神戸薬科大学　薬用植物園 …… 424
キープ，ジョサイア
　　東北大学総合学術博物館 ……… 52
木船コレクション
　　九州大学総合研究博物館 ……… 480
木船悌嗣
　　九州大学総合研究博物館 ……… 480
ギベオン隕石
　　名古屋大学博物館 …………… 332
木村武山
　　茨城大学五浦美術文化研究所　天心遺跡 ………………………… 78
木村有香収集ヤナギ科植物標本
　　東北大学総合学術博物館 ……… 53
キャッシュレジスター
　　中内㓛記念館 ………………… 428
キャラハン，ウィリアム・ジャクソン
　　NBU旧宣教師館「キャラハン邸」
　　………………………………… 517
九州紡績
　　熊本学園大学　産業資料館 …… 497
旧制第五高等学校
　　熊本大学五高記念館 ………… 509
旧制第五高等中学校
　　熊本大学五高記念館 ………… 509
宮廷衣装
　　文化学園服飾博物館 ………… 241
『牛痘法の研究』
　　日本歯科大学新潟生命歯学部医の博物館 …………………………… 280
キューリー夫人
　　日本歯科大学新潟生命歯学部医の博物館 …………………………… 280
教科書
　　奈良教育大学　学術情報研究センター　教育資料館 …………… 441
京劇衣裳
　　日本大学芸術学部　芸術資料館 … 234
狂言
　　野上記念　法政大学能楽研究所 … 238
狂言面
　　日本大学芸術学部　芸術資料館 … 234
郷土玩具
　　文化学園北竜湖資料館 ……… 295
　　京都嵯峨芸術大学　附属博物館 … 357
　　こども文化研究センター　日本郷土玩具館 ………………………… 534
恐竜
　　北海道大学総合博物館 ……… 16
　　地球史資料館 ………………… 169
恐竜化石全身骨格
　　東海大学自然史博物館 ……… 310
清島文庫
　　長崎純心大学博物館 ………… 492
魚類コレクション

事項名索引

北海道大学総合博物館 水産科学館 …………………………… 22

魚類標本コレクション
　北海道大学総合博物館 ………… 16

キリシタン文化
　長崎純心大学博物館 …………… 491

切込焼
　東北福祉大学芹沢銈介美術工芸館 …………………………… 60

キリスト教関係資料
　梅光学院大学博物館 …………… 471
　西南学院大学博物館 …………… 489

ギロチン
　明治大学博物館 ………………… 255

近畿大学薬学部附属薬用植物園
　北陸大学薬学部付属薬用植物園 … …………………………… 289

近現代教育関連文書
　成蹊学園史料館 ………………… 158

「金錯狩猟文銅筒」
　東京藝術大学大学美術館 ……… 188

金城信吉
　琉球大学資料館 ………………… 537

「金助まり」
　こども文化研究センター 日本郷土玩具館 …………………… 534

近代椅子コレクション
　武蔵野美術大学美術資料図書館 … …………………………… 250

近代演劇史資料
　大阪大学総合学術博物館 ……… 410

金田一春彦博士収集声明史料
　上野学園大学日本音楽史研究所 118

近代俳句

山口誓子記念館，誓子・波津女俳句俳諧文庫 ………………… 431

菌類標本コレクション
　北海道大学総合博物館 ………… 16

グァテマラ・マヤの民俗資料
　京都外国語大学 国際文化資料室 …………………………… 350

公家
　学習院大学史料館 ……………… 120

公家衣装
　奈良女子大学記念館 …………… 444

「九十九里展望」
　城西国際大学水田美術館 ……… 102

楠川文庫
　野上記念 法政大学能楽研究所 … …………………………… 239

楠川正範
　野上記念 法政大学能楽研究所 … …………………………… 239

薬
　熊本大学熊薬100周年記念ホール史料室 …………………… 500

朽木コレクション
　京都精華大学ギャラリーフロール …………………………… 365

グデア頭像
　天理大学附属天理参考館 ……… 437

久邇宮家旧蔵雅楽器類
　上野学園大学日本音楽史研究所 … …………………………… 118

窪家旧蔵楽書類
　上野学園大学日本音楽史研究所 … …………………………… 118

久保常晴樺太考古資料コレクション

562　大学博物館事典

事項名索引

立正大学博物館 ………… 97
熊井恭子
　九州産業大学美術館 ………… 476
熊谷守一
　九州産業大学美術館 ………… 475
隈研吾
　東京農業大学「食と農」の博物館
　　　…………………………… 222
熊澤正夫
　名古屋大学博物館 ………… 334
クライン，ウィリアム
　写大ギャラリー ………… 147
クラーク，W.S.
　北海道大学北方生物圏フィールド科
　学センター植物園 ………… 27
グラフィックアート
　中京大学アートギャラリーC・スク
　エア ………………………… 328
倉吉絣
　鳥取短期大学　絣美術館 ……… 450
グランドピアノ
　武蔵野音楽大学江古田キャンパス楽
　器博物館 …………………… 246
　武蔵野音楽大学パルナソス多摩楽器
　展示室 ……………………… 248
　奈良女子大学記念館 ………… 444
クリスタルグラスハープ
　武蔵野音楽大学入間キャンパス楽器
　博物館 ………………………… 96
久里洋二
　東京純心女子大学　純心ギャラリー
　　…………………………… 197
グールド，ジョン
　玉川大学小原國芳記念教育博物館
　　…………………………… 162

「車屋謡本」
　野上記念　法政大学能楽研究所 …
　…………………………………… 239
くるみ座
　大阪大学総合学術博物館 ……… 410
クルムス
　日本歯科大学新潟生命歯学部医の博
　物館 ………………………… 280
クレー，パウル
　慶應義塾大学アート・センター …
　…………………………………… 129
「黒い大地（泥土）」
　広島市立大学芸術資料館 ……… 465
「黒漆塗玳瑁螺鈿合子」
　関西大学博物館 ……………… 414
黒田重太郎
　京都市立芸術大学芸術資料館 … 361
黒田清輝
　跡見学園女子大学花蹊記念資料館
　　……………………………… 89
　東京藝術大学大学美術館 ……… 188
クロミンククジラ
　日本大学生物資源科学部博物館 …
　…………………………………… 270
「桑畑」
　常葉美術館 ………………… 312
計算器コレクション
　東京工業大学百年記念館 ……… 192
計測器コレクション
　東京工業大学百年記念館 ……… 192
『外科歯科医』
　日本歯科大学新潟生命歯学部医の博
　物館 ………………………… 280
化粧具

大学博物館事典　563

事項名索引

大阪大谷大学博物館 …………… 395
「化粧美人」
　　城西国際大学水田美術館 ……… 102
「化度寺故僧邕禅師舎利塔銘」
　　大谷大学博物館 ……………… 348
「檢眼圖」
　　慶應義塾大学アート・センター 129
健康教育博物館
　　川崎医科大学　現代医学教育博物館
　　………………………………… 460
『源氏物語絵巻』
　　大阪青山歴史文学博物館 ……… 418
ゲーンズ，N.B.
　　広島女学院歴史資料館 ………… 463
現代美術
　　中京大学アートギャラリー C・スク
　　エア ………………………… 328
ゲンチアナ
　　北海道医療大学薬学部付属薬用植物
　　園・北方系生態観察園 ……… 12
建築設計図面
　　京都工芸繊維大学美術工芸資料館
　　………………………………… 355
小石川御薬園
　　東京大学大学院理学系研究科附属植
　　物園 ………………………… 220
古医書
　　日本歯科大学新潟生命歯学部医の博
　　物館 ………………………… 279
「恋人たち」
　　東京造形大学美術館 …………… 203
ゴーウイン，エメッド
　　日本大学芸術学部　芸術資料館 …
　　………………………………… 235

耕雲館
　　駒澤大学禅文化歴史博物館 …… 139
口腔衛生
　　新潟大学旭町学術資料展示館 … 274
郷倉和子
　　女子美アートミュージアム …… 266
郷倉千靱
　　多摩美術大学美術館 …………… 166
高句麗古墳壁画
　　朝鮮大学校付属朝鮮歴史・自然博物
　　館 …………………………… 171
香西精
　　野上記念　法政大学能楽研究所 …
　　………………………………… 239
香西文庫
　　野上記念　法政大学能楽研究所 …
　　………………………………… 239
工作機械
　　熊本大学工学部研究資料館 …… 504
高札コレクション
　　明治大学博物館 ………………… 255
高山植物
　　神戸薬科大学　薬用植物園 …… 424
鴻山文庫
　　野上記念　法政大学能楽研究所 …
　　………………………………… 239
皇族
　　学習院大学史料館 ……………… 120
甲虫類コレクション
　　九州大学総合研究博物館 ……… 480
幸野楳嶺
　　京都市立芸術大学芸術資料館 … 361
拷問・刑罰具
　　明治大学博物館 ………………… 255

564　大学博物館事典

事項名索引

『高野雑筆集』
　　大谷大学博物館 ……………… 348
香料染料植物
　　城西国際大学　薬草園 ………… 105
響流館
　　大谷大学博物館 ……………… 347
古賀春江
　　九州産業大学美術館 …………… 475
古裂
　　文化学園服飾博物館 …………… 242
国宝
　　東京藝術大学大学美術館 ……… 188
　　東京大学史料編纂所 …………… 206
　　京都大学総合博物館 …………… 369
　　大阪青山歴史文学博物館 ……… 418
『国訳妙法蓮華経』
　　岩手大学農学部附属農業教育資料館
　　　……………………………………… 33
黒耀石
　　明治大学博物館 ………………… 254
国立衛生試験場伊豆薬用植物栽培試験場
　　北陸大学薬学部付属薬用植物園 …
　　　……………………………………… 289
越路吹雪舞台衣装コレクション
　　早稲田大学坪内博士記念演劇博物館
　　　……………………………………… 263
越中文庫
　　長崎純心大学博物館 …………… 492
児島喜久雄
　　東北大学史料館 …………………… 49
古人骨資料
　　九州大学総合研究博物館 ……… 480
小杉放菴

上野記念館 ……………………… 84
古生物標本コレクション
　　北海道大学総合博物館 ………… 16
小袖
　　文化学園服飾博物館 …………… 241
古代出雲文化資料調査室
　　島根大学ミュージアム ………… 453
『後醍醐天皇宸翰書状』
　　大阪青山歴史文学博物館 ……… 418
「子供を抱き上げる女」
　　東京造形大学美術館 …………… 203
小中屋文書
　　金沢大学資料館 ………………… 286
小西四郎収集史料　絵双六
　　学習院大学史料館 ……………… 121
コーネル，ジョゼフ
　　京都精華大学ギャラリーフロール
　　　……………………………………… 365
小林古径
　　広島市立大学芸術資料館 ……… 465
「小春」
　　茨城大学五浦美術文化研究所　天心遺跡 …………………………………… 78
コマロフ植物研究所
　　首都大学東京　牧野標本館 …… 150
「小萬舞姿」
　　愛知県立芸術大学芸術資料館 … 316
コーラップ
　　多摩美術大学美術館 …………… 166
コロムビア
　　大阪芸術大学博物館 …………… 401
昆虫標本コレクション
　　北海道大学総合博物館 ………… 16
近藤悠三

事項名索引

京都市立芸術大学芸術資料館 … 361

【さ行】

西園寺家史料
　　学習院大学史料館 ……………… 121
蔡山
　　花園大学歴史博物館 …………… 381
財津コレクション
　　梅光学院大学博物館 …………… 471
齋藤明
　　九州産業大学美術館 …………… 476
齊藤惇
　　城西国際大学水田美術館 ……… 102
堺市高野家文書
　　大阪大谷大学博物館 …………… 395
酒井田柿右衛門（十四代）
　　九州産業大学美術館 …………… 476
サカエ薬局
　　中内㓛記念館 …………………… 427
坂上楠生
　　追手門学院大学附属図書館『宮本輝
　　ミュージアム』 ………………… 391
坂本善三
　　九州産業大学美術館 …………… 475
相良人形
　　山形大学附属博物館 …………… 74
寒川典美
　　多摩美術大学美術館 …………… 166
鷺流狂言水野文庫
　　野上記念　法政大学能楽研究所 …
　　　　　　　　　　　　　　　　 239
さく葉標本
　　東北大学植物園 ………………… 46

さく葉標本コレクション
　　岩手大学ミュージアム ………… 35
桜井コレクション
　　首都大学東京　牧野標本館 …… 150
桜井久一
　　首都大学東京　牧野標本館 …… 150
「鮭図」
　　東京藝術大学大学美術館 ……… 188
佐古慶三教授収集文書
　　大阪商業大学商業史博物館 …… 404
佐々治コレクション
　　九州大学総合研究博物館 ……… 480
佐々治寛之
　　九州大学総合研究博物館 ……… 480
佐藤栄作
　　熊本大学五高記念館 …………… 509
佐渡金山図絵
　　新潟大学旭町学術資料展示館 … 274
サメ類コレクション
　　東京大学総合研究博物館 ……… 210
サルメンエビネ
　　北海道医療大学薬学部付属薬用植物
　　園・北方系生態観察園 ……… 12
山陰地域・汽水域資料展示室
　　島根大学ミュージアム ………… 453
『三教指帰注集』
　　大谷大学博物館 ………………… 348
サンザシ
　　熊本大学大学院薬学教育部附属薬用
　　植物園 …………………………… 513
三十間長屋
　　金沢大学資料館 ………………… 285
サンシュユ
　　熊本大学大学院薬学教育部附属薬用

566　大学博物館事典

事項名索引

　　　植物園 ……………………… 513
「山水図」
　　　新潟大学旭町学術資料展示館 … 274
「山水図屏風双清」
　　　上野記念館 ……………………… 84
「山村暮雪」
　　　上野記念館 ……………………… 84
「三代目瀬川菊之丞」
　　　城西国際大学水田美術館 ……… 102
「山頂」
　　　愛知県立芸術大学芸術資料館 … 316
サンリンガエル
　　　山形大学附属博物館 …………… 74
シェイクスピア
　　　早稲田大学坪内博士記念演劇博物館
　　　　……………………………… 262
ジェンナー
　　　日本歯科大学新潟生命歯学部医の博
　　　物館 ……………………………… 280
塩田千春
　　　京都精華大学ギャラリーフロール
　　　　……………………………… 365
歯科医学
　　　日本大学松戸歯学部歯学史資料室
　　　　……………………………… 110
「鹿図」
　　　花園大学歴史博物館 …………… 381
「四季花卉図」
　　　跡見学園女子大学花蹊記念資料館
　　　　………………………………… 89
ジギタリス
　　　九州大学大学院薬学府附属薬用植物
　　　園 ……………………………… 484
静岡薬科大学

静岡県立大学薬用植物園 ……… 300
「下図　清姫―川に清姫」
　　　広島市立大学芸術資料館 ……… 465
「下図　清姫―僧の寝室」
　　　広島市立大学芸術資料館 ……… 465
「下図　清姫―山・社」
　　　広島市立大学芸術資料館 ……… 465
志知コレクション
　　　名古屋大学博物館 ……………… 334
10尺旋盤
　　　熊本大学工学部研究資料館 …… 505
実習用旋盤
　　　熊本大学工学部研究資料館 …… 506
篠原一男建築資料コレクション
　　　東京工業大学百年記念館 ……… 192
忍．Tobitaコレクション
　　　京都外国語大学　国際文化資料室
　　　　……………………………… 351
篠山紀信
　　　日本大学芸術学部　芸術資料館 …
　　　　……………………………… 235
渋沢栄一
　　　日本女子大学成瀬記念館 ……… 230
シーボルト・コレクション
　　　首都大学東京　牧野標本館 …… 150
シーボルト標本
　　　東京大学総合研究博物館 ……… 210
島岡達三
　　　東京工業大学百年記念館 ……… 192
島田章三
　　　愛知県立芸術大学芸術資料館 … 316
島津家文書
　　　東京大学史料編纂所 …………… 206
シマフクロウ

大学博物館事典　567

事項名索引

北海道大学北方生物圏フィールド科
　学センター厚岸臨海実験所附属ア
　イカップ自然史博物館 ……… 25
下田歌子
　実践女子学園香雪記念資料館 … 143
シャクヤク
　九州大学大学院薬学府附属薬用植物
　　園 ……………………………… 484
シャーン，ベン
　多摩美術大学美術館 …………… 167
シュヴァイツァー，アルベルト
　玉川大学小原國芳記念教育博物館 162
『拾遺和歌集』
　大阪青山歴史文学博物館 ……… 418
「収穫」
　東京藝術大学大学美術館 ……… 188
宗教芸能
　佛教大学アジア宗教文化情報研究所
　　…………………………………… 384
「秋景山水図」
　常葉美術館 ……………………… 312
15 尺旋盤
　熊本大学工学部研究資料館 …… 505
十五年戦争
　立命館大学国際平和ミュージアム
　　…………………………………… 388
「秋虫瓜蔬図」
　跡見学園女子大学花蹊記念資料館
　　……………………………………… 89
十二単
　杉野学園衣裳博物館 …………… 156
重要文化財
　北海道大学北方生物圏フィールド科
　　学センター植物園 …………… 29

東北大学総合学術博物館 ……… 53
國學院大學考古学資料館 ……… 133
東京藝術大学大学美術館 ……… 188
東京大学史料編纂所 …………… 206
明治大学博物館 ………………… 254
滋賀大学経済学部附属史料館 … 344
大谷大学博物館 ………………… 348
京都大学総合博物館 …………… 369
関西大学博物館 ………………… 414
大阪青山歴史文学博物館 ……… 418
奈良女子大学記念館 …………… 443
広島大学医学部医学資料館 …… 469
熊本大学工学部研究資料館 …… 504
熊本大学五高記念館 …………… 509
重要無形文化財保持者
　関西大学博物館 ………………… 414
「十六羅漢図」
　花園大学歴史博物館 …………… 381
ジュゴン
　琉球大学資料館 ………………… 538
シュネーダー，D.B.
　東北学院資料室 ………………… 42
『種の起原』
　日本歯科大学新潟生命歯学部医の博
　　物館 …………………………… 280
「朱文公勧学文」
　跡見学園女子大学花蹊記念資料館
　　……………………………………… 89
シューマン，クララ
　武蔵野音楽大学江古田キャンパス楽
　　器博物館 ……………………… 246
首里城
　琉球大学資料館 ………………… 537
「受話器をもつ三つのかたち」
　愛知県立芸術大学芸術資料館 … 316

事項名索引

『春記』
　大谷大学博物館 ………… 348
「俊足思長坂」
　流通経済大学三宅雪嶺記念資料館
　………………………………… 81
『傷寒六書』
　広島大学医学部医学資料館 …… 469
商業史
　大阪商業大学商業史博物館 …… 403
『成尋阿闍梨母集』
　大阪青山歴史文学博物館 ……… 418
醸造
　東京農業大学「食と農」の博物館
　………………………………… 222
正倉院御物
　奈良女子大学記念館 …………… 444
上智大学西北タイ歴史・文化調査団コレクション
　南山大学人類学博物館 ………… 337
情報機器
　電気通信大学歴史資料館 ……… 176
ショウマ
　東北大学大学院薬学研究科附属薬用植物園 …………………… 56
「声明集」
　上野学園大学日本音楽史研究所 …
　………………………………… 117
昭和薬科大学付属薬用植物園
　北陸大学薬学部付属薬用植物園 …
　………………………………… 289
植物標本館
　首都大学東京　牧野標本館 …… 149
ジョシア・キープ収集現生貝類標本
　東北大学総合学術博物館 ……… 52

女性高等教育関係資料
　津田梅子資料室 ………… 173
「序の舞」
　東京藝術大学大学美術館 ……… 188
ジョン・グールド鳥類図譜
　玉川大学小原國芳記念教育博物館
　………………………………… 162
白川英樹
　東京工業大学百年記念館 ……… 192
白川議員
　日本大学芸術学部　芸術資料館 …
　………………………………… 235
「視力を奪うオイデプス」
　東京造形大学美術館 …………… 203
白無垢
　和洋女子大学文化資料館 ……… 113
辛亥革命
　愛知大学記念館 ………… 323
新海竹蔵
　茨城大学五浦美術文化研究所　天心遺跡 ……………………… 77
身幹儀
　広島大学医学部医学資料館 …… 469
「信行禅師興教碑」
　大谷大学博物館 ………… 348
神社
　皇學館大学　佐川記念神道博物館
　………………………………… 340
真宗学
　大谷大学博物館 ………… 347
『真善美日本人』
　流通経済大学三宅雪嶺記念資料館
　………………………………… 81
『人体構造論』

事項名索引

日本歯科大学新潟生命歯学部医の博
　物館 …………………………… 280
人類学
　南山大学人類学博物館 ………… 336
水晶
　山梨大学水晶展示室 …………… 292
スイス派ヨーロッパ構成主義コレク
ション
　大阪芸術大学博物館 …………… 401
水生植物
　大阪市立大学理学部附属植物園 …
　………………………………… 407
菅浦文書
　滋賀大学経済学部附属史料館 … 344
「姿見」
　城西国際大学水田美術館 ……… 102
須川長之助採取植物標本
　岩手大学ミュージアム ………… 36
杉田家文書
　大阪経済大学 70 周年記念館ギャラ
　リー …………………………… 397
杉田玄白
　日本歯科大学新潟生命歯学部医の博
　物館 …………………………… 280
　広島大学医学部医学資料館 …… 469
杉野繁一
　杉野学園衣裳博物館 …………… 156
杉村春子
　早稲田大学坪内博士記念演劇博物館
　………………………………… 263
杉山元治郎
　東北学院資料室 ………………… 43
鈴木百年
　京都市立芸術大学芸術資料館 … 362

鈴木牧之
　新潟大学旭町学術資料展示館 … 274
鈴木義男
　東北学院資料室 ………………… 43
鈴田滋人
　九州産業大学美術館 …………… 476
スタイケン, エドワード
　写大ギャラリー ………………… 147
　日本大学芸術学部　芸術資料館 …
　………………………………… 235
須田国太郎
　京都市立芸術大学芸術資料館 … 361
ステゴサウルス
　東海大学自然史博物館 ………… 310
スパイス
　城西国際大学　薬草園 ………… 105
「図面　平和大橋・西大橋」
　広島市立大学芸術資料館 ……… 465
「西王母図」
　常葉美術館 ……………………… 312
「世海身船説」
　大阪経済大学 70 周年記念館ギャラ
　リー …………………………… 398
聖書
　西南学院大学博物館 …………… 489
「聖マントヒヒ」
　広島市立大学芸術資料館 ……… 465
西洋管弦楽器の銘器
　武蔵野音楽大学パルナソス多摩楽器
　展示室 ………………………… 248
世界最古生命化石含有岩石
　地球史資料館 …………………… 169
「席画一時館図」
　花園大学歴史博物館 …………… 381

事項名索引

瀬島好正
　多摩美術大学美術館 …………… 166
摂取山引接寺旧蔵声明史料
　上野学園大学日本音楽史研究所 …
　………………………………… 118
絶滅危惧種
　大阪市立大学理学部附属植物園 …
　………………………………… 407
　九州大学総合研究博物館 ……… 480
セミクジラ
　東京海洋大学海洋科学部附属水産資
　　料館 ………………………… 181
芹沢銈介
　東北福祉大学芹沢銈介美術工芸館 …
　……………………………………… 60
　東京工業大学百年記念館 ……… 192
禅
　駒澤大学禅文化歴史博物館 …… 139
禅院関係遺物
　花園大学歴史博物館 …………… 380
仙厓
　駒澤大学禅文化歴史博物館 …… 140
「浅絳山水図」
　常葉美術館 ……………………… 312
千住博
　東京純心女子大学　純心ギャラリー
　………………………………… 196
センダイゾウ
　東北大学理学部自然史標本館 … 58
千田是也
　早稲田大学坪内博士記念演劇博物館
　………………………………… 263
『選択本願念仏集』
　大谷大学博物館 ………………… 348

千利休
　駒澤大学禅文化歴史博物館 …… 140
旋盤
　日本工業大学工業技術博物館 … 92
『蔵志』
　日本歯科大学新潟生命歯学部医の博
　　物館 ………………………… 280
装身具
　大阪大谷大学博物館 …………… 395
宋拓
　大谷大学博物館 ………………… 348
ゾウムシ上科甲虫類
　九州大学総合研究博物館 ……… 480
曽我二直庵
　新潟大学旭町学術資料展示館 … 274
ソビエト大恐竜展
　東海大学自然史博物館 ………… 309
曽宮一念
　常葉美術館 ……………………… 312
ソーラークッカー
　風と光のミニミニ博物館 ……… 86
「村童観猿翁」
　東京藝術大学大学美術館 ……… 188
孫文
　愛知大学記念館 ………………… 322

【た 行】

ダイエー
　中内㓛記念館 …………………… 428
第五福竜丸事件
　静岡大学キャンパスミュージアム
　………………………………… 303
大道寺家文書

大学博物館事典　571

事項名索引

名古屋大学博物館 ……………… 334
第二次世界大戦
　立命館大学国際平和ミュージアム
　　………………………………… 388
戴文進
　新潟大学旭町学術資料展示館 … 274
大名
　学習院大学史料館 ……………… 120
台湾産植物
　東北大学植物園 ………………… 46
ダーウィン
　日本歯科大学新潟生命歯学部医の博
　物館 ……………………………… 280
高木コケコレクション
　名古屋大学博物館 ……………… 334
高木敏子
　立命館大学国際平和ミュージアム
　　………………………………… 388
高島北海
　梅光学院大学博物館 …………… 471
高田博厚
　九州産業大学美術館 …………… 476
高橋由一
　山形大学附属博物館 …………… 74
　東京藝術大学大学美術館 ……… 188
「高松塚古墳壁画模写」
　愛知県立芸術大学芸術資料館 … 316
高松宮家資料
　学習院大学史料館 ……………… 121
瀧口修造アーカイヴ
　慶應義塾大学アート・センター …
　　………………………………… 128
「琢華堂縮図」
　上野記念館 ……………………… 84

竹内栖鳳
　京都市立芸術大学芸術資料館 … 361
　花園大学歴史博物館 …………… 382
武田秀雄
　多摩美術大学美術館 …………… 166
　京都精華大学ギャラリーフロール
　　………………………………… 365
武田薬品工業
　北陸大学薬学部付属薬用植物園 …
　　………………………………… 289
田崎草雲
　上野記念館 ……………………… 84
多田文男フィールドノート
　駒澤大学禅文化歴史博物館 …… 141
多田美波
　女子美アートミュージアム …… 266
伊達家
　野上記念　法政大学能楽研究所 …
　　………………………………… 239
立削盤
　熊本大学工学部研究資料館 …… 506
田中正造
　上野記念館 ……………………… 84
田中親美
　京都市立芸術大学芸術資料館 … 361
田中稔之
　多摩美術大学美術館 …………… 166
谷口吉郎建築資料コレクション
　東京工業大学百年記念館 ……… 192
谷文晁
　上野記念館 ……………………… 84
　常葉美術館 ……………………… 312
田能村直入旧蔵資料
　京都市立芸術大学芸術資料館 … 361

事項名索引

田村孝之助
　新潟大学旭町学術資料展示館 … 274
田村宗立旧蔵粉本
　京都市立芸術大学芸術資料館 … 362
田山精一
　東京工業大学百年記念館 …… 192
「太夫と二人の禿図」
　城西国際大学水田美術館 …… 102
タルボサウルス
　東海大学自然史博物館 ……… 310
「だるま」
　こども文化研究センター　日本郷土
　玩具館 ………………………… 535
ターレット旋盤
　熊本大学工学部研究資料館 … 505
タンチョウ
　北海道大学北方生物圏フィールド科
　学センター厚岸臨海実験所附属ア
　イカップ自然史博物館 ……… 25
蓄音機コレクション
　大阪芸術大学博物館 ………… 401
千種掃雲
　京都市立芸術大学芸術資料館 … 362
千葉督太郎
　京都精華大学ギャラリーフロール
　………………………………… 365
「茶畑」
　常葉美術館 …………………… 313
チャンスン（長柱）
　天理大学附属天理参考館 …… 437
中国南部産植物
　東北大学植物園 ……………… 46
中国薬科大学
　岐阜薬科大学薬草園 ………… 297

中・古生代微化石コレクション
　名古屋大学博物館 …………… 333
『注文の多い料理店』
　岩手大学農学部附属農業教育資料館
　………………………………… 33
朝鮮半島出土古代瓦
　帝塚山大学附属博物館 ……… 434
鳥文斎栄之
　城西国際大学水田美術館 …… 102
蝶類標本
　日本大学生物資源科学部博物館 …
　………………………………… 269
通信機器
　電気通信大学歴史資料館 …… 176
月岡耕漁
　城西国際大学水田美術館 …… 102
月岡芳年
　城西国際大学水田美術館 …… 102
月星化成
　熊本学園大学　産業資料館 … 497
附指定
　熊本大学五高記念館 ………… 509
辻邦生
　学習院大学史料館 …………… 121
辻常陸
　東京工業大学百年記念館 …… 192
土田麦僊
　京都市立芸術大学芸術資料館 … 361
堤焼
　東北福祉大学芹沢銈介美術工芸館
　………………………………… 60
椿椿山
　上野記念館 …………………… 84
坪内逍遙

大学博物館事典　573

事項名索引

早稲田大学坪内博士記念演劇博物館
　　　　　　　　　　…………… 261
鶴丸倉庫
　　金沢大学資料館 ……………… 285
ディノニクス
　　東海大学自然史博物館 ………… 310
ディプロドクス
　　東海大学自然史博物館 ………… 310
ティラウラコット遺跡出土資料
　　立正大学博物館 …………………… 97
デジタル
　　駒澤大学禅文化歴史博物館 …… 142
デジタルアーカイブ
　　早稲田大学坪内博士記念演劇博物館
　　　　　　　　　　…………… 263
デジタル化
　　慶應義塾大学アート・センター …
　　　　　　　　　　…………… 130
　　文化学園服飾博物館 …………… 241
　　新島遺品庫 …………………… 375
デジタルコンテンツ
　　國學院大學考古学資料館 ……… 133
手島精一
　　東京工業大学百年記念館 ……… 192
デスモスティルス
　　北海道大学総合博物館 ………… 16
データベース
　　北海道大学総合博物館 ………… 19
　　東北大学総合学術博物館 ……… 52
　　国立音楽大学楽器学資料館 …… 126
　　慶應義塾大学アート・センター …
　　　　　　　　　　…………… 130
　　駒澤大学禅文化歴史博物館 …… 142
　　地球史資料館 …………………… 169
　　東京藝術大学大学美術館 ……… 188

東京大学総合研究博物館 ……… 211
東京理科大学近代科学資料館 … 227
文化学園服飾博物館 …………… 241
早稲田大学會津八一記念博物館 …
　　　　　　　　　　…………… 260
早稲田大学坪内博士記念演劇博物館
　　　　　　　　　　…………… 264
名古屋大学博物館 ……………… 333
京都精華大学ギャラリーフロール
　　　　　　　　　　…………… 366
大阪大学総合学術博物館 ……… 409
山口誓子記念館，誓子・波津女俳句
　　俳諧文庫 …………………… 432
九州大学総合研究博物館 ……… 481
熊本大学五高記念館 …………… 510
鉄道切符
　　天理大学附属天理参考館 ……… 437
デュシャン，マルセル
　　東京大学大学院総合文化研究科・教
　　養学部　美術博物館 …………… 217
寺田寅彦
　　熊本大学五高記念館 …………… 509
「デルフォス」
　　杉野学園衣裳博物館 …………… 156
「伝観世小次郎信光謡本」
　　野上記念　法政大学能楽研究所 …
　　　　　　　　　　…………… 239
「天国の鍵」
　　東京造形大学美術館 …………… 203
『天正狂言本』
　　野上記念　法政大学能楽研究所 …
　　　　　　　　　　…………… 239
「天神人形」
　　こども文化研究センター　日本郷土
　　玩具館 ………………………… 535

574　大学博物館事典

事項名索引

テンダイウヤク
　熊本大学大学院薬学教育部附属薬用
　　植物園 …………………… 513
「伝平重盛像」
　愛知県立芸術大学法隆寺金堂壁画模
　　写展示館 ………………… 319
伝統工芸品
　明治大学博物館 ……………… 253
　鳥取短期大学　絣美術館 ……… 450
　島根大学ミュージアム ………… 453
　こども文化研究センター　日本郷土
　　玩具館 …………………… 534
　琉球大学資料館 ……………… 537
天然記念物
　北海道大学北方生物圏フィールド科
　　学センター厚岸臨海実験所附属ア
　　イカップ自然史博物館 ……… 25
　東北大学植物園 ………………… 45
　東京農業大学「食と農」の博物館
　　………………………… 222
　宮崎大学農学部附属農業博物館 …
　　………………………… 524
　琉球大学資料館 ……………… 538
「伝藤原光能像」
　愛知県立芸術大学法隆寺金堂壁画模
　　写展示館 ………………… 319
「伝源頼朝像」
　愛知県立芸術大学法隆寺金堂壁画模
　　写展示館 ………………… 319
ドアノー，ロベール
　写大ギャラリー ……………… 147
唐関係資料
　長崎純心大学博物館 …………… 492
東京国際ミニプリント・トリエンナー
レコレクション
　多摩美術大学美術館 …………… 167

東京都歴史的建造物
　駒澤大学禅文化歴史博物館 …… 139
「冬日」
　常葉美術館 ………………… 312
東洲斎写楽
　城西国際大学水田美術館 …… 102
「道成寺」
　茨城大学五浦美術文化研究所　天心
　　遺跡 ……………………… 78
東南アジア産薬草
　富山大学薬学部附属薬用植物園 …
　　………………………… 283
東南アジア熱帯圏
　鹿児島大学総合研究博物館 …… 531
頭山満
　愛知大学記念館 ……………… 323
登録有形文化財
　東京海洋大学海洋科学部附属水産資
　　料館 ……………………… 180
　大阪大学総合学術博物館 …… 409
　熊本学園大学　産業資料館 …… 498
　鹿児島大学総合研究博物館 …… 530
鍍金方格規矩四神鏡
　天理大学附属天理参考館 …… 437
徳川幕府
　東京大学大学院理学系研究科附属植
　　物園 ……………………… 220
徳富蘇峰蒐集考古コレクション
　國學院大學考古学資料館 …… 133
特別天然記念物
　北海道大学北方生物圏フィールド科
　　学センター厚岸臨海実験所附属ア
　　イカップ自然史博物館 ……… 25
『土佐日記』
　大阪青山歴史文学博物館 ……… 418

事項名索引

土佐派絵画資料
　　京都市立芸術大学芸術資料館 … 362
土佐林コレクション
　　早稲田大学會津八一記念博物館 …
　　　　………………………………… 258
ドージャー，C.K.
　　西南学院大学博物館 …………… 488
トチュウ
　　神戸薬科大学　薬用植物園 …… 424
富岡重憲コレクション
　　早稲田大学會津八一記念博物館 …
　　　　………………………………… 258
富岡美術館
　　早稲田大学會津八一記念博物館 …
　　　　………………………………… 258
富本憲吉
　　京都市立芸術大学芸術資料館 … 361
富山芳男
　　多摩美術大学美術館 …………… 166
友枝啓泰アンデス民族画像コレクション
　　南山大学人類学博物館 ………… 337
土門拳
　　日本大学芸術学部　芸術資料館 …
　　　　………………………………… 235
富山医科薬科大学附属薬用植物園
　　北陸大学薬学部付属薬用植物園 …
　　　　………………………………… 289
豊福知徳
　　九州産業大学美術館 …………… 476
「虎」
　　こども文化研究センター　日本郷土
　　玩具館 …………………………… 535
鳥居清信（二代）

城西国際大学水田美術館 ……… 102
鳥居清倍
　　城西国際大学水田美術館 ……… 102
トリカブト
　　北海道薬科大学薬用植物園 …… 31
　　東北大学大学院薬学研究科附属薬用
　　植物園 …………………………… 56
トリケラトプス
　　東海大学自然史博物館 ………… 310
ドレス
　　文化学園服飾博物館 …………… 242
ドレスコレクション
　　和洋女子大学文化資料館 ……… 113

【な行】

ナイチンゲール
　　日本歯科大学新潟生命歯学部医の博
　　物館 ……………………………… 280
内藤記念くすり博物館
　　熊本大学熊薬100周年記念ホール史
　　料室 ……………………………… 500
「内面の光に照らされた聖女」
　　慶應義塾大学アート・センター …
　　　　………………………………… 129
ナウマン象
　　京都大学総合博物館 …………… 370
中井源左衛門家文書
　　滋賀大学経済学部附属史料館 … 344
永井隆
　　長崎純心大学博物館 …………… 492
中井猛之進朝鮮植物標本
　　東京大学総合研究博物館 ……… 210
長崎学関係資料

事項名索引

長崎純心大学博物館 ………… 492
長崎原爆関係資料
　長崎純心大学博物館 ………… 492
仲島忠次郎コレクション
　神戸大学　海事博物館 ……… 422
永田聴泉旧蔵琴楽史料
　上野学園大学日本音楽史研究所 …
　……………………………………… 118
中谷宇吉郎関係コレクション
　北海道大学総合博物館 ………… 16
中谷コレクション
　大阪商業大学商業史博物館 …… 404
中村歌右衛門（六世）
　早稲田大学坪内博士記念演劇博物館
　……………………………………… 263
中村研一
　流通経済大学三宅雪嶺記念資料館
　………………………………………… 81
中村春二
　成蹊学園史料館 ………………… 158
「中村部長記念像」
　東北大学史料館 ………………… 49
『なだれ飴』
　慶應義塾大学アート・センター …
　……………………………………… 129
夏目漱石
　熊本大学五高記念館 …………… 509
ナポレオン帽子型ピアノ
　武蔵野音楽大学江古田キャンパス楽
　器博物館 ………………………… 246
並河萬里
　日本大学芸術学部　芸術資料館 …
　……………………………………… 235
奈良坂源一郎

名古屋大学博物館 ……………… 334
奈良原一高
　多摩美術大学美術館 …………… 166
　九州産業大学美術館 …………… 476
成瀬仁蔵
　日本女子大学成瀬記念館 ……… 229
成瀬文庫
　日本女子大学成瀬記念館 ……… 230
名和弓雄捕物道具コレクション
　明治大学博物館 ………………… 255
南山大学東ニューギニア調査団コレクション
　南山大学人類学博物館 ………… 337
南米パラグアイ産薬草
　富山大学薬学部附属薬用植物園 …
　……………………………………… 283
新島襄
　新島遺品庫 ……………………… 375
　Neesima Room ………………… 377
二階堂正宏
　京都精華大学ギャラリーフロール
　……………………………………… 365
西川伝右衛門家文書
　滋賀大学経済学部附属史料館 … 345
西田幾多郎
　学習院大学史料館 ……………… 121
西常雄
　多摩美術大学美術館 …………… 166
　九州産業大学美術館 …………… 476
西村郁子
　こども文化研究センター　日本郷土玩具館 ……………………… 534
西村見暁コレクション
　金沢大学資料館 ………………… 286

事項名索引

西村重長
　　城西国際大学水田美術館 ……… 102
「二代目市川団十郎の渡辺綱」
　　城西国際大学水田美術館 ……… 102
「二代目中村七三郎と佐野川市松」
　　城西国際大学水田美術館 ……… 102
ニタリクジラ
　　北海道大学総合博物館　水産科学館
　　………………………………… 22
日華護謨工業
　　熊本学園大学　産業資料館 …… 497
ニッポノサウルスサハリネンシス（日本竜）
　　北海道大学総合博物館 ………… 16
ニホンアシカ
　　島根大学ミュージアム ………… 453
日本東洋陶磁コレクション
　　武蔵野美術大学美術資料図書館 …
　　………………………………… 250
日本鶏
　　東京農業大学「食と農」の博物館
　　………………………………… 222
日本の蝶類標本
　　東京大学大学院総合文化研究科・教養学部　自然科学博物館 …… 214
「日本美術院血脈図」
　　茨城大学五浦美術文化研究所　天心遺跡 …………………………… 78
ニューマン，アーノルド
　　九州産業大学美術館 ………… 476
ニュルンベルクの鉄の処女
　　明治大学博物館 ……………… 255
人間国宝
　　関西大学博物館 ……………… 415

九州産業大学美術館 ……… 476
ニンジンボク
　　熊本大学大学院薬学教育部附属薬用植物園 ……………………… 513
熱帯病
　　熱帯医学館 …………………… 495
ネパール産植物
　　東北大学植物園 ……………… 46
能
　　野上記念　法政大学能楽研究所 …
　　………………………………… 238
「能楽百番」
　　城西国際大学水田美術館 ……… 102
能装束
　　文化学園服飾博物館 ………… 241
能面
　　日本大学芸術学部　芸術資料館 234
野上豊一郎
　　野上記念　法政大学能楽研究所 …
　　………………………………… 238
野上文庫
　　野上記念　法政大学能楽研究所 …
　　………………………………… 239
ノグチ，イサム
　　広島市立大学芸術資料館 ……… 465
野口博貝類標本
　　東海大学自然史博物館 ………… 310
野口義麿コレクション
　　國學院大學考古学資料館 ……… 133
ノグチ・ルーム・アーカイヴ
　　慶應義塾大学アート・センター …
　　………………………………… 128
野田雅之
　　九州大学総合研究博物館 ……… 480

事項名索引

能登酒見龍護寺旧蔵仏像
　　金沢大学資料館 …………… 286
ノーベル化学賞
　　東京工業大学百年記念館 …… 192
　　名古屋大学博物館 ………… 333
野見山暁治
　　九州産業大学美術館 ………… 475
野依良治
　　名古屋大学博物館 ………… 333

【は行】

バイオリウム
　　東京農業大学「食と農」の博物館
　　……………………………… 222
バイオリン銘器コレクション
　　武蔵野音楽大学江古田キャンパス楽
　　器博物館 …………………… 246
バウハウス叢書
　　日本大学芸術学部　芸術資料館 …
　　……………………………… 234
白隠
　　駒澤大学禅文化歴史博物館 …… 140
白隠慧鶴
　　花園大学歴史博物館 ………… 381
博物館相当施設
　　秋田大学工学資源学部附属鉱業博物
　　館 …………………………… 66
　　山形大学附属博物館 ………… 73
　　跡見学園女子大学花蹊記念資料館
　　……………………………… 88
　　学習院大学史料館 ………… 120
　　國學院大學考古学資料館 …… 132
　　国際基督教大学博物館湯浅八郎記念
　　館 ………………………… 135

駒澤大学禅文化歴史博物館 …… 139
実践女子学園香雪記念資料館 … 143
昭和女子大学光葉博物館 …… 153
成蹊学園史料館 …………… 158
玉川大学小原國芳記念教育博物館
…………………………… 161
多摩美術大学美術館 ……… 165
東京海洋大学海洋科学部附属水産資
料館 ……………………… 181
東京家政学院生活文化博物館 … 184
日本女子大学成瀬記念館 …… 229
日本大学芸術学部　芸術資料館 …
…………………………… 233
武蔵野音楽大学江古田キャンパス楽
器博物館 ………………… 245
武蔵野音楽大学パルナソス多摩楽器
展示室 …………………… 247
女子美アートミュージアム …… 266
日本大学生物資源科学部博物館 …
…………………………… 269
日本歯科大学新潟生命歯学部医の博
物館 ……………………… 279
愛知県立芸術大学芸術資料館 … 315
南山大学人類学博物館 …… 336
滋賀大学経済学部附属史料館 … 343
大谷大学博物館 …………… 349
京都市立芸術大学芸術資料館 … 359
京都精華大学ギャラリーフロール
…………………………… 364
花園大学歴史博物館 ……… 380
大阪大谷大学博物館 ……… 394
大阪商業大学商業史博物館 … 403
関西大学博物館 …………… 413
大阪青山歴史文学博物館 …… 417
帝塚山大学附属博物館 …… 434
天理大学附属天理参考館 …… 436
梅光学院大学博物館 ……… 470

大学博物館事典　579

事項名索引

九州産業大学美術館 475
長崎純心大学博物館 491
別府大学附属博物館 519
宮崎大学農学部附属農業博物館 ...
.... 523
鹿児島国際大学国際文化学部博物館
　実習施設 527

羽間コレクション
　関西大学博物館 414

羽間平安
　関西大学博物館 414

「橋下の釣」
　城西国際大学水田美術館 102

波多野太郎博士収集明清楽史料
　上野学園大学日本音楽史研究所 ...
.... 118

「八十自寿詩」
　跡見学園女子大学花蹊記念資料館
.... 89

バーチャルミュージアム
　熊本大学熊薬100周年記念ホール史
　料室 500

8尺旋盤
　熊本大学工学部研究資料館 505

服部和彦蒐集仏教美術コレクション
　國學院大學考古学資料館 133

服部康次
　野上記念　法政大学能楽研究所 ...
.... 239

ハナシノブ
　熊本大学大学院薬学教育部附属薬用
　植物園 514

花柳章太郎舞台衣装コレクション
　早稲田大学坪内博士記念演劇博物館
.... 263

ハーブ
　東北薬科大学附属薬用植物園 ... 64
　城西国際大学　薬草園 105
　岐阜薬科大学薬草園 298

パプアニューギニアの儀礼用具
　中部大学民俗資料室 330

濱池文平氏収集考古資料
　皇學館大学　佐川記念神道博物館
.... 341

浜田庄司
　東京工業大学百年記念館 192

浜田知明
　九州産業大学美術館 475

早川巍一郎
　多摩美術大学美術館 166

林司馬
　京都市立芸術大学芸術資料館 ... 362

林忠彦
　日本大学芸術学部　芸術資料館 ...
.... 235

林武
　九州産業大学美術館 475

林羅山
　上野記念館 84

早田文蔵台湾植物標本
　東京大学総合研究博物館 210

『バラ色ダンス』
　慶應義塾大学アート・センター ...
.... 129

原田新八郎
　九州産業大学美術館 476

「針仕事」
　城西国際大学水田美術館 102

ハリス理化学校

事項名索引

Neesima Room ················ 378
パレオパラドキシア
　島根大学ミュージアム ······ 453
バロック,ウィン
　写大ギャラリー ············ 147
盤珪永琢
　花園大学歴史博物館 ········ 381
蕃滋園
　熊本大学大学院薬学教育部附属薬用
　植物園 ···················· 513
般舟三昧院旧蔵聖教類
　上野学園大学日本音楽史研究所 ···
　·························· 118
般若窟文庫
　野上記念　法政大学能楽研究所 ···
　·························· 239
『判比量論』
　大谷大学博物館 ············ 348
東大阪市岩崎家文書
　大阪大谷大学博物館 ········ 395
ピカソ
　多摩美術大学美術館 ········ 166
　九州産業大学美術館 ········ 475
ヒクイドリ
　九州大学総合研究博物館 ···· 480
ビクター
　大阪芸術大学博物館 ········ 401
ピグミーシロナガスクジラ
　東海大学海洋科学博物館 ···· 307
ヒゲクジラ
　名古屋大学博物館 ·········· 333
ヒゴイカリソウ
　熊本大学大学院薬学教育部附属薬用
　植物園 ···················· 514

ヒゴタイ
　熊本大学大学院薬学教育部附属薬用
　植物園 ···················· 514
ヒゴツバキ
　熊本大学大学院薬学教育部附属薬用
　植物園 ···················· 514
土方巽アーカイヴ
　慶應義塾大学アート・センター ···
　·························· 128
菱川師宣
　城西国際大学水田美術館 ···· 102
菱田春草
　茨城大学五浦美術文化研究所　天心
　遺跡 ······················· 78
樋田直人コレクション
　名古屋大学博物館 ·········· 334
日時計
　風と光のミニミニ博物館 ······ 86
「悲母観音」
　東京藝術大学大学美術館 ···· 188
日向国延岡藩内藤家文書
　明治大学博物館 ············ 255
ビュッフェ
　多摩美術大学美術館 ········ 166
病理肉眼標本
　川崎医科大学　現代医学教育博物館
　·························· 461
平岡家旧蔵能脇方福王流史料
　上野学園大学日本音楽史研究所 ···
　·························· 118
平櫛田中
　茨城大学五浦美術文化研究所　天心
　遺跡 ······················· 78
平削盤

大学博物館事典　581

事項名索引

熊本大学工学部研究資料館 ……… 505
平野耕輔コレクション
　東京工業大学百年記念館 ……… 192
平野コレクション
　札幌国際大学博物館 ………………… 4
平松保城
　九州産業大学美術館 …………… 476
平山郁夫
　茨城大学五浦美術文化研究所　天心
　　遺跡 ………………………………… 78
　広島市立大学芸術資料館 ……… 465
広津コレクション
　梅光学院大学博物館 …………… 471
広橋家中世文書
　東京理科大学近代科学資料館 … 227
風外
　駒澤大学禅文化歴史博物館 …… 140
「風俗東之錦　凧の糸」
　城西国際大学水田美術館 ……… 102
フォシャール
　日本歯科大学新潟生命歯学部医の博
　　物館 ……………………………… 280
フォルチュニィ，マリアノ
　杉野学園衣裳博物館 …………… 156
フォルテピアノ
　武蔵野音楽大学入間キャンパス楽器
　　博物館 ……………………………… 96
深澤幸雄
　多摩美術大学美術館 …………… 166
武官束帯
　杉野学園衣裳博物館 …………… 156
福岡植物研究会コレクション
　九州大学総合研究博物館 ……… 480
福沢一郎
　多摩美術大学美術館 …………… 166
服飾資料
　和洋女子大学文化資料館 ……… 113
　杉野学園衣裳博物館 …………… 156
　文化学園服飾博物館 …………… 241
福田半香
　常葉美術館 ……………………… 312
富士山
　静岡大学キャンパスミュージアム
　　……………………………………… 303
「富士三十六景」
　城西国際大学水田美術館 ……… 102
藤田嗣治
　愛知県立芸術大学芸術資料館 … 316
　京都精華大学ギャラリーフロール
　　……………………………………… 365
　九州産業大学美術館 …………… 475
藤本能道
　京都市立芸術大学芸術資料館 … 361
「婦人像（厨房）」
　東京藝術大学大学美術館 ……… 188
ブスタマンテ
　京都外国語大学　国際文化資料室
　　……………………………………… 351
仏教
　駒澤大学禅文化歴史博物館 …… 139
　大谷大学博物館 ………………… 347
　佛教大学アジア宗教文化情報研究所
　　……………………………………… 385
舟越保武
　多摩美術大学美術館 …………… 166
ブラキストン
　北海道大学総合博物館 ………… 16
ブラジル・バイヤ州民族資料
　京都外国語大学　国際文化資料室

事項名索引

……………………………… 350
フランスオペラ・ポスターコレクション
 多摩美術大学美術館 …………… 166
振袖
 和洋女子大学文化資料館 ……… 113
古川久
 野上記念　法政大学能楽研究所 …
 …………………………………… 239
古川文庫
 野上記念　法政大学能楽研究所 …
 …………………………………… 239
古田織部
 駒澤大学禅文化歴史博物館 …… 140
ブールデル，エミール
 愛知県立芸術大学芸術資料館 … 316
古橋家文書史料
 東京工業大学百年記念館 ……… 193
プロトケラトプス
 東海大学自然史博物館 ………… 310
プロバクトクラウス
 東海大学自然史博物館 ………… 310
「平和と戦争の門」
 東京造形大学美術館 …………… 203
平和博物館
 立命館大学国際平和ミュージアム
 …………………………………… 387
ベトナム戦争
 立命館大学国際平和ミュージアム
 …………………………………… 388
弁財船（和商船）
 北海道大学総合博物館　水産科学館
 ……………………………………… 21
ホーイ，W.E.

東北学院資料室 ………………… 42
貿易扇
 京都嵯峨芸術大学　附属博物館 …
 …………………………………… 357
邦楽器コレクション
 武蔵野音楽大学入間キャンパス楽器博物館 …………………………… 95
宝山寺
 野上記念　法政大学能楽研究所 …
 …………………………………… 239
「帽子飾り」
 東京純心女子大学　純心ギャラリー
 …………………………………… 196
「房州海岸」
 城西国際大学水田美術館 ……… 102
紡績工場
 熊本学園大学　産業資料館 …… 497
房総
 千葉大学海洋バイオシステム研究センター ……………………………… 107
『疱瘡譚』
 慶應義塾大学アート・センター …
 …………………………………… 129
放電加工機
 日本工業大学工業技術博物館 … 93
法隆寺金堂壁画
 愛知県立芸術大学法隆寺金堂壁画模写展示館 ……………………… 319
「北越雪譜」
 新潟大学旭町学術資料展示館 … 274
北斎漫画
 京都精華大学ギャラリーフロール
 …………………………………… 365
「菩薩立像」

事項名索引

　　　東京藝術大学大学美術館 ……… 188
星野あい
　　　津田梅子資料室 ……………… 173
星野木骨
　　　広島大学医学部医学資料館 …… 469
ポスターコレクション
　　　武蔵野美術大学美術資料図書館 …
　　　　　　　　　　　　　　　　 250
　　　京都工芸繊維大学美術工芸資料館
　　　　　………………………………… 355
細江英公
　　　日本大学芸術学部　芸術資料館 …
　　　　　　　　　　　　　　　　 235
　　　九州産業大学美術館 …………… 476
細川藩
　　　熊本大学大学院薬学教育部附属薬用
　　　植物園 ……………………… 513
「堀池謡本」
　　　野上記念　法政大学能楽研究所 …
　　　　　　　　　　　　　　　　 239
堀家文書
　　　新潟大学旭町学術資料展示館 … 274
ボルネオ
　　　同志社大学歴史資料館 ………… 373
ボール盤
　　　熊本大学工学部研究資料館 …… 505
ホログラム芸術作品コレクション
　　　東京工業大学百年記念館 ……… 192
本郷新
　　　立命館大学国際平和ミュージアム
　　　　　………………………………… 388

【ま行】

マオウ

　　　北海道医療大学薬学部付属薬用植物
　　　園・北方系生態観察園 ……… 12
曲がり歯傘歯車歯切盤
　　　熊本大学工学部研究資料館 …… 505
牧野富太郎
　　　首都大学東京　牧野標本館 …… 149
牧野虎雄
　　　多摩美術大学美術館 …………… 166
マーグ歯車研削盤
　　　熊本大学工学部研究資料館 …… 506
正木退蔵
　　　東京工業大学百年記念館 ……… 192
俣賀家文書
　　　花園大学歴史博物館 …………… 381
マダガスカル
　　　東京農業大学「食と農」の博物館
　　　　　………………………………… 222
待兼山修学館
　　　大阪大学総合学術博物館 ……… 409
マチカネワニ
　　　大阪大学総合学術博物館 ……… 410
『松浦宮物語』
　　　大阪青山歴史文学博物館 ……… 418
松島きよえ
　　　文化学園服飾博物館 …………… 242
松嶋家文書
　　　金沢大学資料館 ………………… 286
松島コレクション
　　　文化学園服飾博物館 …………… 242
松原三郎
　　　実践女子学園香雪記念資料館 … 144
松森コレクション
　　　文化学園北竜湖資料館 ………… 295
松森務

584　大学博物館事典

事項名索引

文化学園北竜湖資料館 ………… 295
眞鍋孝志仏教関係撫石庵コレクション
　立正大学博物館 ………… 97
真吹炉
　秋田大学工学資源学部附属鉱業博物
　館 ………………………… 67
マリンガー・コレクション
　南山大学人類学博物館 ………… 337
丸木舟
　北海道大学北方生物圏フィールド科
　学センター植物園 ………… 29
マルピギー
　広島大学医学部医学資料館 …… 469
マンガ原画
　京都精華大学ギャラリーフロール
　………………………………… 365
マンズー，ジャコモ
　東京造形大学美術館 ………… 202
マン・レイ
　九州産業大学美術館 ………… 476
三岸節子
　女子美アートミュージアム …… 266
三木淳
　九州産業大学美術館 ………… 476
御崎馬
　宮崎大学農学部附属農業博物館 …
　…………………………………… 524
「三島県令道路改修記念画帖」
　山形大学附属博物館 ………… 74
ミシマサイコ
　九州大学大学院薬学府附属薬用植物
　園 ………………………… 484
三島由紀夫
　慶應義塾大学アート・センター …
　………………………………… 129
水田コレクション
　城西国際大学水田美術館 …… 102
水田三喜男
　城西国際大学水田美術館 ……… 101
水野コレクション
　武蔵野音楽大学入間キャンパス楽器
　博物館 …………………… 96
水野佐平
　武蔵野音楽大学入間キャンパス楽器
　博物館 …………………… 95
　武蔵野音楽大学江古田キャンパス楽
　器博物館 ………………… 245
　武蔵野音楽大学パルナソス多摩楽器
　展示室 …………………… 247
「水の惑星」シリーズ
　東京純心女子大学　純心ギャラリー
　………………………………… 196
溝田コレクション
　女子美アートミュージアム …… 267
「見立石山寺紫式部図」
　城西国際大学水田美術館 ……… 102
「見立業平東下り図」
　城西国際大学水田美術館 ……… 102
三井家
　文化学園服飾博物館 ………… 242
三林亮太郎舞台装置図コレクション
　武蔵野美術大学美術資料図書館 …
　………………………………… 250
宮川コレクション
　九州大学総合研究博物館 ……… 480
宮川長春
　城西国際大学水田美術館 ……… 102
宮川百合子

大学博物館事典　*585*

事項名索引

九州大学総合研究博物館 ……… 480
三宅花圃
　流通経済大学三宅雪嶺記念資料館
　　………………………………… 82
三宅島噴火関連資料
　東京大学大学院総合文化研究科・教
　養学部　自然科学博物館 …… 214
三宅雪嶺
　流通経済大学三宅雪嶺記念資料館
　　………………………………… 80
三宅文庫
　流通経済大学三宅雪嶺記念資料館
　　………………………………… 80
宮崎進
　広島市立大学芸術資料館 …… 465
宮澤賢治
　岩手大学農学部附属農業教育資料館
　　………………………………… 33
宮地房江
　日本女子大学成瀬記念館 …… 230
宮本三郎
　新潟大学旭町学術資料展示館 … 274
宮本輝
　追手門学院大学附属図書館『宮本輝
　ミュージアム』 ……………… 391
三輪晁勢
　京都市立芸術大学芸術資料館 … 362
民族衣装コレクション
　文化学園服飾博物館 ………… 242
民族楽器
　武蔵野音楽大学江古田キャンパス楽
　器博物館 ……………………… 246
　中部大学民俗資料室 ………… 330
民俗資料

和洋女子大学文化資料館 ……… 112
國學院大學考古学資料館 ……… 132
昭和女子大学光葉博物館 ……… 153
玉川大学小原國芳記念教育博物館
　……………………………………… 161
武蔵野美術大学美術資料図書館 …
　……………………………………… 249
中部大学民俗資料室 …………… 330
名古屋大学博物館 ……………… 332
南山大学人類学博物館 ………… 336
滋賀大学経済学部附属史料館 … 343
京都外国語大学　国際文化資料室
　……………………………………… 350
京都精華大学ギャラリーフロール
　……………………………………… 364
同志社大学歴史資料館 ………… 372
花園大学歴史博物館 …………… 380
大阪大谷大学博物館 …………… 395
天理大学附属天理参考館 ……… 436
梅光学院大学博物館 …………… 470
琉球大学資料館 ………………… 537
武蔵国秩父郡上名栗村町田家史料
　学習院大学史料館 …………… 121
陸奥国棚倉藩主・華族阿部家史料
　学習院大学史料館 …………… 121
棟方志功
　京都精華大学ギャラリーフロール
　……………………………………… 365
村岡三郎
　京都精華大学ギャラリーフロール
　……………………………………… 365
ムラサキ
　北海道医療大学薬学部付属薬用植物
　園・北方系生態観察園 ……… 12
　東北大学大学院薬学研究科附属薬用
　植物園 ………………………… 56

586　大学博物館事典

事項名索引

村田浩
　東京工業大学百年記念館 ……… 192
村野藤吾
　京都工芸繊維大学美術工芸資料館
　……………………………………… 355
『明月記』
　大阪青山歴史文学博物館 ……… 418
明治の教科書コレクション
　東京理科大学近代科学資料館 … 227
メガマウスザメ
　東海大学海洋科学博物館 ……… 307
「メキシコ・水浴の図」
　常葉美術館 …………………… 313
メクアリウム（機械水族館）
　東海大学海洋科学博物館 ……… 306
メシャ碑文
　西南学院大学博物館 …………… 489
毛利フーフェラントコレクション
　名古屋大学博物館 ……………… 334
モクゲンジ
　熊本大学大学院薬学教育部附属薬用
　　植物園 ……………………… 513
「文字絵柿本人麻呂図」
　花園大学歴史博物館 …………… 381
「文字絵渡唐天神図」
　花園大学歴史博物館 …………… 381
木管楽器コレクション
　武蔵野音楽大学江古田キャンパス楽
　　器博物館 …………………… 246
木管楽器セット
　武蔵野音楽大学パルナソス多摩楽器
　　展示室 ……………………… 248
モッコウ
　北海道医療大学薬学部付属薬用植物

園・北方系生態観察園 ……… 12
モデルバーン
　北海道大学総合博物館 ………… 18
本山コレクション
　関西大学博物館 ………………… 414
本山彦一
　関西大学博物館 ………………… 414
森寛斎
　花園大学歴史博物館 …………… 381
森田・西巻正郎研究室製作真空管コレ
クション
　東京工業大学百年記念館 ……… 192
森徹山
　花園大学歴史博物館 …………… 381
森村市左衛門
　日本女子大学成瀬記念館 ……… 230
守屋コレクション
　金沢大学資料館 ………………… 286
モンタナ理工科大学
　秋田大学工学資源学部附属鉱業博物
　　館 …………………………… 67

【や行】

役者絵コレクション
　早稲田大学坪内博士記念演劇博物館
　……………………………………… 263
安井曽太郎
　東北大学史料館 ………………… 49
安田文庫能楽関係資料
　早稲田大学坪内博士記念演劇博物館
　……………………………………… 263
安田文庫貼込帳
　早稲田大学坪内博士記念演劇博物館

大学博物館事典　587

事項名索引

　　　　………………………………… 263
ヤツシロソウ
　　熊本大学大学院薬学教育部附属薬用
　　植物園 ……………………………… 514
柳敬助
　　日本女子大学成瀬記念館 ……… 230
柳原義達
　　日本大学芸術学部　芸術資料館 …
　　　　…………………………………… 235
柳瀬正夢コレクション
　　武蔵野美術大学美術資料図書館 …
　　　　…………………………………… 250
矢萩信夫収集日本冬虫夏草標本
　　東北大学総合学術博物館 ……… 53
山口華楊
　　京都市立芸術大学芸術資料館 … 361
山口大学構内遺跡
　　山口大学埋蔵文化財資料館 …… 472
山口長男
　　九州産業大学美術館 …………… 475
山口波津女
　　山口誓子記念館，誓子・波津女俳句
　　俳諧文庫 ………………………… 431
山口都
　　日本女子大学成瀬記念館 ……… 230
山口勇子
　　立命館大学国際平和ミュージアム …
　　　　…………………………………… 388
山﨑文庫古地図
　　東京大学総合研究博物館 ……… 210
山田早苗コレクション
　　神戸大学　海事博物館 ………… 422
山田純三郎
　　愛知大学記念館 ………………… 322

山田式風車
　　風と光のミニミニ博物館 ……… 86
山田孝雄旧蔵『體源鈔』
　　上野学園大学日本音楽史研究所 …
　　　　…………………………………… 118
山田良政
　　愛知大学記念館 ………………… 322
山脇東洋
　　日本歯科大学新潟生命歯学部医の博
　　物館 ……………………………… 280
ヤンバルクイナ
　　琉球大学資料館 ………………… 538
ヤンバルテナガコガネ
　　琉球大学資料館 ………………… 538
『湯浅景基寄進状』
　　大谷大学博物館 ………………… 348
湯浅八郎
　　国際基督教大学博物館湯浅八郎記念
　　館 ………………………………… 135
油井正一アーカイヴ
　　慶應義塾大学アート・センター …
　　　　…………………………………… 128
ユウオプロケファル
　　東海大学自然史博物館 ………… 310
ユダヤ教
　　西南学院大学博物館 …………… 489
「夢見る女」
　　愛知県立芸術大学芸術資料館 … 316
「ユリシーズの首」
　　東京造形大学美術館 …………… 203
洋風建築
　　岩手大学農学部附属農業教育資料館
　　　　…………………………………… 33
　　奈良女子大学記念館 …………… 443

事項名索引

西南学院大学博物館 ………… 488
熊本大学五高記念館 ………… 509
NBU 旧宣教師館「キャラハン邸」
　………………………………… 517

翼手類寄生虫
　九州大学総合研究博物館 ……… 480
横尾忠則
　慶應義塾大学アート・センター …
　………………………………… 129
「横たわる娘」
　東京造形大学美術館 …………… 203
横山大観
　茨城大学五浦美術文化研究所　天心
　遺跡 ……………………………… 77
　東京藝術大学大学美術館 ……… 188
横山達雄
　東京造形大学美術館 …………… 202
吉岡正明
　東京女子医科大学史料室吉岡彌生記
　念室 …………………………… 200
吉岡彌生
　東京女子医科大学史料室吉岡彌生記
　念室 …………………………… 199
吉崎コレクション
　札幌国際大学博物館 …………… 4
吉崎誠海藻コレクション
　名古屋大学博物館 ……………… 334
吉田格縄文文化資料コレクション
　立正大学博物館 ………………… 97
吉田博
　城西国際大学水田美術館 ……… 102
淀井敏夫
　広島市立大学芸術資料館 ……… 465
ヨロイグサ

熊本大学大学院薬学教育部附属薬用
植物園 ……………………………… 514

【ら行】

ライカコレクション
　大阪芸術大学博物館 …………… 401
楽歳堂旧蔵楽書類
　上野学園大学日本音楽史研究所 …
　………………………………… 118
「裸婦」
　新潟大学旭町学術資料展示館 … 274
ラブカ
　北海道大学総合博物館　水産科学
　館 ………………………………… 21
陸上植物標本コレクション
　北海道大学総合博物館 ………… 16
リスター
　日本歯科大学新潟生命歯学部医の博
　物館 …………………………… 280
「略六歌撰　喜撰法師」
　城西国際大学水田美術館 ……… 102
「柳陰漁夫図」
　上野記念館 ……………………… 84
琉球張り子
　琉球大学資料館 ………………… 538
琉球列島
　鹿児島大学総合研究博物館 …… 531
　琉球大学資料館 ………………… 537
良寛
　駒澤大学禅文化歴史博物館 …… 140
ルオー
　多摩美術大学美術館 …………… 166
　九州産業大学美術館 …………… 475

大学博物館事典　589

事項名索引

ルノワール，オーギュスト
　　東京純心女子大学　純心ギャラリー
　　　………………………………… 196
レントゲン
　　日本歯科大学新潟生命歯学部医の博
　　物館 ………………………………… 280
レンブラント
　　日本大学芸術学部　芸術資料館 …
　　　………………………………… 235
「労働者の食卓」
　　東京造形大学美術館 …………… 203
6尺旋盤
　　熊本大学工学部研究資料館 …… 505
魯迅
　　東北大学史料館 ………………… 49
ロゼッタストーン
　　西南学院大学博物館 …………… 489

【わ行】

若林標本
　　東京大学総合研究博物館 ……… 209
ワグネル
　　東京工業大学百年記念館 ……… 192
和紙
　　梅光学院大学博物館 …………… 471
「鷲鷹図屏風」
　　新潟大学旭町学術資料展示館 … 274
和船
　　神戸大学　海事博物館 ………… 421
和田小六
　　東京工業大学百年記念館 ……… 193
渡辺崋山
　　常葉美術館 ……………………… 312

【ABC】

Krantz 鉱物標本
　　東京大学総合研究博物館 ……… 210
Nakauchi Collection
　　中内切記念館 …………………… 428
RDB
　　琉球大学資料館 ………………… 538
Riester-Minami 標本
　　東京大学総合研究博物館 ……… 209
SAP
　　北海道大学総合博物館 ………… 17
SPレコード
　　大阪芸術大学博物館 …………… 401
「T先生の像」
　　東北大学史料館 ………………… 49

監修者略歴

伊能 秀明（いよく・ひであき）

明治大学博物館事務長　法学博士（法制史学専攻、明治大学）
1953年群馬県生まれ。早稲田大学法学部卒業。1985年から明治大学博物館に勤務、「ヨーロッパ拷問展」や文部科学省委嘱事業などにかかわる。2003年4月から現職。2006年度財団法人日本博物館協会顕彰者。元秋田経済法科大学法学部講師。
主要著書：『日本古代国家法の研究』『法制史料研究』(1,2,3,4)など。

大学博物館事典
―市民に開かれた知とアートのミュージアム―

2007年8月27日　第1刷発行

監　　　修／伊能秀明
発　行　者／大高利夫
編集・発行／日外アソシエーツ株式会社
　　　　　　〒143-8550 東京都大田区大森北1-23-8 第3下川ビル
　　　　　　電話 (03)3763-5241(代表)　FAX(03)3764-0845
　　　　　　URL http://www.nichigai.co.jp/
発　売　元／株式会社紀伊國屋書店
　　　　　　〒163-8636 東京都新宿区新宿3-17-7
　　　　　　電話 (03)3354-0131(代表)
　　　　　　ホールセール部(営業)　電話 (044)874-9657

組版処理／日外アソシエーツ株式会社
印刷・製本／光写真印刷株式会社

不許複製・禁無断転載　　《中性紙H-三菱書籍用紙イエロー使用》
〈落丁・乱丁本はお取り替えいたします〉
ISBN978-4-8169-2057-8　　Printed in Japan,2007

学校創立者人名事典

A5・470頁　定価13,200円（本体12,571円）　2007.7刊

近代から昭和に至るまでの私立大学、短期大学、高校、旧制中学などの学校設立、創立に関わった教育者、実業家、政治家、宗教家、芸術家など820人の人物事典。人物の詳細なプロフィール、伝記・評伝などの関連文献を掲載。

学校名変遷総覧　大学・高校編

B5・810頁　定価29,400円（本体28,000円）　2006.11刊

現行の大学、短大、高専、高校あわせて6,481校の創立時から現在に至る校名を一覧。学制改革、再編・統合等による校名の変遷を源流となった藩校や塾名まで遡って調べることができる。

「大学教育」関係図書目録1989-2005
―"学問の府"はいま

A5・700頁　定価29,925円（本体28,500円）　2006.9刊

大きな変革期を迎える、大学・高等教育に関する近年の図書を一望できる目録。国立大学法人化、大学発ベンチャー、国際化、大学評価、管理・運営、記録・記念誌など幅広い分野の図書7,645点を収録。

全国地方史誌総目録

日外アソシエーツ編集部 編，明治大学図書館 協力

北海道・東北・関東・北陸・甲信越
A5・610頁　定価19,600円（本体18,667円）　2007.6刊

東海・近畿・中国・四国・九州・沖縄
A5・630頁　定価19,600円（本体18,667円）　2007.7刊

明治時代から現代までに刊行された全国の地方史誌（自治体史）を、各都道府県・市区町村ごとに一覧できる目録。原本調査により、それぞれの収録内容・範囲も記載。

お問い合わせは…　データベースカンパニー　日外アソシエーツ

〒143-8550　東京都大田区大森北1-23-8
TEL.(03)3763-5241　FAX.(03)3764-0845
http://www.nichigai.co.jp/